1 MONTH OF
FREE
READING

at

www.ForgottenBooks.com

By purchasing this book you are eligible for one month membership to ForgottenBooks.com, giving you unlimited access to our entire collection of over 700,000 titles via our web site and mobile apps.

To claim your free month visit:
www.forgottenbooks.com/free1230277

ISBN 978-0-332-71833-0
PIBN 11230277

Archiv

für

wissenschaftliche Kunde

von

Russland.

Herausgegeben

von

A. Erman.

Dreizehnter Band.

Berlin,

Druck und Verlag von Georg Reimer.

1854.

Inhalt des Dreizehnten Bandes.

Physikalisch-mathematische Wissenschaften.

Historisch-philologische Wissenschaften.

Industrie und Handel.

Allgemein Litterarisches.

Nachwort zu dem Artikel „die Sonnensöhne", ein episches Gedicht der Lappen.

Dieser im zwölften Bande unseres Archivs (S. 54 ff.) aus der Petersburger deutschen Zeitung abgedruckte Artikel erschien zuerst schwedisch in der zu Stockholm erscheinenden Zeitschrift „Läsning för folket" (1849, S. 341 ff.). Von da ging er in die „Post- och inrikes tidning" und aus dieser wieder in das Helsingforser „Morgonblad" über. Die obgenannte deutsche Zeitung nennt ihre Uebersetzung einen „kurzen Auszug"; allein der uns jetzt vorliegende schwedische Text im „Läsning för folket" ist um keine Zeile länger; nur einige Anmerkungen, die wir hier nachholen wollen, sind weggelassen. Die erste dieser Anmerkungen (S. 342) lautet:

„Pastor Fjellner in Sorsele, s e l b s t e i n L a p p e v o n G e b u r t, in Herjedalen aufgewachsen und einige Zeit Missionar in Tornea-Lappmark, hat uns diese Aufklärungen, nebst der lappischen Original-Dichtung, geneigtest mitgetheilt. Er sagt, dass er selber diese Sagen in gebundener Rede habe vortragen hören, und zwar in den drei Mundarten von Herjedalen, Sorsele und Jukkasjerfwi, d. h. in den äussersten und mittleren Theilen der heutigen schwedischen Lappmark."

Was Pastor Fjellner mittheilt, sind leider nur Bruchstücke, und noch mehr muss man beklagen, dass dieser Original-

Dichtung kein lappisches Original zur Seite steht. Denn es liegt uns hier zum ersten Mal ein Erzeugniss schaffender Phantasie aus dem höchsten und eisigsten Norden vor — eine Schöpfung, die schon von Seiten der Sprache unschäzbaren Werth haben würde. Wir wünschen daher lebhaft, es möchte irgend ein für den Gegenstand begeisterter Gelehrter, dessen Stimme bis in Herren Fjellners ultima Thule dringen könnte, den würdigen Mann dringend auffordern, auch das lappische Original, und zwar in seiner Vollständigkeit, bald zu veröffentlichen.

Es folgen nun die übrigen Anmerkungen:

„Westwärts von Sonne und Mond” u. s. w.

Anm. Der Sage zufolge haben die Lappen lange Seereisen gemacht; das Meer soll sich unendlich weit nach Westen erstrecken, bis an ein Riesenland, und jenseit dieses Landes soll wieder ein weitausgedehntes Meer kommen, das in Gewölk verschwindet.

„Feuerherd und Netzsteine.”

Anm. Unter Netzsteinen (schwedisch krabbstenar) versteht man mit Weiden umbundne Steine, die mittelst einer Schnur ans Ende des Fischnetzes befestigt werden.

„Meine Mutter im Grabe
zwischen Sand und Birkenrinde.”

Anm. Die Lappen wählten vormals ihre Grabstätten auf irgend einer Anhöhe oder einem Sandhügel. Die Waffen oder Werkzeuge, die er am meisten gebraucht, wurden dem Verstorbenen zur Seite gelegt. Unter und über ihn legte man Birkenrinde, zu oberst aber Steine, auch wol ein größeres Felsenstück, wenn man es haben konnte. Bei der Beerdigung wurden einige Worte gesprochen, welche andeuteten, dass der Todte wieder auferstehen würde. Solche, die irgend ein Feind (Tjude) erschlagen hatte, wurden von diesem ins Wasser geworfen, oder in einen Sumpf versenkt, weil man glaubte, dass ein also Begrabener nach seiner Auferstehung sich nicht rächen könnte.

„Die verfluchten Knoten der Eifersucht."

Anm. Solch einen Knoten (bôlbe) knüpfte die Göttin Uksakka, wenn eines der Gatten untreu wurde, oder ungegründete Eifersucht fühlte.

„Löset die Knoten der Verlobung."

Anm. Bei der Verlobung knüpfte man zwei Knoten, die hernach gelöst wurden, zum Zeichen, dass das eheliche Zusammenleben nun gestattet war.

„Die Braut lässt auch drei Kisten mit einer Menge
Sachen an Bord bringen, welche aufgezählt werden,
darunter mehrere dreifache mystische Knoten u. s. w."

Anm. Dies Alles ist hier weggelassen, weil es für Andere als Solche, die in den heidnischen Mysterien der Lappen wolerfahren sind, keine Bedeutung hat, und der Wolerfahrnen sind unter den Lappen selbst nur sehr wenige. Hinsichtlich eines dieser dreifachen Knoten erklärt Pastor Fjellner, die Göttin Maderakka verleihe dem Weibe, so lang es nicht mit Unkeuschheit oder anderen groben Vergehen sich beflecke, den Schlüssel zu drei mystischen Kisten oder Bündeln, aus welchen sie, unter Anrufung des Jubmel veres almen attje,*) in allen Nöthen und dabei in immer steigendem Grade, Hülfe bekommen könne. Musste sie gleichwol untergehen, so ward ihr Loos desto besser in der Unterwelt.**) Wie diese mystischen Befreiungsmittel während der Heimfahrt des Sonnensohnes angewendet werden, ergiebt sich aus dem folgenden.

„An den Lofoden" u. s. w.

Anm. Die Lofoden, eine durch den Westfjord vom Festlande Norwegens getrennte Inselgruppe, haben viele grofse und hohe Felsenberge.

Die letzten fünf Zeilen der Sage:

---

*) heisst wörtlich: Gott der fremde (unbekannte) himmlische Vater, und würde, ins finnische übersetzt, so lauten: Jumala vieras ilman isä.

**) Tuonen aimo, d. i. Welt des Tuoni (Todesgottes).

„Das Geschlecht ging aus in Schweden" u. s. w.
sind nur den Tornea-Lappen bekannt; bei den Uebrigen
schliefst die Sage mit der Zeile:

„Kalla-Söhne gebar sie."

Unter kalla oder kalles verstehen die Lappen nach Lin-
dahl (Wörterbuch, S. 118—119) einen hochbejahrten, auch
einen verheiratheten Mann. Im letzteren Falle muss es ehren-
der Ausdruck sein. *) Ob dieses Wort das finnische Kaleva
ist, welches bei den Finnen nur als Name, und zwar des
Stammvaters ihrer Heroen, vorkommt? Das Sternbild des
Orion hiefs bei den heidnischen Lappen Kalla parne (Kalla-
Sohn), und die heidnischen Finnen nannten es Kalevan
miekka, d. i. Schwert des Kaleva, brachten die Constellation
also mit dem Riesen der Vorwelt, als dessen Sohn sie den
Lappen sich darbot, wenigstens in Verbindung.

Wir bemerken schliefslich noch, dass der angeführte Artikel des „Läsning för folket" nur ein Glied aus einer kleinen
Kette von Artikeln ist, die „om Svenska Lappmarken och dess
inwånare" (über die schwedische Lappmark und ihre Einwohner) zur gemeinsamen Ueberschrift haben.

---

*) Bei den Finnen heisst ukko sowol Greis als Ehemann.

Ueber russische Volks-Mythen und Sagen.

In der Sitzung der Petersburger Geographischen Gesellschaft vom 12. December v. J. trug der Präsident der ethnographischen Section, Herr Nadejdin, einige interessante Bemerkungen über die Mythen und Sagen des russischen Volks in ihrer Beziehung zur Geographie und namentlich zur Ethnographie Russlands, vor. Er unterscheidet die Mythen, als den phantastischen Ausdruck der alten populären Ueberzeugungen und Begriffe von der Natur und dem Menschen, von den Sagen oder poetisch ausgeschmückten Berichten über die Ereignisse, welche das Gemüth oder die Einbildungskraft des Volks am stärksten berührt haben. Das russische Alterthum hat der Nachwelt sowohl Mythen als Sagen hinterlassen, von denen letztere jedoch zahlreicher sind als erstere. Spuren einer bedeutenden Ausbildung der russischen Mythologie findet der Verfasser in den volksthümlichen Gebräuchen und Gewohnheiten und noch klarer in den phantastischen Fictionen, welche dem Volks-Aberglauben zur Grundlage dienen. Indessen sind keine von diesen Mythen in ihrer vollständig entwickelten Form, wie sie in der heidnischen Zeit existirt haben müssen, bis auf uns gekommen. Nach dem Triumph des Christenthums über den alten Volksglauben, erhielten sich von dem gröfseren Theil derselben nur einzelne mehr oder minder zusammenhängende Fragmente fast unbewufst im Gedächtnifs

des Volks; andere, die eine gewisse Vollständigkeit bewahrt
hatten, erlitten immer fühlbarere Modificationen in Folge der
auf sie einwirkenden, dem Christenthum entlehnten Ideen. In
letztere Categorie gehören, wie Herr Nadejdin meint, die
meisten der sogenannten Volkspoesieen (narodnyje stichi), die
noch jetzt allgemein gesungen werden, namentlich von blinden
Bänkelsängern. Nachdem er als Beispiel den Vers vom
Taubenbuche (Stich o golubinoi knigje) citirt, der gleichsam eine kurze Synopsis der alterthümlichen häuslichen Weisheit des russischen Volks und eine augenscheinliche Mischung
der alten heidnischen Philosophie mit christlichen Ideen enthält, ging der Verfasser zu einigen sehr merkwürdigen Untersuchungen über die Bedeutung dieser Dichtung in geographi-
scher und noch mehr in ethnographischer Hinsicht über.
Besondere Aufmerksamkeit erregte die Erklärung einer Stelle,
die nach der weißrussischen Lesart also lautet:

A kojej more wsjem morjam otez,
I kotoroi kamen wsjem kamenjam otez?
„Ach! Latyr more wsjem morjam otez,
„I Latyr kamen kamenjam otez" etc., d. h.
Doch welches ist das Meer, der Vater aller Meere,
Und welches ist der Stein, der Vater aller Steine?
„Ach! das Meer Latyr ist der Vater aller Meere,
„Und der Stein Latyr ist der Vater aller Steine."
Warum ist das Meer Latyr der Vater aller Meere,
Und warum ist der Stein Latyr der Vater aller Steine?
„Darum ist das Meer Latyr der Vater aller Meere,
„Darum ist der Stein Latyr der Vater aller Steine:
„Er liegt mitten im Meere,
„Mitten im Meer, dem himmelblauen,
„Auf dem Meere fahren viele Schiffer,
„Legen an bei jenem Steine,
„Nehmen von ihm viele Würzen,
„Schicken sie über die ganze weite Welt.
„Darum ist das Meer Latyr der Vater der Meere,
„Darum ist der Stein Latyr der Vater der Steine."

„Was sollen wir — fragt Herr Nadejdin — von diesem Stein und diesem Meer Latyr halten, die hier in so enger Verbindung erscheinen? Es herrschte früher in ganz Russland eine Ueberlieferung von einem gewissen wunderbaren Stein Alatyr; in Grofsrussland besonders wurde dieser Stein unter dem Namen des weilsen brennenden Steines Alatyr (bjel gorjutschi kamen Alatyr) in allen zur Heilung verschiedener Krankheiten angewandten Exorcismen citirt. Man glaubte aber, dafs er nicht auf einem gleichnamigen Meere, sondern im Ocean, auf einer Insel Bujan gefunden werde und dafs viele wunderbare Kräfte damit verknüpft seien. In der angeführten Stelle hingegen ist durchaus von keinem Wunder die Rede; es wird von dem Stein Latyr nur als von einer Waare gesprochen, die von einem gewissen Meere aus in grofser Menge durch die ganze Welt versendet wird. Welches Meer hier aber gemeint ist, läfst sich am besten aus der Gegend schliefsen, in der das erwähnte Gedicht verfafst wurde. Unter dem Namen Weifsrussland versteht man im Allgemeinen die ganze am Bassin der Ostsee gelegene Region: über welches andere Meer konnte man dort nähere und bestimmtere Nachrichten haben? Die Ostsee ist seit den entferntesten Zeiten und noch gegenwärtig als Fundort des Bernsteins berühmt, der schon von den Phöniciern in ihren Schiffen über die ganze damals bekannte Welt verführt wurde. Der Bernstein ist in der That ein wunderbares Product, das von der Wissenschaft lange unerklärt geblieben ist. Man hat jetzt die Ueberzeugung gewonnen, dafs er vegetabilischen Ursprungs ist und den Pflanzenharzen beigezählt werden mufs; aber für das gewöhnliche Auge hat er ganz das Ansehen eines Steins. Noch heute findet man ihn in gröfserer oder geringerer Menge längs dem ganzen südlichen Ufer der Ostsee, von Copenhagen bis nach Curland. Am reichlichsten wird er nach einem heftigen Sturme gesammelt, wo der Wind, plötzlich umschlagend, vom Lande zu wehen beginnt und das Wasser von der Küste treibt; an seichten Stellen fischt man den Bernstein mit Netzen aus dem Meer. In Preussen pflegen sich vereidigte

Bernsteinsucher in Böten nach der Landzunge Prosten-Ort zu
begeben und dort mit Hülfe langer Stangen ungeheure Erdschollen von dem hohen, lockeren Ufer abzubrechen, welche
stets bedeutende Stücke Bernstein in sich schliefsen. Auf
dieses Verfahren wird offenbar in den oben citirten Versen
angespielt, wo gesagt wird, dafs die nach dem Latyr-Stein
ausgesandten Schiffer bei einer Insel mitten im Meer anlegen.
Die alten Griechen und Römer schätzten den Bernstein nicht
nur als Zierrath, sondern auch als Heilmittel, indem sie Amu-
lette daraus verfertigten: wie wir sehen, wird im „Taubenbuche" der Latyr-Stein eine Würze (snadobje) genannt, was
in der Volkssprache so viel als Medicament bedeutet, und in
unsern grofsrussischen Beschwörungsformeln erscheint er stets
als ein mit aufserordentlicher Kraft gegen alle körperlichen
Gebrechen begabtes Mittel. Die Farbe des Bernsteins ist bald
röthlich gelb oder gräulich, bald weifs- oder strohgelb, und
seine Brennbarkeit ist so grofs, dafs er allein oder in Verbindung mit anderen wohlriechenden Materien als Ingredienz zur
Verfertigung von Parfümen gebraucht wird: hierdurch erklärt
sich die Benennung „weifs brennender Stein Alatyr." Das
russische Wort für Bernstein, jantar, ist identisch mit dem
litthauischen gintaras; die Griechen nannten ihn $\mathring{\eta}\lambda\varepsilon\varkappa\tau\varrho o\nu$,
von welchem das lateinische electrum herrührt. Nähere
philologische Untersuchungen werden vielleicht zeigen, inwie-
fern alle diese Wörter: jantar, gintaras, $\mathring{\eta}\lambda\varepsilon\varkappa\tau\varrho o\nu$, Alatyr und
Latyr, als sprachliche Varianten eines und desselben Stamm-
worts zu betrachten sind. In jedem Falle scheint es unzweifelhaft, dafs unter den beiden letzteren Benennungen unsere
alten Mythen nichts anderes als den Bernstein verstanden,
nach welchem die Ostsee, als dessen vornehmste Heimath, in
dem benachbarten Russland Latyr-More, d. i. Bernstein-

---

*) Um nicht unseren Nachkommen über die jetzige Erklärung der Sage
    vom Alatyr ähnliche Verlegenheiten, wie die gegenwärtige über die
    Sage selbst zu bereiten, bemerken wir dafs der Russische Verfasser
    unter Prosten-Ort, Brüsterort an der sogenannten Samländischen Ost-
    See-Küste verstanden haben dürfte.   D. Uebers.

meer, hiefs. Auf diese Weise wird durch eine fabelhafte
Ueberlieferung des Alterthums, und zwar durch eine solche,
die der allgemeinen Kenntnifs des Volks entgangen ist und
sich nur in der Tiefe einer entfernten Provinz erhalten hat,
eine merkwürdige historisch-geographische Thatsache ans Licht
gebracht, welche das Baltische Meer mit den frühsten Erinnerungen des russischen Volkes verknüpft, und das durch dieselben Bande, mittelst deren das Baltische Meer sich zuerst
an die historische und geographische Wissenschaft überhaupt
anschliefst."

Zu den russischen Sagen übergehend, die sich in ziemlich bedeutender Anzahl erhalten haben, aber leider noch nicht
vollständig veröffentlicht sind, bemerkt Herr Nadejdin zuvör-
derst, dafs sie in zwiefacher Form auftreten: entweder in poe-
tischer, als Lieder, oder in erzählender, als eigentliche Sagen.
Nach der Epoche, auf welche sie sich beziehen, lassen sie sich
in drei verschiedene Cykeln eintheilen, die mit den drei Perioden der Entwickelung des russischen Volksthums übereinstimmen. Der erste, der von Kiew oder Südrussland, gruppirt
sich um den Fürsten Wladimir; der zweite, der von Nowgorod oder dem nördlichen Russland, ist mit keiner vorherrschenden Persönlichkeit verknüpft; der dritte oder Moskauer
hat den Zaren Iwan Wasiljewitsch zum Mittelpunkt. Diese
Sagen bieten eine Fülle von Localdetails dar und man findet daher
in ihnen reiches Material für die Geographie und noch mehr für
die Ethnographie des alten Russlands, indem sie den damaligen Zustand, die Ideen und Sitten des Volks schildern. Als
Beispiel gab Herr Nadejdin eine kurze Analyse des alten Liedes vom Helden Donau (pjesn o Dunaje-bogatyrje), wobei er besonders darauf aufmerksam machte, dafs der Name
des Helden Donau sich in unmittelbarer Verbindung mit dem
Flusse gleichen Namens befindet. Interessant ist auch folgender, gleichsam als Vorrede dienender Passus aus einer Sage
des vierzehnten (?) Jahrhunderts: „Hört, gute Leute, das Wort,
das ich Euch sagen will; schmückt mit Schwanesrede die
kunstlosen Worte, wie in alten Zeiten alte Leute lebten. Das

waren, meine Kinder, weise Zeiten, gar weise Zeiten, und das
ganze Volk war rechtgläubig! Es lebten unsere Väter nicht
nach unsrer, nach fremdländischer Weise, sondern nach ihrer
eigenen rechtgläubigen . . . . Sie standen früh am Tage (ra-
nym ranenko) mit der Morgenröthe auf, wuschen sich mit
Quellwasser, mit weißem Thau, beteten zu allen Heiligen und
Gerechten, grüßten alle Verwandten vom Osten bis zum
Westen, traten heraus auf ihre rothen Gittertreppen, riefen
ihre treuen Diener zu guten Werken; die Alten hielten Ge-
richt, die Jungen hörten ihnen zu, die Alten erdachten weise
Pläne, die Jungen führten sie aus. Es herrschte große Freude
an großen Tagen, schwere Betrübniß bei großen Unglücks-
fällen . . . . Was aber gewesen ist, ist längst geschehen, und
was da sein wird, das geschieht nicht nach alter, sondern
nach neuer Weise. Den russischen Männern werde ein langes Leben zu Theil, und dem Vaterlande ein noch längeres!
Und dem weißen Zaren, dem Monarchen Russland, sei Ruhm
und Ehre immerdar!" . . . . Es geht hieraus hervor, daß auch
unter den alten Russen die laudatores temporis acti keine Seltenheit waren.

— In derselben Sitzung legte das Mitglied der Gesellschaft, Herr Bulytschew, die chromo-lithographirten Zeichnungen und Pläne vor, die zu seinem großen, unter der Presse
befindlichen Werke über Sibirien gehören. Dieses Werk, welches im April 1853 erscheinen soll, wird die Beschreibung
der von Herrn Bulytschew unternommenen Reise im östlichen
Sibirien enthalten, von siebzig die merkwürdigsten Localitäten
und Gegenstände im Lande jenseits der Lena darstellenden
Zeichnungen begleitet, worunter zweiundzwanzig Abbildungen
der Völkerschaften, welche die Gegend zwischen Irkutsk und
dem nördlichen Theile der Halbinsel Kamtschatka bewohnen.
Die Schönheit und Treue dieser Lithographien wird sehr gerühmt.

Geschichtliche Darstellung der Ansiedelung und ferneren Schicksale, wie auch des jetzigen Zustandes der Landwirthschaft der Colonisten an der Wolga.

Von

Herrn M. B r a u n *).

———

Vorwort.

Während ich hier eine geschichtliche Beschreibung liefere, welche die Ergebnisse meiner unbefangenen Ansicht, der samarischen und saratowschen Ansiedelungen enthält, so habe ich nur einige Worte voraus zu schicken.

Schon manche der hiesigen Colonisten haben den sehnlichen Wunsch geäufsert, die Geschichte unserer schon längst verewigten Urväter, ihrer Einwanderung nach Russland und Niederlassung an der Wolga, durch den Druck dem Andenken der Nachkommen zu überliefern, damit dieselben wissen, wann, woher und unter welchen Umständen die Stammväter nach Russland gekommen sind, und welche Schicksale dieselben gehabt haben. Obgleich es an genauen schriftlichen Nachrichten hierüber mangelt und das Meiste aus Briefen und mündlichen Ueberlieferungen glaubwürdiger Männer zusammengestellt werden mufste, so habe ich mich dennoch seit langen Jahren damit beschäftiget, soviel Geschichtliches als möglich zu sammeln und hiermit zu veröffentlichen.

———

*) Aus den „Unterhaltungsblättern für Deutsche Ansiedler im Südlichen Russland."

Die Kaiserin Katharina II. verkündete durch ein Manifest
vom 4. Dezember 1762 ihren Entschluss in ihrem grofsen Kai-
serreiche auch Ausländer aufzunehmen.   Am 22. Juli 1763
erliefs Ihre Kaiserl. Maj. ein zweites, ausführliches Manifest,
wodurch Ausländer nach Russland berufen wurden, um unter
den deutlich bezeichneten Vorrechten und Rechtsverhältnissen
sich in Russland häuslich niederzulassen.   Dann wurden Bevollmächtigte nach verschiednen Ländern Europas ausgeschickt,
um Auswanderer anzuwerben und einzuführen.   Drei dieser
Directoren hiefsen: Munni, La Roy und Baron Bork, wonach
die Gruppen der Colonien anfänglich auch benannt wurden.

Einwanderung der Deutschen nach Russland in den Jahren 1764 bis 1770.

In denselben Jahren waren die deutschen Staaten durch
den siebenjährigen Krieg, Frankreich durch die Austreibung
der Protestanten zerrüttet, tausende von Familien heimathlos
und nothgedrungen, sich eine neue Heimath zu suchen, um
ihr Leben fristen und den Ihrigen einen neuen Heerd bauen
zu können.

Drei Länder boten den Hilfsbedürftigen eine Zufluchts-
stätte: Russland, Ungarn und Nord-Amerika.   Glücklich preisen wir uns, dafs unsere Voreltern dem Rufe der Kaiserin
Katharina II. folgten und Russland zu ihrer neuen Heimath
wählten.

Aus Baiern, Sachsen, Würtemberg, Baden, Hannover,
Hessen, Elsafs, Lothringen, Tirol, Frankreich, der Schweiz
und den Niederlanden sammelten sich Schaaren von Auswanderern, um im fernen Osten eine Ruhestätte zu finden. Diese
grofse Verschiedenheit in Sprache, Mundart, Glaubensbekennt-
nifs, Sitten, Gebräuchen und Trachten hat sich durch gemein-
schaftliche Ansiedelung seit 90 Jahren theils bedeutend vermindert, theils beinahe ganz aufgehoben, so dafs z. B. aufser
der Landessprache in diesen Colonien nur deutsch gesprochen wird, und deutsche Lebensweise vorherrschend zu bemerken ist.

Regensburg an der Donau war der Sammelplatz der Auswanderer, welche den tonkoschurowschen Bezirk an der Wolga ansiedelten *). Von Regensburg ging die Reise nach Weimar, durch Hannover nach Lüneburg und durch Preussen bis Lübeck. Von dort zu Wasser (auf der Ostsee) bis Kronstadt und Oranienbaum, welche nahe bei der kaiserlichen Residenz St. Petersburg liegen. Auf der Ostsee wurden die deutschen Einwanderer durch die Ränke der Directoren und Schiffscapitaine, welche Nachts heimlich zurückfuhren, so lange verzögert, bis letztere ihre Lebensmittel um den doppelten Preis verkaufen und sich gelegentlich mit Schleichhandel befassen konnten. Als aber die Schiffe in Kronstadt ankamen, wurden die verbotenen Waaren entdeckt und hinweggenommen, die Urheber der an den Reisenden verübten Beeinträchtigungen aber dem Gerichte übergeben. Uebrigens ging die Seereise glücklich von Statten und die Einwanderer kamen wohlbehalten in Kronstadt an.

Huldvolle Aufnahme der Ansiedler durch die Kaiserin Katharina II.

Sobald diese Monarchin von der Ankunft der ersten Einwanderer Kunde erhielt, begaben sich Ihre Kaiserl. Maj. in Begleitung des Thronfolgers Paul Petrowitsch nach Oranienbaum, fuhren in langsamem Schritte durch die Reihen der Fremdlinge, wendeten sich bald zur Rechten, bald zur Linken, während sie Worte des Trostes und Ermahnungen sprach. Ihre Maj. erklärten den Ausländern ihre Standesrechte und Pflichten gegen ihr neues Vaterland und dessen Regierung, ermahnten zu Treue und Gehorsam; stellte ihnen vor, welche Vorrechte ihnen durch das Manifest vom 21. Juli 1763 zugesagt worden, wie sie Kraft derselben auf den ihnen zuge-

---

*) Hier und nachfolgend ist hauptsächlich der Bezirk Tonkoschurowka besprochen, den der Director La-Roy (Larroi?) ansiedelte, und von wo ich die meisten Nachrichten beziehen konnte.

M. Braun.

sagten Ländereien sich anständig ernähren, zu Ansehen und
Achtung gelangen, mit einem Worte glücklich werden könnten. Dann äufserte sie die frohe Hoffnung, dafs dieses ihr
Werk mit der Zeit die schönsten Früchte tragen werde und
schlofs mit den Worten: Vertrauet auf Gott und meinen gerechten Schutz, so werdet ihr und eure Nachkommen glücklich leben; und theilte zum Andenken an alle Anwesende
Kupfermünzen aus, welche als Erinnerungszeichen vererbt
wurden. Unter dem Lebehoch, welches aus dankbarem Herzen erschallte, verliefs die Monarchin ihre neuen Landeskinder:
Ihr Scharfblick sahe zum voraus, wie nützlich mit der Zeit
diese Ansiedelungen, und wie glücklich sich dieselben im Kai-
serreiche fühlen würden.

Unmittelbar nach diesem gnädigen Willkomm, wurde die
Reise nach dem Innern Russlands fortgesetzt.

Reise durch das Innere Russlands und Winter-
quartier in Petrowsk.

Die Einwanderer erhielten auf dieser Reise Bekleidung,
Vorspann und Tagegelder zum Ankaufe der Lebensbedürfnisse.
Von Oranienbaum ging die Reise soviel als möglich geraden
Wegs über Nowgorod, Waldai, Torjok, Twer, Kortschema,
Dmitrow, bis in die alte Hauptstadt Moskau, wo sie einige
Rasttage machten, bis von der Vormundschafts-Canzellei die
weiteren Verfügungen getroffen wurden, dann setzten sie ihre
Reise fort über Jegorjewsk, Rjasan, Pronsk, Pensa, bis in die
an beiden Ufern der Medwediza liegende Kreisstadt Petrowsk,
wo sie der Winter überraschte, noch ehe sie die Gouverne-
mentsstadt Saratow erreichen konnten.

Nun hatten unsere Einwanderer Zeit und Gelegenheit
sich mit der Sprache, den Sitten und Gebräuchen der Eingebornen bekannt zu machen, auch zu einigen Verdienst durch
Dreschen um freilich geringen Tagelohn. Weil sie aber die
Lebensmittel aus den Tagegeldern ankaufen konnten, so zogen manche es vor, die kurzen Wintertage auf den russischen
Oefen zuzubringen.

Ankunft in *Saratow*.

Im nächsten Frühjahre nach dem Abgange des Schnees begann der Zug nach der Gouvernementsstadt *Saratow*, woselbst unsere Väter nach vielen Mühseligkeiten jedoch gesund und glücklich ankamen. Die daselbst für die Ausländer errichtete Tutel- (Vormundschafts-) Canzellei ordnete dieselben unter Aufsicht der Commission an ihre Ansiedlungs- und Wohnplätze.

Die Niederlassung der Ausländer im Gouvernement *Saratow* geschah in den Jahren 1764—1770 unter dem Wojewoden von *Saratow* Wasili Grigorjewitsch und dem von der Vormundschafts-Canzellei bestellten Beisitzer, Hofrath Reis.

Es stand den Ansiedlern frei, sich ihre Wohnplätze an verschiedenen Flüssen auszuwählen. Besonders am Flusse Irgis, welcher bei seiner Mündung in die Wolga ausnehmend schöne Ländereien und Heuwiesen hat, so wie an verschiedenen andern Flüssen der Wiesenseite, standen ihnen hinreichend geräumige Stellen offen, weil hier noch wenig, zum Theil noch gar nichts angebaut war. Aber nur für die Gegenwart bedacht, legten sie die Dörfer dicht neben einander an, so daß z. B. die 20 ersten Colonieen mit ihren Ländereien in Allem nur 40 Werst Breite haben, und später bei der Zunahme der Bevölkerung, das Land auf 10 bis 15 Werst vom Wohnorte entfernt, bewirthschaftet werden mußte; welcher unverbesserlicher Fehler jetzt zum größten Nachtheil gereicht.

Die Ansiedler wurden in vier Abtheilungen gebracht. Die erste gehörte der Regierung und hieß die immediate (unmittelbare); die zweite dem Baron Bork, woher die Colonie Katharinstadt im russischen auch Baronskaja heißt, bildet jetzt den Bezirk von Katharinenstadt, welcher am kleinen Karaman und an der Wolga liegt; die dritte, an dem großen Karaman und großen Tarlik angesiedelt, enthält die drei Bezirke von Krasnojar, Tonkoschurowka und Tarlik und gehörte dem Director La-Roy; die vierte, nämlich die auf der Bergseite am Flusse Illawlo angesiedelte Abtheilung, gehörte

dem Director Munny. Die drei letzteren Abtheilungen der
Colonieen standen unter der unmittelbaren Verwaltung der
Directoren und mussten denselben von allen ihren Erzeugnis-
sen den Zehnten abgeben. Weil diese Einrichtung aber zu
einigen Missbräuchen führte, so wurde dieselbe nach kurzer
Zeit durch die Kaiserin Katharina II. aufgehoben und alle
Colonieen unmittelbar der Regierung untergeordnet.

Ansicht der deutschen Ansiedelungen im samara-
schen und saratowschen Gouvernement.

Der Colonialbezirk der ausländischen Ansiedlungen an der
Wolga zerfällt in vier Gruppen, wovon zwei auf der rechten
oder Bergseite der Wolga, im Gouvernement Saratow liegen.
Die erste Gruppe liegt 35 Werst von der Gouvernementsstadt Saratow stromaufwärts an der Wiesenseite der
Wolga und enthält 41 Colonieen, welche in 4 Bezirke eingetheilt sind. Drei davon, der krasnojarsche, katharinenstäd-
tische und paninskische erstrecken sich nordöstlich von Saratow, am linken Ufer der Wolga hin, bis ganz nahe an die
Kreisstadt Wolsk. Die 2 letzteren Bezirke gehören nach der
neuesten Verordnung der Regierung in den nikolajewschen
Kreis. Der tonkoschurowsche Bezirk hingegen dringt, südlich
vom krasnojarschen Bezirk, in die weite uralische Steppe,
(und ist) längs dem grofsen Karamane auf beiden Seiten desselben angebauet. Die Bezirke von Krasnojar und Tonkoschurowka gehören in den nowousenschen Kreis.
Die zweite Gruppe liegt südlich von Saratow 40 Werst
entlegen; und besteht aus dem tarlikschen Bezirk mit 15 Colonieen, der mit seinen Getraidefeldern nach Osten, theils an,
theils über die grofse, 10 Werst breite sogenannte Salzstrafse
(vom Eltonsee nach Saratow) gehet. Von diesen Dörfern
hängen 14 längs der Wolga zusammen, blos zwischen denselben und der 15. Colonie liegen 2 russische Ortschaften.
Die Verwaltung dieser Ansiedler im Gouvernement Sa
mara, besteht wie früher, gemeinschaftlich mit denjenigen im

Gouvernement Saratow, unter dem Comptoir der ausländischen Ansiedler zu Saratow.

Die dritte und gröfsere Gruppe liegt gegenüber dem tarlikschen Bezirke an der Bergseite der Wolga, enthält 43 Colonieen und zerfällt in die Kreise Sosnowka, Norka, Kamenka und Ustkulalink. Der letztere reicht mit seinen Colonieen an das Gebiet der Kreisstadt Kamischin, hingegen der norkische Bezirk erstreckt sich westlich an den Kreis Attkarsk.

Die vierte und letzte Gruppe liegt nördlich von Saratow, besteht aus 3 Colonieen, welche wegen ihrer Entlegenheit einen besonderen, den Jagodnoepolianschen Bezirk bilden.

Die deutschen Dörfer wurden anfänglich nach dem ersten Ortsvorsteher benannt, erhielten aber in der russischen, wie in der deutschen Canzelleisprache gröfstentheils andre Namen.

Die 102 Muttercolonieen entstanden in den Jahren 1764 bis 1770 und sind redende Denkmale von dem Bestreben der Kaiserin Katharina II., Leben und. Betriebsamkeit in die weiten Steppen an der Wolga zu bringen. Man werfe nur einen Rückblick auf den Zustand dieser Gegend noch in der zweiten Hälfte des vorigen Jahrhunderts. Die Stadt Saratow hatte kaum einen Zehntheil ihrer jetzigen Gröfse; sie war ein unansehnlicher Flecken, und blos der Wohnsitz des Wojewoden gab ihr einiges Ansehen. Kamyschin und Zarizin waren noch unbedeutender; Wolsk und Atkarsk, die schon damals bestanden, waren kleine, mit Palisaden und Erdwällen befestigte Städte, die jedoch weder Handel noch Betriebsamkeit beförderten; sondern blos als Schutzwehren gegen die verheerenden Einfälle der herumschweifenden asiatischen Völker dienten. Gegen dieselben hatten besonders die auf der Wiesenseite angesiedelten Colonisten vieles zu kämpfen und manche mufsten ihr Leben dabei aufopfern, wie später erzählt wird.

Die Apanagen-Dörfer am Flusse Irgis (Nikolajewka), die Kronsdörfer am Flusse Usin (Nowusinskaja), sind Niederlassungen späterer Zeit. Vor der Ansiedelung der Deutschen war die ganze Wiesenseite, so wie sie bisher das Gouvernement Saratow begränzte, eine unwirthbare Wüstenei, wo nur men-

schenscheue Thiere, die Antilope (Saigak) und das wilde
Pferd sich aufhielten. Auch auf der Bergseit lag ein grofser
Theil nach Süden unbebauet, und Räubergesindel gefährdete
die Landstrafsen.

Durch ihre Betriebsamkeit im Ackerbau begründeten die
ausländischen Ansiedler den mit jedem Jahre höher steigenden
Getraidehandel der Gouvernements Saratow und Samara mit
den südwestlich und südöstlich liegenden Theilen Russlands;
vorzüglich die an der Wolga. liegenden Ortschaften kamen in
Wohlstand und bei dem Eingeborenen wurde mehr Betriebsamkeit entwickelt.

Auf der linken (Wiesen-) Seite der Wolga strömen folgende Flüsse in dieselbe: der kleine und grofse Karaman, der
Tarlik und der grofse Jeruslan. Aus diesen Flüssen entstehn
einige Nebenflüsse, die sich gröfstentheils in der Steppe verlieren, z. B. das Flüfschen Gaisul, der Flufs Gaisul und Met-
schetna, die kleine Metelka, der kleine Bispik, die Gränucha
und der Susli. Wälder und Heuschläge sind an diesen Flüssen sehr unbedeutend und finden nur an den Mündungen
derselben in die Wolga statt, woselbst eine jede Colonie ihre
Heuschläge und mitunter auch Waldungen besitzt, woher diese
Seite der Wolga den Namen „Waldseite" bekommen hat. —
Wasser ist auf dieser Seite wenig vorhanden; wefshalb auch
nur wenige Wassermühlen an den Flüssen gebauet sind und
durch Dämme etwas Wasser aufgehalten wird. In den ent-
ferntern Stellen müssen Brunnen gegraben werden, die zuweilen in 6—18 Faden Tiefe kaum Wasser geben. Der Boden ist sehr verschieden. Grofse Landstrecken sind salpeter-
oder salzhaltig und können nur zu Viehweide benutzt werden.

Die rechte oder Bergseite der Wolga ist von der Natur
reichlich mit Waldung und·Wasser versehen, die Ilawla und
andere Flüsse entströmen der Hochebene von Waldai und
führen in vielen Nebenarmen der Wolga reines Quellwasser
zu, womit viele Wassermühlen gespeist werden. Zwar mangelt es den Bewohnern der Bergseite an flachem Ackerlande,
aber die Fruchtbarkeit des Bodens und die reizend schöne

Lage gewährt ihnen grofse Vorzüge vor den Bewohnern der Steppe.

Zustand der ersten Ansiedlungen an der Wolga.

Die Einwanderer, welche später den tonkoschurowschen Bezirk bildeten, kamen um die Pfingstzeit an ihren Ansiedlungsorten an, als noch ansehnliche Waldungen den Lauf der Flüsse bezeichneten und der jungfräuliche Urboden mit den üppigsten und prachtvollsten Wiesen prangte, wodurch sie sich in ein irdisches Paradies versetzt fühlten und gerne die Mühseligkeit der weiten Reise hierher vergafsen, um sich hier eine neue Heimath zu begründen.

Ihr erstes und dringendstes Geschäft war, sich Erdhütten zu erbauen und mit Brennholz auf den Winter zu versorgen. In Ermangelung von Zugvieh wurde dasselbe aus den nahen Waldungen herbei geschleppt.

Als die Colonisten ankamen, war das Land, welches sie in Besitz nehmen sollten, ihnen schon zugemessen, und zwar in denjenigen äufseren Gränzen, welche später unter dem Namen Tutelgränzen bekannt wurden; die innere Eintheilung blieb den Ansiedlern selbst überlassen.

Die Gegenden waren allenthalben reich an Naturgütern, aber wüst und wild. An Wasser mangelte es nirgends, besonders stand die Bergseite darin vor. Waldnngen fanden sich im Ueberflufs. Nicht nur die Niederungen des Wiesenlandes waren auf vielen Stellen mit öfters undurchdringlichen Wäldern besetzt; sondern auch die Ufer des kleinen Karaman, die Gegend in und um den im Bezirke von Katharinenstadt sogenannten Sandbergen und mehrere andere Stellen waren besäet mit Eichen, Pappeln, Espen, Birken, Weiden und anderen Baumarten von grofser Höhe und Dicke. Besonders fand man auch den wilden Apfelbaum, wie auch verschiedene Birnbäume im Ueberflufs.

Dennoch gaben einige Alte als Ursache, warum die Einwohner von Cäsarsfeld (im Bezirke von Katharinenstadt) ihren Wohnort bald wieder verliefsen, den Mangel an Brennmaterial

2 *

an, denn die Benutzung des Mistes zu diesem Zwecke lern-
ten die Colonisten erst später.

Die Hauptursache warum Cäsarsfeld um das Jahr 1785
aufgegeben wurde, soll übrigens die Unsicherheit gewesen sein,
denn halbwilde Hirtenvölker bezogen von Zeit zu Zeit diese
Gegend und waren durch ihre räuberischen Einfälle bald der
Schrecken der Ansiedler.

Der allgemeine Ausdruck, womit die Alten einstimmig
den Zustand ihrer Vater bei deren Niederlassung hierselbst
bezeichnen, ist „arm". Sie waren so arm, daß es ihnen öfters
an Mitteln zur Befriedigung der nothwendigsten Bedürfnisse
mangelte.   Nur sehr wenige der Eingewanderten brachten
einiges Geld mit; bei den Meisten bestand die ganze Habe
aus einigem Vorrath an Kleidungsstücken, welche aber dennoch nicht die Pelze ersetzen und gegen die Strenge des
hiesigen Winters schützen konnteu.   Daher waren fast alle
ohne Ausnahme auf Unterhalt und Unterstützung von Seiten
der Regierung angewiesen.   Die damalige Regierung berück-
sichtigte die dürftige Lage der jungen Colonie und suchte
ihren dringendsten Bedürfnissen entgegen zu kommen.   Sie
liefs ihnen zum Lebensunterhalte Mehl, zur Errichtung der
Haus- und Betreibung der Landwirthschaft aber Wagen,
Pferde, Kühe, Sensen, Beile, Bohrer, Messer, Pfannen, Saat-
getraide und Geld verabfolgen.   Wenn solches Mehl mehrere-
male ausblieb, waren die Ansiedler nothgedrungen, ihre letzte
Habe daran zu rücken, um Brod zu kaufen.   Die Haus- und
Ackergeräthe waren so vertheilt, daß, wer einen Bohrer bekam, keine Kuh erhielt, und umgekehrt.   So mufsten 3 bis
4 Wirthe zusammen sparen, um mit einem deutschen Pfluge
ackern zu können.   Die Sommerfrüchte wurden mehrere
Jahre nacheinander jedesmal viel zu spät verabfolgt und kamen
daher nicht zu gehöriger Zeit in die Erde.   Dieses, und dafs
der Same oft schlecht war, gaben die Alten als Hauptursache
an, warum sie in den ersten Jahren ihres Hierseins Fehl-Ern-
ten hatten.

Jedoch konnten die Colonisten aus den ihnen geliehenen

Geldvorschüssen sich manches anschaffen. Der erste Vorschuß (1766) bestand in 150 damaligen Rubeln für jeden Wirth. Die Preise der rohen Erzeugnisse, wie auch die dem Landmanne unentbehrlichen Fabrikate, waren zu jener Zeit hier sehr niedrig, denn das Geld stand in höherem Werthe als jetzt.

So kostete das Maß Waizen, welches 60 Pfund ($1\frac{1}{2}$ Pud) enthielt, 7 bis 24 Kopeken Assignaten[1], 3 Rubel Bank-Assignaten für ein Tschetwert Waizen war ein sehr hoher Preis; Roggen kostete das Maß 10—18 Kopeken, ein gutes Pferd 8—10 Rubel, eine Kuh 3—4 Rubel Bank-Assignaten. Für 150 Rubel ließ sich damals schon vieles kaufen. Diese Preise sind ungefähr für die ersten 15 Jahre der Niederlassung der Deutschen angegeben. Was fingen sie aber mit dem vielen Gelde an?

„Die Meisten haben es unbedachtsam durchgebracht," sagen einige Nachrichten. Wenn der Ausdruck: „die Meisten," vielleicht auch nur auf „Viele" zu beschränken ist, so stehet dennoch jedenfalls fest, daß die damalige Colonial-Verwaltung wenigstens zum Theil durch die nicht wirthschaftliche Verwaltung der Geldvorschüsse von Seiten der Ansiedler bewogen wurde anstatt Geld, denselben lieber mehr in Natura zu leihen. Daher wurden in den nächsten Jahren die Geldvorschüsse in kleineren Summen, nämlich zu 25 bis herab zu 2 Rubel Bank-Assignaten jedem Wirth verabfolgt.

Wie dem auch sei — die Regierung hatte für die armen Ansiedler alles mögliche gethan, und wären es tüchtige Wirthe gewesen, so hätte sich ihre Lage bald günstig gestalten müssen. Die Alten erzählen viel davon, wie ihre Väter nicht einmal die gewöhnlichen Handgriffe in der Landwirthschaft verstanden, wie sie mit vielen Schwierigkeiten zu kämpfen hatten, bis sie nur in den ländlichen Hauptarbeiten eingeübt waren, wie es ihnen schwer fiel sich in ihre neue Lage zu schicken, sich an das hiesige Klima und Leben zu gewöhnen. Die ersten Ansiedler waren aus allen nur denkbaren Schichten der Gesellschaft, waren in ihrer früheren Heimath und von Jugend

auf an die verschiedenartigsten Beschäftigungen gewöhnt; der
bei weitem kleinere Theil der Eingewanderten bestand aus
eigentlichen Ackerbauern. Diese mußten die Stelle der Lehr-
meister im Landbau übernehmen. Wie konnten Leute, die in
ihrem Leben kaum einen Pflug gesehen, die nicht einmal verstanden ein Pferd anzuspannen, die Landwirthschaft betreiben?
So sagt man hier jetzt noch von den ersten Colonisten, daß
wenn einer derselben ausfuhr und sich ihm unterweges das
Pferd ausspannte, weil es schlecht eingespannt war, er warten
mußte, bis durch Zufall ein Anderer, des Anspannens kun-
diger desselben Weges kam, und für Geld oder gute Worte
den Anspann wieder in fahrbaren Zustand versetzte. Aber
nicht nur Mangel an Kenntniss, sondern auch Trägheit, Nach-
lässigkeit, Mangel an gutem Willen waren Ursache der langsamen Entwickelung der Landwirthschaft.

Bekannt ist es, daß die ersten Ansiedler morgens zur
Arbeit mußten geweckt werden, daß sie anstatt zum Pflügen
oder in die Ernte zu fahren, zuvor „blauen Montag" hielten,
welcher öfters noch den Dienstag dauerte. Es ist schwer zu
entscheiden, ob dieses die Regel oder die Ausnahme von der
Regel war. Wohl nicht die Besten hatten ihr Vaterland verlassen. Viele trieb die Sucht nach Abenteuern hierher, und
hier angekommen schlugen sie die Hände über den Kopf zusammen, als sie, anstatt ein Land wo Milch und Honig fließt,
eine öde Stätte vor sich sahen, wo einem jeden nur nach
Maßgabe seines Fleißes, die irdischen Güter zu Theil werden sollten.

Also: 1) Mangel an Capitalien, 2) geringe Kenntnisse in
der Landwirthschaft, 3) Mangel an Fleiß und Betriebsamkeit
waren Quellen der Mißstände der Colonisten hierselbst bei
ihrer Niederlassung und in den ersten Jahren nach derselben.
Unbekanntschaft mit den Verhältnissen der Oertlichkeit, des
Klimas u. s. w., war jedoch ebenfalls von großem, nachtheili-
gen Einfluß auf die erste Lage des Colonisten.

Von 8000 Familien mit 27000 Seelen beiderlei Geschlechts,
welche damals an der Wolga angesiedelt worden, blieben zum

Jahre 1775 nur noch 5502 Familien mit 11986 männlichen 11168 weiblichen, in allen 23184 Seelen beiderlei Geschlechts zurück. Theils waren viele Einwanderer dem Heimweh, theils dem ungewöhnten Klima und der dürftigen Lebensweise unterlegen: manche liefsen sich als Soldaten anwerben.

Auch mangelte es in den ersten Jahren der Ansiedelung an Bauholz für tauseude von Familien, denn dasselbe mufste von Wjatka herbeigeschafft werden. Es vergingen einige Jahre bis die Erdhütten mit besseren Wohnungen vertauscht werden und die Ansiedler ihr selbst gebackenes Brod essen konnten. Mit dem Betriebe des Ackerbaues und der Viehzucht kam neues Leben und Thätigkeit unter die Einwanderer.

Ueber eine seculäre, langsame Fortbewegung der erratischen Blöcke aus der Tiefe des Baltischen Meeres aufwärts zur Küste durch Eisschollen und Grundeis.

Von

W. v. Qualen *).

Am Gestade des Rigaschen Golfs, auf der Insel Oesel und anderen Strandgegenden der Ostseeprovinzen, findet man unzählige Massen abgerundeter erratischer Blöcke von Granit, Gneis und anderen eruptiven Gesteinen skandinavischen Ursprungs, welche theils die flachen Sandufer der See bedecken, mehr aber noch längs der ganzen Küste auf dem Meeresgrunde liegen; sie bilden oft einen Kranz am Meeresrande und gewöhnlich sagt man, die See habe sie herausgeworfen. Doch nicht an allen Ufern beobachtete ich diese Anhäufung der Rollsteine — grosse Strecken einer oder der andern Strandgegend, wo entweder die Ufer zu flach oder vielleicht die Strömung für diesen Zustand der Dinge nicht günstig sein mochte, sind entweder gänzlich davon befreit, oder sie erscheinen nur in einzelnen Exemplaren; dahingegen sind sie an andern Orten wieder um so häufiger, und oft von so rie-

---

*) Aus dem Bulletin de la Soc. des naturalistes de Moscou. 1852. No. III.

siger Gröfse, dafs man gar nicht begreifen kann, wie das Meer diese schweren Körper sollte herausgeworfen haben.

Nach den Worten des Herrn Ingenieur-Obristen von der Wasser-Communication Fettig,. welcher 20 Jahre in Libau diente, sind am Strande des dortigen Hafens wenig Rollsteine vorhanden, obgleich sie nördlich nach Sachenhausen und an anderen Orten Kurlands in unzähligen Massen den ganzen Strand bedecken; auch liegt im Hafen bei der Hafenbrücke in Libau, 12 Fufs unter dem Wasserspiegel ein mächtiges Lager erratischer Blöcke. Höchst interessant ist der Umstand, dafs zwei bis drei Meilen nördlich von der Libauschen Hafenmündung bei Steensort sich in 18 Fufs Tiefe ein langes Riff von übereinander gethürmten erratischen Blöcken befindet. Diese gewaltige Steinmasse bildet ein submarines Molo, und schützt einigermafsen die Hafenmündung gegen die von N. nach S. streichenden Litoral-Versandungen.

Noch merkwürdiger aber sind Erscheinungen ähnlicher Art bei Nimmersat in Preussen zur holländischen Mütze bis zur Memeler Hafenmündung am Curischen Haff. Diese ganze mit Sand belegte Strandfläche ist mit unzähligen Rollsteinen und oft von riesiger Gröfse bedeckt, welche nicht allein aus dem flachen Meer hervorragen, und am Strande auf der Wasserlinie, sondern auch bis 50 Faden vom Ufer, auf den Sanddünen liegen. Diese Rollsteine vermehren sich immerwährend und werden alle Jahre von der See heraus, in den Memeler-Hafen, bis in der Dange-Mündung hinaufgetrieben, so dass, der Schifffahrt wegen, alle drei oder vier Jahre eine Aushebung der Steine aus dem Fahrwasser stattfindet. Welche Kraft treibt nun diese Steine alljährlich aus der See in den Memeler Hafen? wenn sie nicht aus der fernen Tiefe des Meers aufwärts wanderten, sondern nur aus der nahen flachen See, durch Eisschollen getragen wurden, so hätte sich doch der nahe Meeresgrund bald erschöpfen und steinleer sein müssen; dies ist aber nicht der Fall, denn seit Jahrhunderten wandern immer wieder Riesenblöcke aus der fernen Tiefe zur nahen Küste!

In der Strandgegend der 40 bis 60 Werst von Riga entfernten Güter Koltzen und Adiamünde, nördlich von der mir
zugehörigen Besitzung und Badeort Neubad, liegen besonders
viele grofse Rollsteine am flachen sandigen Ufer des Gesta-
des, aber vorzugsweise ist der Seegrund, so weit sich ermitteln läfst, bis zu einem Abstande von 200 bis 300 Faden vom
Ufer mit diesen Wanderblöcken bedeckt, so dafs bei einem
niedrigen Wasserstande die gröfsten dieser Steine aus dem
Wasser hervorragen und hemmend der Strömlingsfischerei ent-
gegentreten.

Im vorigen Jahre, wo — besonders im September —
der Wind seit 3 Wochen beharrlich vom Lande wehte, und
daher der Wasserstand im Golfe so niedrig war, wie ich es
mir seit vielen Jahren nicht erinnere, fand ich, dass durch
diesen Zurücktritt des Wassers, der ganze Meeresgrund längs
der Küste tief ausgewaschen, der obere Sand abgespühlt und
dafs Millionen von Rollsteinen zum Vorscheine gekommen
waren, von denen früher keine Spur vorhanden gewesen *);
besonders aber überraschte mich eine seit vielen Jahren beliebte Badestelle, wo früher nur ein weicher Sandgrund vorhanden, gegenwärtig aber der Boden mit einer so unzählba-
ren Masse von Rollsteinen bedeckt war, dass die grösste
Aehnlichkeit mit einem künstlichen Steinpflaster hervortrat.
Nach einigen Tagen veränderte sich der Wind — das Meer
tobte — und alle diese, vielleicht seit Jahrhunderten hier angehäuften Rollsteine wurden spurlos wieder mit Sand bedeckt.

Woher nun diese wunderbare Anhäufung so vieler Millionen dieser skandinavischen Fremdlinge, welche nicht allein
das Ufer und den Seegrund bedecken, sondern mehr noch
unter dem Sande der Uferbildung liegen und nicht mehr un-

---

*) Unter diesen Rollsteinen fand ich als Seltenheit auch einen abge-
rundeten Kalkstein mit Korallen, augenscheinlich den obern silurischen
Gebilden der Insel Oesel angehörend, und über den Golf nach Livlands Küste herübergewandert.

seren Blicken zugänglich sind? — Ich frage, woher diese Anhäufung alter Rollsteine der Postpliocene oder letzten Diluvial-Periode, in und auf einem Sande liegend, der thatsächlich jungen Ursprungs ist, der sich noch vor unseren Augen bildet und ganz der Jetztzeit angehört?

Die Ufer- und Dünenbildung dieser Küstengegend Livlands, obgleich geologisch sehr jung, wo aber dennoch vielleicht Jahrtausende bis auf unsere Zeit sich die Hand reichen, ist, so wie ich sie beobachtete, ganz einfach zu erklären: die stürmischen Fluthen der See spülen beim höchsten Wasserstande den feinen Sand aus der Tiefe des Seegrundes, an der etwas steilen Küste empor und bilden Sandwülste und wellenförmige Uferwälle; hier nun, bei trockner Witterung und niedrigem Wasserstande, oder im Herbste, wenn schon die Ufer mit Eis bedeckt sind, empfangen die Winde den Sand und treiben dessen leichtere Theile als Flugsand landeinwärts und bergauf. Im Laufe der Zeit entsteht nun ein oft wellenförmiges Hügelgebilde und ein — mit Fichten und Wachholdergesträppe bewachsener — hoher Wall, welcher das ganze Küstenland als ein Kranz umgiebt, an vielen Orten den Abfluss der Meteor-Gewässer hemmt und dadurch Sümpfe und Moräste hervorruft, jenseits dieser Sandwülste und des Uferwalls zum Innern des Landes erscheint die Dünenbildung als eine Art Plateau, theils seit Jahrhunderten schon culturfähig gemacht, oder als sterile Sandhügel mit Nadelhölzern bewachsen. Mehrere Werste von der Küste entfernt und oft auch tiefer im Lande verschwindet diese geologisch ganz junge Sanddünen-Bildung gänzlich und unter ihr tritt der Urboden Livlands, der alte devonische Sandstein hervor, auf dessen Oberfläche auch sogleich wieder alte erratische Blöcke erscheinen, welche wir auf der Dünenbildung der Küste gänzlich vermissen, obgleich sie in dem unteren Sande der Düne in ungeheurer Anhäufung vorhanden sein müssen. Dies beweisen nicht allein obige Erscheinungen an der Küste selbst, sondern auch die Bachrinnen der Petrub, Kischub und der Adia. Diese Bäche entspringen mit flachen Ufern im Innern

des alten Livländischen Urbodens, so wie sie aber 2 bis 6
Werste von der See in das Gebiet der Dünenbildung treten,
werden ihre Uferränder tiefer; an beiden Seiten erscheinen
als Wiesen, breite und tiefliegende Thalwege mit Laubholz
und reizenden Fernsichten. — An diesen die Bäche umgebenden tiefen Thälern mit schroffen Abhängen — an denen
sich oft Thonablagerungen befinden — erkennt der Geologe
ohne Mühe die bedeutende ehemalige Größe dieser Bäche
und wie sie — um den Weg ins Meer zu finden! — die Dünenbildung nach und nach ausgehöhlt und durchbrochen haben. Hier nun auf dem Grunde dieser Bäche erscheinen
wieder unzählbare Massen Rollsteine, und oft von bedeutender Größe, welche, wie ich bereits erwähnt habe, oben auf
dem Hoch-Plateau der Düne in der Regel gänzlich vermißt
werden.

Wie hier die Frage beantwortet werden kann, ob sich
die Küste Livlands, eben so wie das gegenüberliegende Skandinavien, noch gegenwärtig langsam aus dem Meere hebe —
oder ob durch den fortwährend angespühlten Flugsand, der
Küste mehr Boden zugeführt und durch die angehäuften
Sandwülste, das Meer nach und nach immer mehr zurück-
gedrängt wird, wage ich nicht zu entscheiden, doch bin ich
fast geneigt zu glauben, dass in gewissem Grade beide Fälle
stattfinden; wenigstens fand ich unweit der See in der Dünenbildung selbst — in einer Höhe von 4 bis 6 Faden über
dem Niveau des Meeres mächtige Flötze von gelbem und
theils bläulichem Thon in horizontaler Schichtung. — Dieser Thon kann nur ein Meeresgebilde, und nicht, wie der auf
ihm lagernde Sand, durch die Winde herbeigeführt sein; ist
dies aber der Fall, so hätte die See früher sehr hoch stehen
und selbst den nahen Urboden — den alten rothen Sandstein — sehr weit mit ihrem Detritus bedecken müssen, dies
ist aber nicht der Fall, folglich lässt sich hieraus schließen,
dass sich einerseits der Boden gehoben hat oder noch langsam
hebt, anderseits die Dünenbildung nach und nach fortschreitet und die See zurückdrängt. Von der Insel Oesel aber ist,

wie ich schon in einem Aufsatze vom Jahre 1849 nachgewiesen habe, fast mit Sicherheit anzunehmen, dass dieselbe zuerst als ein Riff aus dem Meere gehoben und sich noch jetzt, ähnlich der skandinavischen Küste, langsam aus dem Meere hebt.

Gehen wir nun wieder zu unserer obigen Frage zurück, nämlich durch welche Naturkraft wurden jene Millionen alter Rollsteine alljährlich aus der Tiefe des Meeres zum Ufer herauf landeinwärts getrieben und auf der jungen Sandbildung abgelagert?

Aus dem Meere sind sie allerdings, denn es sind völlig abgerundete, oft noch mit Spuren des hellgrünen Seemooses bedeckte, alte erratische Blöcke, doch kennen wir keine Möglichkeit, wo Wasserfluthen der See oder „Verschiebungswellen" unserer Tage so gewaltige Steinmassen von einem bis 2 Quadratfaden *) Gröfse aus der Tiefe der See bis ans Ufer herauftreiben konnten. Das Küsteneis der hohen skandinavischen Scheeren trägt, wie bekannt, nicht selten grofse Granitblöcke; diese Eisschollen werden, besonders im Frühjahre, durch Winde von der Küste abgerissen, und treiben dann mit ihrer Last so lange im Balticum herum, bis sie irgendwo an der Küste stranden und ihre Blöcke absetzen, doch diese Felsfragmente haben immer frischen Bruch und scharfe Ecken, und sind daher von den abgerundeten alten erratischen Blöcken auf den ersten Blick zu unterscheiden, auch sind sie wohl Seltenheiten in dem fast ringsum geschlossenen Rigaschen Golf.

Dasselbe gilt auch von stehenden Seen und Flüssen mit schroffen Felsufern, wo, wie tägliche Erfahrungen uns lehren, während des Vorfrühjahrs, Felsmassen vom Ufer abbröckeln und sogar alte erratische Blöcke, die am Uferrande liegen, auf das Eis herunterstürzen und dann im Frühjahre mit den Eisschollen weiter transportirt werden. Dies alles aber sind Erscheinnngen, die auf die flachen Seeküsten Livlands nicht anwendbar sind.

Ehe ich aber durch eine merkwürdige Erscheinung,

*) So schreibt der Verf. obgleich man eine Volumenangabe erwartet.

welche ich im Jahre 1850 am Strande der Ostsee beobachtete, den Causal-Grund(!) des fraglichen Gegenstandes zu erklären suchen werde, ist es nothwendig, vorher in möglichster
Kürze die verschiednen Hypothesen zu erwähnen, durch welche
man in neuerer Zeit das Erscheinen der erratischen Blöcke
in ganz Norddeutschland, Schweden, Dänemark, Schlesien,
Holland, an der Ostküste von England, Polen, Russland und
andern Ländern hat erklären wollen.

Alle in diesen Ländern gefundenen Wanderblöcke sind
wie thatsächlich bewiesen skandinavischen Ursprungs, dass sich
in einigen Fällen sogar ihre lokale Geburtsstätte mit Gewissheit nachweisen lässt *). Die geologische Epoche in welcher
sie sich über das ganze nördliche Europa verbreiteten, ist die
allerjüngste Diluvial-Periode, gleichzeitig ungefähr der Löss-
und Lehmablagerung und den schwedischen Osar's oder
Schuttgeröllen; eine Zeitperiode, welche der jetzigen Aera
voranging und vor oder während welcher die Mammuthe,
vorweltlichen Rhinozerosse und andere Pachydermen ihren
Untergang fanden und für immer von der Erde verschwanden.

In der früheren Zeit suchte man die Verbreitung der
erratischen Blöcke durch eine grosse nordische sogenannte
petridilaunische**) Fluth zu erklären, in neurer Zeit aber hat
Agassiz durch Theorien, welche er aus Beobachtungen in
den Alpen schöpfte, beweisen wollen, dass die ganze nördliche Hemisphäre während einer langen Periode mit Schnee
und Eis bedeckt gewesen, und dass gewaltig hohe von verschiedenen Mittelpunkten vorrückend Gletscher, Blöcke und
Gerölle auf sich trugen und vor sich herschoben, wobei sie
denn auf ihrer Wanderung die Oberfläche der Gesteine ritzten
und polirten, wie dies noch jetzt im kleinen Maßstabe in der
Schweiz der Fall ist, dass ferner durch das Schmelzen des
Eises dieser Gletscher und ihrer Moränen, zahlreiche Blöcke

---

*) So sind nach Murchison die Granitblöcke in Kurland von den
Alands-Inseln herstammend.

**) Auch dieses merkwürdige Wort steht im Originale! Vielleicht soll es
von πέτρον und ἐλαύνειν abgeleitet und das di nicht mit gelesen
werden.   E.

durch schwimmende Eisschollen bis in weite Ferne gebracht worden sind.

Es ist unbegreiflich, wie diese sogenannte Eistheorie so viel Aufsehen hat erregen können, da es sich doch auf den ersten Blick ergiebt, dass sie durchaus nur für kleine Oertlichkeiten anwendbar ist. Ich habe die nordischen Rollsteine in seltenen, einzelnen kleinen Fragmenten im Thonflötze, auf welchem die schwarze Erde ablagert, bis an der Gränze des Kasanschen Gouvernements, des Kreises Kusmodemiansk verfolgt; man denke sich nun skandinavische Gletscher von einer so fabelhaften Höhe, um Granitblöcke über das Baltische Meer (?) nach Norddeutschland, Polen und Russland bis zur Gränze des Kasanschen Gouvernements zu schieben! — Murchison sagt daher auch sehr treffend: „dass die Theorie eine Fortbewegung der Blöcke auf dem trockenen Erdboden zu erklären, ganz unhaltbar, und die Behauptung, dass Gletscher sieben bis acht hundert Meilen (englische?) vorrükken, als eine physikalische Unmöglichkeit unbeachtet zu lassen ist." Die ganze Gletschertheorie ist daher nur eine Lokal-Erscheinung, auf die Ostseeprovinzen und Russland gar nicht anwendbar, und nur die Fortschaffung vieler und vorzugsweise der grössten Blöcke durch Eisschollen, ist wohl nicht ganz abzuleugnen. Doch sagt Humboldt in seinem Kosmus (I. Theil p. 299) Folgendes: „wir sind geneigt, die auf dem Schuttlande liegenden grossen Felsblöcke, minder tragenden Eisschollen, als dem Durchbruch und Herabsturz zurückgehaltener Wassermassen bei Hebung der Gebirgsketten zuzuschreiben."

Murchison, Verneuil und Graf Kayserling haben in ihrem geologischen Prachtwerke des europäischen Russlands, den Gegenstand gründlich zu erklären und praktisch mit den Erscheinungen in Einklang zu bringen gesucht. — Nach ihnen ist durch die Richtung der skandinavischen Gruss-Sand-, Lehm- und Trümmergeröllen (osar's) mit erratischen Blöcken, der sichere Beweis geführt, dass die Fortschaffung der Rollsteine ursprünglich „durch die Hebung einer Gebirgs-

kette" bedingt war, bei welcher Gelegenheit mächtige Strömungen das zertrümmerte Gesteinmaterial von' den .Gehängen
mitfortrissen. Ferner beweisen sie durch viele Thatsachen,
Deutungen und durch die Lagerungs-Verhältnisse der Schuttgerölle mit erratischen Blöcken in Russland, Preussen und
andern Orten, dass alle diese Länder einst von Meeresfluthen
bedeckt waren, und die Rollsteine durch gewaltige Strömungen immer weiter und weiter geführt wurden, bis die Aus-
trocknung dieser damals submarinen Niederungen durch eine
gleichmäßige Hebung en masse aus dem Meere erfolgte. Obgleich nun von ihnen die Rutschpartie der vorweltlichen
Riesen-Gletscher und Moränen für Russland als eine physikalische Unmöglichkeit nachgewiesen wird, so zweifeln sie
doch auch nicht an den Transport vieler der größten erratischen Blöcke durch schwimmende Eisberge.

Wer die Oberflächengestalt Russlands kennt und die Lagerungsverhältnisse der skandinavischen Gerölle mit Rollsteinen bis in weiter Ferne von ihrer ursprünglichen Geburtsstätte selbst beobachtete, und dann Murchison's klare und
umsichtliche Darstellung — ohne Befangenheit und Vorliebe
zur Gletscher-Theorie — mit Ruhe durchlesen will, wird bald
die völlige Ueberzeugung gewinnen, daß alle diese über Nord-
Europa verbreiteten, oft deutlich geschichteten Schuttgerölle
und erratischen Blöcke wirklich durch gewaltige submarine
Strömungen abgelagert und fortgerollt worden sind, daß diese
Katastrophe durch plötzliche Hebungen und Senkungen von
Land und Meer hervorgerufen worden ist, und daß endlich
das gegenwärtige Balticum nur noch einen kleinen Theil seiner zurückgetretenen vorweltlichen Größe einnimmt. Was
nun meine eigenen Beobachtungen über diesen Gegenstand
anbelangt, der ich Russland seit 30 Jahren in allen Richtungen durchreist habe, so kann ich Murchison nur in Allem
beistimmen, doch muss ich mit Humbodt glauben, daß der
Transport durch Eisblöcke — obgleich zugestanden — doch
keinesweges so bedeutend sein konnte, wie Einige annehmen
wollen; meine Gründe sind folgende:

Es ist eine bekannte Sache, dafs die Menge der Roll-steine progressive zunimmt, je mehr man sich der Ostsee und Skandinavien nähert, in der Entfernung von diesem Central-Punkte aber in der Regel abnimmt. Nun findet man wohl in dem nördlichen Radius*) nicht selten sowohl einzelne gigan-tische Granitblöcke als auch kleinere Fragmente — die Ver-witterung abgerechnet — welche breite Spaltungsflächen und scharfe Ecken haben und daher ihrer Form nach wohl nicht auf den Meeresboden gerollt und durch Meeressand abgerun-det, sondern wahrscheinlich durch schwimmende Eisblöcke und Eisschollen abgesetzt worden sind. Je weiter man sich aber vom Norden entfernt, je seltener werden diese grofsen eckigen Blöcke, und in weiter Ferne nach Süden und Osten habe ich bis jetzt niemals eckige und scharfkantige, sondern immer nur völlig abgerundete Rollsteine beobachtet, und fin-den sich auch erstere mit der Zeit in einzelnen Fragmenten, so gehören sie doch gewiss zu den gröfsten Seltenheiten. — Die Miriaden Rollsteine, welche die grofsen Ebenen Russlands als ein Radius*) bedecken, sind in der Regel abgerundet, man sieht es deutlich, dass sie im Wasser gerollt haben, und merkwürdigerweise nimmt ihre Gröfse — in der Regel und mit Ausnahmen — immer ab, je weiter man sich vom Nor-den entfernt, das heifst mit andern Worten: „sie werden desto kleiner, je weiter sie fortgerollt sind und folglich je mehr sie sich abgeschliffen haben."

Ich beobachtete an der Gränze des Kasanschen Gouver-nements, so wie auch auf dem Wege nach Pensa über Ar-samas und Ardatow, im Sand-Lehmgerölle, Rollsteine von der Gröfse einer Faust, in denen ich aber auf das Deutlichste finnländischen Granit erkannte. Es ist eine bekannte That-sache, und auch Murchison erwähnt ihrer, dafs die meisten Rollsteine in einem ganzen Distrikte, vorzugsweise oft einer und derselben Gebirgsart angehören, während im anderen Distrikte wieder andere Gesteinarten vorherrschen; dies ist eine Erscheinung, die auch ich oft und sogar in weiter Ent-

*) So schreibt der Verfasser.   E.

ferzung im östlichen Russland beobachtete — wie aber ist
nun der Transport dieser gleichartigen Steine nach einem
und demselben Distrikte aufzufassen? — durch schwimmende
Eisschollen dies erklären zu wollen, finde ich höchst unwahrscheinlich, denn ist es wohl denkbar, dafs unzählige Eisschollen mit diesen nordischen Steinfragmenten beladen, auf einem
bewegten Meere schwimmend und allen Winden preisgege-
ben, im Stande sein würden, ohne sich von einander zu trennen, ihre Bürde ruhig nach einem fernen Bezirke zu tragen
und sie nur hier und an keinem anderen Orte abzuladen?!
Im Gegentheil glaube ich, dafs gerade in dieser Erscheinung
ein Beweis für die submarine Ablagerung der skandinavischen
Wanderblöcke zu erkennen ist, denn unbezweifelt ist es
wahrscheinlicher, hier anzunehmen, dafs heftige vorweltliche
Strömungen — wie sie noch in unseren Meeren, nur in kleinerem Maisstabe und aus anderen Ursachen stattfinden —
durch Hebungen der skandinavischen Gebirgsarten veranlafst,
gewaltige Anhäufungen von Schlamm und Schuttgeröllen in
zusammenhängenden grofsen Massen forttrieben, dafs diese
Fortwälzung als ein Radius und in Linien grofser zusammen-
hängender Schuttmassen erfolgte — bis sie endlich in stille
Gewässer angelangt, oder die forttreibende Kraft der Strömung aufgehört und nun sich diese Schuttgerölle in einer
oder der andern Gegend, gleichzeitig über den Meeresboden
ausbreiteten. Diese ganze Ansicht ist völlig übereinstimmend
mit den Beobachtungen in der Natur. — In Pommern fand
Murchison vorzüglich unregelmäfsige Linien oder Zonen von
Norden nach Süden ziehend. Nördlich von Petersburg an
der Gränze Finnlands und nördlich von Olonez etc. wellenförmige Hügel oder Rücken zwei bis dreihundert Fufs hoch,
meist von N. nach S. oder NNW. nach SSO. streichend, ganz
aus granitischen oder anderen nordischen Felsmassen bestehend. Weiter nach Süden und Osten habe ich diese osar's
ähnlichen Schuttanhäufungen nicht mehr beobachten können,
die Vertheilung der Lehm-, Sand- und Schuttgebilde mit einzelnen Roll-Steinen ist mehr gleichmäfsig vertheilt (sic!), die

Färbung eine mehr lokale und immer mit kleinen Fragmenten älterer örtlicher Gebirgsarten untermischt.

Bei einem so klaren Stande der Dinge wird jeder unpartheiische Beobachter — wenn er sich anders nicht mit Zähigkeit an der baufälligen Eistheorie hängen will — aus Thatsachen sich überzeugen müssen, dafs bei diesen Erscheinungen vom Gletscher- und Eisschollen-Transport nicht die Rede sein kann, sondern dafs diese skandinavischen Grussablagerungen und Rollsteine nur durch starke submarine Strömungen herbeigeschlemmt und abgelagert worden sind; für diesen Bestand der Dinge spricht auch als schlagender Beweis der Umstand, dafs, wie gesagt, diese Gruss- und Geröllmassen mit skandinavischen Rollsteinen weiter von ihrer Geburtsstätte entfernt, auch Fragmente und Steintrümmer in sich aufgenommen haben, welche nicht aus Skandinavien herstammen, sondern ganz nahe liegen und von älteren Gebirgsarten herrühren, über welche sich die nordische Fluth mit den Geröllen heranwälzte, welches nicht hätte der Fall sein können, wenn sie durch Gletscher oder Eisberge transportirt worden wären.

Dass aber so selten Meeres-Muscheln in dieser Drift gefunden worden sind — obgleich sie doch auch nicht gänzlich fehlen — ist ein Einwurf, der von Murchison in seinem Werke gründlich widerlegt worden; doch mufs hier noch erwähnt werden, dafs bei der anfänglich so starken Strömung und Fortwälzung dieser gewaltigen Sand- und Grufsgerölle von Norden, natürlicherweise die Reibung so stark gewesen sein mufs, dafs alle schwachen Schaalthiere zu Staub gerieben worden, und daher in diesen Geröllanhäufungen wohl zu den Seltenheiten gehören, dafs aber in der Ferne von Norden, wo die Strömung bereits ruhiger geworden und die Lehm-, Sand- und Grussablagerungen mehr ebner und gleichförmiger erscheinen, Land- und Süfswassermuscheln aus grofsen Landseen, welche die Fluth auf ihrem Wege berührte, wohl nicht mehr zu den Seltenheiten gehören dürften, wie dies alles auch wirklich und in der That der Fall ist.

3 *

Dies wäre nun so ungefähr Alles, was wir nach Humboldt, Murchison, Leopold v. Buch, und nach unseren eigenen Beobachtungen, über den Causal-Grund der Verbreitung unserer Rollsteine wissen; ich gehe nun wieder zu meiner anfänglichen Frage über, um die massenhafte Erscheinung dieser alten skandinavischen Wanderblöcke an unserer jungen Küstenbildung zu erklären.

Der Winter von 1849—1850 war für Livland so ungewöhnlich strenge, dafs, wenn vielleicht auch nicht ganz, doch der gröfste Theil des Rigaschen Golfes völlig zugefroren war. — Ende März beobachtete ich von der hohen Dünenbildung des Neubadschen Strandes herabsehend, einen grossen rundlichen Körper am Strande liegen, den ich in der Entfernung für ein umgekehrtes Boot hielt, in der Nähe aber zu meinem Erstaunen für einen grofsen Granitblock erkannte. In einer ungefähren gleichen Linie (sic!) mit diesem Blocke, welcher den höchsten Wasserstand bezeichnete, fand ich längs dem Strande noch 14 Rollsteine verschiedener Gröfse von ungefähr 2 bis 4 Fufs im Durchschnitte. — Die Entfernung aller dieser Rollsteine von der damals völlig ruhigen und niedrigen See betrug 20 bis 30 Fufs landeinwärts vom Meeresrande, und die Höhe über dem Niveau der See ungefähr 6 bis 8 Fufs aufwärts zur Sanddüne. Der grofse Block war ein länglich runder Körper — etwas über 5 Fufs lang, 4 Fufs hoch und ungefähr eben so breit; alle Ecken waren völlig abgerundet, nur auf seiner unteren Fläche fand sich ein frischer Bruch von ungefähr zwei Fufs Breite und deutlich war zu erkennen, dafs hier ein Stück ganz frisch abgebrochen sein müsse. Die übrigen vierzehn Rollsteine waren völlig abgerundet und einige noch sogar theils mit grünem Seemoose bewachsen.

Die See war damals nur einige Werste vom Ufer frei vom Eise, weiter hin aber noch überall mit einer Eisdecke belegt, die bei der Dicke des Eises noch bis Anfang April dauerte — das Ufer völlig frei von hoch aufgethürmtem Randeise, wie dies im März nicht immer der

Fall ist, und nur in der Entfernung lagen noch einige riesige Eisschollen auf dem Sande. Aus allen diesen Erscheinungen war es daher augenscheinlich, daſs die Blöcke nicht aus weiter Ferne durch Eisschollen transportirt, sondern ganz in der Nähe aus der Tiefe der hier nicht flachen See heraufgewandert sein muſsten. Doch waren dieselben im vergangenen Jahre hier noch nicht vorhanden, denn nicht allein mir, als dem Besitzer des Strandes, sondern auch mehreren hundert Badegästen, welche alljährlich den Strand besuchen, waren alle groſsen Steine längs dem ganzen Gestade auf das genaueste bekannt.

Mit Verwunderung betrachtete ich und Herr Chemiker Neese, der mich in demselben Jahre in Neubad besuchte, den groſsen skandinavischen Fremdling — der jetzt schon gröſstentheils im Sande versunken ist — ohne das Wunderbare seiner Erscheinung erklären zu können. Durch Nachfragen bei den Fischern und Strandbauern erfuhr ich denn endlich, daſs es eine ganz gewöhnliche Erscheinung sei, Eisschollen an den Küsten treiben zu sehen, in welchen groſse Rollsteine festgefroren, oder welche so zu sagen aus den Eisschollen hervorragten; einer wollte sogar behaupten, er habe einst in früheren Jahren eine solche Eisscholle mit zwei in derselben eingefrornen Rollsteinen am Strande liegen sehen. Besonders sei die Erscheinung sehr häufig in strengen Wintern. Indem nun bei einem solchen Stande der Dinge es immer am meisten auffallen muſste, daſs die See ringsum mit einer festen Eisdecke belegt und nur an der Küste offen war, folglich die Eisschollen mit Rollsteinen nicht aus den Flüssen kommen, und eben so wenig von den überall flachen Ufern der Küste auf Eisschollen herabgefallen sein konnten, so erinnerte ich mich eines ähnlichen Vorfalls aus früherer Zeit beim Pastorate St. Johannis auf der zu Livland gehörigen Insel Oesel, die durch ihre Unmassen von Rollsteinen, welche die Oberfläche der Insel bedecken, bekannt ist. Aus einem Briefe des Herrn Pastors S... aus St. Johannis vom 17. März 1849 ergiebt sich folgendes:

„Im Jahre 1803, im März-Monate, sind bei einem
furchtbaren Sturme unter andern zwei Granitblöcke
von 5 bis 6 Fuß Höhe und 7 bis 8 Fuß Länge durch
Eisschollen bis 15 Faden vom Strande ans Ufer ge-
schoben und nur dadurch auffallend, daß sie sich auf
beiden Seiten des Weges einander gegenüber abgelagert haben. Die Blöcke sind völlig abgerundet, bis
auf eine Seite, welche eine Ebene bildet. Uebrigens
ist der ganze Strand mit dergleichen Blöcke übersät,
unter denen es viele giebt von noch bedeutend grös-
serem Umfange. Seit 26 Jahren meines hiesigen Aufenthalts habe ich 2mal selbst mit angesehen, wie bei
ziemlich stillem Wetter das Eis durch Strömungen in
Bewegung gesetzt, bedeutende Granit-Blöcke mit
Leichtigkeit vor sich hinschob. Einige Blöcke sind
mit völlig scharfen Kanten; unter denen ich einen
von fast schwärzlicher Farbe selbst habe antreiben
sehen. Unter den vielen am ganzen Strande herum-
gestreuten Steinen ist aber am merkwürdigsten eine
gewaltige Masse von übereinander gethürmten Granitblöcken, die sich etwa eine Werst vom Strande auf
der höchsten Stelle der Pastoratsweide befindet und
fast eine Lofstelle Landes Raum einnimmt. Daß diese
gewaltige Anhäufung, unter denen sich Blöcke von 9
bis 10 Fuß befinden, nicht durch Menschenhände aufgehäuft worden, ist übrigens augenscheinlich, ich kann
mir die Erscheinung gar nicht anders erklären, als
daß dieser Fleck früher Seegrund gewesen sein müsse,
auch habe ich bei stillem und klarem Wetter ähnliche
Anhäufungen von Granitblöcken — wenn auch von
geringerem Umfange — in einer Tiefe von $1\frac{1}{2}$ Faden
in der See bemerkt, welche wahrscheinlich alle bestimmt sind, durch Eisschollen ans Ufer heraufgeho-
ben zu werden."

So schrieb Herr Pastor S... in St. Johannis schon ein
Jahr früher, ehe ich die am Neubadschen Strande ange-

schwemmten Rollsteine beobachtete. — Wenn wir nun alle
diese Thatsachen als ein Ganzes auffassen wollen, so lassen
sich nach physikalischen Gründen nur zwei Ursachen annehmen, wodurch die erratischen Rollsteine aus der Tiefe des
Meeres zum Strand heraufgebracht werden; dies kann nur
geschehen entweder Erstens: durch gewaltsame Fortschiebung
gewöhnlicher Eisschollen und Zweitens: durch Grundeis, endlich auch durch beide Ursachen zusammen. Wollen wir jede
derselben einzeln zu erklären suchen.

Erstens: durch gewaltsame Fortschiebung gewöhnlicher
Eismassen. Im Februar oder März fängt oft das Eis bis auf
viele Werste vom Strande durch untermeerische Wogen und
Strömungen zur Küste plötzlich an zu bersten, erhält grofse
Spalten und Risse, deren Ränder sich oft erheben oder in
seltneren Fällen sich sogar aufthürmen und über einander
schieben; kömmt endlich starker Wind, so bricht das Eis an
der Küste zusammen, schwimmt in unabsehbaren Massen in
der See umher und wird ans Ufer getrieben, wo es sich an-
häuft, stopft, aufrichtet, Scholle neben Scholle auf die Seite
legt und gewaltige Eisberge bildet, so dafs vom Sturme gejagt eine Scholle die andere wie ein Keil treibt, während der
untere Rand der Scholle im Grunde der See wühlt und gewaltige Rollsteine entweder herausbringt und auf der Fläche
nimmt oder mit Sturmeskraft getrieben vor sich her zum Ufer
schiebt.

Ferner ist es auch möglich, dafs in Gegenden, wo die
See sehr flach ist, grofse hervorragende Rollsteine im Eise
festfrieren, und im Frühjahre bei höherem Wasserstande und
starkem Winde mit der Scholle ans Ufer geschleudert werden; bei kleinen Rollsteinen aber, die flach im Grunde der
See liegen, ist diese Fortschaffung nicht möglich.

So weit ist die Sache erklärbar und auch wohl mit den
Beobachtungen im Einklang, nun aber tritt ein Umstand ein,
der die Sachlage sehr verändert, dafs nämlich ein Transport
dieser Art auf die Dauer der Zeit nicht genügen kann, denn
gewöhnliche Eisschollen, die sich durch Sturm auf die Seite

legen, oder unter einander schieben, den Seegrund aufwühlen
und endlich die Blöcke zur Küste tragen oder schieben, können auf diese Art immer nur in der Nähe der Küste
wirken, wo die See nicht tief ist, so dafs die Ränder
der Eisschollen den Seegrund noch erreichen können, die
ganze Wirkung ist also nur auf die nahe Küstengegend mit
ein bis zwei Faden Tiefe beschränkt und muſs in der Entfernung vom Ufer, wo die See tiefer wird — als eine Unmöglichkeit — natürlicherweise gänzlich aufhören. Ist dies nun
aber der Fall, wie es keinem Zweifel unterliegt, so müſste
im Laufe der Zeit doch endlich der ganze Seegrund
in der Nähe der Küste von Steinen gereinigt werden, und der Transport auf diese Art zuletzt gänzlich aufhören, dies ist aber thatsächlich nicht der Fall, im Gegntheil
beweisen es die Fischer und der Augenschein ergiebt es, daſs
in der Nähe der Küste vom Ufer bis auf einige Faden Tiefe
immer wieder frisches Material aus der tiefen See heraufge-
führt wird; so erscheinen in der See z. B. im Frühjahre plötzlich groſse, völlig abgerundete Sandsteine, wo früher keine
vorhanden waren, und oft werden diese neu erschienenen
Fremdlinge hemmend für die groſsen Netze der Strömlingsfischerei. Seit Jahrhunderten und vielleicht seit Jahrtausenden
schreitet die Dünenbildung langsam vor, dies beweiſst, wie
ich oben angeführt habe, ihre tiefe Erstreckung zum Innern
des Landes, und der ganze Complex ihrer Bildung; — die
See wirft immer fort Sand und Gerölle ans Ufer, welches sich
nach und nach als Düne erhöht und Millionen heraufgewan-
derte Rollsteine unter dem Dünensande begräbt. Dieser Prozess dauert nun — ohne sein Material zu erschöpfen — seit
undenklichen Zeiten und wird auch für die Zukunft nicht aufhören. Hier ist es daher wohl augenscheinlich, dafs die per-
petuelle Fortbewegung der erratischen Blöcke aus der Tiefe
des Meers bergauf zur Küste, durch den Transport gewöhnlicher Eisschollen und etwa durch den langsamen Zurücktritt
der See aus obigen Gründen, nicht erklärt werden kann, sondern dafs es eine — uns vielleicht noch wenig bekannte —

Naturkraft geben muſs, welche die erratischen Blöcke seit
Jahrhunderten beharrlich aus der Tiefe des Meeres zur Küste
treibt, wo sie von den gewöhnlichen Eisschollen empfangen
und weiter transportirt werden. Man kann hier nun wohl
den Einwurf machen, daſs Steinfragmente, jedoch mit scharfen Ecken und frischem Bruch im Vorfrühjahre von den hohen Scheeren Skandinaviens herabgestürtzt werden, auf Eisschollen fallen und im Baltischen Meere herumtreiben, bis sie
entweder in der See oder irgendwo an einer Küstengegend
abgesetzt werden. Daſs dies wirklich geschieht, leidet wohl
keinen Zweifel, und mag in Kurland, Oesel und anderen Gegenden, aber nicht in unserem Golf der Fall sein. Der Ri-
gasche Meerbusen ist ringsum geschlossen und steht nur durch
einige Kanäle mit der Ostsee in Verbindung, durch diese Abgeschlossenheit und die groſsen Ströme süſsen Wassers,
welche in dem Golfe ausmünden, friert derselbe leichter wie
die Ostsee, und ist bei strengen Wintern oft noch im Anfange
März mit Eis bedeckt, so daſs in diesem Hafen keine skandinavischen Eisblöcke landen können, auch werden Rollsteine
mit scharfem Bruche an den Ufern des Golfs gewiſs nur als
groſse Seltenheiten gefunden. Es muſs also, wie ich so eben
erwähnt habe:

Zweitens: noch eine andere seculäre Natur-Kraft vorhanden sein, durch welche die Steinblöcke nach und nach
aus der Tiefe des Meeres zur Küste heraufgetrieben werden,
und diese Kraft kann nach meiner Meinung vielleicht das
Grundeis sein.

Das Grundeis ist eine eigenthümliche Erscheinung, welche
von dem gemeinen Manne zuerst erkannt, lange bezweifelt,
aber doch endlich mit Gewissheit nachgewiesen worden ist.
Wir wissen als faktische Thatsache, daſs sich das Grundeis
nicht allein in Strömen, Flüssen und Meeresmündungen, sondern auch sogar unter der oberen Eisdecke bildet. Die Erscheinung des Grundeises, welche man schon jetzt in 20 Fuſs
Tiefe beobachtete, ist aus dem Grunde höchst eigenthümlich,
weil in den gröſsten Tiefen stehender Seen, die der gröſsten

Dichtigkeit entsprechende Temperatur zwischen 3 und 4 Grad
oscillirt und das Wasser nur auf der Oberfläche aber nicht in
der Tiefe gefrieren kann; nach v. Dechen hat süßes Wasser
mit $3\frac{1}{4}°$ Réaumur seine gröfste Dichtigkeit, und nach Parrot,
das Meer in der Tiefe eine Temperatur von wenigen Graden;
nach Vogt, je salzhaltiger das Wasser im Meere ist, desto
tiefer rückt es nach dem Nullpunkte — nach anderen mehr
oder weniger, doch niemals unter dem Gefrierpunkte, so daſs
eine Eisbildung auf dem Grunde unmöglich zu sein scheint.
Das Eis bildet sich, wie gesagt, nur auf der Oberfläche des
Wassers und hat noch die besondere Eigenschaft, daſs sobald
es zu Eis gefriert, ganz im Gegensatze mit andern Elementar-
Stoffen, wieder an Dichtigkeit verliert, einen gröſseren Raum
annimmt, wie Wasser, und daher auch specifisch leichter wird
und auf der Oberfläche schwimmt.

Was wir bis jetzt von der Bildung des Grundeises wissen, ist noch immer nicht genügend; es fehlen uns Beobachtungen und besonders mangeln uns Data über ihre Bildung
im Meere, wo sie vielleicht grofsartiger sein mag als wir
ahnen.

Unweit der Seeküste geboren, erinnere ich mich aus früheren Jahren, daſs ein Schiffer an der Küste der Ostsee auf
einen bekannten Ankergrund seinen Anker warf, welcher lange
nicht haften wollte, überrascht durch diese Erscheinung untersuchte man den Grund und fand auf einer grofsen Strecke
den ganzen Seegrund mit Grundeis bedeckt. — v. Dechen
schreibt in den Verhandlungen des naturhistorischen Vereins
in Rheinpreussen, Jahrgang VII, 1850, S. 119 und im Auszuge
auch in Leonhard's mineralogischen Jahrbüchern IV. Heft,
1851, über Grundeisbildung: daſs vor 40 Jahren, wie der
Lotsen-Commandeur Steenke in Pillau berichtet: die 6 Klafter lange Kette, woran die Seetonnen befestigt, seit Jahren
bei Schrapels Wrack in einer Tiefe von 15 bis 18 Fuſs verloren gegangen, plötzlich auf der Oberfläche schwimmend
wieder gefunden wurde, sie war in starker Mannsdicke mit
Grundeis umgeben; v. Dechen beschreibt, daſs die Kette

der fliegenden Brücke bei Bonn sich des Nachts in 20 Fufs Tiefe zwei bis drei Fufs dick mit Grundeis bedeckt, und dann am Morgen als eine ungeheure braune Schlange auf der Oberfläche schwimme, nach Sonnenuntergang aber wieder auf dem Boden herabsinke. Ferner, dafs man Versuche in einem Mühlgraben gemacht und einen Korb mit Ziegelsteinen, Metallplatten, Holzstücken und einer Bürste, während der Nacht auf den Grund herabgelassen, und dafs am anderen Morgen alle diese Körper mit Eisplatten bedeckt waren, am meisten die Holzstücke, und die Bürste. Ferner: auf der Weichsel kommt das Grundeis oft in wenigen Stunden gegen Morgen nach einer kalten Nacht in solcher Masse zum Vorschein, dafs die ganze Oberfläche des Stromes damit bedeckt ist. Das Grundeis bildet zuerst eine lose schaumige von Eisnadeln zusammengesetzte Masse an der unteren Seite mit den Theilen des Flufsgrundes behaftet.

Die Massen des Grundeises, welche auftauchen, sind sehr verschieden, oft bleiben sie mehrere Tage an dem Boden festsitzen, ehe sie sich losreifsen, es geschieht dann immer mit einer gewissen Heftigkeit, mit der Kante nach oben, sie legen sich dann auf die flache Seite um fortzuschwimmen. Die Grundeisbildung geht auch in Vertiefungen vor sich, dasselbe wächst oft vom Grunde aus einige Fufs in die Höhe bis es sich losreifst. Steine und Sand haften an der untern Fläche. Endlich versucht v. Dechen eine Erklärung der Grundeis-Bildung zu geben, welche nach ihm nicht in ruhigen stehenden Landseen, sondern nur bei Nachtzeit in bewegten Flüssen und Strömen stattfindet, er behauptet, dafs an der Oberfläche der fliefsenden Gewässer fortwährend die Anfänge der Eiskrystall-Bildung durch die Bewegung gestört werde, und daher wirklich an dem Boden des Flusses auftritt(?).

Auch hier zunächst an geschützten Stellen und da wo sie vortheilhafte Anhaltspunkte findet. Die feinen Eisnadeln, welche sich an der Oberfläche bilden, werden durch die Be-

wegung des Wassers dem Grunde zugeführt und bleiben hier
an günstigen Punkten. haften, um Grundeis zu bilden.

So weit v. Dechens Theorie über die Bildung des
Grundeises in Strömen und fließenden Gewässern, ob sie genügen wird, lasse ich dahingestellt sein, das forschende Zeitalter wird auch über diese wissenschaftliche Frage früher
oder später ihr (sic!) Urtheil sprechen; so viel ist aber wohl
gewiss, daß diese Theorie — die Grundeisbildung in der See
sehr begünstigt. Das Meer ist auf seiner Oberfläche noch
weit mehr bewegt wie Flüsse und Ströme, es ist so zu sagen
in einer immerwährenden Unruhe und strömt ab und zu nach
der Richtung des Windes, die feinen Eisnadeln, welche sich
bei strengem Froste auf der Oberfläche bilden, finden keine
ruhigen Anhaltspunkte, sondern werden nach v. Dechen's
Theorie von der Strömung ergriffen und zum Grunde geführt,
um Grundeis zu bilden. Aus dieser Ursache sehen wir auch,
daß die See nicht so schnell zufriert wie unsere Flüsse und
Ströme, denn der geringe Salzgehalt des Balticums und mehr
noch des Rigaschen Meerbusens, kann hier nur sehr entfernt
mitwirken, da bei völliger Ruhe und strengem Froste das Meer
sogleich zufriert.

Ist nun v. Dechen's Theorie richtig, und erscheint
schon in den Flüssen Deutschlands — wie wir gesehen haben — Grundeis von zwei bis drei Fuß Mächtigkeit, um wie
großartiger muß diese Erscheinung in unserem so nördlichen
Meere auftreten, und dies um so mehr, da unsere Ostsee
nach Naumann *) ungewöhnlich flach ist, indem die ge-
wöhnlichste Tiefe in ihrer Mitte nur 180 bis 240 Fuß beträgt. —

Das Grundeis bildet sich demnach im Grunde der See in
großer Mächtigkeit, umschließt die auf dem Grunde liegenden Rollsteine und im Wasser specifisch leichtern (sic!) Granitblöcke, welche mit der Scholle emporsteigen, und, nach der

---

*) Lehrbuch der Geognosie von Professor Naumann. 1849. 1. Theil,
pag. 392.

Küste getrieben, ihre Ladung endlich im flachen Wasser der Küste fallen lassen, wo sie denn im Laufe der Zeit von den gewöhnlichen Eisschollen ans Ufer getragen werden.

Denken wir uns die Sache so wie ich sie hier beschrieben habe, so ist alles mit den Erscheinungen im Einklang, und es erklärt sich, warum sich das Material nicht endlich erschöpft, und warum die Granitblöcke an der Küstengegend seit Jahrhunderten nicht abnehmen, sondern in langsamer seculärer Bewegung immer wieder aus der See herauf zum hohen Ufer wandern.

Wenn ich — im Fall v. Dechen's Ansichten sich bewähren — über die grofsartigen geologischen Wirkungen nachdenke, welche die Grundeisbildung vom Anfange der jetzigen Aera bis auf unsere Zeit, veranlassen konnte, so frage ich mich unwillkürlich, wo ist das gewaltig grofse Material granitischer Gesteine geblieben, welches seit Jahrtausenden durch Einwirkung der Atmosphärilien und anderer Ursachen, von der hohen skandinavischen Küste herabbröckelte und ins Meer fiel? — Alle diese Hoch- und Gebirgsländer geben jetzt ein zerrissenes, nur ihnen eigenthümliches Küstenbild mit Tausend hohen Einbuchten, Fiörds oder Scheren, welche augenscheinlich nicht uranfänglich, sondern sich nur in späterer Zeit gebildet, und wie viel weiter mögen diese Küstenländer früher ins Meer herausgeragt haben, da alljährlich noch derselbe Prozess fortschreitet und Gerölle und Steine immer noch von den hohen Ufern herabbröckeln und in das Meer fallen?

Wenn nun auch anzunehmen ist, dafs diese Abbröckelung der Küste sehr geringe erscheint, so ist sie doch, wenn wir die Gröfse der Fiörd's und tausendjährige Wirkungen nach Lyellschen Prinzipien auffassen, so ungeheuer grofs, dafs von diesen Küsten im Laufe der Zeit so viel Material verschwunden ist, dafs es wahrscheinlich genügen würde, um halb Europa mit Rollsteinen zu bedecken, und möglich ist es, dafs das Grundeis beim Transporte dieses Materials eine vielleicht nicht unbedeutende Rolle spielt.

Mögen dies übrigens auch nur Andeutungen sein, welche
der Wahrscheinlichkeit nahe liegen, so ist auch schon damit
viel gewonnen. Es fehlt uns überall noch an Beobachtungen, besonders über die Grundeisbildung im Meere selbst, so
daſs hierüber noch ein tiefes Dunkel schwebt; es ist daher —
vorzugsweise für uns Bewohner des nördlichen Balticums —
der Wissenschaft gegenüber, die Verpflichtung vorhanden, alle
Data über den interessanten Gegenstand zu sammeln und vor
das Forum der Wissenschaft zu bringen.

Erinnerungen aus Osetien *).

Digorien, das äußerste Thal in dem wladikawkasschen Kreise gegen Westen, wird von einem Völkchen aus dem Stamme der Oseten bewohnt, das unter dem Namen der Digorzen bekannt ist; jenseits derselben beginnt das Land Balkar.

Die Berge, welche dieses Thal einschließen, ziehen sich in schräger Richtung nach Süden hin und nehmen ganz eigenthümliche Formen an, bald schweben die Spitzen nackt und zerrissen über dem Haupte des Reisenden, bald legen die Berge sich breiter aus und zeigen runde Contouren; hier und da eine Höhle, ein Bergstrom schlängelt sich von der unersteigbaren Höhe herab, alles ist wild und schaurig. Weiterhin werden die Berge noch höher, großartig scheint der eine über dem anderen gethürmt. Häufig treiben die Stürme um die Kuppen ungeheuere Wassermengen zusammen, die, Erde mit sich führend, herabströmen und in kürzester Zeit ganze Wälder untergraben, Ebenen überfluten und nur die von oben herabgeführten Steine auf ihrem Wege zurücklassen; fast auf jedem Schritte sieht man diese Flüsse die Abhänge der Berge furchen und in Wasserfällen von den Felsen herabstürzen; schwebende Steinmassen werden von Regen und Winden losgerissen, fallen nieder, zerstäuben und bilden in der Niede-

---

*) Nach Nikolai Bersenew.

rung sehr feste Schichten, die allmälig zu neuen Bergen sich
erheben; nicht selten besten solche Berge, wenn sie von den
herabkommenden Wassern unterwaschen sind, mit Getöse und
sich erhebendem dickem Staube.

Von dem Aul Goliath aus geht der Weg die Schlucht
entlang an dem Rande der Felsen hin; über dem Wege sind
die Spitzen der Berge mit magerem Strauchwerk bedeckt: zu
den Fußen schaut man in eine unwirthsame Gegend, Dowlug
genannt, und durch die Wipfel der Bäume, die sich aus ihr
erheben, erblickt man den schäumenden Fluss, der mit Mühe
sich zwischen den Felsen hindurch arbeitet. Das gegenüberliegende Ufer ist, ganz senkrecht, traurig anzusehen; auf den
Stufen der schwarzen Felsen wurzelt Nadelholz, gleichsam
um desto mehr dieses Naturbild zu markiren. Je weiter man
aber in das Thal dringt, desto wilder erscheint es, die Wälder verschwinden von den Abhängen der Berge, man gelangt
durch Engpässe und begegnet endlich weder einem Strauche,
noch einem Grashalm, noch irgend einem Zeichen von Leben; nur nackte Felsen stehen am Wege, die immer höher
und höher hinaufsteigen — du hörst nur das Tönen der ber-
stenden Gletscher und das Lärmen des Flusses Urs-don *).
Im Sommer lagert Nebel über der ganzen Umgegend und
deckt den Weg, der ohnehin kaum bemerkbar ist, der Wind
pfeift in der Schlucht, und der Sturm jagt nach Herzenslust
über die nackten Felsberge; im Winter fegt das Unwetter die
Schneehaufen zusammen, und ein Schneegestöber bedeckt die
Pfähle, die den Pfad bezeichnen.

Wie im Sommer, so im Winter giebt es hier Lawinen.
Ein dumpfes, donnerähnliches Getöse kündet ihren Sturz an,
ein Windstoß reißt plötzlich die an dem Abhange angesam-
melte Schneemasse los, und mit unaufhaltbarer Gewalt, alles,

---

* Der weiße Fluss, der weiter abwärts mit dem Durdur sich vereinigt
und, nachdem er gegen N.W. hin gegen 40 Werst zurückgelegt, sich
bei dem Posten Nikolajewsk in den Terek ergießt.

was begegnet, erdrückend, rollt sie stäubend herab. Den Oseten gelingt es nicht selten, unter diesen Lawinen verunglückte
Menschen durch schleuniges Ausgraben zu retten; sie kennen
die Stellen, wo jährlich Schneestürze geschehen, und konnen
sie sogar der Zeit nach vorhersagen: wenn der Schnee, der
auf den Höhen liegt, schmilzt und das unten heraussickernde
Wasser den Abhang des Berges schlüpfrig macht, so beginnt
der Schnee plötzlich zu rutschen, Erde und ungeheuere Steine
mit sich fortzureifsen; die gefährlichsten Lawinen entstehen
an den zerklufteten Höhen, die am Fufse in eine senkrechte
Wand ausgehen; das Knallen mit einer Peitsche, ein Schrei
und ähnliche Dinge können durch Lufterschütterung die La-
wine losreifsen, die, mit Macht niederfallend, die Luft durch-
schneidet und in einem Zuge den Wanderer von den Füfsen
bringt und alles in weiter Ausdehnung erstickt.

Digorien ist, so zu sagen, von der Menschheit und der
Natur vergessen, von allen Communicationswegen entfernt,
von allen Seiten von Bergen umkränzt und während neun
Monaten des Jahres nur mit Lebensgefahr oder gar nicht be-
suchbar. Die mittlere Jahrestemperatur beträgt hier etwa
$+3^\circ$ Réaumur.

Fruchtbäume kommen nicht fort, mit Ausnahme von wilden Aepfel- und Kirschbäumen; der Sommer ist so kurz, dafs
die Samen in der Zeit zwischen dem Schmelzen und dem
neuen Fallen des Schnees nicht Zeit haben, zu treiben. Der
Hauptreichthum der Bewohner besteht in den Schafherden;
die Digorzen treiben auch Bienenzucht, und ihr Honig ist
durch aromatischen Geschmack und Klarheit ausgezeichnet.
Andere Erwerbszweige der Digorzen sind nicht bekannt; be-
triebsam und verschlagen, wie alle Bergbewohner, dienen sie
als Führer über die Gletscher und die Abgründe ihrer Berge,
als solche legen sie Unermüdlichkeit, Geistesgegenwart, Umsicht, ein richtiges Augenmafs und physische Kräfte an den
Tag; oder sie gehen in den Höhlen und zwischen den Felsen
den Mardern, über Einöden und Eisfelder den Gemsen (ose-
tisch Dsabidir) nach.

Eine behende Gemse steht auf der Wacht, noch sieht
sie nicht den Jäger, aber sie hört ihn von fern und läfst einen
gellenden Pfiff ertönen, das ganze Rudel von zehn bis fünfzehn Gemsen nimmt die Flucht, sicher messen sie die Räume
ab, kühn springen sie von einer Felsspitze zur anderen, in
der Leichtigkeit der Füfse ihre Rettung suchend; der Waid-
mann folgt ihnen, weder Nacht noch Abgründe halten ihn auf,
häufig findet er aber zwischen Felsen und Eismassen seinen Tod.

Lebedjew und die tschuwaschische Sprache.

Herr W. I. Lebedjew, aus dessen Feder wir bereits zwei anziehende Artikel über die Tschuwaschen mitgetheilt haben,[*] unternimmt es nun auch, die Sprache dieses Volkes zu besprechen[**]. Wir wollen bei ihm, der lange unter den Tschuwaschen gelebt hat, eine tüchtige practische Kentniss ihrer Sprache gern voraussetzen, und ihm aufs Wort glauben, wenn er uns sagt, dies oder jenes Wort betone man so und nicht anders, diese Wortform oder Wendung sei gebräuchlich, jene ungebräuchlich. Aber zu Forschungen über die grammatische Gestaltung einer Sprache oder zu Beurtheilung der Forschungen Anderer auf diesem Gebiete ist practische Kentniss allein lange nicht ausreichend. Man muss auch die näher verwandten Sprachen (hier also wenigstens die Türkische) etymologisch studirt haben, was bei Herren L. augenscheinlich nicht der Fall ist; man muss ferner die Gabe ruhiger Prüfung und einer ebenso bündigen als klaren Entwicklung seiner Gedanken besitzen. Diese Gabe fehlt Herren L. gewiss nicht in Dingen seines eigentlichen Berufes; aber hier vermissen wir sie gänzlich.

---

[*] Sind betitelt: „die Simbirsker Tschuwaschen" (Band IX, S. 562 ff.), und „die Jagd bei den Simbirsker Tschuwaschen" (B. X, S. 452 ff.).
[**] O tschuwaschskom jasykje. S. Zeitschrift des Ministeriums der innern Angelegenheiten (wanutrennich djel), October 1852, S. 79—117.

4 *

Der Verf. beginnt mit Bemerkungen über die Isolirung
der Tschuwaschen, ihre Armuth an abgezogenen Begriffen,
und die zu vortheilhafte Ansicht von den geistigen Eigenschaften dieses Volkes, welche in den bekannten „Sapiski"
der Frau Statsräthin Fuchs sich ausspreche. Dann theilt er
ein Lied mit, dessen Verfertiger (denn Poesie ist keine darinnen) schon zu den verrussten Tschuwaschen gehören soll,
und welches Denk- und Lebensweise derselben ziemlich gut
schildert. *) Es sei hier deutsch mitgetheilt:

Wir sind als Tschuwaschen geboren,
An die Wolga gekommen;
Da wohnen wir allezeit.
Nun werden Tjak's fragen:
Woher stammen die Tschuwaschen?
— Wir sind Tschuwaschen, sinds von je;
Die Tataren sind unsere Brüder,
Und unsre Sprach' ist die Tschuwaschische.
Kommt irgend Kummer über uns,
So wenden wir uns Tora zu, **)
So schlachten wir auf der Opferstätt
Kühe und junge Kälber,
Dass Tora Gesundheit verleihe,
Dass Tora Glück verleihe.
Vom Schreiben ist uns nichts bekannt,
Vom Lesen ist uns nichts bekannt.
Was sollen wir thun in schwerer Zeit?
Was ist zu geben der Geistlichkeit? †)
Haben Hausvieh grofs wie klein,

---

*) Der Text desselben ist sehr nachlässig corrigirt: da steht z. B. bóld-
   dyryr statt bóldymyr (wir sind); salje statt sam (die Mehr-
   heitspartikel); balmestbyr statt bilmestbyr (wir verstehen nicht)
   u. s. w.
**) Dies ist der Name Gottes.
†) Hier muss wol ergänzt werden: auf diese zwei Fragen beschränken
   sich unsere Sorgen.

Bienen, Hühner, Pferd und Schwein,
Schaf und Gänserich, und Kuh,
Ente, Milch und Ei dazu.
Iss, Tschuwasche, schwarzes Brod,
Wenn dein Vieh du hast verkauft;
Viel des Geldes wirst du han
Für den Tjak in schwerer Zeit. *)
Iss, Tschuwasche, schwarzes Brod:
Das ist unsre Seligkeit!

Das Lied enthält seine dunkeln Stellen. Im Ganzen scheint darin gesagt, dass der Tschuwasche bei Wenigem und Schlechtem glücklich ist und von seinem Erwerbe sehr viel abgiebt.

Zu seinem eigentlichen Zwecke übergehend, bemerkt Herr L. vorerst, es gebühre dem Professor Schott in Berlin die Ehre, den Beweis geliefert zu haben, dass die Tschuwaschische Sprache turkischen Stammes sei. **) Beklagen müsse man nur die Dürftigkeit der Hülfsmittel, welche diesem Gelehrten zu Gebote gestanden; auch habe er nicht wol gethan, bei seiner Umschreibung tschuwaschischer Wörter den Accent und die gelegentliche Milderung eines Consonanten unbezeichnet zu lassen, da in Wörtern von sehr verschiedener Bedeutung die Verlegung des Tones oder eine Milderung von der erwähnten Art den ganzen Unterschied ausmachen könne, z. B. ála Hand, aber alá Sieb; sir schreibe du, aber sirj Erde. †)

Dieser Tadel ist im Ganzen begründet; wir bemerken jedoch, dass es dem deutschen Gelehrten, als er seine Arbeit über das Tschuwaschische herausgab, nicht um Darlegung des Lautsystems dieser Sprache in seiner Vollständigkeit zu thun

---

*) Tjak scheint das russische Wort djak zu sein, was aus Diaconus verstümmelt sein muss, und einen Vorsänger in der Kirche bedeutet. Wird die christliche Geistlichkeit bei den Tschuwaschen so genannt?

**) De lingua Tschuwaschorum. Berlin, 1842.

†) Die Milderung des Conson. besteht hier in Beigabe eines schwachen oder gleichsam halben j.

war, dass er nur herausheben wollte, was bei Vergleichung
mit türkischen Wörtern vorzugsweise in Betracht kommt. Die
Milderung des Consonanten war nur da zu urgiren, wo dem
sch türkischer Wörter ein l gegenüberstand, weil dieses l in
solchem Falle immer l mouillé ist; und das hat Schott keineswegs unterlassen.*) Uebrigens sind das starke und schwache
Jer in nicht-slawischen, aber mit russischen Buchstaben geschriebenen Wörtern nur dann sichere Führer, wenn man
weiss, was sie eigentlich anzeigen sollen; denn die Herren
Grammatiker belehren uns darüber fast niemals. **)

Der Verfasser wendet sich nun ex abrupto zum Verbum, uns mit gewaltiger Weitschweifigkeit und öfteren Wie-
derholungen über Dinge zu belehren, die wir schon lange und
zum Theil viel besser wissen, als er. Den Eingang zu diesem
Ergusse bildet folgender Satz:

„Herr Schott sagt in seiner Abhandlung, dass die
Endungen des Verbums gegenwärtiger Zeit — bolasse, und zukünftiger — boles, und in allen übrigen — sse und s aus sam gebildet seien, dass aber
sam von dem mongolischen(?) oder(?!) tungu-
sischen(!) Worte chamu, quamy (soll heissen
kamy) und so weiter (auch noch ein „und so weiter?") herstamme, mittelst Abkürzung und Verwand-
lung des q in s = kam = sam, und dass die ver-
bale Endung der Gegenwart und Zukunft in der dritten Person der Mehrheit — bolasse, boles — daraus
entstanden sei."

Wenn Schott wirklich in dieser Art sich ausgedrückt hätte,
so würde er nicht weniger Confusion bewiesen haben, als

---

*) a. a. O., S. 14. Hier ist auch auf die gleiche Erscheinung in den
    pyrenäischen Sprachen hingewiesen.
**) Steht z. B. starkes Jer hinter n, so kann der Laut ng, es kann aber
    auch ein geschärftes oder selbst ein gewöhnliches n, zum Unterschiede
    von n mouillé (ñ, nj) gemeint sein. Steht schwaches Jer hinter l,
    so ist vielleicht l mouillé gemeint, vielleicht auch einfaches lingua-
    les l, zur Unterscheidung vom palatinalen.

Herr Lebedjew. Was liest man aber in der Abhandlung des Ersteren, S. 15 und 16?

„Particula sam (zam) originem trahere mihi videtur a substantivo collectivo (omnes, multi), Turcis cum Mongolis Tungusisque communi, quod varie chamuk, chamu, kamy, gemu sonat. Ita, si Turcae dicere velint omnes pueri, voci „puer", vel nudae vel nota pluralis instructae, addunt kamy-sy q. d. τὸ πᾶν αὐτῶν. Supra jam vidimus, k turcicum apud Tschuwaschos nonnunquam in s converti, ut igitur kamy (kam) commode fieri potuerit sam. ... Ejusdem particulae sam formam decurtatam esse suspicor se (vel simpliciter s), quod in tertia pluralis persona verborum themati affigunt. Exempla: bol-as-se (proprie bol-at-se) sunt, extant; bol-e-s erunt." *)

Von jetzt ab untersucht Herr Lebedjew in seiner Weise, ob die Tschuwaschen ein Verbum substantivum haben, oder nicht. Das Verbum bolas, welches Wischnewski in seiner Grammatik so nennt, kann nach Herrn L. nicht dafür gelten; denn 1) kommt die erste Person (boládyp) gar nicht vor (ein schöner Grund! wenn also ein Verbum defectiv ist, so kann es nicht Verbum substantivum sein?); 2) conjugirt es sich ganz regelmäßig, wie jedes andere Verbum (gehört denn Unregelmäßigkeit zu den nothwendigen Eigenschaften eines Verbum substantivum?!). 3) kann es nicht integrirender Theil eines anderen Verbums werden (aber ein Verbum substantivum muss ja nicht nothwendig auch Hülfsverbum sein; es eignet sich nur am besten zu diesem Geschäfte). Endlich 4) gebraucht man bolas nur in Bedeutungen wie geschehen oder zu geschehen pflegen, sich ereignen, vorkommen (à la bonne heure! dieser Grund ist der einzig annehmbare).

---

*) sam und se (s) sind also hier von keinem mongolischen oder tungusischen, sondern von einem ächt türkischen Worte abgeleitet, und dabei ist nur beiläufig bemerkt, dass dieses Wort auch bei Mongolen und Tungusen zu finden sei. Von den anderen Ungenauigkeiten wollen wir absehen.

Ein Verbum substantivum kann nur in dem Falle mit
Recht so heissen, wenn es das reine Sein ausdrückt, was
aber in den meisten Sprachen nicht der Fall ist. In Schott's
Abhandlung ist bolas nur einmal (S. 26) so genannt, aber
in einem Zusammenhange, der Jedem zeigen muss, dass der
Verfasser hier der ihm vorliegenden Grammatik sich anbe-
quemt hat.

Herr L. conjugirt nun das Praesens eines beliebigen
Verbums (es ist joradás lieben), und fragt dann, was für
ein Ding jenes at (Singular) und asse (Plural) sei, welches
in der dritten Person erscheine (Erscheint es nicht auch in
den anderen Personen? und sieht Herr L. nicht, dass in asse
ein se [den Plural anzeigend], mit at sich verschweist hat?).
Die Antwort, die er sich selbst giebt, lautet: „diese Endungen (soll heissen „Zusätze”) sind nichts Anderes als das Bruchstück eines alten Verbum substantivum” . . . .

Sollte man hiernach nicht denken, Herr L. sei der erste
Entdecker dieser Thatsache? Allein man bemühe sich nur,
in Schotts Abhandlung (S. 24) nachzuschlagen; da heisst es:

„Praesens, praeteritum primum, conditionalis et par-
ticipium futuri inter etymon et affixa habent litteram
t (d); quae modo verbi thema constituit, modo parti-
cipii nota esse videtur . . . . . Tertia persona est etymon cum themate nudo: bol-at. Pluralis bol-asse
sine dubio est pro bol-at-se; nempe thematis littera
pluralis notulae (se) assimilatur, ne collisio litterarum
t+s exstet, quam Tschuwaschi studiose vitant, Li-
tera t, quatenus ad praesens formandum adhibetur,
procul dubio est decurtatum tur (dur), stare, esse, in
variis dialectis turcicis etymo principali additum, ut
natura ejus verbalis corroboretur.”

Schott bemerkt ferner, dass die vollständige Form dieses
Hülfsverbums in der dritten Person des Imperativs als dyr
oder dur aufbewahrt sei, u. s. w.

Also hat Schott und nicht Lebedjew auf das wahre Verbum substantivum und Hulfsverbum der Tschuwaschen zuerst

hingewiesen, nur mit viel gröfserer Schärfe und besserer Begründung der Sache.

Jetzt holt Herr Lebedjew noch einmal gewaltig aus, um Dinge zu beweisen, die lange vor ihm bewiesen worden sind, und quält sich dabei ganz besonders mit dem Negativ der Tschuwaschen. Wer ihm in dieses Labyrinth von Erörterungen folgen will, dem wünschen wir glückliche Rückkehr ans Tageslicht; wer aber bei uns ausharren will, dem sei folgendes gesagt:

Die türkische Sprache bezeichnet den Negativ eigentlich nur mittelst eines, der Verbalwurzel unmittelbar angefügten m'a (me), das also zwischen sie und die Bildungszusätze sich einschiebt, z. B. bak-ma schau nicht; gel-me komm nicht; bak-ma-dy er schaute nicht; gel-me-di er kam nicht. Ist der Bildungszusatz ein r, so geht dieses nach der Negation in den verwandten gelinden S-Laut über, und der Vocal der Negation verdrängt den etwanigen Bindevocal des r, z. B. ko-r collocans und collocat; ko-mas (für ko-mar aus ko-ma-r) non collocat; bak-ar spectans und spectat; bak-mas (für bak-mar, aus bak-ma-r) non spectat; gel-ir veniens und venit; gel-mes (für gel-mer, aus gel-me-r) non venit. Da das Particip in r den ersten Aorist und das Imperfectum erzeugt, so ist es natürlich, dass der Negativ hier in beiden Numeri und allen drei Personen m-s werden muss, z. B. bak-mas-ym ich schaue nicht (oder werde nicht schauen), bak-mas-dym ich schaute nicht; gel-mes-dik wir kamen nicht.

Betrachten wir nun, wie die Sache im Tschuwaschischen, das ja eine Schwestersprache des Türkischen, sich gestaltet. Hier begegnet uns die Negation als ma (mä), me, my und mi. Beispiele der drei letztgenannten: isli-my-p ich werde nicht arbeiten; isli-me er wird nicht arbeiten; isli-mi-s sie werden nicht arbeiten. Ma (mä) scheint nur mit r oder s vorzukommen: m-r bildet den Negativ der Vergangenheit: isle-mär-ym ich arbeitete nicht, von isle-r-ym ich arbeitete. Man muss wissen, dass diese Form im Osmanischen

Praesens-Futur ist, also in gewissem Sinne Aorist heissen
kann: ischle-r-im ich arbeite oder werde arbeiten.   Der
Negativ derselben sollte ischle-mer-im sein; allein das
r verwandelt sich, wie vorhin gezeigt, in s, also ischle-mes-
em.   Im Tschuwasch. wird ferner m-r den modi substantivi und
einigen modi adjectivi nachgesetzt, d. h. in diesen schiebt
man es nicht zwischen Stamm- und Bildungszusatz, sondern
hängt es erst letzterem an, z. B. isles-mar oder isleme-
mar nicht arbeiten.   Da in solchen Fällen durchaus keine
Veranlassung zur Beifügung des r ist, so muss es hier miss-
brauchsweise stehen. — Mit s erscheint ma (mä) im Negativ
der Gegenwart: wola-d-yp ich lese, wola-mas-t-yp ich
lese nicht; isle-d-yp ich arbeite, isle-mäs-t-yp ich arbeite nicht.   Der Thema-Consonant bleibt im Negativ und
wird, als nach s stehend, immer t, wie er schon in der dritten Person das Positiv (isle-t) t ist. Eine andere Bestimmung
kann das t nach m-s nicht haben, und es ist daher ganz un-
statthaft, wenn man sagt, die negative Form des Praesens
habe mast (mäst) zu ihrem Characteristicum, d. h. wenn man
t mit zur Negation rechnet. *)   Warum aber m-s statt eines
simpeln ma (mä), da es doch aus m-r entstanden (vergl. die
türk. Formen), und der Positiv nicht islerdyp, sondern isledyp lautet? Hier sehen wir nur zwei Möglichkeiten: Entweder steht es, wie m-r in gewissen Fällen, vermöge eines
Missbrauchs, welchen hier ein Missverstehen des türkischen
negativen Imperfects (ischle-mes-d-im, aus dem positiven
ischle-r-d-im) herbeiführen konnte, — oder in der positiven Form isledyp etc. ist zwischen dem Charactervocale
und d ein r (isle-r-dym) ausgefallen; dann entsprach sie
im Wesentlichen dem Imperfectum der Osmanen, wie das
tschuwaschische Praeteritum (z. B. islerym) wesentlich das
osmanische Praesens-Futur ist.

---

*) Schott a. a. O., S. 30, wo dieser Gegenstand aber zu kurz abge-
handelt ist.

Noch müssen wir bemerken, dass der Verfasser unserer tschuwaschischen Grammatik von b o l a s (geschehen) kein Praeteritum in - r y m , - r y n g , - r e etc., dagegen eines in - d y m , - d y n g , - t s c h e etc. aufführt, welches dem Osmanischen auf d - m (b u l d u m , g e l d i m etc.) entspricht. Das t s c h e der dritten Person desselben (b o l - t s c h e oder b o r - t s c h e) ist ohne Zweifel aus di oder ti (dem Themaconsonanten mit i) entstanden, was den Lautgesetzen der Tschuwaschen ganz analog ist. *)

---

*) Schott a. a. O., S. 15: t s c h semper d (turcici) ante i vicem gerit: t s c h i r i (vivum); d i r i ; s i t s c h e (septem), j e d i ; etc.

Altslawische und russische Sprüchwörter nebst Erklärung ihrer Abkunft und Bedeutung. *)

Die meisten Sprüchwörter des grofsen slawischen Volkes gehören, ihrer Abkunft nach, in ein sehr hohes, nicht selten heidnisches Alterthum, und zeugen dabei von feinster Beobachtungsgabe.

Allein viele derselben haben einen historischen oder allegorischen Ursprung; um diese möglichst genau zu erklären, muss man also mit längstvergangenen Zuständen, Sitten, Ansichten und Vorurtheilen vertraut sein. Auf den Grund dieser Nothwendigkeit sind die Sprüchwörter in zwei Classen zu theilen: zur ersten Classe gehören die historischen, d. h. solche, denen irgend eine alte Sitte, eine ungewöhnliche Begebenheit, bisweilen ein geradezu lächerliches Ereigniss ihr Dasein gegeben; zur zweiten, die allegorischen, d. h. solche, in denen, unter dem Bilde von Thieren oder allerlei Gegenständen, die Mängel, Schwächen und Verirrungen der Menschen in allen Abzweigungen ihres häuslichen und öffentlichen Seins lebendig gezeichnet sind.

Es mögen nun die Sprüchwörter selbst folgen.

1. Wie ein Stein ins Wasser.

Er verschwand, er ging unter, wie ein ins Wasser geworfener Stein. Dieses Sprüchwort bezeichnet

---

*) An den Moskwitjanin gesandt von Paul Szpilewski in Warschau.

eigentlich den unwiederbringlichen Verlust einer Sache; dann, im übertragenen Sinne, das ewige Vergessen einer zugefügten Kränkung oder Beleidigung. Wir wollen dieses Sprüchwort vollständig anführen, in Verbindung mit dem Umstande, der es erzeugt hat. Wenn die Greise zwei Feinde versöhnen wollen, bereden sie dieselben, erlittene Unbill zu vergessen, und sagen dazu: „höret auf mit Zürnen und vergesset das zwischen euch Vorgefallene; mag es untergehen wie ein Stein, den man ins Wasser geworfen hat. *) Dieses Sprüchwort datirt aus der ältesten Epoche des slawischen Heidenthums. Man weiss, dass die alten Slawen nicht anders einen Krieg unternahmen oder den Feinden Frieden verkündeten, als mit Erlaubniss ihrer Götter, bei welchen die Priester in solchen Fällen anfragten. Im Fall eines Friedens beriefen die slawischen Anführer ihre Feinde ans Ufer eines Meeres oder Flusses; wenn nun Letztere am bedungenen Orte erschienen, so traten Erstere hervor und warfen Steine ins Wasser, als symbolische Handlung des Vergessens ihrer Feindschaft. Dasselbe thaten die feindlichen Häuptlinge; darauf reichten beide Theile einander die rechte Hand, und legten Steine, Waffen und Geldstücke zu den Füfsen eines Idols nieder. Anfänglich war diese Sitte, als eine geheiligte, Sache der Allgemeinheit, in der Folge ward sie häusliche, alltägliche Gewohnheit. Halte ein Streit zwischen zwei Familien sich entsponnen, so zogen sie mit Steinen in den Händen gegen einander aus; kam es aber zur Versöhnung, so gaben sie sich die rechte Hand, küssten sich und vertauschten die Steine; dann kehrten sie heim, gingen zum Brunnen, warfen die Steine hinein, und sprachen: möge unsere Feindschaft vergehen, wie diese Steine auf den Grund des Brunnens fallen. Dieser Gebrauch besteht noch in Serbien und in den Donaufürstenthümern. Ein ähnlicher Brauch erhält sich in Galizien, der Herzogowina und in den Statthalterschaften Grodno und Kowno. Es ereignet

---

*) Altslawisch: **pakinte gajewatza, nechai ieno use, schto bylo, sgine marnje, propadae, jak toi kamen u wadsje.**

sich mitunter, dass die gegen ihren Vorgesetzten erbitterten
Starosten oder Landwirthe, zufolge einer Verabredung, Steine
ergreifen und wider den verhassten Podbarin (Vice-Bojaren)
ausrücken; begegnet ihnen aber auf dem Wege irgend ein
feindseliges Thier oder Vogel, hören sie das Bellen eines Hundes,
das Brüllen einer Kuh oder eines Ochsen (lauter böse Vorbedeu-
tungen), so kehren sie wieder heim, werfen die Steine in einen
Brunnen und sagen dazu: nechai jeno prapadse s' ka-
menem u wadsje (lasst uns ihm den Stein ins Wasser werfen, d. h. verzeihen!). Sind nicht darum auch die Brunnen
einiger unruhigen und reizbaren Hausherren dergestalt mit
Steinen verdämmt, dass man sie von diesen Symbolen häufigen Haders reinigen muss?

2. Er platzt heraus wie der Junker von Konopel.

Bedeutung: er weiss nicht, wovon sich's handelt,
und doch streitet er. Dieses Sprüchwort hat einen historischen Ursprung.

Konopel heisst ein Dörfchen im Kreise Igumen der Statthalterschaft Minsk. Daselbst soll irgend ein reicher Edelmann
von der gemeinsten Sorte gewohnt haben, der weder lesen
noch schreiben, nur Geld ansammeln konnte. Als reicher und
ausserdem roher Mensch verachtete er alle seine Nachbarn,
zu denen sehr angesehene Magnaten, sogar der berühmte Karl
Radziwill, gehörten. Dies erfuhr der stolze Woiwode von
Wilna, Herr von Neswij, Koidanow und Klezk, und wollte
dem Junker bessere Sitten beibringen. In dieser Absicht be-
rief er eine Conferenz, zu welcher alle reichen Edelleute der
Nachbarschaft, darunter auch der von Konopel, berufen wurden. Der Junker kam vor Freude fast ausser sich; die Einladung zur fürstlichen Conferenz machte ihn noch aufgebla-
sener als er schon gewesen. Er wusste gar nicht, wie er
sich herausputzen sollte, um recht glänzend zu erscheinen:
mit allen seinen goldnen und silbernen Regalien beladen, liefs
er einen vorsündflutigen Rumpelkasten mit Sechsen bespan-
nen und begab sich so nach Neswij. Als er in den Saal der

Berathung trat, empfing ihn ein Laquai und sagte, alle Plätze seien schon eingenommen, aber unser Konoplianer, durch diese Kunde nicht im Geringsten aus der Fassung gebracht, drängte sich vorwärts, bemerkte, dass der erste (für Radziwill selber bestimmte) Platz noch unbesetzt war, und liefs sich ohne Umstände auf demselben nieder. Alle Anwesenden sahen den verwegenen Junker mit Verwunderung an, sagten aber, durch Radziwill vorbereitet, kein Wort, und lächelten nur verstohlen. Es begann nun eine Debatte, die ziemlich lang andauerte; unser Edelmann aber, an solche Sitzungen nicht gewöhnt und nicht einmal verstehend, wovon es sich handelte, versank in Schlummer. Da trat der Secretär zu ihm heran, weckte ihn und fragte: „Welches ist denn die Meinung Eurer Gnaden?" Der Konoplianer antwortete noch in halbem Schlafe mit der angelernten Redensart: „Das kann nicht geschehen — ich gestatt es nicht (nie pozwalam)!... — Wie so das? fragten die in den ersten Reihen Sitzenden... — „Nein, das geb ich nicht zu, und damit abgemacht!"... — Was? wie? riefen fast alle Versammelten zugleich... kann man damit nicht einverstanden sein, dass der Edelmann den Vorrang vor dem Bürger haben soll?... — „Ah!... das hatt ich nicht gehört" — entgegnete unser Junker. Jetzt musste Alles lachen, und man hörte die Worte: „Was ist das für ein Stückchen? wer ist dies? etwa ein Bürgersmann, der seine Standesgenossen in Schutz nimmt und ihnen den Vorrang vor dem Adel auswirken will?" — In diesem Augenblick trat Radziwill aus einer Seitenthür herein und sprach mit lauter Stimme: „Das ist der Edle von Konopel!" Alle klatschten in die Hände und erhoben ein schallendes Gelächter; Einige riefen auch: „Sieh da! der Edle von Konopel ist herausgeplatzt!" Man führte den armen Konoplianer aus dem Saale. Dieser fand es forthin für gut, dem Stolz auf seinen Reichthum zu entsagen, und beschäftigte sich noch im hohen Alter mit Grammatik, Geographie, Arithmetik und Geschichte.

Die Polen haben eine Variante dieses Sprüchwortes:

wyrwać się jak Filip z Konopi (herausplatzen wie Phi-
lipp von Konop) *), welche sogar den Namen des enthonigten
Edelmanns aufbewahrt.

3. Er hebt seine Beine hoch und schleppt seine
Stiefel am Haken.

Dieses Sprüchworts bedienen die Bauern sich spottweise
gegen den verarmten und niedrigsten Adel, der sich in Erziehung und Kleidung von ihres Gleichen kaum unterscheidet,
und doch in ihrer Gesellschaft die Beine (oder auch die Nase)
hoch trägt. Diese Classe lumpiger Aristocraten ist nämlich
Ueberbleibsel einer zahlreichen Suite an den Höfen der regierenden polnischen Könige und der grofsen Magnaten. Es
gab eine Zeit, als Könige und appanagirte Grofse (z. B. die
Chodkewicz, Radziwill u. s. w., welche ihre Truppen und Leib-
garden hatten und unter einander Krieg fuhrten) für den geringsten Dienst im Felde, auf der Jagd und bei Gelagen ihren
Schmarolzern und dienstbaren Geistern kleine Landstücke
schenkten und sie im Namen des Königs mit dem Erbadel
begnadigten. Einige dieser Parvenü's wurden in der *Folge*
reich und angesehen; aber die Meisten, Leute ohne alle Erziehung und Bildung, liefsen sich auf den ihnen geschenkten
Grundstücken nieder, und lebten vom Ertrage derselben, vom
Verkaufe des Viehs, der Pferde u. s. w. In der Folge kamen
diese armen zu Hause gezogenen Junker in Ansehung ihrer
Lage auf gleiche Stufe mit den gemeinen Bauern, ja einige
sanken noch tiefer: sie mussten in eigner Person pflugen, die
Heerden hüten, Heu machen, die Kühe melken, den Küchengarten bestellen; noch mehr, heutiges Tages verdingen sie
sich sogar bei reichen Bauern zu Haus- und Feldarbeiten.
Es ist einleuchtend, dass diese Herren, bei so bewandten Umständen, sich nicht edelmännisch kleiden konnten und es jetzt
noch weniger können; ihre gewöhnliche Tracht waren so-

----

*) Siehe Krótkie przypowieści dawnych Polaków (Kurze
Sprüchwörter der alten Polen). Krakau, 1819.

genannte Switka's aus schlichtem grauem Bauerntuche und Schuhe aus Lindenbast; nur an Feiertagen trugen sie feinere Oberröcke, Stiefel und Mützen mit Oberleder. Aber trotz aller ihrer Dürftigkeit behalten sie ihre pseudo-edelmännische Abkunft aus den Zeiten Sigismunds III., Wladislaws IV., oder Jan-Kasimirs treu im Gedächtnisse: und obwol ein grofser Theil von ihnen, der jetzigen Umgestaltung zufolge, da sie ohne Adelsdiplome, unter die Freibauern (mit Verpflichtung zum Kriegsdienst) gekommen ist, so weigern sie sich doch immer noch, bei nicht adlichen Nachbarn eine Mahlzeit einzunehmen, die nicht selten reinlicher und reichlicher ist, als ihre eignen Mahlzeiten. Der nämliche Mensch, der einem Bauern als Tagelöhner dient, hält sich in stolzer Entfernung von ihm und behauptet immer seinen (nicht beurkundeten) Adel. Er betheiligt sich um keinen Preis bei den Spielen der Bauern oder bei ihrem traulichen Gespräche; in sein Sastjenok *) gleichsam eingeschlossen, giebt er sich nur mit seinen Kameraden jedem Zeitvertreib und jeder Ergetzung hin. Nachdem diese Art von Noblesse die ganze Woche hindurch harte Arbeit gethan, begiebt sie sich am Sonntag in die benachbarte Kirche, oder zum Abendkränzchen, und auf solchem Gang machen die Herren den lustigsten Aufzug: da ihr Feiertagsputz der einzige ist, in welchem sie zu gewissen Zeiten des Jahres prunken, so gehen sie auch sehr vorsichtig damit um; gewöhnlich tragen die Männer ihre Oberröcke und die Frauen ihre Tücher unterm Arme; Schuhe und Stiefeln aber an Bindfaden oder Stäbchen mit Haken über der Schulter. Bei Begegnung mit einem Bauern benehmen sie sich gleichwol aristocratisch, d. h. sie wenden sich von ihm ab und versagen ihm ihren Grufs. Da verzieht denn der Bauer unwillkürlich seinen Mund zu einem spöttischen Lächeln, und sagt daheim, zu den Seinigen, bisweilen auch dem dünkelvollen Habenichts,

---

*) Sastjénok's sind Abgrenzungen, in welchen seit alter Zeit besondere Geschlechter des weissrussischen Kleinadels, jetzt Freibauern und Einhöfer (odnodworzy) genannt, wohnen.

wenn er kommt und ihm seine Dienste anbietet, ins Angesicht: „sieh, er ist kahl wie ein Falke, und dabei bläht er sich noch . . . ein prächtiger Adel! . . . die Füfse (oder die Nase) hoch, und die Stiefel am Haken . . ."

4. Nimm Geld in die Hand, wenn der Kuckuck ruft.

Seinen Ursprung verdankt dieses Sprüchwort einer altslawischen Ueberlieferung vom Kuckuck. Schon die heidnischen Slawen glaubten, dass der Frühling eintrete, sobald der Kuckuck im Walde sich hören lasse, und dass Derjenige, welcher, sobald er den Ruf dieses Vogels zum erstenmal gehört, mit Geldstücken (in der Hand oder in der Tasche) klimpere, im ganzen Jahre glücklich sei; führe er zu der Zeit kein Geld bei sich, so werde er in vorhabenden Geschäften den gröfsten Verlust erleiden — wenn es aber ein Mädchen sei, so könne sie im laufenden Jahre keinen Mann bekommen. Auf den Grund hiervon hielten es die alten Slawen für das gröfste (?) Verbrechen, einen Kuckuck zu tödten, und um so mehr, da dieser Vogel von einigen slawischen Stämmen angebetet wurde. Diese Ueberlieferung vom Kuckuck hat sich vollständig erhalten. Ein verliebtes Bauernmädchen, das zum ersten Mal die Stimme dieses Vogels hört, beeilt sich, mit Geld zu klimpern, und antwortet der Kuckuck darauf, so glaubt sie an ihre Verheirathung im laufenden Jahre. Neuvermählte fragen den Vogel, mit Geld klimpernd: „wie lange werden wir zusammenleben?" Dann zählen sie die Antworten, bis der Kuckuck schweigt, was übrigens, wie Naturbeobachter ermittelt haben, schon nach zwanzig Rufen zu geschehen pflegt. Aber wichtiger als Alles ist der Glaube, dass, wenn ein Mann mit Gelde klimpert, die Kopeke durchs ganze Jahr bei ihm ausdauern werde. Eben darum halten es die heutigen Kleinrussen, gleich den alten Slawen, für Sünde, einen Kuckuck zu schiefsen.

Auf den Grund solcher Abstammung dieses Sprüchworts lässt sich auch seine Bedeutung angeben; es drückt wol fol-

genden Gedanken aus: „Trag im Frühling Geld bei dir, damit du, wenn du zum ersten Male Kucku! rufen hörst, mit
demselben klimpern und dir sonach Glück herausweissagen
könnest." Im übertragenen Sinne aber wird es bedeuten:
„Spare dir Geld auf den Frühling", oder — was ebensoviel
sagt — „auf die bösen Tage". Denn der Frühling ist für die
Bauern dasselbe, was die bösen Tage, d. h. zur Frühlingszeit
fehlt es auf Dörfern gewöhnlich an Getraide, Küchengewäch-
sen u. dgl. Wer also kein Geld zum Frühling gespart hat,
der wird unglücklich sein, d. h. Hunger leiden müssen.

5. **Der Bär mit seinem Tanzen füllt des Zigeuners
Ranzen.**

Oder auch: **des Bären Menuet macht den Zigeuner fett.** Dieses Sprüchwort leitet seinen Ursprung von der
noch unlängst üblich gewesenen Bärenzucht. Diese besteht
jetzt nicht mehr; die trägen Zigeuner sind in Landbauern verwandelt. Es ist aber noch gar nicht lange her, dass die Zigeuner aus der Bärenzucht ein wahres Gewerbe machten,
welches ihnen Geld und allerlei Naturalien, insonderheit das
bei diesem Volke so sehr beliebte Schweinefett in Fülle ein-
trug. Eine solche Lebensweise behagte den schwarzen Va-
gabunden gar sehr; und würden sie gern mit ihren Petzen bis
zum jüngsten Tage herumgewandert sein. Aber zu ihrem
Unglück begnügten sie sich nicht mit freiwilligen Gaben —
sie stahlen auch, besonders Pferde, Schweine, u. s. w. Da
fasste man sie denn bald ab, und zwang sie, sich anzubauen
und hinterm Pfluge zu gehen. Hieraus ersieht man, wie beis-
send und sinnschwer obiges Sprüchwort ist: der Bär tanzt,
quält sich, plackt sich, und der Zigeuner sammelt das Geld
ein!... giebt es nicht auf Gottes Welt eine Menge solcher
faulen Zigeuner, die vom Schweisse geplagter Bären fett werden? Der fröhnende Bauer bedient sich dieses Sprüchworts
gegen seinen Grundherren, welcher in dem Maße reicher
wird, als jener herunterkommt.

6. Macht ihr uns auch „caput", wir machen doch
   nicht „haljom".

: Im Dialecte der Kleinrussen: chozj wy nas kapút, to
my ne haljóm. Das seltsame haljom (oder galjom) ist
offenbar nichts Anderes, als das verdorbene französische al-
lons! Dieses Sprüchwort ist sehr neu — es verdankt den
Ereignissen von 1812 seine Entstehung. Man weiss, dass die
französischen Officiere und Soldaten damals mit den russischen
Bauern sehr hart umgingen; sie liefsen sie über ihre Kräfte
Lasten fahren und tragen, so dass nicht nur die Leute, sondern auch ihre Pferde und Ochsen gequält wurden. Da dieses Sprüchwort vorzugsweise im Bezirke Borisow der Statthalterschaft Minsk existirt, so muss man glauben, dass die
Franzosen den Borisowern besonders hart zugesetzt haben.
Sahen die geplagten Leute, dass ihr Vieh, wenn es die Verwundeten, die Munition und mancherlei andere Dinge ziehen
musste, vor Ermüdung, Kälte und Hunger stürzte, so mochten
sie wol öfter die Zügel fallen lassen, und in ihrer Verzweiflung ausrufen: „bringt uns um, wenn's euch so gefällt — wir
gehen doch nicht weiter!"

In der Folge hat die Bedeutung dieses Spruchworts sich
verallgemeinert....

7. Rühre die Birnen der alten Weiber nicht an;
   schüttle die deinigen ab, und bring sie dem
   alten Weibe.

Hier ist von Deferenz gegen das weibliche Geschlecht
überhaupt und gegen alte Weiber insonderheit die Rede. Und
wirklich herrscht unter den Bauern, trotz ihrer Einfalt und
Ungebildetheit, eine gewisse Hochachtung der Weiber, insonderheit alter. Wenn wir bedenken, dass die Bäuerin bei
gar keinen erheblichen Dingen, keinen Handels- und Geld-
geschäften betheiligt ist, dass sie sogar eine Sclavin ihres
Mannes heissen kann, so begreifen wir nicht, woher solche
Huldigung sich schreibt, und noch weniger, warum sie ge-

wisser Mafsen mit Furcht und Zittern, mit sclavischer Unter-
würfigkeit verbunden ist. Ich glaube, nicht auf falschem
Wege zu sein, wenn ich den Ursprung des Sprüchworts auf
den alten Glauben der Slawen an die geheimnifsvolle Macht
alter Weiber zurückführe. Bei unseren heidnischen Vorfahren spielten die alten Seherinnen, oder Wahrsagerinnen eine
grofse Rolle in religiösen Dingen und bei allerlei heiligen Gebräuchen; sie galten für Vollstreckerinnen des Willens der
Götter und des unsauberen Geistes; daher die Vorstellung von
ihrer schlauen Klugheit. Als Erbstück ihrer heidnischen Ahnin-
nen beschäftigen sich die sogenannten Snacharka's (klugen
oder wissenden alten Frauen) noch jetzt mit Wahrsagerei,
Beschwörungen, Besprechungen und Bereitung von Getränken aus allerlei Kräutern. Vielleicht aber bezieht sich das
Sprüchwort nur auf die furchtsame Huldigung, welche junge
Brautwerber alten Weibern beweisen, von denen das Schicksal dessen abhängt, der um irgend ein Mädchen freit: in einem
selchen Falle entscheiden die Weiber wirklich Alles; da die
Männer um solche Dinge nicht sich bekümmern. Endlich
kann in dem Sprüchworte darauf hingewiesen sein, dass Ma-
tronen leichter zu erzürnen, somit auch rachsüchtiger sind, als
Männer. Das Weib ist oft besser und mitleidiger als der
Mann, aber in seinem Zorne nicht selten viel unbarmherziger.

8. Haben sie einen Hasen erlegt, so fressen sie einen Ochsen auf.

Dieses Sprüchwort spielt auf die ungeheuern Ausgaben
an, welche mit den alten Jagden des Adels, zumal der russischen Magnaten, verbunden waren. Es ist bekannt, dass, wenn
Janusz Radsivill eine Jagd anstellte, eine solche Menge Ade-
liger und Nichtadeliger mit ihm auszog, dass ein ganzer Ochse
zu ihrer Bewirthung nicht einmal ausreichte.

(Wird fortgesetzt.)

Zur Mythologie der Tschuwaschen.

Unter diesem Volke scheint uranfänglich ein reiner Dualismus geherrscht zu haben. Dieser bestand in der Anbetung zweier einander feindlichen Mächte: des Tora, eines guten Gottes und Lichtgottes, und seines Gegners, des Schaitan. Im Namen Tora haben ältere Gelehrte den Scandinavischen Thor erkennen wollen; aber Schott *) erklärt ihn mit viel stärkerem Grunde für den Tangry der Türken und Tengri oder Tegri der Mongolen, welches Wort s. v. a. Himmel und Himmelsgeist bedeutet. Gleicher Meinung ist der neueste russische Schriftsteller über die Tschuwaschen, Herr Sbojew, der sich über 25 Jahre mit ihnen befreundet hat, und dessen „Forschungen" wir diesen kleinen Artikel entlehnen. **) Der Name Schaitan muss eine alte heimische Benennung verdrängt haben; er weist auf Erborgung hin, da er die bekannte arabische Verderbung des hebräischen Satan ist.

Beide Principe, das gute wie das böse, hatten ihre dienstbaren Geister, aus welchen die Tschuwaschen in der Folge

*) In seiner Abhandlung „de lingua Tschuwaschorum". (Berlin 1842.) Daselbst heisst es (Seite 11): „ng (n surdum) in mediis vocibus nonnunquam evanuit: sor post, est turcicum songra; Tora Deus, respondet turcico Tangry". Beispiele des a für i und des o für a sind beigebracht auf Seite 8.

**) Issljedowánia ob inoródzach Kasánskoi gubérnii (Forschungen über die Völker von fremdem Stamme in der Statthalterschaft Kasan). Kasan, 1851.

selbstsländige Gottheiten gemacht haben; so sind aus dem
einen guten Gotte mehrere Götter entstanden, von denen jeder
irgend eine besondere Eigenschaft des ehemaligen einen guten
Principes darstellt und die Benennung Tora führt, jedoch mit
Hinzufügung der von ihm dargestellten Eigenschaft. Zu diesen Gottheiten gesellte man später auch die schaffenden Na-
turkräfte, und noch später kamen die Schutzgötter der Felder,
Haüser, Wälder u. s. w. zum Vorschein. Zuletzt besafsen die
Tschuwaschen gegen 25 gute Götter, die ausserdem fast Alle
mit Familie versehen waren, d. h. Weiber und Kinder hatten.
Der höchste Gott hiefs Süldi-tora (vergl. süle hoch, sülde
oben); dieser thut nur durch Vermittlung anderer Götter seinen Willen kund. Zu seinen Vasallen gehörte Tschon-
sjoradan-tora der Seelenzeugende Gott (von tschon Seele
und sjoradan, einem Verbaladjective von sjoradas, zeugen), welcher den jungen Kindern Seelen eingiebt. Die Tschuwaschen glaubten an das Vordasein (die Präexistenz) der Seelen, und nahmen an, diese seien von dem höchsten Gotte
geschaffen und lebten vor ihrer Vereinigung mit dem Körper
in einem wunderherrlichen Lande, das südöstlich von den
Wohnsitzen der Tschuwaschen belegen sei. Andere namhaf-
tere Himmelsgötter zweiten Ranges waren: Kebe, ein Retter
aus Nöthen aller Art; Chwelj-tora, der Sonnengott; Asla-
addji, der Gott der Gewitter. Der letzterwähnte Name heisst
wörtlich „grofser Vater", „Grofsvater", und noch jetzt führt
der Donner diesen Namen. Die tschuwaschischen Ausdrücke:
asla-adji audat (der Grofsvater singt oder lässt sich hören),
asla-adji chyda audat (der Grofsvater singt stark, sehr
laut), bedeuten: es donnert, es donnert stark.

Unter den guten Göttern der Erde nahmen die vornehmste Stelle ein: Sirdi-padscha, der Erd-Padischah (denn
padja ist eine Verderbung dieses persischen Wortes), Sirdi-
padscha-amyj (die Erd-Padischah-Mutter), sein Weib, und
Sirdi-padscha-ywylsem (die Söhne des E. P.), seine
Kinder.

Die heidnischen Tschuwaschen beteten zu jedem ihrer

irdischen Gebieter, als einem Stellvertreter des höchsten Gottes, und schrieben ihm rein göttliche Natur zu. Bei festlichem Götzendienste wurde der Name des irdischen Herren und seiner Familie in ihren Gebeten gleich hinter dem Namen des höchsten Gottes, und vor allen übrigen Himmelsgöttern genannt. — Auch hatten die Tschuwaschen einen Hausgeist oder Hauskobold, den Kiljran-tora.

Die guten Götter waren bei allen Tschuwaschen dieselben, die bösen aber nicht. Jedes Dorf hatte ausser den allgemeinen bösen Geistern noch seine besonderen, örtlichen, die es vorzugsweise anbetete. Diese aufzuzählen ist unmöglich, da ihre Zahl noch jetzt immer zunimmt. Wie das gute Princip, so hat auch das böse in eine Menge böser Götter sich vertheilt, und Schaitan ist, wie Tora, ein abgezogener Begriff geworden. Als Oberster im Gebiete der unsauberen Geister erschien plötzlich Keremet, ein Name der wahrscheinlich aus dem arabischen Charem oder Harem (das Unantastbare) entstanden. *) Keremet hiefs, der Ueberlieferung zufolge, uranfänglich der erstgeborne Sohn des höchsten Gottes. Vom Satan aufgehetzte Leute erschlugen ihn, verbrannten seinen Körper und gaben die Asche den Winden Preis. Wo diese Asche niederfiel, da wuchsen Bäume hervor, und mit ihnen wurde auch Keremet wiedergeboren, aber nicht mehr in einer Person, sondern in vielen, dem Menschen feindlichen Wesen, welche an die Erde gebunden sind, und die Möglichkeit, mit den guten Himmelsgeistern zu leben, verloren haben. Der Keremet ist ein verboster Geist, der für seine Ermordung und seine Trennung vom guten himmlischen Vater an den Menschen Rache nimmt. Alles Elend kommt von dem Kere-

---

*) Wenn es doch einmal arabisch sein soll, warum leitet es der Verfasser nicht lieber von كَرَامَة (Karâmat, kerâmet), welches „Heiligkeit", „Wunderbarkeit" bedeutet, und dessen Plural كرامات kerâmât die von heiligen Männern verrichteten Wunder bezeichnet?

Anm. d. Uebers.

met, und wenn man ihn nicht mit Opfern versöhnte, so würde ·die Menschheit längst untergegangen sein. Darum besaß jedes Tschuwaschendorf sein Keremet, d. i. seinen Ort der Opfergaben an den gleichnamigen Dämon und die bösen Geister überhaupt; in volkreichen Dörfern gab es zwei, drei und mehr solcher Opferstellen; es gab ferner Keremet's für öffentliche und andere dergleichen für häusliche oder Privatopfer.

Die heutigen Tschuwaschen haben fast allen Glauben an ihre weiland so gefürchteten Keremet's verloren, nachdem sie gesehen, dass man diese so geheiligten Haine ausrotten kann, ohne den Zorn der Götter befürchten zu müssen.

Ueber die Kurgane des Gouvernements Nowgorod *).

Im Gouvernement Nowgorod, wie im übrigen Russland, haben sich viele alte Gorodischtscha (Ruinen) und Kurgane (Erdhügel) erhalten, welche letztere hier *Sopki**)* genannt und hauptsächlich an den Ufern des Wolchow, Wolchowez, Msta, Lowat und anderer Flüsse angetroffen werden. Die Gorodischtscha sowohl als die Kurgane rühren unzweifelhaft aus den Zeiten des Heidenthums, der Bürgerkriege und den pestartigen Epidemieen her, welche, nach dem Zeugnifs der Chroniken, das alte Russland so oft verwüsteten. Von den Gorodischtscha namentlich kann man behaupten, dafs sie nichts anders als die Ueberreste von Verschanzungen sind, die auf den Schlachtfeldern zum Schutze des Fufsvolks aufgeworfen wurden und die in späterer Zeit als Batterieen zur Aufstellung von Kanonen und Falconetten dienten (?), so dafs man

---

*) Der Verfasser des obigen Artikels, Herr R. Ignatjew, war von dem Gouverneur von Nowgorod beauftragt worden, die zahlreichen in dieser Statthalterschaft befindlichen Ruinen und Grabhügel zu untersuchen, und theilt der *Sjéwernaja Ptschelà* die Beschreibung der Kurgane in der Nähe der Stadt Bjelosersk mit, indem er die Bemerkung hinzufügt, dafs er die weiteren Resultate seiner Forschungen in der Nowgoroder Gonvernementszeitung mit den dazu gehörigen Zeichnungen und einer archäologischen Karte veröffentlichen werde.

**) *Sopka* heifst eigentlich Bergspitze, Pik.

von dem Vorhandensein dieser Ruinen am sichersten auf den
Schauplatz der alten Gefechte schließen kann. Die Kurgane
werden allgemein für Denkmäler gehalten, die in den heidnischen Zeiten über den Gräbern aufgethürmt wurden, welche
den Staub der Häuptlinge, Heerführer und anderer ausgezeichneten Männer in sich schlossen. Hierzu wählte man in der
Regel Plätze in der Nähe von Ansiedelungen, Heerstraßen,
Flüssen oder den den Göttern geweihten Hainen. Nicht selten stellte man auch Götzenbilder auf ungeheure Kurgane auf,
die eigens zu diesem Zweck errichtet worden. Der Tradition
zufolge soll die Größe der Kurgane von der Zahl des bei
der Beerdigungsfeierlichkeit gegenwärtigen Volkes abgehangen
haben, indem jeder Zuschauer verpflichtet gewesen sei, min-
destens einen Helm voll Erde herbeizutragen. Bei den Kurganen fanden auch in der vorchristlichen Zeit die sogenannten
Trisny oder Trauerfeste statt. Diese Trisny bestanden aus
lärmenden Schmausereien und kriegerischen Spielen, die oft
mit blutigen Kämpfen endeten. Die Chroniken reden von
dem Begräbnißplatz des Igor († 945), von dem Grabmal eines
gewissen Galitschin, bei der Stadt Galitsch oder Halitsch im
jetzigen Galizien; die Ueberlieferung weist hin auf das Grab
Truwor's, bei der Stadt Isborsk. In der Folge verdrängte
zwar mit der Einführung des Christenthums die Bestattung
in den Kirchen den heidnischen Gebrauch, die Leichen auf
den Feldern, an den Kreuzwegen und den Ufern der Flüsse
zu beerdigen; allein die Kurgane erhielten nur eine andere
Bestimmung, indem sich dieselben in Monumente historischer
Ereignisse verwandelten. Wurde ein blutiges Gefecht geliefert, so begrub man die gefallenen Krieger auf dem Kampf-
platze, legte die Seinigen und die Feinde in zwei verschiedenen Gruben, thürmte die Erde über ihnen auf und bildete so
Kurgane. Dergleichen Erdhügel wurden auch über den Gräbern der an der Pest Gestorbenen aufgehäuft; endlich errichtete man Kurgane in solchen Fällen, wo sich in der Nähe der
Kriegslager keine natürlichen Anhöhen befanden, von welchen
man den Feind beobachten konnte. Diese Kurgane hießen

bei den Nowgorodern storojewyje sopki, Wachthügel.
Die altslawische Benennung der Kurgane ist mara, die noch
in einigen Theilen Russlands gebraucht wird. Nicht allein
der Süden, Kleinrussland, die Ukraine, sondern auch der Norden und sogar Sibirien *) haben Ueberfluß an solchen für die
Geschichte wichtigen Denkmälern, die zum Theil schon im
alten Russland als die Ueberreste einer längst vergessenen
Vorzeit angestaunt wurden. Man benutzte sie damals als zuverlässige Wegweiser inmitten einer pfadlosen Steppe, indem
man sie durch Merkmale bezeichnete; einige von ihnen werden sogar in der unter dem Namen Kniga Bolschago
Tscherteja bekannten altrussischen Topographie als feste
Punkte zur Ausmessung der Entfernungen angeführt, und bei
Errichtung der Verschanzungen (sasjeki) zu Ende des sech-
zehnten Jahrhunderts wurden viele Kurgane unter die Zahl
der befestigten Plätze aufgenommen.

Die Kurgane des Gouvernements Nowgorod ·sind bisher
fast unerforscht geblieben, obgleich sie nicht minder als die
südrussischen eine wichtige historisch-archäologische Bedeutung haben.   Die Localtradition sieht in ihnen Denkmäler
alter Schlachten, Gräber von russischen, litthauischen, schwedischen Kriegern und deutschen Ordensrittern, die .bei ihren
häufigen Einfällen in das Nowgoroder Gebiet umgekommen;
aufserdem weifs sie von in uralter Zeit hier begrabenen Helden, Bogatyri oder Woloty, zu erzählen.   Unweit Nowgorod ist das sogenannte Heldenfeld, Wolotowo Pole, wo
sich auch das Kirchdorf Wolotowo befindet und bis ins acht-
zehnte Jahrhundert das Wolotower Mönchskloster zur Himmelfahrt Mariä existirte.   Man zeigt hier das angebliche Grab
des slawischen Anführers Gostomysl, der zur Berufung Rjurik's mitgewirkt haben soll.   Auf vielen Kurganen des Gouvernements Nowgorod giebt es Kapellen, Kreuze, Leichen-
steine und selbst Ueberreste von jenen steinernen Weibern
(kamennyja baby) oder rohen Bildsäulen, die in solcher Menge

---

*) Ueber die sibirischen Kurgane vergl. dieses Archiv Bd. XII. S. 113 ff.

über verschiedene Theile Russlands zerstreut sind. Beim Ab-
tragen der Kurgane hat man Gebeine von Menschen und Pferden, alte Münzen *), Waffen, Kreuze, Heiligenbilder
(skladni), Ringe und andere kleine Metallsachen gefunden, obwohl die Landleute nicht gern diese Entdeckungen veröffentlichen . . . .

Vier Werst von der Stadt Bjelosersk, auf der Straße nach
Ustjujna oder Nowgorod, befinden sich südwestlich vom Dorfe
Rosljakowo zwei Kurgane, welche nicht mehr als 60 Sajen
von einander entfernt liegen. Der erste hat eine längliche
Form, mißt 40 Sajen im Umfang und 5 in der Höhe; auf
ihm erheben sich vier Fichtenbäume, etwa fünf Werschok
dick, und die noch sichtbaren verfaulten Stämme beweisen
deutlich, daß der Kurgan einst von einem dichten Fichten-
walde bedeckt war. Der zweite Kurgan ist beinah ganz abgetragen, nicht aber wegen archäologischer Nachgrabungen, sondern
um den Sand und andere Gegenstände zu ländlichen Zwecken
zu gebrauchen, und weder seine Gestalt noch seine Größe
ist jetzt zu erkennen. Nach Aussage der Landesbewohner
wurden in beiden Kurganen oft Gerippe und Knochen von
Menschen und Pferden aufgefunden. Es geht auch die Sage,
daß die Stadt Bjelosersk selbst einst in der Nähe dieser Kurgane gelegen habe. Daß sie wegen der Ueberschwemmungen des Weißen See's (Bjeloje Osero) mehr als einmal umgebaut wurde, scheint gewiß; gegenwärtig soll sie sich auf
der dritten Stelle befinden. Der bekannte Historiograph Müller spricht von einer Verlegung Bjelosersk's, nicht aber von
diesem Orte, sondern von dem rechten Ufer des Flusses
Scheksna, was aber zur Zeit der Einführung des Christenthums
in Russland geschehen wäre. Die Volkssage von dem drei-
maligen Umbau der alten Hauptstadt des Warjägerfürsten Si-

---

*) Ob diese Münzen russische waren, und aus welchem Zeitalter, läßt
der Verfasser unerwähnt! Vielleicht verspart er die näheren Angaben
auf den folgenden Theil seiner Abhandlung, in welchem er die Kurgane der einzelnen Nowgorod'schen Bezirke beschreibt.

neus verdient indefs Beachtung, eben so wie eine andere
Ueberlieferung, dafs in der Umgegend von Rosljakow ein dichter Wald oder Wolok gestanden habe. In der That sieht
man ungeheure alte Baumstämme mancherlei Art auf den ganzen Raume von Rosljakow bis zur Stadt Bjelosersk, ja in
dieser Stadt selbst. Aufserdem zieht sich von Rosljakow gegen Süden mehrere Werste weit ein mit Wald überwachsener
Morast hin, der noch heute Wolok heifst und, nach Versicherung der Einwohner, der Ueberrest früherer Waldungen ist.
Im alten Russland war es nicht ungewöhnlich, dafs sogar ansehnliche, volkreiche Städte in der Nähe von dichten Wäldern
lagen; man denke nur an Nowgorod und viele andere Oerter,
ja, selbst an Moskau, welches bis in neuerer Zeit- von tiefem
Wald umgeben war. Ueber die Verlegung der Stadt Bjelosersk lassen sich jedoch auch historisch beglaubigte Thatsachen und Urkunden beibringen.

Das alte Fürstenthum Bjelosersk, das sich längs den Ufern
des Weifsen See's und der Flüsse Onega und Scheksna aus-
dehnte, war unter allen altrussischen Provinzen, von den entferntesten Zeiten bis zum Untergang der Theilfürstenthümer,
die friedlichste und vom Kriegsgeräusch am seltensten heimge-
suchte. Die Einwohner von Bjeloserien waren betriebsame
Leute; die geräumigen Länder, Wälder und Gewässer boten
ihnen in der Jagd, dem Fischfang und dem Ackerbau reichliche Gegenstände der Thätigkeit dar. Von Alters her theilte
sich diese Provinz in zwei Hälften, wovon die eine, an den
Ufern der Scheksna, von- dem heutigen Kreise Ustjujna
bis dicht an Bjelosersk, für Nowgorod'sches Besitzthum
galt. Der Volksrath (Wjetsche) von Nowgoród sandte seine
Beamten dahin, um den jährlichen Tribut einzusammeln, ohne
sich übrigens in die Verwaltung des Landes zu mischen, indem er hier weder Statthalter, noch andere Bevollmächtigte
hatte. Bjeloserien war eine halbwilde Gegend, die, wie es
scheint, von ihren eigenen Aeltesten regiert wurde. Die zweite,
au den Ufern des Weissen See's gelegene Hälfte des Landes
gehörte in derselben Weise den Fürsten von Rostow und

Susdal, und die Nowgoroder nannten deren Bewohner „Susdaler Smerden", d. h. Zinspflichtige oder Knechte Susdal's.
Doch ist es nicht ersichtlich, dafs letztere bis zum dreizehnten Jahrhundert unter der unmittelbaren Verwaltung susdali-
scher Beamten standen, und diese „Knechte Susdal's" glichen
aller Wahrscheinlichkeit nach in ihren inneren Verhältnissen
den Einwohnern der Nowgorod zinspflichtigen halbwilden
Hälfte Bjeloseriens. Die ersten Fürsten von Bjelosersk treten erst seit dem Jahr 1260 auf. Die Stadt Bjelosersk selbst
gehörte bis dahin zu Susdal; der in ihrer Nähe liegende dichte
Wald oder Wolok bildete vermuthlich die Gränze zwischen
beiden Territorien. Die Nowgoroder und Susdaler nannten,
wie aus den Chroniken hervorgeht, die jenseits desselben gelegenen Niederlassungen ·ihrer Lehnsleute Sawolotschje.
Es ist zu bemerken, dafs noch lange Zeit nach Einführung
des Christenthums und während es auch in der Provinz Bjelosersk schon viele Christen gab, das halbwilde Bjeloserien
zum grofsen Theil von Heiden bevölkert war, die in den Ur-
wäldern lebten, wohin sie sich, vielleicht auf Anstiften ihrer
Priester, vor der neuen Religion zurückgezogen hatten. Von
ihren unzugänglichen Schlupfwinkeln aus bemühten sich die
Götzendiener, den Christen in jeder Weise zu schaden, besonders der Geistlichkeit, von der sie am meisten verfolgt
wurden. Dieses dauerte bis zum dreizehnten Jahrhundert,
trotz aller Anstrengungen der Bischöfe von Rostow, zu deren
Kirchsprengel die Provinz Bjelosersk gehörte.

Wenn nun Nowgorod oder Susdal den jährlichen Tribut
von den ihnen unterworfenen Einwohnern Bjeloseriens erhoben, so mufsten sie, da solche Unternehmungen nicht ohne
Gefahr waren, ihre Beamten von einer Kriegsmannschaft begleiten lassen, um erforderlichen Falls die Steuer mit bewaffneter Hand einzutreiben. Aufserdem überschritten die Steuerbeamten oft eigenmächtig die Gränze des beiderseitigen Ge-
biets, um in den benachbarten Dörfern Tribut einzusammeln,
obwohl sie hierzu kein anderes Recht hatten, als das des Stär-
keren. Solcher Uebergriffe machten sich besonders die Fürsten

von *Susdal* schuldig. Mitunter trafen die Steuerbeamten der
einen Seite mit denen der Gegenpartei zusammen, wodurch
Feindseligkeiten herbeigeführt wurden; mitunter weigerten sich
auch die Einwohner, den Tribut zu entrichten, flohen in die
Wälder und suchten von hier aus den verhafsten Zöllnern
zu schaden, welche ihnen ihre Felle und anderen Erzeugnisse
abnahmen. Die Chroniken Nowgorod's berichten von einer
solchen Schlacht zwischen den susdalischen und nowgoroder
Steuerbeamten, die im Jahr 1169 am Wolok unweit der Stadt
Bjelosersk vorfiel. Aus jenen Chroniken werden wir auch
einige Andeutungen über den Ursprung der Kurgane auf dem
alten Wolok beim Dorfe Rosljakow schöpfen können.

Das erste Nowgorod'sche Jahrbuch (Perwaja Now-
gorodskaja Ljetopis), die älteste und zuverlässigste Quelle für
unsere Kenntnifs damaliger Zeit, erzählt Folgendes. „Im
Jahr 1169 fiel die auf Befehl des Grofsfürsten Andréi Bogo-
ljubskji zur Eintreibung der Steuern ausgesandte Mannschaft
(drujina) von Rostow und Susdal, 2000 an der Zahl, in das
Nowgoroder Gebiet von Sawolotschje ein, um dort eigenmächtig Tribut von den Unterthanen des Wjetsche zu erheben, traf jedoch am Wolok auf die von einem gewissen Dan-
slaw Lasutinitsch angeführten Steuereinsammler Nowgorod's.
Die Nowgoroder zählten nur vierhundert Mann, trotzdem nahmen sie den Kampf mit den Susdalern auf, schlugen sie und
trieben sie in die Flucht, nachdem sie 1300 von ihnen erlegt,
während sie selbst nur 15 Mann verloren!" Nach diesem
Siege spielten die Nowgoroder im susdalischen Theile Bjeloseriens den Meister, indem sie den Einwohnern Tribut aufer-
legten. „Und sie nahmen eine zweite Steuer von den Susdaler Smerden", schreibt die Chronik. Möglich, dafs die Nowgoroder ihre Gegner unvermuthet oder bei nächtlicher Weile
überfielen, wobei sie von der Localität begünstigt wurden;
doch erfahren wir darüber nichts Näheres. Es ist inzwischen
hinlänglich, dafs die Chronik den Punkt angiebt, wo die Schlacht
stattfand, d. h. unweit Bjelosersk, am Wolok, und die noch
heute existirenden beiden Kurgane mit den darin gefundenen

menschlichen Knochen erläutern noch deutlicher die Erzählung
von dem Bjelosersker oder Sawolozker Treffen. Die Folge
desselben, wie aus der Chronik hervorgeht, war ein Krieg des
Grofsfürsten Andréi mit Nowgorod, der mit der Niederlage
der Truppen dieses Fürsten vor der Stadt Nowgorod selbst
am 25. Februar 1170 endete. Die Kurgane beim Dorfe Rosljakow, auf der Stelle, wo sich der alte Wolok befand, sind
höchst wahrscheinlich, der erste über den gefallenen Nowgorodern, der andere über den Susdalern errichtet, weil man in
solchen Fällen die Leichen der Gegner immer trennte und auf
verschiedenen Stätten beerdigte. Auch das stimmt mit dieser
Hypothese überein, dafs man in einem Kurgan eine gröfsere
Anzahl Knochen ausgegraben hat, als in dem andern.

Aufser diesen Erdhügeln liegt noch an den Ufern des
Flusses Scheksna, etwa eine Werst von dem Krochinskji-Posad, der sich gleichfalls auf der Hauptstrafse, achtzehn Werst
von Bjelosersk befindet, ein ähnlicher Kurgan oder eine
Sopka, auf der seit vielen Jahrhunderten eine Kapelle mit
einem alten, vom Volke hoch verehrten Heiligenbilde der Mär-
tyrer-Fürsten Boris und Gljeb steht, von dem die Kapelle
selbst den Namen Borisogljebskaja führt. In dieser Kapelle
zeigt man ein von Ziegelsteinen erbautes Grabgewölbe ohne
Inschrift, in welchem, wie die Landesbewohner versichern, der
Fürst Gljeb Wasilkowitsch von Bjelosersk, Sohn des Fürsten
Wasilko Konstantinowitsch von Rostöw, der von den Tataren erschlagen wurde, beigesetzt ist. Gljeb starb im J. 1278,
nachdem er lange in Bjelosersk regiert hatte. In der Nähe
dieser Sopka lag nach der Volkssage Scheksensk, eine der
ältesten Städte des Fürstenthums Bjelosersk, die ihren Namen
von dem Flusse Scheksna erhielt. Wann diese Stadt gegründet wurde und wie lange sie existirte, darüber haben wir
keine bestimmten Data. Der Tradition zufolge stand hier
einst Bjelosersk, und erst nach seiner Verlegung bildete sich
die Stadt Scheksensk.

Wir kommen hiermit auf die Sage vom Umbau der Stadt

Bjelosersk zurück. Nach Verlegung derselben an eine andere
Stelle sei, heißt es, die Stadt Scheksensk gegründet worden;
der nämlichen Ueberlieferung zufolge hat Bjelosersk dort gestanden, wo sich jetzt das Dorf Rosljakow befindet, und nach
den von Müller beigebrachten Zeugnissen wurde es um die
Zeit des heiligen Wladímir nach seiner gegenwärtigen Stätte
verlegt. Hiernach hätte' also das erste Bjelosersk wahrscheinlich auf der Stelle gestanden, wo in der Folge die Stadt
Scheksensk erbaut wurde, dann aber auf der des heutigen
Dorfes Rosljakow; mithin hätten zwei Verlegungen der Stadt
in den entferntesten Zeiten stattgefunden, die dritte aber, nach
ihrer gegenwärtigen Stelle, im zwölften (elften?) Jahrhundert. Als demnach die Schlacht von 1168 vorfiel, stand Bjelosersk schon auf seiner jetzigen Stelle, und das heutige
Rosljakow, der alte Wolok, war, wie gesagt, der Schauplatz
jener Schlacht, während Scheksensk, das sich in der nowgo-
rodischen Hälfte Bjeloseriens befand, vielleicht die Residenz
des alten Fürsten Sineus war, den die Slawen mit seinem
Bruder Rjurik zu ihrem Herrscher wählten *).

.Wäre ferner nicht die Hypothese erlaubt, daß der Kurgan beim Krochinskji-Posad aus den vorchristlichen Zeiten
stammt und daß auf demselben die Bildsäule eines slawischen
Götzen gestanden hat, welche nachher durch die Kapelle von
Boris und Gljeb verdrängt wurde? Der Tradition zufolge,
wäre hier eine christliche Kirche schon zu Lebzeiten der
heiligen Großfürstin Olga erbaut worden, die die ersten Glau-
bensprediger aus Kiew nach Bjelosersk gesandt haben soll.
Da die bedeutende Ausbreitung des Christenthums in Russ-
laud noch vor dem Regierungs-Antritt Wladímirs historisch
erwiesen ist, so kann man allerdings annehmen, daß das

---

*) Sineus hatte nämlich, wie Nestor berichtet, seinen Sitz in Bjelosersk,
während Rjurik in Nowgorod und Truwor in Isborsk herrschte:
„Staréi Rjurik sjede Nowjegorodje, a drugoi Sineus na Bjeljeo-
serje, i tretji (w') Isborstje Truwor."

Christenthum schon sehr früh in die Provinz Bjelosersk ein-
gedrungen ist, möglicherweise noch früher als in die anderen
Theile Russlands, obgleich das Heidenthum sich so lange unter den Einwohnern von Bjeloserien behauptete. — —*)

_____

*) Es wäre erspriefslicher gewesen, wenn Herr Ignatjew uns statt die-
   ser Hypothesen genaue Angaben über die in den Kurganen ausgegra-
   benen Gegenstände mitgetheilt hätte. Sollten sich dergleichen noch
   vorfinden, so werden wir auf dieses Thema zurückkommen.

Jakutisch - russisches Wörterbuch.

Das Feuilleton der russischen Petersburger Zeitung
(No. 5. 1853) theilt einige Notizen über eine für die Linguistik
wichtige Arbeit mit, die nach dem Tode des Verfassers im
Manuscript zurückgeblieben ist. Es ist dies ein jakutisch-
russisches Wörterbuch, von dem verstorbenen Staats-
rath und Mitgliede mehrerer gelehrten Gesellschaften A. E. Figurin, der im Begriff stand, es dem Druck zu übergeben,
als er durch den Tod überrascht wurde. Figurin war der
Sohn eines Geistlichen, studirte auf der Petersburger Akademie Medicin und ward 1815 als Arzt beim Marinehospital in
Sweaborg angestellt. Im Jahr 1820 wurde er zum Arzt und
Naturforscher bei der zur Erforschung des Eismeers und der
Küsten des nordöstlichen Sibiriens ausgerüsteten Expedition
unter dem Lieutenant Anjou ernannt, bei der er sich bis zum
Jahr 1824 befand. Durch den vierjährigen Aufenthalt in Sibirien und den beständigen Umgang mit den Jakuten erwarb
er eine genaue Kenntnifs der Sitten, Gebräuche und Sprache
dieses Volks, so dafs er bei seiner Rückkehr nach St. Petersburg eine reiche Sammlung von Materialien zu dem von ihm
projectirten jakutisch-russischen Wörterbuch mitbrachte. Indessen erlaubten ihm neue Beschäftigungen und Pflichten
nicht, unmittelbar zur Bearbeitung der gesammelten Materialien zu schreiten. Er erhielt zuerst eine Anstellung beim Pe-

tersburger Marinehospital, wurde dann Oberarzt beim Hospital
zu Kronstadt, in der Folge Medicinal-Inspector des Petersburger Hafens u. s. w. Alle diese Aemter erforderten ununter-
brochene Sorgfalt und Thätigkeit, und er konnte sich nur in
Zwischenräumen seiner lexicographischen Arbeit widmen;
dessenungeachtet schritt sie allmälig vorwärts, und als Figurin
im October 1851 starb, ließ er das Wörterbuch ganz vollendet und zu mehr als zwei Drittheilen ins Reine geschrieben
zurück. Es besteht aus beinah tausend geschriebenen Bogen,
indem nicht nur Wörter, sondern ganze Phrasen eingetragen
sind, und bei jedem Zeitwort ist die vollständige Conjugation
angegeben. Kurz, das Werk ist, wie es scheint, mit grofser
Liebe und Gewissenhaftigkeit gearbeitet, und dürfte es wohl
verdienen, dafs die russische geographische Gesellschaft oder
ein anderer gelehrter Verein für seine Veröffentlichung Sorge
trüge.

Geographische Nachrichten über das alte Russland *).

I. Nachrichten ausländischer Schriftsteller.

Zwölftes und dreizehntes Jahrhundert.

Im zwölften Jahrhunderte wufste man von Russland, dafs es ein Landstrich von grofser Ausdehnung sei, bedeckt von Bergen und Wäldern, in denen ein Thier, genannt Zobel, gefangen werde; der Winter sei dort so kalt, dafs die Einwohner ihre Häuser nicht verlassen können; seine Gränzen erstreckten sich von Prag bis zur grofsen Stadt des heiligen Nikolaus, sonst auch Pinego genannt. In Constantinopel und Alexandrien hatte man russische Kaufleute gesehen **).

Im dreizehnten Jahrhunderte ward durch die Reisen der römischen Missionäre zu den Mongolen der südliche Theil des heutigen Russlands genau bekannt ***). Die jetzige Halbinsel Taurien führt bei ihnen den Namen K a s a r i e n (Gasaria, Kas-

---

*) Nach einem Aufsatze des Professors Solowjew.

**) Voyages de Benjamin de Tudelle etc. Benjamin unternahm seine Reise im Jahr 1160, war aber selbst nicht in Russland, sondern erzählte von Hörensagen.

***) Durch Johannes de Plano-Carpini, der seine Reise 1245, und Wilhelm de Rubruquis, der die seinige 1253 antrat. Vergl. auch: Peregrinatio Marci Pauli (1274).

saria, Caesaria). Dieses Kasarien hat die Form eines Drei-
ecks, auf dessen westlicher Seite die Stadt Cherson liegt, wo
der heilige Clemens den Märtyrertod erlitt, im Süden aber,
Sinope gegenüber, die Stadt Soldaja (Sudak), wo alle Kaufleute, die aus Griechenland nach dem Norden gehen, landen
und eben so die Kaufleute, die aus Russland und den nördlichen Gegenden nach Griechenland reisen, sich einschiffen:
die einen bringen kostbare Pelze, die anderen baumwollene
und seidene Stoffe und Gewürze. Die russischen Kaufleute
führen ihre Waaren auf bedeckten Frachtwagen mit sich.
Zwischen Cherson und Soldaja befinden sich vierzig Festungen, und fast in jeder von ihnen reden die Bewohner eine
andere Sprache; es giebt unter ihnen auch viele Gothen,
welche deutsch sprechen. Jenseits des Berglandes kommt
man im Norden zu einem schönen Walde auf einer von
Quellen und Bächen durchströmten Ebene, und jenseits dieses Waldes erstreckt sich wieder eine unermeßliche Ebene
bis zur äußersten Gränze der erwähnten Provinz (Kasarien),
die sich immer mehr verengt und eine Landzunge bildet, die
im Westen und im Osten vom Meere bespült wird. An den
Gränzen Kasariens finden sich viele grofse See'n, die an ihren
Ufern Salzquellen haben, deren in die See'n fliefsendes Wasser ein Salz bildet, so hart wie Eis; aus diesen See'n beziehen die Tatar-Chane, Batu und Sartak, grofse Einkünfte, indem man sich dort aus ganz Russland Salz holt und für jeden
damit beladenen Wagen zwei Stück Baumwollenstoff entrichten mufs. Auch zur See kommen viele Schiffe nach diesem
Salz, und sie alle bezahlen die Steuer. Im Osten von Kasarien liegt die Stadt Matrica (Matrita, Materta), wo der Fluss
Tanais in den Pontus fällt. Der Tanais bildet die Ostgränze
Russlands; er entspringt in den mäotischen Sümpfen, die
sich im Norden bis zum Ocean ausdehnen, fliefst nach Süden
und breitet sich, ehe er in den Pontus mündet, zu einem
Meer aus, welches 700 Meilen in der Länge und Breite, nirgends aber mehr als sechs Schritt Tiefe hat, weshalb gröfsere
Schiffe nicht hineinsegeln können; doch schicken die Kauf-

leute, die aus Constantinopel nach der erwähnten Stadt Matrica kommen, Fahrzeuge zum Flusse Tanais, um gedörrte
Fische einzukaufen. An der entgegengesetzten Seite dieses
Flusses befindet sich die Stadt Ornas *), in welcher früher die
russischen, alanischen und kasarischen Kaufleute zusammen-
trafen und welche von den Tataren erobert und verwüstet
wurde.

In Kasarien und weiter gegen Osten wohnen folgende
Völker: Gothen, Alanen, Kasaren, Circassier und Georgier,
welche sich alle zum christlichen Glauben bekennen. Die
Circassier und Alanen oder Assen hausen im Gebirge, auf
der der Steppe zugewandten Seite.

Nördlich von Kasarien dehnt sich ein Steppenland aus,
in welchem früher die Komanen oder Kiptschaks (Polowzer)
umherschweiften und welches daher Komanien heifst. In diesem Landstrich giebt es weder Holzungen, noch Berge, aber
treffliches Gras; man sieht keine einzige Niederlassung und
nicht einmal die Spur irgend eines Gebäudes; nur die koma-
nischen Gräber (Kurgane) finden sich in grofser Anzahl vor.
Wenn . der Reisende seinen Weg durch diese Ebene nach
Osten nimmt, so erreicht er den grofsen Fluss Tanais, der
Europa von Asien scheidet. Am östlichen Ufer dieses Flusses liegt ein von Batu und Sartak erbauter Flecken, der von
Russen bewohnt ist, welche die Verpflichtung haben, Gesandte
und Kaufleute über den Strom zu setzen. Die Frachtwagen
werden auf die Art hinübergeführt, dafs man sie mit einem
Rade in einen, mit dem anderen in einen zweiten Kahn stellt
und die Kähne dann zusammenbindet. Die Bewohner des
Fleckens haben einen Freibrief von Batu, der sie aller Ver-
pflichtungen enthebt, mit Ausnahme der, die Reisenden über
den Fluss zu setzen, wofür sie noch dazu von den Kaufleuten gut bezahlt werden. Der Tanais ist an dieser Seite so
breit, wie die Seine bei Paris; in seinen Gewässern und in

---

*) Ornas ist identisch mit Tanais, einer Stadt an der Mündung des
Don. S. Recueil de voyages, publ. p. l. Soc. d. Géog. t. IV. p. 510.

den der anderen Ströme des erwähnten Steppenlandes, die
meistens nach Süden fliefsen, · giebt es eine Menge Fische.
Am westlichen Ufer des Tanais befindet sich ein grofser
Wald.   Die Einwohner des Fleckens säen Weizen, der aber
nicht gut gedeiht, dagegen wächst viel Hirse. Jenseits des
Tanais ist ein herrliches Land, bedeckt mit Wäldern und
Flüssen.   Gegen Norden ziehen sich dichte Waldungen, in
denen zwei Völkerschaften hausen: die Moxel (Mokscha), die
keine Städte haben, sondern in Hütten leben und Schweine,
Honig, Wachs, kostbares Pelzwerk und Falken im Ueberfluss
besitzen, und weiterhin die Merdini oder Merden (Mordwinen), welche den muhammedanischen Glauben bekennen. Jenseits der Mordwinen kommt man zum grofsen Fluss Etilia
(Wolga), der aus Grofs-Bolgarien von Norden nach Süden
fliefst und in einen Landsee fällt.   Die beiden Flüsse Etilia
und Tanais sind im Norden nur zehn Tagereisen von einander entfernt, gehen aber im Süden immer mehr auseinander,
indem der Tanais sich in den Pontus ergiefst, während die
Etilia mit vielen anderen Flüssen, die aus Persien ihr zu-
strömen, ein besonderes Meer oder einen See bildet, der von
Einigen Sirsan (Sircan, Sirtan), nach dem Namen einer an
seinen Ufern liegenden persischen Stadt, von Isidor aber
Kaspisches Meer genannt wird. Neben diesem Meer oder See
wohnen Saracenen, welche Lesgi heifsen, und jenseits derselben findet sich das von Alexander dem Grofsen errichtete
Eiserne Thor.

An der Wolga war zur Zeit des Rubruquis die Hauptstadt der goldenen Horde, Sarai, eben erst von Batu gegründet worden.   Ueber die Lage Sarai's bemerkt der Reisende
Folgendes: „Ich erreichte den Hof des Batu (auf der Rückkehr aus Mongolien) an demselben Tage, an welchem ich ihn
ein Jahr zuvor verlassen hatte . . . . Sarai und der Palast
des Batu liegen auf dem östlichen Ufer des Flusses, und das
Thal, welches die vier Arme des Flusses durchströmen, hat
eine Breite von mehr als sieben Lieues. Wir reisten am
Festtage aller Heiligen von hier ab, und indem wir uns gen

Süden wandten, erreichten wir am Martinstage die alanischen Berge."

Zwölf Tagereisen im Osten der Etilia befindet sich der grofse Fluss Jaik, der im Norden aus dem Lande der Paskaturen (Baskarden, Baschkiren) hervorströmt und in dasselbe Meer fällt, wie die Wolga. Die Sprache der Paskaturen und die der Ungarn ist eine und dieselbe; dieses Volk hat keine Städte, sondern führt ein Hirtenleben; es gränzt an die Grofse Bolgarei. · Jenseits der Paskaturen leben die „Parossity", „Menschen mit kleinen Leibern, die sich von den Dämpfen des gesottenen Fleisches nähren." Noch weiter entfernt, hinter den Parossiten, findet man Samojeden, die von der Jagd leben; sie haben Zelte und Kleider von Thierfellen. Ihnen zunächst, an den Küsten des Oceans, leben Ungethüme, „Menschen mit Stierfüfsen und Hundegesicht"; zwei Worte sprechen sie nach Menschenart, beim dritten aber bellen sie wie Hunde! Jenseits des Polarkreises wohnen viele Tataren, und zwar reine, ächte Tataren, welche die alten Sitten ihrer Vorfahren und deren Götzendienst beibehalten haben; sie hausen in den Bergen und auf den Feldern, nähren sich von Milch und Fleisch und leben, einem Herrscher gehorchend, in Frieden unter einander. Sie besitzen Cameele, Pferde, Kühe, Schafe und andere Hausthiere in grofser Zahl; in ihrem Lande giebt es auch grofse weifse Bären, zwanzig Palmen in der Länge, grofse schwarze Füchse, eine Menge wilder Esel und kleine Thiere, genannt Zobel, die das feinste Pelzwerk liefern. Ausserdem findet man dort viele den Pharaonsmäusen ähnliche Thiere, die des Sommers in solcher Anzahl gefangen werden, dafs man sich den ganzen Sommer fast nur von ihnen nährt; endlich fehlt es auch nicht an Raubthieren mancherlei Art, da das Land sehr waldig ist. Es gränzt an ein anderes, das von demselben Könige beherrscht wird. Diese Gegend ist von Bergen durchzogen und hat einen Ueberflufs an Pelzthieren; die Eingebornen machen mit solcher Geschicklichkeit auf dieselben Jagd, dafs nur selten eines ihren Händen entgeht. Man kann hier keine grofsen, schweren Thiere

halten, wie z. B. Pferde, Kühe, Esel und Cameele, weil der
Boden wegen der vielen Landseen und Bäche äufserst mo-
rastig ist und in Folge der unmäfsigen Kälte fast das ganze
Jahr hindurch mit Eis bedeckt, welches übrigens nicht hinlängliche Festigkeit besitzt, um schwere Wagen oder Thiere
zu tragen; wo aber kein Eis ist, da ist der Koth so tief, dafs
Wagen oder Vieh darin stecken bleiben würden. Diese Provinz dehnt sich dreifsig Tagereisen weit aus, und da sie viel
kostbares Rauchwerk erzeugt, mit welchem ein vortheilhafter
Handel getrieben wird, so haben die Einwohner folgendes
Mittel erfunden, um den fremden Kaufleuten die Reise zu
ihnen möglich zu machen: Zu Anfang einer jeden Tagereise
befindet sich ein Städtchen, von Leuten bewohnt, welche die
vom Auslande kommenden Kaufleute und Waaren empfangen
und weiter befördern. Hierzu hält man in jedem Städtchen
vierzig Hunde, die so grofs sind wie Esel und die man ab-
gerichtet hat, Schlitten zu ziehen. Jedem Schlitten werden
sechs Hunde vorgespannt und auf den Schlitten werden Bä-
renhäute gelegt, auf welche zwei Personen Platz nehmen —
der Fremde, der Pelzwerk einkaufen will, und der Kutscher,
der die Hunde lenkt und mit dem Wege vertraut ist. Da
nun die Schlitten aus leichtem Holz gebaut, die Hunde kräftig und an solchen Transport gewöhnt und die Lasten nicht
sehr stark sind, so schleppen die Hunde sie ohne Mühe durch
die Sümpfe fort. Beim zweiten Städtchen angelangt, wechselt der Kaufmann Fuhrer und Hunde und fährt dann auf dieselbe Art weiter.

In der Nachbarschaft des erwähnten Tatarenreichs, im
äufsersten Norden, liegt ein Land, welches das Reich der
Finsterniss genannt wird, weil die Sonne dort nicht zum Vorschein kommt, indem es den gröfsten Theil des Jahrs über
so finster ist, wie zur Dämmerungszeit. Die Bewohner dieses Landes sind von hübschem Ansehen, grofs und voll, aber
äufserst blafs, was von der Abwesenheit des Sonnenlichts
herrührt; sie gehorchen Niemanden und leben wie die Thiere.
Ihre Nachbaren, die Tataren, machen Einfälle in ihr Land

und plündern sie; da es jedoch bei der Dunkelheit und dem
Nebel schwer sein würde, den Heimweg zu finden, so haben
diese Tataren folgendes Mittel ersonnen: wenn sie ihre Züge
in das Reich der Finsterniss unternehmen, so reiten sie auf
Stuten, welche noch junge Füllen haben; diese Füllen lassen
sie an der Gränze und dringen selbst tief in das Land ein.
Nachdem sie sich hier mit Beute beladen haben, lassen sie,
um nach Hause zu kehren, die Stuten · die ihnen beliebige
Richtung einschlagen, und diese eilen geradesweges an die
Gränze zu ihren Füllen *).

Von dem Norden des europäischen Russlands im dreizehnten Jahrhundert haben sich wenige Nachrichten erhalten.
Die Reisenden wissen, dafs es ein grofses Land ist, welches
in der Nähe des Polarkreises liegt; die Einwohner sind alle
Christen und folgen in ihrem Kirchendienste dem griechischen
'Ritus. Die Männer· und Weiber in diesem Lande sind von
heller Gesichtsfarbe und schönem Ansehen, haben röthliche,
schöne Haare. Es giebt dort eine Menge Pelzthiere: Herme-
line, Zobel, Luchse und Füchse; auch Silbergruben findet
man dort. Das Klima ist äufserst kalt. Das Land erstreckt
sich bis zum Ocean, in welchem Inseln liegen, wo Geierfalken
in grofser Anzahl hausen, die nach verschiedenen Gegenden
ausgeführt werden. Unter den Städten und Provinzen des
südwestlichen Russlands ist namentlich Kiew mit dem zu ihm
gehörigen Bezirke bekannt. Kiew war, nach dem Berichte

---

*) In obigen Erzählungen tritt uns dieselbe Mischung von Wahrheit und
Dichtung entgegen, die sich mehr oder minder bei allen älteren
Reisenden bemerklich macht. Sie findet sich drei Jahrhunderte später bei Herberstein wieder, der gleichfalls von Menschen mit Hunds-
köpfen zu erzählen weifs, wie denn auch die stierfüfsigen Ungeheuer
Plano-Carpini's an die bocksfüfsigen Leute erinnern, von welchen
Herodot gehört hatte. · Nichtsdestoweniger sehen wir, dafs die römischen Missionäre, trotz aller Leichtgläubigkeit, von den Bewohnern
der Steppen- und Polarländer, ihren Sitten und Gebräuchen im Allgemeinen nicht unrichtige Ideen hatten, da sie einige der auffallen-
deren Züge derselben mit ziemlicher Genauigkeit schildern.

Plano-Carpini's, in früherer Zeit aufserordentlich grofs und
bevölkert; nach der tatarischen Eroberung und Verwüstung
sank es jedoch zu einem unbedeutenden Städtchen herab, in
welchem sich kaum zweihundert Häuser befanden, deren Bewohner in harter Knechtschaft lebten. In der Umgegend sahen
die Reisenden eine zahllose Menge Schädel und mensch-
licher Knochen, die auf den Feldern zerstreut lagen. Dessenungeachtet fuhren die Kaufleute aus anderen Ländern nach
alter Gewohnheit fort, Kiew zu besuchen; so kamen zugleich
mit Plano-Carpini Kaufleute aus Breslau dahin, denen nachher
mehrere aus Polen, Oesterreich und Constantinopel folgten:
die letzteren waren Italiäner — Genueser, Venezianer und
Pisaner. Hinter Kiew befand sich Kanew schon unter der
unmittelbaren Herrschaft der Tataren.

Vierzehntes und funfzehntes Jahrhundert.

Von Reisenden aus dem vierzehnten Jahrhundert haben
wir die Beschreibung des Handelsweges von Tana (Tanais,
Asow) über Astrachan nach China erhalten [*]). Von Asow
nach Astrachan zählte man 25 Tagereisen, wenn man auf
mit Ochsen bespannten Wagen reiste; spannte man jedoch
Pferde vor, so wurde die Reise in 10 bis 12 Tagen zurückgelegt. Unterwegs traf man oft bewaffnete Mongolen. Von
Astrachan bis Sarai rechnete man zu Wasser eine Tagereise,
von Sarai bis Saraitschik ebenso acht Tagereisen. Uebrigens
machte man diesen Weg auch zu Lande, nur war die Was-
serstrafse für den Waarentransport billiger. Von Saraitschik
nach Urgentsch reiste man auf Cameelen zwanzig Tage.

Die Reisenden des funfzehnten Jahrhunderts [**]) kennen
Kleinrussland, Russia bassa. Wie sie berichten, zieht sich

---

[*]) Balducci Pegoletti, in Sprengel's Geschichte der geographischen Entdeckungen S. 257.

[**]) Di Messer Josefo Barbaro, gentiluomo Venetiano, il viaggio della
Tana, in Ramusio's: „Navigationi e viaggi." Ferner: Il viaggio del

von der polnischen Gränze bis nach Luzk ein fast ununter-
brochener Wald. Aufser Luzk wird der Städte Jitomir, Be-
ligraoch (Bjelgorod) und Kiew*) Erwähnung gethan. Jitomir
ist eine befestigte Stadt, mit meist hölzernen Gebäuden; zwischen ihr und Bjelgorod geht die Strafse durch einen Wald,
der wegen der herumschweifenden Banden äufserst gefährlich
ist. In Kiew finden sich viele Kaufleute aus Grofsrussland
mit Pelzwaaren ein, die sie mit den Carawanen nach Kaffa
senden. Diese Carawanen werden unterweges oft von den
Tataren angefallen. Kiew hat eine hölzerne Festung und
besitzt Getraide und Fleisch im Ueberfluss. Auf der Reise
von Kiew nach der Krym setzte man unterhalb Tscherkasy
über den Dnjepr, „auf Flöfsen, die an die Schwänze der
Pferde festgebunden wurden."

Die Ebenen der Krym (oder der Insel Kaffa, wie sie die
italiänischen Kaufleute des 15. Jahrhunderts nennen) gehörten
den Tataren, die unter der Hetrschaft eines eigenen Chan
standen; doch war der frühre Name der Krym — Kasarien, noch
unvergessen, und das in Asow und den benachbarten Ländern
gebräuchliche Ellenmafs hiefs noch „kasarische Elle." Die
tatarischen Besitzungen in der Krym waren ziemlich bevölkert
und konnten 4000 Reiter ins Feld schicken; hier befanden
sich auch zwei, obwohl nicht sehr wichtige Festungen: Sol-
gati, welche die Eingebornen Krym, d. i. Veste, nannten,
und Kerkiarde (vielleicht das heutige Tschufut-Kale), was auf
tatarisch „vierzig Oerter" bedeuten soll. Im Süden des Meers
von Sabak (Asow) ist die erste Stadt Kertsch; dann folgen
Kaffa, Soldadia (Sudak), Grusui **), Tschimbalo (Balaklawa),

Magnifico M. Ambrosio Contarini, ambasciadore della ill. Signoria di
Venetia al Gran Signore Usun Cassan, re di Persia, nel anne 1473,
und Voyages et ambassades de Messire Guillebert de Lannoy (der
1413 in Russland war). Vergl. auch Geograph. Iswjestia Ross. Geogr.
Obschtschestwa, 1850.

*) Kiew heifst bei Contarini Magroman.

**) Wie man glaubt, ist dies das heutige Gursuf oder Ursuf, ein Dorf
im taurischen Gouvernement.

Sarsona (Cherson) und Kalamita*). Das handeltreibende Kaffa
ist von Einwanderern aus allen bekannten Ländern bewohnt
und durch seinen Reichthum berühmt. Alanien führt seinen
Namen nach dem Volke der Alanen, die sich selbst Assen
nennen; ihr Land ist von Bergen, Strömen und Thälern durchschnitten und mit vielen künstlichen Erdhügeln (Kurganen) besäet, die ohne Zweifel als Grabmäler dienten. Auf
dem Gipfel eines jeden dieser Erdhügel ist ein grofser, mitten
durchgebohrter Stein aufgerichtet und ein ebenfalls steinernes
Kreuz in die Oeffnung gesteckt (?). Im Jahr 1437 verabrede-
ten sich sieben italiänische Kaufleute aus Tana einen dieser
Kurgane, der sich am jenseitigen Ufer des Don, sechzig Meilen von Tana befand und Kontebbe genannt wurde, zu öffnen.
Der Kurgan hatte ungefähr eine Höhe von funfzig Schritt,
und den Gipfel bildete eine Esplanade, auf der sich ein zwei-
ter kleiner Tumulus, oben in Form einer Mütze zugerundet,
erhob. Dieser obere Kurgan, dessen Höhe nicht mehr als
zwölf Schritt betrug, war mit einem Fufssteg umgeben, auf
welchem zwei Menschen bequem neben einander gehen konnten; das Fundament war rund und gleichsam mit dem Cirkel
ausgemessen, und es hatte acht·Schritt im Diameter. Als
man den unteren Kurgan auszugraben begann, fand man erst
eine Lage Humus, dessen Ursprung man dem auf dem Kurgan wachsenden Grase zuschrieb; dann eine Schichte Kohlen,
die, wie man glaubte, von der Ausrottung der Weidenbäume
herrührten, deren so viele in der Nähe befindlich waren;
hierauf kam man zu einer Schichte Asche, ein Viertel (?) dick,
was man dem Verbrennen des Schilfrohrs (Kamysch) beimafs,
das in der Umgegend des Kurgans wuchs. Noch weiter unten fand man eine Lage Hirseschelfen, gleichfalls ein ganzes
Viertel dick, die man aus dem allgemeinen Gebrauch des
Hirsebrods in diesem Lande erklärte, und endlich eine Lage
Fischschuppen. Nachdem die Kaufleute eine Oeffnung von

---

*) Die Ruinen dieses Orts befinden sich zwischen Simpheropol und Bak-
tschisaral, an den Ufern des Flusses Alena.

sechzig Schritt in der Länge, acht in der Breite und zehn in
der Höhe gegraben, ohne die gehofften Schätze zu entdecken,
beschlossen sie, in den Hauptkurgan zwei neue Oeffnungen
von vier Fuß Höhe und gleicher Länge zu machen, und kamen so an eine neue Schicht von weißer Farbe und einer
solchen Härte, daß man leicht darin Stufen hauen konnte.
Fünf Schritte tiefer in den Hügel hinein fanden sie endlich
einige steinerne Gefäße, von welchen die einen mit Asche,
Kohlen und Fischgräten gefüllt, die andern aber ganz leer
waren, mit Ausnahme einiger Rosenkränze (pater nostri)
von der Größe einer Pomeranze, aus gebranntem Thon gefertigt. Außerdem wurden in dem Kurgan die Hälfte von den
Henkel eines silbernen Gefäßes· in der Gestalt einer Schlange
gefunden.   Ein heftiger Ostwind, .der die Erdschollen und
Steine aufwirbelte und sie den Arbeitern in das Gesicht trieb,
zwang die Kaufleute, fernere Nachsuchungen aufzugeben.
Der Ort, an welchem sie dieselben angestellt hatten, war früher unter dem Namen der Gulbeddiner Gruben bekannt, weil
einst einst ein gewisser Gulbeddin aus Cairo hier nachgegra-
ben hatte; seitdem hießen sie die fränkischen Gruben.
Der Sage zufolge rührte der Tumulus von dem alanischen
Könige Indiobu her, der bei der Kunde· von· der Annäherung
der Tataren sich der Volkssitte gemäß ein Grabmal bereiten
ließ und seine Schätze darin versenkte.

Ueber die Producte der am unteren Don gelegenen Länder wird uns Folgendes erzählt. Da Tana zehn Meilen in die
Runde von Schanzen und Gräben umringt war — den Ruinen der alten Stadt dieses Namens — so waren die hierdurch
gebildeten Hügel und Schluchten der Zufluchtsort von Vögeln
aller Art geworden, deren es eine solche Menge gab, daß um
die Mauern und am Stadtgraben die Rebhühner und Trappen
schaarenweise umherflogen. Die Knaben griffen sie ohne
Mühe auf und verkauften sie zu einem Asper das Paar; ein
Franziscanermönch fing mit Netzen 20, 30 bis 40 Vögel· auf
einmal. Wenn man die Fenster in den Häusern des Nachts
offen ließ, so flogen die Vögel, vom Licht angezogen, sogar

in die Zimmer hinein. Es gab auch wilde Thiere, Hirsche und andere; sie fürchteten sich aber, der Stadt nahe zu kommen. In der Steppe hatten die Tatarenhorden zahlreiche Heerden. Die Pferde wurden ihnen von den Handelsleuten abgekauft und nach Persien und andern Ländern ausgeführt; nach Persien war eine Caravane von 4000 Pferden abgegangen. Die Eigenthümer fangen sie vermittelst eines Stocks mit darin befestigter Schlinge ein, und die Tataren haben hierin eine so aufserordentliche Fertigkeit, dafs der Käufer nur auf das eine oder andere der frei in der Steppe weidenden Pferde zu zeigen braucht, so wirft der Verkäufer diesem augenblicklich eine Schlinge um den Hals und führt es aus der Heerde fort. Die tatarischen Pferde sind von keiner vorzüglichen Race; sie haben einen kleinen Wuchs, einen hängenden Bauch und sind an den Hafer nicht gewöhnt. Dagegen sind die Ochsen grofs und schön gewachsen; es giebt ihrer eine solche Anzahl, dafs sie hauptsächlich die italiänischen Schlachthäuser versorgen, zu welchem Zwecke man sie in der Regel durch Polen und die Wallachei nach Siebenbürgen, dann nach Deutschland und so nach Italien treibt. Ein drittes Hausthier ist das grofse, zweihöckerige, zottige Cameel; man führt sie nach Persien aus, wo sie mit 25 Ducaten das Stück bezahlt werden. Endlich hat man hier noch Schafe von ungewöhnlicher Gröfse, mit hohen Beinen, langer Wolle und einem dicken, zwölf Pfund wiegenden Schwanz. Der Erdboden ist äufserst fruchtbar; der Waizen giebt nicht selten eine funfzig- und die Hirse eine hundertfältige Erndte. Das Getraide ist daher mitunter in solcher Menge vorhanden, dafs man nicht alles verbrauchen kann und einen Theil unbenutzt verfaulen läfst.

Indem die Reisenden von Tana aus sich längst dem Meer von Asow halten, erreichen sie in drei Tagen ein Land, welches Kremuch heifst. Dieses Gebiet besteht aus einigen Dörfern, die im Nothfall gegen 2000 Reiter aufstellen können; es hat Ueberflufs an Waldungen, und seine fruchtbaren Ebenen werden von zahlreichen Strömen bewässert. Die vor-

nehmsten Einwohner des Landes leben vom Raube, indem sie
namentlich die Caravanen ausplündern. Sie haben treffliche
Pferde, sind durch ihre Tapferkeit und Hinterlist berühmt und
zeigen in ihrer Physiognomie grofse Aehnlichkeit mit den Ita-
liänern; ihr Land ist reich an Getraide, Vieh und Honig, dagegen fehlt es ihnen ganz an Wein. Jenseits Kremuch wohnen verschiedene Völkerschaften, alle nicht weit von einander,
nämlich: die Kippiken (Schapsugen?), Tatakoser (Temirgoizer?),
Sobajen (Abasen?), Kewerlejer (Kabardiner?) und Assen oder
Alanen. Ihre Länder erstrecken sich zwölf Tagereisen weit
bis dicht an Mingrelien, eine Provinz, welche zum Theil an
die Kaitaken, ein Volk, das den ganzen Raum zwischen
Mingrelien und dem Kaspischen Meer einnimmt, zum Theil
an Georgien, das Schwarze Meer, den Bergrücken, der sich
durch Circassien zieht, und den sich in das Schwarze Meer
ergiefsenden Fluss Phasis gränzt. Mingrelien ist felsig und
unfruchtbar; es bringt nichts als Hirse hervor und mufs selbst
das Salz von Kaffa kommen lassen. Die Industrie der Einwohner beschränkt sich darauf, eine geringe Quantität roher
und unreinlicher Stoffe zu weben. In Mingrelien, an der
Küste des Schwarzen Meers, liegen die Städte: Vati oder
Varti (Batum?), eine kleine Stadt mit einer Festung, Sebasto-
pol (das heutige Iskuria oder Suchum-Kale) und Kaltichea
(Kantriche), welches einen Handel mit Seide, roher Leinwand
und Wachs führt. Den Phasis hinaufsegelnd, gelangen die
Reisenden zu der Stadt Asso, die mit Wäldern umgeben ist
und dicht am Ufer des Flusses liegt, der hier eine Breite von
zwei Pfeilschüssen hat. In Georgien befinden sich die Städte:
Kutais, ein kleines Städtchen mit einer steinernen Festung,
auf einem Berge erbaut, mit einer, wie es scheint, sehr alten
Kirche; Skander, ein Bergschlofs; Goridas (Gori), eine ziemlich ansehnliche Stadt, in einer kleinen Ebene, am Fufse eines
Berges, auf welchem eine hölzerne Festung steht. Unweit
davon, auf einem hohen Berge, ist ein von dichtem, Wald
umgebener Tempel, in welchem ein altes, wunderthätiges
Bild der Mutter Gottes aufbewahrt wird; beim Tempel woh-

nen vierzig Mönche. Die bemerkenswertheste Stadt in Georgien ist Tiflis, durch welches der Fluss Tigris (?) fliefst; es liegt auf einer kleinen Anhöhe und wird von einer ziemlich starken Festung vertheidigt, die auf einem zweiten, viel höheren Berge erbaut ist. Tiflis war früher wegen seiner Gröfse berühmt, ist aber jetzt (1475) sehr verwüstet. Uebrigens sind die der Zerstörung entgangenen Theile verhältnifsmäfsig noch stark genug bevölkert. Georgien ist ein herrliches Land und hat Ueberflufs an Vieh, Getraide, Wein und Früchten aller Art. Es ist mit hohen Bergen und ungeheuren Wäldern bedeckt; die Einwohner sind im Allgemeinen gut gewachsen und schön.

Neben Georgien liegt das Land Medien, welches meist den Anblick einer schönen, fruchtbaren Ebene darbietet. In Medien befindet sich die Stadt Schamacha, wo man die Seide bereitet, die in Italien unter dem Namen der talamanischen bekannt ist, und aufserdem verschiedne, nicht sehr werthvolle Seidenzeuge verfertigt. Schamacha ist nicht so grofs wie Tauris, aber sonst in jeder Beziehung schöner und besser mit Lebensmitteln aller Art versehen. Dem Beherrscher von Medien gehört auch die Stadt Derbend, die an der Gränze der Tatarei liegt; halben Weges zwischen Schamacha und Derbend kommt man zu einem kleinen hübschen Städtchen, wo man die schönsten Früchte, namentlich Aepfel, im Ueberflufs findet. Derbend liegt am Ufer des Bakiner oder Kaspischen Meèrs, wurde schon von Alexander dem Grofsen erbaut und heifst das Eiserne Thor, weil man aus der Tatarei nicht anders nach Persien und Medien gelangen kann, als durch diese Stadt, wegen der tiefen Bergschlucht, die sich von hier bis nach Circassien erstreckt. Die Stadt ist von starken, dicken Mauern umgeben, aber so menschenleer, dafs kaum der sechste Theil des Raumes unter dem Berge, in der Richtung nach der Veste, bewohnt ist; von der Seeseite sind fast alle Gebäude zerstört. In Derbend finden sich viele Grabmäler (sepulture); Früchte, Wein und Lebensmittel aller Art sind in Menge vorhanden. Das Bakiner Meer ist von

7 *

grofsem Umfang und hat durchaus keine Baien; es ist nicht
kleiner als das Schwarze Meer und viel tiefer. Die Küstenbewohner fangen in demselben eine Menge Störe und Hausen; andere Fische verstehen sie nicht zu fangen. Es giebt
dort auch einen Fisch, der vollkommen einem Hunde gleicht,
mit Kopf, Füfsen und Schwanz, so wie einen anderen, eine
und eine halbe Elle langen, dicken und glatten, bei dem kein
Kopf zu sehen ist; man gebraucht das Fett desselben statt
des Oels zur Beleuchtung und zum Einreiben der Cameele
und führt es in grofser Menge nach allen benachbarten Ländern aus.   Die auf dem Kaspischen Meere gebräuchlichen
Fahrzeuge haben ganz die Form eines Fisches und führen sogar diesen Namen, sind schmal am Hintertheil und am Schnabel und an den Seiten gewölbt; man befestigt sie mit hölzernen Pflöcken und bestreicht sie stark mit Theer. Sie haben
zwei Masten und eine grofse Stange, die statt des Steuerruders
dient.   Die Kaspischen Seeleute fahren aufs Gerathewohl,
ohne Compass, indem sie sich nach den Sternen richten und
möglichst nahe am Ufer halten; bei schlechtem Wetter spannen sie ein Segel auf und gebrauchen mitunter auch Ruder,
mit welchen aber, wie mit dem Steuer, sie sehr ungeschickt
umgehen.

.   Aus dem Kaspischen Meer fahren die Schiffe in die Mun-
dung des Erdil (Wolga), des gröfsten der Flüsse.   Er nimmt
seinen Ursprung in Russland, fällt in siebzig Armen in das
Meer und ist an vielen Stellen äufserst tief; er hat Ueberflufs
an Fischen verschiedener Art, besonders an Aeschen und
Lampreten. Der Erdil hat auch viele Inseln; einige von ihnen
sind dreifsig Meilen im Umkreis, und in den Wäldern, mit
denen sie bedeckt sind, wachsen so grofse Linden, dafs man
aus einem einzigen Stamm ein Boot aushöhlen kann, in welchem acht bis zehn Pferde und eben so viele Menschen Platz
haben. Am Erdil, 25 Meilen von seiner Mündung, liegt die
Stadt Zitrakan (Astrachan). Sie ist nicht sehr grofs, hat eine
niedrige Mauer und meistens Lehmhäuser, obwohl man hier
und dort noch die Ueberreste massiver Gebäude sieht. Vor

ihrer Zerstörung durch Tamerlan war Astrachan eine wichtige
Handelsstadt; hieher wurden alle aus Venedig über Tana ab-
gefertigte Waaren gebracht und gegen Gewürze und Seide
ausgetauscht. Nicht weit von Astrachan, nach dem Meere zu,
befindet sich ein Salzsee von solchem Umfang, dafs er den
gröfsten Theil der Erde mit Salz versehen könnte. Aus ihm
beziehen fast alle russische Provinzen ihr Salz, wozu die
Moskowiter alljährlich Fahrzeuge nach Astrachan senden.
Dieser Weg ist für sie äufserst bequem, indem der Moskwa-
Fluss in die Oka fällt, die sich wiederum in die Wolga ergiefst.
Auch zu Lande werden aus Astrachan Handelscaravanen nach
Moskau mit Djesder Geweben, Seide und anderen Waaren
abgeschickt, wofur man Rauchwerk, Sättel, Schwerter u. s. w.
eintauscht.

Die Landreise von Astrachan nach der russischen Gränze
dauert über einen Monat, und die erste Stadt, die man dort
trifft, ist Rjasan. Die Provinz Rjasan ist reich an Getraide,
Vieh, Honig und anderen Producten; sie ist waldig und ziemlich bevölkert. In Rjasan wird ein eigenthümliches, bierartiges
Getränk bereitet, welches man Bussa (Busa) nennt. Nach
Rjasan kömmt man zur Stadt Kolomna, die wie jene mit hölzernen Wällen umgeben ist; in beiden Städten sind alle Gebäude von Holz, da es an Stein fehlt. Jenseit Kolomna liegt
die Stadt Moskau, die Residenz des Grofsfürsten von Russland. Ueber den Fluss, der die ganze Stadt durchströmt, sind
mehrere Brücken gelegt; das Schlofs ist auf einem Hügel erbaut und von allen Seiten mit Gehölz umgeben. An Getraide
und Fleisch ist solcher Ueberflufs, dafs 10 Stari Waizen für
einen Ducaten, 3 Pfund Fleisch für einen Soldo, 100 Huhner
oder 10 Enten für einen Ducaten verkauft werden; die beste
Gans kostet nicht mehr als drei Soldi. Hasen giebt es sehr
viele, aber anderes Wildpret ist fast nicht zu sehen. Wein
wird von den Moskowitern nicht gebaut, und ausser Nüssen
und wilden Aepfeln haben sie keine Früchte. Sie gebrauchen
statt des Weins ein Getränk, das aus Honig, Waizen und
Hopfen verfertigt wird; der Hopfen, der es in Gährung bringt,

theilt ihm eine solche Kraft mit, dafs man davon berauscht
werden kann; übrigens schmeckt das Getränk gar nicht übel,
besonders wenn es alt ist. Es herrscht in dem Lande eine
solche Kälte, dafs die Einwohner neun Monate im Jahre die
Oefen in ihren Wohnungen heizen müssen. Diese Zeit benutzen sie dazu, die Vorräthe für den Sommer zu bereiten;
denn bei Frostwetter kann man auf den russischen einspän-
nigen Schlitten die Lasten mit geringer Mühe von einem Ort
zum anderen transportiren, während im Sommer die Strafsen
wegen des durch das Schmelzen des Schnees entstehenden
Koths fast unfahrbar sind, und das Reisen auch durch die
zahllosen Mücken erschwert wird, welche die unermefslichen
Waldungen hervorbringen. Des Winters hingegen trifft man
eine so ungeheuere Zufuhr von Ochsen, Schweinen und anderem Vieh, fertig abgeschlachtet und gefroren, in Moskau
ein, dafs es leicht ist, auf einmal 200 Stuck zu kaufen; doch
kann man sie nicht zerschneiden, ohne sie erst am Ofen aufthauen zu lassen, da sie so hart wie Stein sind. Gegen Ende
Octobers bedeckt sich der Fluss, der durch Moskau strömt,
mit festem Eise, auf welchem die Kaufleute Buden mit verschiedenen Waaren errichten und, indem sie hier einen regelmäfsigen Markt halten, ihren Verkauf in der Stadt ganz ein-
stellen; sie glauben, dafs dieser Platz, da er von beiden Seiten
durch Gebäude geschützt ist, dem Einflufs der Kälte und des
Windes weniger unterworfen sei. Auch werden Pferderennen
und andere Lustbarkeiten auf dem gefrornen Strom vorgenommen. Des Winters kommen viele Kaufleute aus Deutschland
und Polen nach Moskau, um Pelzwerk — Zobel, Wölfe, Her-
meline, Eichhörnchen und Luchse — einzukaufen. Diese
Thiere werden nicht bei Moskau selbst gefangen, sondern viel
weiter gegen Norden und Nordosten; die Häute aber werden
gewöhnlich zum Verkauf nach Moskau gebracht.

   Einen bedeutenden Handel mit Rauchwaaren treibt auch
eine andere Stadt, genannt Nowgorod. Dieser weitläuftige
aber schlecht befestigte Ort liegt acht Tagereisen von Moskau in nordwestlicher Richtung. Die Geldmünzen der Now-

goroder bestehen aus Stangen Silber von ungefähr 11 Unzen Gewicht, ohne Stempel; Goldstücke prägen sie nicht, nnd statt der Scheidemünze dienen Marder- und Eichhornschnauzen. Nowgorod kann 40000 Reiter und zahllose Schaaren Fufsvolk ins Feld schicken. Dreifsig Meilen von Nowgorod liegt Pskow, eine grofse, stark befestigte Stadt, wohin der Weg durch dichte Wälder führt. Als Gränze zwischen dem Gebiete Nowgorod's und dem des deutschen Ordens dient der Fluss Narowa. Sechs Meilen von Narwa befindet sich die russische Festung Neuschloss, von welcher man bis Nowgorod 24 Meilen rechnet; der Weg führt durch eine von Wäldern, See'n und Flüssen durchschnittene Ebene. Gleicher Art ist die Strafse von Moskau durch Smolensk und Wjasma bis zur litthauischen Gränze: überall flaches, waldiges Land; nur selten trifft man unbedeutende Hügel und kleine Dörfchen.

Fünf Tagereisen von Moskau, auf dem linken Ufer der Wolga, liegt die Stadt Kasan (was in tatarischer Sprache Kessel bedeutet). Dieser Ort treibt einen ansehnlichen Handel, indem er Russland, Polen, Persien und Flandern mit Rauchwerk versorgt, welches er selbst von den Djagataern und Moxen erhält.

(Fortsetzung folgt.)

Die Goldgewinnung am Ural und in Sibirien im Jahr 1852.

Es sind im Jahre 1852 an Gold gewonnen worden:

in den Uralischen Wasch- und Amalga- mir - Werken	357,396	Pud
in den Nertschinsker Waschwerken	72,486	-
in den übrigen West- und Ostsibirischen Werken, mit Einschluſs der kirgisi- schen Districte	937,883	-
oder zusammen an Waschgold in Russland	1367,765	Pud
aus den Altaischen und Nertschinsker Silbererzen wurden ausgeschieden	41,908	-
so daſs die Russische Gesammt-Ausbeute im Jahr 1852	1409,673	Pud

Gold betragen hat.

Gegen das Jahr 1851 *) hat also eine Verminderung der Gesammt-Ausbeute um nicht weniger als 137,313 Pud stattgefunden, und die im letzterem Jahr bemerkte, allerdings geringe Zunahme hat sich nicht nur nicht erhalten, sondern der

---

*) Vergl. in diesem Archiv Bd. X. S. 581.

Ertrag ist sogar um 107,202 Pud hinter dem des Jahrs 1850 zurückgeblieben und steht jetzt nur wenig über dem des Jahres 1845.

Gegen den im Jahr 1847 erreichten Maximumwerth von 1825, 522 Pud stellt sich nunmehr eine Abnahme von 415,849 Pud heraus, die ausschliefslich auf die sibirischen Waschwerke fällt, indem die Uralischen und Nertschinsker ziemlich stationär blieben.

Statistische Notizen über die Kaukasus-Provinzen.

Nach dem uns vorliegenden Kaukasischen Kalender für 1853*), der aufser feinem speciellen Zweck auch noch die allgemeine Bestimmung hat, geographische, statistische und ethnographische Nachrichten über die Länder mitzutheilen, von denen er den Titel führt, belief sich die Zahl der Geburten in den unter dem Namen Kaukasien und Transkaukasien begriffenen Provinzen während des Jahrs 1850 auf 112295, die der Todesfälle auf 79042 und die der Ehen auf 31115. Diese vertheilen sich nach den verschiedenen Confessionen in folgender Weise:

	Geburten.	Todesfälle.	Ehen.
Orthodoxer (griechisch-katholischer) Religion	49757	37322	13172
Römisch-katholischer	144	286	35
Evangelischer	151	135	44
Armenisch-gregorianischer	11655	6720	2881
Armenisch-katholischer	409	266	75
Jüdischer	458	271	134
Muhammedanischer	52097	31146	15161

*) Kawkasskji kalendar na 1853 god. Tiflis, w' tipographii kanzeljarii Namjestnika Kawkasskago. 1852. 684 S. 8.

Aus dieser Specification ergiebt sich jedoch, daſs die oben angeführten Zahlen sämmtlich ungenau sind, indem sich hiernach die Ziffer der Geburten, Todesfälle und Ehen resp. auf auf 114671, 76146 und 31502 stellt. Erregt eine solche Differenz schon Bedenken, so werden unsere Zweifel an der vollständigen Zuverlässigkeit dieser statistischen Tabellen noch durch einen andern Umstand bestärkt. Ueber die Gesammtbevölkerung der Kaukasusländer finden wir zwar keine bestimmten Data, und möchte es auch in der That schwierig sein, selbige auch nur approximativ festzusetzen; die Zahl der Einwohner orthodoxer Confession ist indeſs zu 449540 männlichen und 396114 weiblichen Geschlechts angegeben, beträgt also im Ganzen 845654 Köpfe. Da nun, wie oben bemerkt, auf diese Confession 49757 Geburten, 37322 Todesfälle und 13172 Ehen kamen, so ergiebt sich deren Verhältniſs zur Bevölkerung resp. wie 1:17, 1:23 und 1:64. Ein solches Resultat weicht, namentlich was die Fruchtbarkeit betrifft — denn die groſse Sterblichkeit unter den Bewohnern der Kaukasus-Provinzen läſst sich freilich aus klimatischen und anderen Ursachen leicht erklären — allzusehr von den Durchschnittszahlen ab, welche statistische Untersuchungen nicht nur für das westliche Europa, sondern auch für das russische Reich gewonnen haben [*]), als daſs wir nicht nähere Aufklärungen abwarten müssten, ehe wir uns der unbedingten Authenticität desselben versichert halten können. Sollte es wirklich damit seine Richtigkeit haben, so würde es beweisen, daſs die wohlthätige Natur auch hier die Tendenz zeigt, der aus übermäſsiger Sterblichkeit hervorgehenden Entvölkerung durch eine gleich auſserordentliche Fruchtbarkeit vorzubeugen.

Diese letztere Annahme wird einigermaſsen durch die von dem Kalender über einzelne Städte mitgetheilten statistischen

---

[*]) Für Russland überhaupt wird die Fruchtbarkeit zu 1:23, die Sterblichkeit zu 1:33, die Zahl der Ehen zu 1:100 der Bevölkerung angenommen. Vergl. d. Archiv Bd. VIII. S. 3.

Notizen bestätigt, welche in anderer Beziehung aber mit obigen Angaben keineswegs übereinstimmen. In der Hauptstadt
Tiflis z. B. sind während des Jahrs 1850: 1756 Kinder geboren, 1445 Personen gestorben und 730 Ehen geschlossen
worden. Die Bevölkerung dieser Stadt wird zu 47304 Köpfen
angenommen, wobei die zeitweilig sich aufhaltenden Personen
mit eingerechnet sind. Wenn wir auch diese floating population abziehen, die doch gewifs ihr Contingent zu den
Todesfällen und wahrscheinlich auch zu den Geburten liefert,
so möchte die Zahl der Einwohner sich noch immer wenigstens auf 40000 belaufen, und das Verhältnifs der Geburten,
Todesfälle und Ehen würde sich mithin wie 1:22,75, 1:27,75
und 1:55 stellen, so dafs also die Sterblichkeit wie die Fruchtbarkeit weit geringer, die Zahl der eingegangenen Ehen viel
gröfser wäre, als im Lande überhaupt! — Aufser Tiflis sind
die bedeutendsten Städte im Kaukasus: Achalzych mit 13340,
Alexandrapol (Gumry) mit 11358, Baku mit 8374, Derbend
mit 11506, Jekaterinodar mit 7872, Jelisawetpol mit 10938,
Kisljar mit 9305, Kuba mit 7907, Mosdok mit 10970, Nucha
mit 17945, Stawropol mit 14368, Schamacha mit 19733 und
Schuscha mit 15194 Einwohner.

Der Handel hat sich während des letzten fünfjährigen
Zeitraums nur langsam gehoben. Die Waaren-Einfuhr, die
im Jahr 1847 sich auf 3966166 Rub. 57 Kop. belief, stieg
1848 auf 4174941 Rub. 73 Kop. und 1849 auf 4488263 Rub.
71 Kop., fiel 1850 auf 3741211 Rub. 29 Kop. und erreichte
1851 wieder den Werth von 4193433 Rub. 27 Kop. Die
Ausfuhr betrug 1847: 832500 Rub., sank 1848 auf 780789
Rub. 98 Kop. und 1849 auf 700164 Rub. 98 Kop., stieg 1850
auf 1005996 Rub. 5 Kop. und 1851 auf 1104800 Rub. 6 Kop.
In Folge dieses Mifsverhältnisses zwischen Ein- und Ausfuhr
gehen jährlich so ansehnliche Summen baaren Geldes ins
Ausland, dafs dieselben von 1832 bis 1850 auf nicht weniger
als 33 Millionen Rubel geschätzt wurden. Die im Jahr 1832
beliebte Ausdehnung des russischen Handelstarifs auf den Kaukasus hat die dortigen commerziellen Verhältnisse von Grund

aus erschüttert, und der nachtheilige Einfluſs dieser Maſsregel
ist durch die unlängst auf Antrieb des Fürsten Woronzow
erfolgten Modificationen noch immer nicht beseitigt worden.
Namentlich ist der früher sehr ansehnliche Zwischenhandel
zu gänzlicher Bedeutungslosigkeit herabgesunken, indem die
aus europäischen Häfen durch das russische Gebiet nach Persien transportirten Waaren im Jahr 1848 nur einen Werth von
10320 Silberrubel erreichten, der sich bis 1851 auf nicht mehr
als 80470 Rubel gehoben hatte.   Der in seiner Entwickelung
gehemmte Verkehr muſste einen andern Ausweg suchen, und
fand diesen in Trapezunt, wo der Transithandel zwischen
Europa und dem Orient jetzt in hoher Blüthe steht.

. Für den Unterricht ist in neuerer Zeit Manches gethan
worden; man hat die älteren Lehranstalten erweitert und neue
gegründet, deren Zahl allerdings im Verhältniſs zur Volks-
menge als sehr ungenügend erscheint. Im Jahr 1852 gab
es im kaukasischen Lehrbezirk 5 Gymnasien und 44 andere
Schulen, nebst 19 geistlichen Seminarien etc., im Ganzen mit
4983 Zöglingen.   Auſserdem hat der muselmännische Adel in
Tiflis und anderen Städten 11 Unterrichtsanstalten gegründet,
in welchen sich 586 Zöglinge befinden.

Ethnographische Bemerkungen über die Bewohner des niederen Nubiens.

Eingesandt

von

Rafalowitsch.

Der Reisende, welcher aus Europa nach Aegypten gekommen ist, lernt die zahlreichen Arten seiner Bewohner nicht sobald unterscheiden. Anfangs überraschen ihn Gesichtsbildung, Körperbau und Sprache derselben nur insofern, als sie überhaupt von Allem verschieden sind, was er in unserem Welttheile gesehen. Erst nach und nach erlangt sein Auge Fähigkeit, die individuellen Züge dieser so gemischten Bevölkerung, welche ihm anfangs einstammig erschien, von einander zu sondern. Er überzeugt sich, dass der niederägyptische Fellach dem Landbauer Oberägyptens unähnlich, dass aber Beide verschieden sind von dem, in Africas Sandwüsten frei nomadisirenden Beduinen-Araber; dass Kopten und Juden, syrische Christen und Osmanen, Mograbín (arabische Abendländer) aus Tunis oder Marokko, und Eingeborne von Mekka, Jeder mit characteristischen Merkzeichen und Besonderheiten sich darstellen, welche uns nach einiger Gewöhnung ihre Abkunft nicht verkennen lassen. Der olivenfarbige Abyssinier, der braungelbe Hindu, der heller oder dunkler schwarze Ne-

ger, der rothbraune Nubier, anfänglich in eine Masse nicht-
weisser Leute zusammenfliefsend, unterscheiden sich allgemach
von einander, und bilden selbständige, scharfgezeichnete
Gruppen.

Während meines Aufenthaltes in Cairo hatte ich Gelegenheit, mit einem dieser Stämme in sehr häufige und an-
dauernde Beziehung zu treten, namentlich mit den Bewohnern
des niederen Nubiens, die sich selbst Barábra (Mehrzahl von
Berberi, d. i. Berber) nennen, und von uns Nil-Berbern
(zum Unterschiede von den Berbern am Atlas) genannt werden. Ihre Wohnsitze sind zwischen der ersten Cataracte des
Nils in Assuan (unter 24° 5′ 23″) und der zweiten am Uadi-
Chalfa (unter 21° 53′ 33″). Dieses Land, seit alter Zeit Aegypten unterthan, ist wenig bewohnt, es enthält einige 80 Dörfer von geringer Gröfse und ein Städtchen, Derr, welches
jetzt, nachdem die Stadt Ibrim (1812) durch Ibrahim-Paschas
Truppen zerstört worden, für die Hauptstadt dieses Landes
gilt. Der Strich guten und angebauten Landes, welcher zwischen den beiden Cataracten die Ufer des Nils säumet, ist
sehr schmal, und vermindert sich noch mit jedem Jahre durch
Anhäufungen quarzigen Sandes, den die nordwestlichen Winde
aus den benachbarten Wüsten herbeiführen, und welcher jetzt
am linken Ufer des Flusses ansehnliche Räume überdeckt,
die in alter Zeit urbar gewesen. Daher reichen die Natur-
erzeugnisse nicht zur Ernährung der ganzen Bevölkerung,
obschon diese nur etwa 40000 Seelen ausmacht, von denen
ausserdem ein ansehnlicher Theil schon in jungen Jahren die
Heimath verlässt und nach Aegypten geht, um dort ein kleines Capital sich zu verdienen, mit welchem die Barabra dann
wiederkehren, um unter der gluhenden Sonne und dem ewig-
reinen Himmel ihres felsigen Nubiens ihr übriges Leben zuzubringen.

In Aegypten angelangt, widmet sich der Nilberber, den
man den Savoyarden Africas nennen kann, vorzugsweise, ja
ausschliefslich, zweierlei Beschäftigungen. Die Meisten werden um sehr geringen Sold Matrosen auf Kron- und Privat-

Fahrzeugen, deren viele Tausende die gelben Wellen des Nil von Assuan bis zum Mittelmeer befurchen. Die Enthaltsamkeit und ungemeine Ehrlichkeit der Barabra erwerben ihnen den Vorzug vor ägyptischen Matrosen. Dieselben Eigenschaften machen es uns erklärbar, warum soviele Nubier als Thorwarte und Hausdiener in grofsen Häusern, Comptoirs und Magazinen, in Läden oder Waarenlagern unter freiem Himmel, u. s. w. gemiethet werden. In Alexandrien und Cairo überträgt man solche Aemter nur diesem Volke.

Im Verlaufe meiner Reisen durch Aegypten verbrachte ich beinahe fünf Monate in einer Barke auf dem Nil: das erste Mal im Januar und Februar 1847, auf dem Wasserwege von Cairo nach Rosette und Damiat; dann vom 1. October bis 20. December desselben Jahres, auf der Fahrt von Alexandrien durch Oberägypten bis Uadi-Chalfa. Beide Male bestand die Mannschaft meiner Barke zum gröfseren Theile aus Berber's, und so hatte ich Gelegenheit, einige Beobachtungen über ihre Sprache und Sitten zu machen, die hier folgen sollen, obschon ich sie nur für sehr unvollständig halten kann.

Das erste physische Kennzeichen, welches uns auffällt, wann wir mit Nilberbern bekannt werden, ist ihre röthlichbraune, ganz der Farbe der Chocoladetafeln gleichkommende Hautfarbe. Dasselbe Röthlichbraun zeigt auch die Oberfläche der Granitfelsen und Inseln, welche das Bette des Nils am ersten und zweiten Cataracte durchschneiden, während in Aegypten das Kaffeebohnen- oder besser Erbsengelb der Gewässer des Nils auch von der Haut des Fellah's und Stadtbewohners zurückgestrahlt wird. Einem europäischen Auge ist die Farbe der Nilberbern durchaus nicht zuwider und angenehmer als die olivengrüne Tinte des Abyssiniers oder die schmutzig-schwarze anderer Africaner. Der männliche Berber ist von mittlerem oder mehr als mittlerem, seltner von kleinem Wuchse, wogegen die Weiber sehr häufig unter der gewöhnlichen weiblichen Gröfse sind. Alle haben einen hagern und sehr kräftigen Körper; ihre oberen und unteren Extremitäten sind etwas lang, aber durch Vollkommenheit der

Umrisse ausgezeichnel; Hände und Füfse sind klein und
schön geformt, wie bei den Aegyptern; die Muskeln erscheinen
wenig ausgebildet, Waden fehlen fast ganz, und Fett ist gar
nicht vorhanden. Ein feister Berber ist eine eben so grofse
Seltenheit wie ein beleibter Fellach im Delta. Die Brust ist
kegelförmig, der Schädel nicht grofs, die Stirne hoch und gerade, das Auge grofs, schwarz, und, besonders am weiblichen
Geschlechte, von sehr einnehmendem Ausdrucke naiver, kindlicher Milde und Verschämtheit. Die Braue ist dünn, das
Gesicht länglich und etwas schmal, aber ohne vorspringende
Backenknochen, die Nase ist gerade und schön, der Mund
grofs und mit dicken Lippen, welche die weissen, senkrechten
und grofsen Zähne nicht vollständig bedecken. Die Kinn-
backen sind wenig entwickelt, das Kinn ist klein und anmuthig
abgerundet, der Hals lang und dünn, der Bart kurz und
schwach, das Kopfhaar schwarz, ohne Glanz und kraus, aber
nicht der Wolle ähnlich, wie an den Negern. Zweimal sah
ich Kinder mit hellem und gelblichem, doch nicht eigentlich
blondem Haare.

Der eben beschriebene Typus ist erheblichen Veränderungen unterworfen, wenn nicht beide Eltern eines Kindes
von nubischem Stamme sind. Sehr häufig verheirathen sich
Berbern mit Negerinnen, und alsdann wird die Hautfarbe der
Kinder dunkler, das Haar wird krauser, die Nase eingedrückt,
und die weisse Umhüllung der Augäpfel nimmt eine gelbliche
Tinte an. Seltner sind Ehebündnisse zwischen Berbern und
Abyssinerinnen oder ächten Aegypterinnen; in solchen Fällen
entfernen sich die Nachkommen zwar minder weit von dem
ursprünglichen Typus; aber die Haut wird heller und das
Haar ist in den ersten Lebensjahren gelblich. Es verdient
Bemerkung, dass die Fellah's im südlichen Thebais und um
Assuan, da sie gewöhnlich nackt auf den Feldern arbeiten,
von der Sonne dermafsen geschwärzt werden, dass ihre Haut
viel dunkler wird, als die der Berbern, obschon diese südlicher
wohnen — eine zufällige, nicht organische Erscheinung, die
eben deshalb weder an den weiblichen Fellah's bemerkt wird

(denn diese sind der Sonne weniger ausgesetzt), noch an jüngeren Kindern, die kaum dunkler von Farbe sind, als die Bewohner Cairo's und Mittel-Aegyptens, wogegen die rothbraune Farbe des Nilberbers allen· Personen dieses Stammes eigen ist, welches auch ihr Alter oder Geschlecht sei. Aus dieser merkwürdigen Thatsache darf man wol schliefsen, dass Veränderungen der Hautfarbe nicht von climatischen Umständen allein abhangen. Die Bevölkerung des Städtchens Derr in Nieder-Nubien liefert einen ferneren Beweis hiefür: diese Leute nennen sich selbst Barabra und sprechen deren Sprache; demohnerachtet unterscheiden sie sich sehr in der Hautfarbe, die weit heller ist, und selbst in den Zügen; und wirklich sind sie Nachkommen von Bosniern, die Sultan Selim. l., als er Aegypten erobert hatte, nach Nubien schickte und in Derr ansiedelte. Seitdem sind ungefähr drei Jahrhunderte verflossen und doch ist der ursprüngliche Typus dieser Ansiedler unverändert geblieben.

Die Physiognomie und überhaupt das äussere Ansehen der Nilberbern machen sie den ägyptischen Fellah's in vieler Beziehung ähnlich. Dennoch muss ich gegen die Meinung Champollions des Jüngeren und anderer Forscher protestiren, wornach diese Berbern eben derjenige Stamm sein sollen, welcher in alter pharaonischer Zeit Aegypten bevölkerte, und den wir z. B. in den Gräbern und Hypogeen von Theben, El-Kaba, Beni-Hassan abgebildet finden. Als vornehmster Grund zu dieser Behauptung wird angeführt, dass die Haut der männlichen Aegypter auf den erwähnten Abbildungen immer mit dunkler Zimtfarbe oder röthlichem Braun gemalt sei. Aufmerksames Studium dieser Bilder in den thebanischen Gräbern und Vergleichung derselben mit dem, was ich bei physiologischer Untersuchung der heutigen Aegypter und Nubier beobachtet, haben mich von dem Ungrunde dieser Theorie überzeugt. In dieser Hinsicht ist ein, südwestlich im Dorfe Gurne, am östlichen Abhang der Libyschen Bergkette ausgehauenes Hypogeum besonders merkwürdig: es besteht aus einem länglich-viereckten Gemache: die Mauern sind mit einem weissen Kitt überzogen; auf demselben ist unter anderen Gegenständen ein Zug Neger beiderlei Geschlechts, desgleichen Weiber und Kinder der Barabra (alles Tribut bringend) dargestellt; auch bewahren die Farben ihre ganze ursprüngliche Frische. Dieser Zug nimmt einen Theil der südlichen Mauer des Hypogeums ein; die Weiber der Berbern sind mit solcher Treue von den Malern wiedergegeben, dass es selbst meinen Bootsleuten auffiel; gleichwol zeigt ihre Physiognomie grofse Verschiedenheit von den Gesichtsbildungen der Aegypter, die auf der östlichen Mauer links vom Eingange, mit allerlei Handarbeiten beschäftigt, dargestellt sind; man sieht deutlich, dass diese ein anderer Stamm sind. Ausserdem ist die Haut der Weiber und Kinder der Berbern auf diesen Gemälden von derselben röthlich braunen Farbe, die ihnen von Natur eigen, während die ägyptischen Weiber in allen Hypogeen mit gelber Farbe gemalt erscheinen. Schon oben ist bemerkt worden, dass in Oberägypten die Hautfarbe der unter glühender Sonne arbeitenden männlichen Fellahs wirklich sehr viel dunkler wird, als die ihrer, im Schatten der Bauernstube sitzenden Weiber und Kinder. Die Gemälde von Theben überzeugen uns, dass die Künstler des Alterthums diese Verschiedenheit beobachtet hatten und sie annäherungsweise darstellen, denn die ägyptischen Männer sind auf diesen Gemälden röthlichbraun und die Weiber gelb gemalt. Bei den Berbern, deren Farbe nicht durch Einwirkung des Sonnenstrahls entsteht, sondern von den allgemeinen natürlichen Bedingungen ihrer Organisation abhängt, haben beide Geschlechter gleiche Farbe.

Einen ferneren sehr erheblichen Grund wider die angeführte Hypothese Champollions des Jüngeren und Anderer liefert uns die Sprache der Barabra, welche mit dem alten Koptischen durchaus keine Verwandtschaft darbietet; doch von dieser soll weiter unten die Rede sein.

Die Kleidung der in Aegypten sich aufhaltenden Barabra-Männer ist von der Kleidung des dortigen Fellahs oder Stadtbewohners aus niederem Stande nicht verschieden. Ueber

8 *

die weisse oder farbige zitzene Weste (sidejri) ohne Ermel,
welche von vorn mit einer Menge runder Knöpfchen zugeknöpft wird, und über die weiten, nur bis ans Knie reichenden Pluderhosen ziehen sie ein langes hell- oder dunkelblaues
Hemd aus Baumwollenzeug, mit weiten Ermeln.   Den Kopf
bedecken sie mit einer weissen baumwollenen Mütze (takie),
oder einer dergleichen aus grauem Filze (lybde), oder einem
rothen wollenen Tarbusch, gewöhnlich umwunden mit einem
weisswollenen, seltener musselinenen Schâl, den die Matrosen
immer auf eine ihnen eigenthümliche Weise winden.   Sie
gehen barfufs und tragen nur bei festlicher Gelegenheit rothe
Schuhe von Safian; Strümpfe tragen sie niemals. Bei kaltem
Wetter hüllen sie sich in einen weiten wollenen Mantel (ab-
báje) ohne Ermel, der grau, braun, oder weiss und dunkel
gestreift ist. Ausserdem tragen die Männer vom Knabenalter
an einen am linken Arme über dem Ellenbogen an einem
Riemen befestigten platten Dolch in einer Scheide aus rothem
Safian. In den Barken zur Zeit der Schiffahrt und in den
Dörfern Nieder-Nubiens ist die Kleidung des Berbern einfacher und besteht aus dem blosen Hemd und einer weissen
Mütze. Die Kinder beiderlei Geschlechts gehen völlig nackt
bis ins 8. oder 10. Lebensjahr; von da ab ziehen die Knaben
ein Hemd an, oder binden ein Stück Leinwand um die Hüften; die Mädchen aber begnügen sich bis zu ihrer Verheira-
tung mit einem den Unterleib umziehenden Riemen, von welchem andere, dünne, 5 bis 6 Werschok lange Riemchen aus
Gazellenfell herabhangen. Dieser Gürtel (beegi in nubischer
Sprache, rachat auf arabisch) wird mit Glasperlen und Muscheln geschmückt und bildet eine sehr durchsichtige Bedek-
kung, bei welcher die Schamhaftigkeit der Mädchen jedoch
sich befriedigt. Verheiratet sich Eine, so löst ihr der junge
Gemahl selbst am Abend nach der Hochzeit diesen Gürtel,
und schon am nächsten Tage erscheint die junge Frau in engen leinenen Pantalons von sehr unschönem Zuschnitt. Den
ganzen Oberkörper bis an die Hüften lassen auch die verhei-
rateten Frauen unbekleidet, und bedecken ihn nur, wenn sie

das Haus verlassen, mit einem Stück weisser Leinwand. In Derr tragen sie eine Art Hemd ohne Ermel, das bis an die Knie reicht und seiner ganzen Länge nach an den Seiten offen ist.

Die an verschiedenen Stellen des Körpers wachsenden Haare werden von beiden Geschlechtern mittelst Scheermessern oder einer Salbe aus Kalk und Arsenik sorgfältig beseitigt; die Männer scheeren ausserdem das Haupt, nur auf dem Scheitel ein Büschel Haare stehen lassend, das Viele in einige dünne Zöpfe flechten. Bei Frauen und Mädchen hängt das Haar in vielen dünnen Flechten um Hals und Wangen; diese Flechten bilden spiralförmige Locken wenn sie aufgeflochten werden, was aber selten geschieht. Eine gleiche Art von Kopfputz findet man in Abyssinien und verschiedenen Gegenden des innern Africas; ja die oben erwähnten bildlichen Darstellungen in den Hypogeen, wie die noch jetzt sich vorfindenden weiblichen Mumien, überzeugen uns, dass in altägyptischer Zeit dieselbe Sitte bestand. Die Berberinnen salben sich das Haar mit Ricinusöhl, welches, vom Kopfe auf Hals und Busen traufelnd, ihre Kleidung tränkt und einen sehr widerlichen Geruch verbreitet; auch wird der Ricinus fast nur zu diesem Zwecke in Nubien gezogen. Wie alle Weiber des Ostens, färben sie sich die Nägel und Handflächen mit den Blättern der Henna, die Augenlider an der innern Seite mit einem schwarzen Streupulver, und tätowiren das Kinn, die Hände und andere Theile des Körpers. In das rechte Nasenloch stecken sie einen grofsen kupfernen oder silbernen Ring; an Arme und Füfse aber, oberhalb der Elnbogen und Knöchel, Arm- und Beinringe von denselben Metallen oder schwarze von Büffelhorn aus Siut. Die Ohren schmücken sie mit Ringen, die öfter doppelt sind, so dass der eine am Ohrläppchen hängt, der andere am obern Rande des Knorpels; und am Halse tragen sie eine Menge Schnüre aus Glasperlen, Corallen, Muscheln, zuweilen auch massive silberne Reife.

Es leidet keinen Zweifel, dass die junge Nubierin in diesem Putze den Männern ihres Stammes um so bezaubernder

erscheinen muss, als sie, gegen die allgemeine Sitte muham-
medanischer Weiber, immer mit unbedecktem Antlitz sich
zeigt. · Als unparteiischer Berichterstatter muss ich jedoch
bekennen, dass man hübsche weibliche Gesichter sehr selten,
und auch diese vielleicht nur unter sehr jungen Mädchen findet. Die alten Weiber sind wahrhaft fürchterlich anzusehen,
besonders wenn sie ihrem gebleichten Haar mittelst Henna
eine Feuerfarbe geben, wie ich dies in Derr gesehen habe.
Die verheiratheten Frauen altern sehr rasch, und zwar aus
denselben Ursachen, wie die Aegypterinnen. Diese Ursachen
sind: allzufrühes Heirathen (im 11.—12. Jahre), häufige Ent-
bindungen, das schwüle Clima, kärgliche Nahrung und ent-
kräftende häusliche Arbeiten. Unter den letzteren ·ist die Bereitung von Mehl aus den harten Körnern des Duchn (einer
Art Mais, welche hier die oberägyptische Durra ersetzt),
ohne Mühlen und Mühlsteine, nicht die leichteste. Man zer-
reibt die Körner mittelst eines grofsen runden Kiesels auf
einem etwas ausgehöhlten und geglätteten ·Granitsteine, dem
Bruchstück einer alten Saüle oder Statue. Während dieser
sehr langwierigen und mühevollen Operation liegt die *Frau*
auf den Knieen, wobei sie eine vollkommen classische und
höchst anmuthige Positur annimmt.

Die Wohnungen der Barabra in den Dörfern Nieder-Nubiens sind weder von Seiten ihrer Geräumigkeit, noch ihrer
Gemächlichkeit zu empfehlen und insofern nicht besser als die
ägyptischen. Es sind niedrige Hütten, mit trocknen Maissten-
geln gedeckt, und aus rohen Backsteinen oder häufiger aus
getrockneter Erde errichtet, zuweilen auch (wenn ·das Dorf
am Fufs der Berge liegt, die mit dem Nil parallel laufen),
aus Schutt, den Winde von den Abhängen der aus lockerem
Sandstein bestehenden· Berge in die Ebene führen. Dessen
ohngeachtet ·haben die nubischen Dörfer den wichtigen Vorzug vor den Dörfern Nieder- und Mittel-Aegyptens, dass sie,
als auf einem, vom Nile niemals überschwemmten Grunde
erbaut, keine künstlichen Aufwürfe zur Unterlage bedürfen.
Daher liegen sie in Nubien weit auseinander; die Luft hat

viel freiere Circulation, und 'es herrscht mehr Reinlichkeit;
die letztere verdankt man zum Theil auch der geringen Zahl
des Hausviehs, dessen die Berbern, da sie Mangel an Futter-
kraut haben, nur eben soviel unterhalten, als zur Wässerung
der Felder und ähnlichen Arbeiten nöthig ist. Vor jeder
Bauernhütte errichten die Weiber aus Nilschlamm senkrechte,
ziemlich regelmäfsige Cylinder, die inwendig hohl sind, und
bei 3—4 Fufs Höhe 1—2 Fufs Durchmesser haben; die Dicke
ihrer Wände ist nicht über ½ oder ¾ Zoll. Von Oben wird
die Oeffnung dieser Cylinder mit einem flachen runden Dek-
kel aus Thon verwahrt; der innere Raum aber wird zuweilen
mittelst senkrechter Scheidewände mehrfach abgetheilt. Ist
die Höhe des Cylinders bedeutend, so bringt man von aussen
und von innen kleine Steine in den Wänden an, die über einander stehen und kleine Stufen bilden, auf welchen die Hausfrau emporklimmt oder ins Innere steigt. Diese Cylinder
nehmen sich von weitem wie Säulentrümmer aus, aber ihre
Bestimmung ist rein wirthschaftlich: in Ermangelung anderer
und bequemerer Behältnisse, z. B. hölzerner Kasten oder gros-
ser thönerner Kruken, die man in Aegypten hat, dienen sie,
um Getraide, Datteln, Bohnen und ähnliche Vorräthe gegen
Mäuse, Vögel u. dgl. zu verwahren. So schlecht und wenig
dauerhaft das Material dieser Cylinder ist, so erhalten sie sich
doch gut in einem Lande, wo niemals Regen fällt, und wo
der Lehm in einer Sonnengluth, die zur Sommerszeit im Sande
bis 54° R. steigt, beinahe gebrannt wird.

Wenn man durch die Dörfer der Barabra geht, so bemerkt
man oft vor den Hütten einen Hausrath, der in Aegypten,
und überhaupt unter den Morgenländern, selbst Leuten der
vornehmsten Stände, ungebräuchlich. Es sind dies hölzerne
Bettstellen, bestehend aus einem, auf vier niedrige Füfse ge-
stützten, länglichen hölzernen Rahmen, der mit Rohrgeflecht
überspannt ist. Auf diesen Bettstellen schlafen die Barabra,
um vor kriechendem Ungeziefer, besonders Scorpionen, die
in Nubien sehr zahlreich, sicher zu sein. Der Gebrauch derselben ist auch darum sehr vortheilhaft, weil er zur Zeit des

Nachtschlafes keine Anhäufung allzuvieler Leute in einem
engen Raum gestattet, wie bei den ägyptischen Fellahs der
Fall ist, welche familienweise auf einer alten, am Boden ausgebreiteten Doppelmatte, dazu in Rauch und schädlichen Ausdünstungen aller Art, liegen. Ausser der erwähnten Bettstelle
findet man in den Stuben der Nil-Berbern nur einige Krüge
von verschiedener Gröfse, um Wasser und Milch zu verwahren, dann Hühnerkörbe, Doppelmatten von häuslicher Arbeit
aus dünnen Dattelblättern, und bisweilen — einen gesprunge-
nen und mittelst Drath zusammengeflickten Teller aus Fayence,
eine oder zwei grüne Weinflaschen, sogar einen kleinen Spiegel in rothem pappenem Rahmen: die letztgenannten Gegenstände werden von den aus Aegypten zurückkehrenden Schif-
fern mitgebracht. Bei den Scheichen siehst du ausserdem
einen Teppich aus Syrien oder Smyrna, eine lange arabische
Flinte, die durch Schleichhandel aus Cairo gekommen, und
zwei oder drei, mit venezianischem Kupfergrün gefärbte, ge-
flochtene Stühle, in Cairo angefertigt. Solchen Aufwand
können aber nur Wenige machen.

Der Ackerbau ist in Nieder-Nubien sehr wenig entwickelt.
Die Berge, die von der einen Cataracte zur anderen, längs
der Nilufer hinziehen, lassen zwischen ihrem Fufs und dem
Strome nur einen sehr schmalen Strich Ackerland; dieser ist
stellenweise nicht breiter als 100—150 Schritt. An vielen
Puncten, zumal des linken Ufers, findet man ziemlich geräumige Ebenen, die jetzt gänzlich mit Sand überdeckt sind, z. B.
in Uadi-Chalfa, Uadi-Sebuà, um Amada u. s. w.; und Verödung
breitet sich immer weiter über Strecken aus, die weiland von
den wohlthätigen Wellen des Nils und seinem fruchtbaren
Schlamme bedeckt waren und zu altägyptischer Zeit gewiss
reiche Erndten lieferten. Dreizehn grofse Tempel, deren präch-
tige Trümmer heutzutage in Nieder-Nubien anzutreffen, dienen in unseren Augen als unzweifelhafter Beweis dafür, dass
dieses jetzt verödete Land einst in einer blühenden Lage war.
Die Canäle, welche man vor Alters an den Rändern der
Wüste zog, und die Pflanzungen von Stachel-Acazien (sunt),

welche den andrängenden Sand aufhielten, sind verschwunden, und „der fürchterliche Typhon dringt ungehindert ins innere Heiligthum der Isis." Der Nil wässert nicht mehr die Felder, die doch augenscheinlich aus den Ablagerungen seines Schlammes entstanden sind, und die Bewässerung der Saaten wird durchs ganze Jahr mittelst Maschinen zum Wasserschöpfen bewerkstelligt; diese sind Räder mit thönernen, an ein langes Seil befestigten Töpfen, oder Hebebäume (schaduf), etwas ähnlich den in Russland gebräuchlichen Brunnen-Krahnen. — Die vornehmsten Erzeugnisse sind: Duchn (holcus sorgum), Gerste, Bohnen, Linsen, Kürbisse, Melonen, Bámie (hibiscus esculentus), etwas Taback, Senną, Ricinus, Chenna u. s. w. Unter den merkwürdigsten Bäumen nenne ich: Dattelpalmen, besonders in der Nachbarschaft von Ibrim und Derr, Acazien, Feigen u. s. w.

Aus den angeführten Ursachen kann auch die Viehzucht hier nicht gedeihen: die Barabra unterhalten zwar Ochsen, Büffel, Esel, Ziegen und Schafe, aber in geringer Zahl; Kameele und Pferde findet man bei den Arabern in den benachbarten Wüsten. Von Hausgeflügel bemerkt man in den Dörfern nur Hühner und Tauben. Die Eingebornen können also sehr wenig Fleisch essen (obschon es für sie eine grofse Liebhaberei ist), wie sie denn überhaupt in Speisen sehr mäfsig sind. Die Mannschaft meiner Barke nährte sich immer von Zwieback und Linsen, die in Wasser mit Salz gekocht waren, ohne irgend eine andere Würze; dabei musten sie oft einige Tage hinter einander 12 bis 14 Stunden lang rudern, oder vom Morgen bis zum Abend, bei 35 und mehr Grad Hitze, die schwere Barke ziehen. Wegen dieser dürftigen Nahrung kommen die Leute sehr bald von Kräften, und gewiss würden fünf russische Matrosen mehr ausrichten können als zehn Nubier.

Reisende versichern, dass der Nil-Berber Schlangen, Eidechsen und Crocodile zu verzehren im Stande sei; ich habe mich davon nicht persönlich überzeugt, wol aber gesehen, mit welchem Genusse sie die Schöpse verzehrten, die ich

ihnen, wie es Sitte ist, während unserer Fahrt einige Mal
schenkte. Sie afsen recht eigentlich Alles an dem Thiere,
das Fell allein ausgenommen, das sie in den Fluss warfen,
da man in Nieder-Nubien vom Gerben nichts versteht. In
ihren Dörfern gewinnen sie aus dem Mehle des Duchn (holcus sorgum), nachdem es mit heissem Wasser vermischt worden und eine Zeitlang gegohren hat, ein eigenthümliches Getränk (mrise), das wie Bier zischet, trübe, gelblich und säuerlich
ist, und durch Hinzufügung verschiedner Kräuter berauschend
wird. Die Barabra lieben es leidenschaftlich, aber auf Barken
kann man es nicht halten. In Cairo giebt es einige Anstalten,
in denen dieses Getränk ausschliefslich für die Nubier gebraut
wird; es fliefst daselbst in getrocknete und ausgehöhlte Kürbisse; seinen Geschmack habe ich immer widerlich gefunden.
Die Schiffer in den Barken rauchen Taback aus Pfeifen, die
in Aegypten gekauft sind; in Nubien aber bedient man sich
der letzteren ziemlich selten; die Eingebornen kauen das gedörrte und zerkrümelte Blatt des Tabacks, indem sie noch
etwas weisse Soda beimischen.

    Handel und Betriebsamkeit befinden sich in Nieder-
Nubien in vollkommener Kindheit. Gewisse nothwendige Artikel, wie Leinwand, Leder, Fufsbekleidung u. dergl. erhalten
sie aus Aegypten: sie selbst verfertigen nur sehr grobe Thongefäfse, namentlich Töpfe zu den Wasserrädern und grofse
Kruken mit weiter Oeffnung, in welchen die Weiber Nilwas-
ser holen; ausserdem Körbe von verschiedner Gröfse und
Form, und Doppelmatten aus geflochtenen Dattelblättern, mit
hübschen braunen und rothen Verzierungen, aber nicht dauerhaft; die besten verkauft man in Derr, wo eine 5 oder 6 Fufs
lange und 3 Fufs breite Matte 1 bis 6 Piaster kostet. Auch
verfertigen sie die oben beschriebenen Gürtel für Mädchen,
lederne Näpfchen zur Aufbewahrung des Streupulvers, Messer, lange Piken und hölzerne Scheiden zu Degenklingen und
Griffen von ägyptischer oder deutscher Arbeit (aus Solingen).
Obgleich an den Ufern des Nil wohnend, bauen die Barabra
doch keine Barken, wahrscheinlich aus Mangel an Holz; sie

sie haben nicht einmal Kähne zur Ueberfahrt vom einen Ufer
ans andere. Im Fall der Noth setzen sie sich rittlings auf
ein Stück von einem Palmenstamme, das sie mit den Füfsen
vorwärts rudern, und kommen so entweder quer hinüber, oder
stromabwärts von einem Dorfe zum anderen; Kleidung und
Proviant tragen sie in solchem Fall auf dem Kopfe. Seit seiner frühesten Jugend ans Wasser gewöhnt, in welchem die
Kinder den ganzen Tag sich baden und schäkern, schwimmt
der Berber wie ein Fisch: Knaben von fünf bis sechs Jahren
stürzen sich für einige Kopeken in die reissendsten Strudel der
Wasserfalle. Der Handel beschränkt sich auf die Ausfuhr kleiner getrockneter Datteln von gelber Farbe und sehr liebli-
chem Geschmacke, die kleine Kerne haben. Nirgends in Nubien habe ich einen Basar gesehen. Wenn man bei den
Barabra etwas kaufen will, so muss man in ihre Hütten gehen, oder sie kommen zu uns an die Barke; doch sah ich in
Derr, auf einem freien Platze nahe dem Nil, ganze Haufen
Datteln zum Kleinverkaufe, unter freiem Himmel. Die Unbe-
hülflichkeit des Berbern in Kaufmannsgeschäften, selbst den
geringfugigsten, giebt sich unter Anderem auch darin zu erkennen, dass er, wenn der Käufer mit dem verlangten Preise
für etwas sich einverstanden zeigt, die Waare noch nicht ab-
lassen will und den Preis steigert, als reue ihn seine erste
Forderung. Dies ist mir in den Dörfern immer begegnet,
wenn ich Vorräthe oder Alterthümer kaufte. Im Dorfe Dekka
bot mir ein graubärtiger Alter eine lederne Tasche zu Augen-
pulver (Collyrium) zum Verkaufe, die recht hübsch gearbeitet
und mit schwarzen Straussenfedern geschmückt war; er forderte 60 Piaster, liefs die Tasche nach langem Feilschen für
8 Piaster meinem Bedienten, empfing das Geld und ging.
Eine halbe Stunde darauf kam derselbe Alte wieder, vor-
gebend, sein Weib sei mit dem Handel nicht einverstanden; er verlangte daher die Tasche zurück und gab das Geld
wieder heraus.

Die Barabra werden in ihren Dörfern von Scheichen regiert, die hier Samilgi heissen. Sie sind sowol frei vom

Kriegsdienste als von Frohnarbeiten in den Kronfabriken
Aegyptens. Mehmed-Ali hatte anfänglich den Versuch gemacht, Recruten aus ihnen zu heben, aber bald überzeugte er
sich, dass ihre Liebe zur Unabhängigkeit und ausserordent-
liche Anhänglichkeit an die Heimat sie zum Dienste und zur
Kriegszucht ganz unfähig machen. Die Grundsteuer wird
nicht nach der Menge des angebauten Landes, sondern von
den obenerwähnten Wasserschöpfmaschinen, die zur Wässerung der Saaten dienen, erhoben: für jedes Wasserrad zahlt
man um Assuan 500 Piaster; weiter südlich aber, wo es noch
weniger Land giebt, nur 300 jährlich. Ausserdem ist jeder
Dattel- und Feigenbaum, jede Henna-Staude u. s. w. mit einer
Abgabe von $\frac{1}{4}$ bis zu einem ganzen Piaster jährlich belegt.
Auch hat die Regierung sich das Recht vorbehalten, nöthigen
Falles den Bauern ihre Vorräthe um Preise, die sie selber
bestimmt, und welche gewöhnlich nur dem halben Preis der
Producte am Orte selbst gleichkommen, abzukaufen. Die auf
freien Barken in Aegypten ihr Brod verdienenden nubischen
Matrosen sind von der Kopfsteuer (firde) befreit; aber diejenigen Barabra, welche in Kairo, Alexandrien und an anderen
Orten ansässig leben, zahlen gleich den Aegyptern die Kopfsteuer, welche ungefähr einem Zwölftheil des jährlichen Ein-
kommens gleichkommt; diese Abgabe wird durch Aelteste aus
ihrer Mitte, oder durch die Scheiche eingesammelt. Die Besoldung der Matrosen auf den Barken ist ausserordentlich
gering: sie erhalten 30 bis 40 Piaster des Monats zu ihren
Bedürfnissen. Dem Schiffer und dem Steuerer giebt man
etwas höheren Sold.

Ueber die, unter den Eingebornen Nieder-Nubiens sich
findenden Krankheiten kann ich nichts Ausführliches beibringen, da ich allzu kurze Zeit im Lande verweilt habe. Einige
Leute, Männer und Weiber, ersuchten mich um Mittel wider
rheumatische Zufälle, Magenbeschwerden und Lustseuche.
Viele Kinder werden von den Pocken hinweggerafft. Von
Augenübeln bemerkte ich nur leichte Entzündung der tunica
conjunctiva; diese Entzündung wird durch Alaun oder

schwefelsauren Zink leicht gehoben. Einmal wurde ich in
der Nacht aus dem Uferdorfe M'barki, wo meine Barke anhielt, nach einem anderen Dorfe Gynári, am Rande der Wüste,
zu einem Mädchen gerufen, welche ein Scorpion in den Kopf
gestochen 'hatte, während sie im Hofe schlief. Der Unfall
hatte das ganze Dorf in Allarm gesetzt, woraus ich einestheils
schliefsen musste, dass solche Stiche sehr gefährlich (was mir
nachmals auch Aerzte in Oberägypten bestätigten), anderntheils,
dass sie hier nicht oft vorkommen. Es gelang mir, das Mädchen zu retten, indem ich ätzenden Salmiak-Spiritus auf die
Wunde träufeln, und die Patientin einige Tropfen desselben
Spiritus in Wasser einnehmen liefs. Man hatte in dem Dorfe
Gynári, welches einige Werst vom Nil abliegt, bis dahin gar
keinen europäischen Reisenden gesehen: meine Kleidung und
die mitgebrachte Arznei setzten die Einwohner in ausseror-
dentliche Verwunderung; übrigens empfingen sie mich sehr
höflich, und Alle fragten, wieviel ein Medicingläschen solchen
Sprits in unserem Lande koste? Mein Führer, ein verschmitz-
ter Bauer, antwortete mit sehr wichtiger Miene: „2000 Tha-
ler!" und bestärkte damit ihr Vertrauen auf diese· Arznei gewiss nicht wenig.

Aus den zu uns gekommenen, übrigens sehr wenig zahlreichen historischen Nachrichten von den alten Nubiern ersieht man, dass dieses Volk nicht früher als im 6. oder 7.
Jahrh. u. Z. von dem Lichte des Evangeliums beleuchtet
wurde, Theils aus Aegypten, wo der heilige Marcus in Alexandrien seinen Aufenthalt genommen, anderen Theils aus Abyssinien, das ums Jahr 300 christlich geworden war. Unter
den Trümmern der Stadt Ibrim fand ich einige Granitsäulen
mit griechischen Kreuzen in· erhobener Arbeit; der Sockel
einer dieser Säulen ist mit vier solchen Kreuzen geschmückt.
In den Hölentempeln von Gebel-Adda, am rechten Nil-Ufer,
wenige Stunden Weges nördlich von der Cataracte Uadi-
Chalfa, hat sich an· der Decke ein gemaltes Bild des Erlösers
ziemlich wohl erhalten; anderswo findet man auf den Wän-

den dieser Denkmäler Abbildungen des heiligen Georg zu
Pferde. In dem berühmten *Speos* (Hölentempel), welches jetzt
Beit-Uali heisst, nordwestlich vom Tempel Kalabsche, am
linken Ufer des Nils, ist an jeder Seite des Haupteingangs
ein griechisches Kreuz in den Stein geschnitten. Dies Alles
beweiset, dass irgend einmal auch in Nieder-Nubien dies göttliche Zeichen sein belebendes Licht auf die dortige Bevölkerung warf. Allein die muhammedanische Lehre, nicht durch
Milde und Ueberredung ausgebreitet, sondern durch Schwert
und Gewalt, verdrängte das Christenthum sehr schnell aus
Nubien! Jetzt sind ,alle Barabra eifrige Anhänger Muhammeds,
und in Erfüllung der äusseren Gebräuche des Islam sehr ge-
wissenhaft. Moscheen habe ich in ihren Dörfern nirgends. gesehen; und diejenigen die ich in Derr und Korosko sah, waren sehr klein, und aus rohen Ziegeln erbaut. Uebrigens
sprechen die Barábra ihre täglichen funf Gebete mit grofser
Wärme und Andacht: wann die grimmigen Stöfse des Windes,
welcher in dem gewundenen und wie ,eine Röhre engen Nil-
thale ungemein heftig weht, die Segel meiner zweimastigen
Barke zerrissen, und diese zu zertrümmern drohten, setzten
die Matrosen ihre Kniebeugungen auf dem Verdecke fort,
ohne irgend zu beachten, was in jener Zeit um sie herum
vorging. Nur der Reïs (Schiffer) der Barke, ein hochgebau-
ter und hagerer Greis mit kurzem grauen Barte, welcher, seiner Pflicht gemäfs, den ganzen Tag am Schnabel des Fahr-
zeuges safs, betete niemals. Einmal gab ich ihm deshalb einen
Verweis, welcher der ganzen Mannschaft sehr wohl gefiel.
Ein Nubier aus Derr, Hassan mit Namen, dem ich erlaubt
hatte, auf meiner Barke von Alexandrien bis nach Nubien zu
fahren, und welcher damals, an Dysenterie erkrankt, auf dem
Dache meiner Kajüte lag, rief bei dieser Gelegenheit auf arabisch: „as-salât amûd ed-dîn", d. h. das Gebet ist die
Säule des Glaubens! In der Folge ergab sichs übrigens, dass
dieser nehmliche Hassan ein Schelm war: er hatte zu lange
Zeit mit Franken verkehrt. So oft wir an Gräbern frommer

Scheiche oder von den Europäern sogenannter Santone[*])
vorüberfuhren, sagten unsere Matrosen die erste Sure des
Korans her, wobei sie stehend ihre rechte Hand zuerst nach
dem Grabe ausstreckten und dann mit derselben von oben
nach unten übers Gesicht fuhren.

Die Frömmigkeit der Barabra giebt sich auch in einer
anderen merkwürdigen Sitte kund: auf den Gottesäckern der
Dörfer steht über jedem Grabe ein Töpfchen, welches die Bewohner jeden Tag mit Wasser fullen, um den Durst der Vorübergehenden zu stillen. Auch in Aegypten trifft man diese
Sitte, jedoch nicht auf allgemeinen Gottesäckern, sondern nur
auf vereinzelt stehenden Gräbern frommer Scheiche; daselbst
wird zuweilen sogar eine Cisterne gebaut, und ein Wächter
wohnt daneben, welcher den ermüdeten Wanderern Wasser
zutheilt. Diese Einrichtung ist eine wahre Wohlthat in einem
so heissen Clima. Zwischen Assuan und der Insel Philae
kommt man am rechten Nil-Ufer an zwei nicht grofsen Gebäuden mit Kuppeln, in Form von Moscheen, vorüber: in denselben stehen grofse Kruken, welche die Bewohner der am
Ufer liegenden Dörfer jeden Tag mit frischem Wasser fullen;
dafür bekommen sie Jeder 20 Piaster monatlich von einem
reichen Nubier Hassan-Kaschef, dem Bürgermeister des Städtchens Derr, auf deren Kosten auch die erwähnten Gebäude
errichtet sind.

Die Barabra werden in ganz Aegypten ob ihrer musterhaften Ehrlichkeit gerühmt. Und wirklich ist der Diebstahl
ein bei ihnen unbekanntes Verbrechen, obwol die Matrosen
der Barken es für erlaubt halten, in den besäeten Feldern am
Nil-Ufer zu fouragiren. Diese Ehrlichkeit der Nubier ist der
Aufmerksamkeit des Psychologen um so werther, weil gleichzeitig der Geldgeiz bei ihnen sehr entwickelt ist, und noch
mehr als bei den Aegyptern, die ihn gewiss nicht in geringem

---

[*]) Es ist das spanische santón und italienische santone grofser Heiliger, was jedoch nur auf mahammedanische Heilige bezogen wird.
Der augmentative Zusatz scheint also ironisch gemeint.

Grade besitzen. Der Berber verlangt unaufhörlich ein Bachschisch,[*] und zwar nicht blos für Dienste, die er uns er-
weist, sondern auch für solche, die wir ihm erwiesen haben!
Ein europäischer Arzt, der in Nubien gelebt, erzählt, dass
nicht selten Patienten, denen er unentgeltlich Rath und Heilmittel gegeben, nach ihrer Genesung zu ihm kamen und um
eine Belohnung in Geld anhielten. Fragte er dann: „wofür?"
so antworteten sie naiver Weise: „wir haben ja deinen Arz-
neitrank so lange eingenommen." Auf Dörfern wirst du nicht
blos von Kindern, sondern auch von Erwachsenen beiderlei
Geschlechts haufenweise verfolgt, die sich beständig verneigen,
um ein Bachschisch bitten, und dabei das barbarische Wort
salamento (den arabischen Gruß salâm mit zugegebener
italienischer Endung, wie in complimento) unzählige Mal
wiederholen. Einige bieten sich als Fuhrer an, um dir alte
Ruinen zu zeigen, Andere bringen buntfarbige Kiesel zum
Verkaufe, oder lebendige hellgrüne Chamaeleone,[**] oder verschiedne Alterthümer, zu denen sie übrigens Alles rechnen,
was ihnen gerade in die Hand fällt, z. B. Scherben von englischen Fayencetellern, oder zerschlagene gläserne Flaschen-
stöpsel, die man aus den Barken europäischer Reisenden geworfen hat. In einem Dorfe legte mir ein Mädchen den Deckel
einer gestreiften schottländischen Tabacksdose vor, mit der
heiligen Versicherung, dass es eine Antike sei. Auf meiner
Barke befand sich der achtjährige Sohn des Schiffers, ein sehr
kluger und schlauer Knabe. Dieser geleitete mich gewöhnlich,
wenn ich Ausflüge nach Dörfern machte, wobei sein ganzes
Costüm aus einer kurzen, weissleinenen Weste bestand. Zu
verschiednen Malen des Tages kam er unter allerlei Vorwän-
den zu mir in die Kajüte, und endete immer mit der Bitte

---

[*] Dieses persische Wort für Geschenk oder Trinkgeld hört man im
  ganzen Orient mehr als jedes andere.

[**] Die bekannte, oft ihre Farbe wechselnde Eidechsenart, mit pyrami-
  dalem Kopfe und einem Körper, der sich ausnimmt, als wär er völlig inhaltlos und aus dünnem Glase geformt.

um eine Chamse (eine Kupfermünze von 5 Fadd oder ¹/₄ Kop. S.). Oft stellte ich ihn auf folgende Probe: ich legte z. B. Rosinen, Mandeln und Nüsse auf einen Teller, und daneben auf den Tisch eine Kupfermünze: dann liefs ich ihn wählen. Der kleine Ali griff alle Mal nach dem Geldstücke und liefs das Obst stehen, obwol er gewiss nicht weniger als andere Kinder Leckereien liebte, und dergleichen für ein Chamse in Nubien nicht kaufen konnte.

Diese Geldgier der Barabra erklärt sich übrigens aus ihrer und ihres Landes Armuth, aus der beinahe absoluten Unmöglichkeit, in der Heimath Geld zu verdienen, und in Folge dessen aus dem hohen Werthe und der Seltenheit von Münzen jeder Art. Daher ist dieser Hang bei ihnen natürlicher und verzeihlicher, als bei den Arabern, insonderheit den Beduinen, welchen das Geld nicht Mittel zum Leben, sondern Lebenszweck ist. Ich traf in Aegypten und Syrien mit Beduinen-Scheichen zusammen, die sehr gut, ja kostbar gekleidet und bewaffnet waren, und doch ein Bachschisch von einigen Piastern mit grofser Zudringlichkeit von mir verlangten!

In ihrem Vaterlande zeigen die Barabra auch musterhafte Reinheit der Sitten. Obwol ihre Weiber nicht abgesperrt zu Hause sitzen, nicht vor fremden Männern sich verstecken und das Antlitz nicht verhüllen, so giebt es unter ihnen doch nichts Aehnliches wie die ägyptischen Alme's und Gauási's (Sängerinnen und Tänzerinnen), bei denen die Prostitution nicht blos Gewerbe, sondern Wissenschaft ist, die ihre Regeln und ihr System hat. Vor einem anderen im Morgenland so häufigen Laster haben die Barabra noch gröfseren Abscheu. Wenn aber die Matrosen eine Zeitlang in Aegypten gelebt haben, werden sie endlich durch Gelegenheit, Beispiele und wohlfeile Versuchung fortgerissen und bringen ihren Familien nur allzuoft ein trauriges Geschenk mit — die Lustseuche, welche jetzt in Nubien gar nicht selten vorkommt.

Als im Jahre 1799 das französische Heer, nachdem es ganz Aegypten erobert, Assuan einnahm, und gegen die Insel Philae, die südlichste Grenze seiner Unternehmungen, an-

rückte: da unternahmen es die, auf dieser jetzt unbewohnten
Insel damals wohnenden Barabra, einem Detachement unter
General Belliard Widerstand zu leisten. Nur allein mit Piken und Säbeln bewaffnet, konnten sie natürlich den ersten
Schüssen der auf einer Flöfse sitzenden französischen Volti-
geurs keinen Widerstand leisten; sie stürzten sich Alle ins
Wasser um schwimmend ihr Heil zu suchen. Jetzt kann man
unter ihnen von kriegerischem Geiste keine Spur mehr entdek-
ken; das Verbot an die ägyptischen Fellachs, Feuerwaffen zu
besitzen, hat Mehemed-Ali auch auf die Nubier ausgedehnt, und
wird es von den örtlichen Obrigkeiten mit Strenge aufrecht
erhalten. In Folge dessen fürchtet man ein europäisches
Pistol jetzt in Nubien wie im Delta, und der blofse Anblick
einer Doppelflinte kann die Bevölkerung eines ganzen Dorfes
auseinander treiben; ich selbst langte zuweilen die meinige
hervor, um mich von den meine Barke umlagernden und ein
Bachschisch erbittenden Bauern freizumachen. Gewöhnlich
war es' zu diesem Ende schon hinreichend, dass ich meinen
Bedienten mit lauter Stimme die Pistole aus der Kajüte bringen hiefs. Diese auffallende Feigheit, die man jetzt sogar an
den Beduinen in der Nachbarschaft der Pyramiden von Gise
bemerkt, steht in schneidendem Gegensatze mit meinen Erfahrungen in Syrien, besonders dem nördlichen, dessen Einwohner, selbst im Besitze von Waffen, die Drohungen eines europäischen Reisenden nicht im geringsten fürchten.

Ich hatte in Büchern gelesen und aus dem Munde vieler
Reisenden gehört, die Nil-Berbern hassten die Europäer, seien
böse, rachsüchtig, und sehr schwer zu behandeln. Als Belege
citirt man allerlei mehr oder minder romantische Begebenheiten. Ich habe persönlich keine Gelegenheit gehabt, mich davon zu überzeugen, und vermuthe, dass die unangenehmen
Berührungen, über welche fast alle aus Nubien kommenden
Europäer klagen, aus Missverständnissen entstehen, in Folge
ihrer Unkenntniss der Landessprache und ihres grofsen Han-
ges, bei jeder Gelegenheit, statt anderer, mehr friedlicher
Aufklärungen, den Stock oder die Gerte entscheiden zu lassen.

Ich habe die nubischen Dörfer immer allein, oder mit oben-
erwähntem Knaben als Führer, besucht, ohne Waffen, in europäischer Kleidung, zuweilen sogar des Nachts, und immer ist
es ohne Streit oder Händel abgegangen. Ein festes und doch
sanftes Benehmen, ohne viele Worte, und ein zur rechten Zeit
gegebenes Bachschisch erwarben mir auch die Anhänglichkeit
der ganzen Mannschaft meiner Barke, und fast nie erfuhr ich
jene Nachlässigkeiten, Entweichungen oder gar Meutereien,
von welchen die Reisenden nach Mafsgabe ihrer Entfernung
aus Cairo soviel auszustehen haben. Landeten wir bei irgend
einer Stadt, so rief ich jedes Mal den alten Schiffer auf, und
erklärte ihm, wie lange ich' hier verweilen wollte. „Du siehst
— sagte ich ihm, auf meine Uhr deutend — dass wir gerade
Mittag haben; morgen, genau um dieselbe Zeit, reise ich weiter. Lass die Matrosen gehen, sorge aber, dass sie zur bestimmten Zeit Alle auf der Barke sind. Ich werde Keinen
abwarten; wer nicht kommt, der muss am Ufer bleiben."
Der Alte antwortete mit einer blosen Gebehrde, indem er,
seine Hand auf den Kopf legend, sich verneigte, und handelte
pünktlich nach meinen Worten.

Die geistigen Fähigkeiten des Barabra sind sehr früh
entwickelt; Kinder von 5 oder 6 Jahren zeigen hier weit mehr
Klugheit und Selbständigkeit, als man in Europa an Kindern
bemerkt. Aber im 14. oder 16. Jahre bleibt diese Entwicklung so zu sagen stehen und geht nicht weiter. Der auffallend kluge Knabe wird ein ziemlich stupider Jüngling. Dieselbe Erscheinung, und vielleicht in noch höherem Grade,
lässt sich an den ägyptischen Fellachs bemerken. Wie die
Barabra, so sind auch diese ganz ohne den practischen Scharfsinn und die angeborne Kunst, sich „zurechtzufinden", welche
der gemeine Mann in vielen Ländern Europas besitzt. Diese
geistige Ungelenkigkeit giebt sich an den Barabra besonders
auf dem Nile kund, z. B. so oft die Barke auf eine Untiefe
stöfst, was übrigens auf diesem eigensinnigen und unbeständi-
gen Flusse unzähligemal der Fall ist. Du fährst weit von den

Ufern, an einer recht tief scheinenden Stelle; da stöfst der Kiel plötzlich auf Grund; du hörst, wie er in den Sand einschneidet, einige Klafter weit ihn durchfurcht, und endlich stecken bleibt. Die Matrosen springen sogleich nackt ins Wasser und bemühen sich, die Barke durch Anstemmen ihrer Schultern wieder flott zu machen. Nachdem sie unter lautem Geschrei wenigstens eine halbe Stunde lang sich geplagt und ganz von Kräften gekommen, wird ihnen endlich klar, dass alle ihre Anstrengungen vergeblich, und dass die Barke am Boden gleichsam festgewachsen ist. Jetzt erst, aber nie früher, macht einer von ihnen den verständigen Vorschlag, dass man zusehe, was für eine Richtung die Sandbank nimmt, und wo das Wasser tiefer wird. Da ergiebt sichs denn alle Mal, dass man die Barke an eine ganz andere Seite ziehen muss: nun beginnt die Arbeit von neuem und schon nach fünf Minuten ist das Fahrzeug flott.

Den Barabra, wie den Aegyptern, muss man immer Alles erklären und dolmetschen; so oft eine Sache etwas verwickelt ist, finden sie sich nie allein zurecht. Schickst du z. B. einen nubischen Bedienten mit einem Auftrage irgendwohin, so muss dieser Auftrag möglichst einfach sein, dass der Bote ihn buchstäblich behalten könne. Auf seine Klugheit zu vertrauen, ist unmöglich: er verwirrt Alles; man überlasse es ihm, das bessere oder passendere auszuwählen, und er wird immer das schlechtere auswählen! Die Barabra, wie die Aegypter, haben Gelehrigkeit, Gedächtniss und selbst Verstand zur Genüge, aber Vernunft und Urtheilskraft in sehr geringem Grade: sie bleiben ihr Lebenlang erwachsene Kinder. In Aegypten kann man dies unter Anderem an jungen Leuten sehen, die in öffentlichen Anstalten erzogen sind und selbige als Ingenieure, Geometer, Aerzte u. s. w. verlassen haben; sie besitzen fast ohne Ausnahme keine selbständige und freie geistige Thätigkeit, und haben immer Aufsicht und Anleitung nöthig.

Der Character der Barabra bewahrt im ganzen Leben und noch mehr als bei den Aegyptern, viele Züge kindlicher Einfalt, Unbeständigkeit, Sanftmuth und Fröhlichkeit, die besonders in ihrer Sprache und in ihrer Lust an Putz, Musik, Gesang, Tanz und Mährchen sich kund geben. Auf den Barken, nach dem Abendessen, legen sich die Matrosen im Kreise aufs Verdeck, mittelst wollner Mäntel vor dem Thau der Nacht sich schützend, und Einer unter ihnen, immer ein Araber von Abkunft, unterhält sie einige Stunden lang mit Mährchen, die sie wohl zwanzig Mal hintereinander und immer mit gleichem Interesse anhören können. Mit beredter Zunge und öfterer Einmengung von Ausdrücken der Büchersprache, welche die armen, des Arabischen überhaupt schlecht kundigen Nubier oft gar nicht verstehen, beschreibt er die Begebenheiten des Helden A-bu-Seid und seiner Stute, oder die Reize eines jungen Mädchens. Er flicht alle erdenklichen Wunderdinge in seine Erzählung ein, und die guten Zuhörer versinken Einer um den Anderen in Schlaf, um diese Herrlichkeiten noch einmal im Traume zu schauen.

Der Tanz dieses Volkes besteht in wilden und sehr wenig anständigen Verdrehungen des unteren Körpers, beinahe ohne alle Bewegung der Füfse, die sich gar nicht vom Boden erheben. In den Händen hält der Tänzer immer einen langen Stab, auf den er sich stützet. In diesen Verdrehungen ist etwas Affenartiges, nichts Menschliches. Die Zuschauer sitzen im Kreise, klatschen tactmäfsig in die Hände und singen, mit ihrer beliebten Darabúka, einer thönernen, einem grofsen Trichter ähnlichen Trommel, sich accompagnirend; die weite Oeffnung derselben ist mit einer Fischblase überspannt. Dieses Instrument halten sie sitzend unter dem linken Arme und schlagen es mit den gerade ausgestreckten Fingern beider Hände. Wenn ein Reisender auf einer Barke von Cairo abfährt, so muss er der Mannschaft eine oder zwei Darabúka's kaufen, ohne welche die Matrosen sich langweilen. Auf den Hochzeitsfesten in Nieder-Nubien tanzen die Weiber mit den Männern und äufsern dabei ihre Freude durch einen Gurgelton, der ungefähr wie u-lu-lu-lu-lu lautet und unzähligemal wiederholt wird. Unter meinen Matrosen befand sich ein fast

ganz-schwarzer Saîder, *) den seine Possen zum Liebling der
Mannschaft machten. Er verstand allerlei Tänze, auch denjenigen, der unter dem arabischen Namen „die Biene" (al-
nachla) bekannt ist, und welcher den ägyptischen Gauási's
eigenthümlich. **) Die tanzende Person schwingt sich unter
dem kläglichen Rufe: „die Biene sticht mich!" im Kreise
herum, und wirft alle ihre Kleidungsstücke nach einander von
sich, als ob sie das Insect haschen wollte; inzwischen singt
das Orchester im Chore: „da ist die Biene!" Hat der Tanzende endlich die letzte Hülle abgeworfen, so fällt er wie besinnungslos an den Boden. In diesem effectvollsten Augenblick
sprang unser Lustigmacher allemal über Bord in den Nil, und
schwamm an der entgegengesetzten Seite wieder heraus.

Bei günstigem Winde, wann die Matrosen nichts zu·thun
haben, vertreiben sie sich die Zeit mit Gesang. Ihre Lieder,
deren ich sehr viele gehört, sind gewöhnlich erotischen In-
halts und werden immer in arabischer Sprache gesungen;
nur einmal hörte ich ein kurzes berberisches Lied, das von
ganz anderer Intonation und anderem Character war. Ich
kann nicht sagen, wer in Cairo und anderen, von Arabern
bewohnten Städten die Romanzen (mauâl) dichtet und com-
ponirt; aber oft kommen neue zum Vorschein, die sehr bald,
durch Sänger und Alme's, im Publicum. verbreitet und volks-
thümlich werden. Die Melodieen einiger sind sehr angenehm,
selbst für ein europäisches Ohr, sobald es sich an die musi-
calischen Intervalle der orientalischen Tonleiter, welche kleiner
als die unsrigen, und an den Kopfton gewöhnt hat, mit welchem sie immer gesungen werden: der Brusttöne bedienen
sich die Araber fast niemals. Die Barabra lernen diese Lieder in Aegypten und verbreiten sie dann in Nubien. Einer

---

*) d. h. ein Eingeborner von Sa'îd, d. i. Ober-Aegypten.

**) Ein veredelter Ableger desselben ist der Ole Andalusiens, welchen
    wir von den Señoras Pepita de Oliva und Pedra Camara mit
    soviel Frische und Anmuth tanzen sahen.

Anm. d. Uebers.

singt, und die Uebrigen wiederholen im Chor die letzten
Worte jeder Strophe, mit Darabúka und Tamburin accompagnirend. Ich hatte einen ägyptischen Koch, der viele solcher Romanzen wusste; er pflegte damit die Matrosen nach
der Abendmahlzeit zu erheitern, indem er noch unendliche
Triller daran hing. Bei solchen Gelegenheiten ermuthigen die
Zuhörer den Sänger durch laute Rufe der Bewunderung und
Befriedigung nach jeder Strophe. Ausserdem thun die Matrosen nie eine anhaltende Arbeit ohne Gesang, welcher durch
regelmäfsigen rhythmischen Gang der Töne das Handhaben
der Ruder und Ruderstangen erleichtert. Ich hatte oft Gelegenheit zu sehen, wie meine Ruderer, erschöpft von ihrer
mehrstündigen anhaltenden Arbeit, plötzlich frisch wurden,
wann Achmed ein neues Lied anstimmte.

Zum Schlusse wollen wir über die Sprache dieses Völkchens Einiges mittheilen. Nach Costaz, der sie 1799 in
Assuan kennen lernte, sagten die Barabra, als sie zuerst französisch sprechen gehört: „Wir glaubten, ihr sprächet unsere
Sprache, nur auf eine uns unverständliche Weise." Wir wollen mit dem gelehrten Franzosen nicht hadern, wenn er, von
angenehmer Selbsttäuschung fortgerissen, eine flüchtige Aehnlichkeit zwischen seiner Muttersprache und der nubischen fand,
und bemerken nur, dass wir eine noch gröfsere Aehnlichkeit
zwischen Russisch und Berberisch träumen könnten, da in
letzterer Sprache die Endungen ki, enki, enko, ja ganze
russisch klingende Wörter, wie gorki, sobáki, kubki,
babki u. s. w. sich vorfinden. Die nubische Sprache ist, im
Ganzen genommen, für das Gehör weit angenehmer und ohne
Vergleich zarter als die arabische, mit der sie auch ganz und
gar keine Verwandtschaft zeigt, ebenso wenig mit der koptischen. Wenn die alten Aegypter und die heutigen Barabra
wirklich von einem Stamme gewesen wären, wie Champol-
lion meint, würden da nicht Spuren ihrer Verwandtschaft in
ihren Sprachen übrig sein? Schwierige Kehllaute fehlen den
Nubiern ganz; die Consonanten sind einfach und werden deutlich ausgesprochen; eben so giebt es keine dumpfen oder un-

reinen Vocale. Allein die berberische Sprache ist arm, wie
das Volk selber, das sie redet; alle Gegenstände die aus dem
engen Kreise der Begriffe des täglichen Lebens heraustreten,
haben keine nubischen Benennungen, sondern sind der arabischen Sprache erborgt.   Während z. B. das Eisen den einheimischen Namen s c h a r t i g i führt, belegt man das Gold
(déheb-ki) und Silber (fádda-gi) mit arabischen Namen. *)
Ausserdem ist der Umstand, dass so viele Nubier einen grossen Theil ihres Lebens in Aegypten zubringen, Veranlassung
geworden, dass viele ächt berberische Wörter im Gespräche
oft mit gleichbedeutenden arabischen vertauscht werden; dies
sehen wir z. B. an den Zahlwörtern von 30 bis 90 einschlies-
lich, deren nubische Benennungen durch die arabischen gänzlich verdrängt worden sind.   Die Besoldung welche Matrosen,
Bedienten und andere Arbeiter aus diesem Volke in Aegypten erhalten, ist sehr gering; selten über 40 oder 50 Piaster
monatlich: nach H u n d e r t e n zu zählen kommt ihnen dort
fast gar nicht vor, und ebendaher bezeichnen sie die Hunderte
wieder mit Wörtern ihrer eignen Sprache.   Die von mir
ermittelten Zahlwörter der Nilberbern lauten also:

    1: oèru.
    2. óu.
    3. tósku.
    4. kèmsu.
    5. dikju, ditschju.
    6. górdju.
    7. kólodu.
    8. jídu.
    9. ísko.
    10. dími.
    11. dimind'oèru.
    12. dimind'óu.
    20. ári.
    21. árig'oèru.

---

*) Wegen des Zusatzes k i oder g i s. w. u.

22. árig'óu.

(30—90, arabisch.)

100. imíl-oèru.

200. imíl-óu.

1000. elúf (das arabische alf oder elf).

Auf meiner Reise von Assuan bis zur zweiten Cataracte des Nils bei Uadi-Chalfa legte ich, mir zu meinem persönlichen Gebrauch eine kleine Sammlung Wörter und kurzer Phrasen in berberischer Sprache an, die ich hier folgen lasse, da sie für den Sprachgelehrten von Interesse sein kann. *) Mein Lehrer war der Neffe des alten Schiffers meiner Barke, ein 15jähriger Knabe, Namens Faràg, dessen Mutter, beiläufig bemerkt, eine Negerin gewesen; er wusste sich in arabischer Sprache geläufig auszudrücken und hatte vorher einige Jahre in Dongola gelebt. Jeden Morgen rief ich ihn zu mir in die Kajüte, und liefs mir von ihm dictiren was ich wissen wollte. Der Knabe rühmte sich dieses Amtes vor der übrigen Mannschaft, die ihm den Beinamen „Ober-Dragoman" ertheilte. Der Unterricht hatte übrigens seine Schwierigkeiten; solang ich nur Haupt- oder Beiwörter verzeichnete, ging Alles gut; als ich aber Verbalformen und besonders Phrasen, waren sie auch noch so einfach, übersetzt haben wollte, da kam mein junger Lehrer in grofse Verlegenheit. Dieser Sohn der Natur hatte gar keinen Begriff von der abstracten Bedeutung der ihm vorgelegten Fragen und bezog sie immer auf einen bestimmten Gegenstand. Fragte ich ihn z. B. „Wie heisst in eurer Sprache: ich bin krank?" so gab er dies immer durch „du bist krank" wieder, d. h. er übersetzte meine Worte nicht, sondern antwortete darauf; genau ebenso bezog er die Frage: „bist du müde?" auf seine Person und dictirte mir: „ich bin müde." Darum kann ich für die Richtigkeit mancher aufgeschriebenen Phrasen nicht einstehen, um

---

*) Wir werden das Wortregister vielleicht in einem der nächsten Hefte folgen lassen.

so weniger, da Farag keinen Satz, der nur einigermafsen lang
war, auf ganz gleiche Weise wiedergab, wenn ich ihn die
Uebersetzung wiederholen liefs. In solchen Fällen verlor ich
zuweilen alle Geduld. Bei der Kürze meines Aufenthalts in
Nubien konnte ich weder durch practische Uebung genauere
Kenntniss erlangen, noch die Fähigkeit des Verstehens in
meinem Lehrer entwickeln und vervollkommnen. Nur für
eins kann ich einstehen — für die treue Umschreibung
aller nubischen Wörter und die genaue Bezeichnung der Ton-
stelle eines jeden.

Die Sprache der Nubier zerfällt in zwei Hauptdialecte,
die nur geringe Verschiedenheit zeigen. Das characteristische
Kennzeichen des Dialectes von Dongola besteht darin, dass
alle Selbstandswörter ohne Ausnahme auf ki oder gi endi-
gen. Im Gebiete von Dar-Mechàs am Nilufer nördlich von
Dóngola enden diese Wörter immer auf ka oder ga. Mein
Farag war aus einem Dorfe neben der Insel Philae, gerade
an der Cataracte von Assuan, und gehörte zu den „Leuten
der Cataracte" (arén ademigi), deren Sprache, obwol der
von Dóngola ziemlich nahe, doch ebenfalls ihre Eigenthümlichkeiten hat.

Die Silbe ki oder gi wird von den Eingebornen Nieder-
Nubiens, wie auch Dóngola's, nicht blos den Selbstandswör-
tern von rein berberischem Ursprung, sondern auch den erborgten arabischen angehängt, welche durch diese Partikel
erst Bürgerrecht in Nubien erhalten. Sie sagen z. B. gé-
belgi (Berg), vom arabischen gébel oder djebel; áinebki
(Weinrebe), vom arabischen áineb; fúlgi (Bohnen), vom
arabischen fûl. Doch habe ich bemerkt, dass dieser Zusatz
gewöhnlich abgeworfen wird, wenn das Nennwort nicht allein,
sondern als Glied eines Satzes steht, oder wenn es mit einem
anderen seines Gleichen vereinigt wird, z. B. Ali and' dáva
toksu (Ali hat meine Tabakspfeife zerbrochen), wo dáva
für davági; ósi-kúsu (Wade), aus óssigi (Fufs) und ku-
súgi (Fleisch). Auch vertauscht man es in ähnlichen Fällen
mit ko oder go.

Wo einer der schwierigen arabischen Kehllaute in einem, dieser Sprache erborgten Worte vorkommt, vertauschen sie ihn mit einem weicheren; so z. B. sagen sie dahángi (Tabak) für duchân. Die Consonanten k und g lauten vor den Vocalen e und i, zuweilen auch vor u und o, wie tsch und dj, aber etwas weicher; doch ist diese Aussprache nicht allgemein. Im Ganzen klingt die nubische Sprache, wegen ihrer vielen Vocale und wegen der gänzlichen Abwesenheit harter Kehllaute, sehr angenehm. Ausserdem überraschte mich bei den Berbern ein characteristischer Stimmklang, der allen Individuen dieses Volkes gemein ist, trotz unzähliger individueller Abschattungen in Höhe, Umfang und anderen Eigenschaften der Stimme. Ich gewöhnte mich dergestalt an diesen timbre (wie der Franzose ihn nennen würde), dass ich Matrosen die mir unbekannt waren, als Berbern erkannte, wenn sie gleich in einem anderen Gemache oder zur Nachtzeit arabisch redeten.

. Trotz aller Bemühungen konnte ich nicht zur Gewissheit darüber gelangen, ob es in der Sprache der Nilberbern den Wörtern angefügte Bezeichnungen ihrer Verhältnisse, ob es Ausdrücke für die Mehrheit giebt, und wie die Verba abgeändert werden. [*)] Der Gebrauch ihrer Fürwörter ist mir ebenfalls nicht ganz klar. Folgendes habe ich beobachtet: Wenn zwei Selbstandswörter sich vereinigen (ein Compositum bilden), so wirft das erste sein ki oder gi ab und ersetzt es durch n (seltner m), so oft das folgende Wort mit einem Vocale anfängt. Daher wird aus missigi (Auge) und agingi (Haut): missin-agingi (Augenhaut, d. i. Augenlied); deukági (Küche) und ogúgi (Mensch) bilden deukán-ogúgi (Koch). Das n scheint in solchen Zusammensetzungen unseren Genitiv auszudrücken; wenn aber das zweite Wort mit einem Consonanten anhebt, so wird n häufig weggelassen,

---

*) Der Imperativ hat betontes go oder ko, auch o allein zum Kennzeichen; die Endung buri ist den Participien eigen.

z. B. aus káki (Haus, Hütte) und tyrti (Besitzer) entsteht ká-tyrti (Hausherr).

Bei Umschreibung von Begriffen durch Composita zeigt die nubische Sprache nicht selten kindliche Naivetät. So umschreibt man den Begriff Speichel mit agylgi (Mund) und éssigi (Wasser): agyln-essi. Kinbacken (agylna-kiitki) hat zu seinen Bestandtheilen agylgi (Mund) und kiitki (Knochen).

Aus dem Berichte der Russischen Geographischen Gesellschaft für 1852 *).

Die Russische Geographische Gesellschaft zählte am 1. Januar 1853, wo sie das achte Jahr ihres Bestehens angetreten hatte, 831 Mitglieder, oder 104 mehr als im vorigen Jahr. Von diesen hatten 395 ihr Domicil in St. Petersburg.

Zum 1. December 1851 verblieben der Gesellschaft an Geldmitteln 69527 Rubel 45 Kopeken Silber. Im Laufe des folgenden Jahrs betrugen die Einkünfte 40062 Rubel 33 Kopeken, d. h. 13102 Rubel 8 Kopeken mehr als im vorigen; verausgabt wurden 24427 Rubel oder 7754 Rubel 69 Kopeken mehr als während des vorhergehenden Jahres; mithin hatte die Gesellschaft am 1. December 1852 ein Capital von 85162 Rubel 78 Kopeken in Händen. Hierbei ist zu bemerken, dafs die Gesellschaft auf ihre ökonomischen Bedürfnisse, auf die Bibliothek, das Museum etc. weniger, auf die Veröffentlichung der von ihr gesammelten Materialien aber noch einmal so viel verwendete, als im vorhergehenden Jahr. Eine so bedeutende Erhöhung des letzteren Items der Ausgaben erklärt sich durch die beständige Vergröfserung in der Zahl und dem Umfang der von der Gesellschaft unternommenen Publicationen; im Laufe des verflossenen Jahres wurden von

*) Ottschot Imp. Russkago Geogr. Obschtschestwa na 1852 god. Abgestattet von dem wirklichen Mitgliede und Secretair der Gesellschaft W. A. Miljutin. St. Petersburg 1853. 92 Seiten.

ihr, ohne die kartographischen Werke zu rechnen, 277 Druckbogen herausgegeben, während 1851 nur 180 dergleichen erschienen. Das vermehrte Einkommen der Gesellschaft rührt
zum Theil von dem stets zunehmenden Absatz ihrer Publicationen her, welche im Jahr 1852 einen Gewinn von 3000 Rubeln — 900 mehr als im vorigen — abwarfen. Besonders
schnell wurde Köppen's ethnographische Karte des europäischen Russlands vergriffen, von deren ersten Ausgabe im
October 1852 nicht ein einziges Exemplar übrig blieb.

Die kaukasische Section der Gesellschaft bestand am
1. Januar 1853 aus 151 Mitgliedern. Ihre Einkünfte beliefen
sihh auf 4741 Rubel 62 Kopeken, ihre Ausgaben auf 3113 Rubel 97½ Kopeken, es blieben ihr daher am 1. Januar 1853:
1627 Rubel 64½ Kopeken. — Von der sibirischen Section
sind erst Nachrichten bis zum 1. Juli 1852 eingegangen; sie
zählte damals 75 Mitglieder, hatte 2030 Rubel eingenommen
und 128 Rubel 46 Kopeken verausgabt; es verblieben ihr
demnach 1901 Rubel 54 Kopeken.

Die Gesellschaft schreitet jetzt zur Abfertigung dreïer
wissenschaftlicher Expeditionen. 1) Die Expedition nach
dem östlichen Sibirien. Die Untersuchungen der in St. Petersburg ausgerüsteten Expedition, an welcher vier Gelehrte
theilnehmen, werden sich hauptsächlich auf den am Ochotsker
Meere liegenden Theil des sudöstlichen Sibiriens und die ihm
zunächst gelegenen Inseln beschränken, wozu man, statt der
ursprünglich bestimmten fünf Jahre, einen Zeitraum von drei
Jahren für genügend erachtet hat. In Folge dieser Beschränkung werden die Kosten der Expedition die der Gesellschaft
zur Verfügung stehenden Geldmittel nicht übersteigen. Was
die nördliche Küste des Meers von Ochotsk und Kamtschatka
betrifft, so wird die Expedition nur vermittelst der sich ihr
an Ort und Stelle anschliefsenden Personen wirken, deren
Cooperation ihr von dem General-Gouverneur des östlichen
Sibiriens versprochen worden. 2) Die Kaspische Expedition. Im verflossenen Frühjahr machte der Ehrenbürger
Golikow der Gesellschaft ein Geschenk von 3000 Silberrubel

zur Untersuchung des gegenwärtigen Zustandes des Fischfangs im Kaspischen Meer. Indem die Gesellschaft diese Gabe mit Dank annahm und zugleich die Absicht des Ministeriums der Reichsdomainen erfuhr, ähnliche Untersuchungen zu veranstalten, um den Ursachen und der Begründung der Klagen über die Abnahme der Fische im Kaspischen Meere nachzuforschen, entschlofs sie sich, ihre Arbeiten in unmittelbarer Verbindung mit denen des Ministeriums vorzunehmen. Nachdem sie sich zu diesem Zwecke mit der Regierung verständigt, wurde die Abfertigung einer Expedition nach der Wolga und dem Kaspischen Meere festgesetzt, die sich nach dem auf Grundlage einer von dem Akademiker Baer eingereichten Denkschrift von einer besonderen Commission ausgearbeiteten Plan mit der Untersuchung des Fischfangs in der Wolga und im Kaspischen Meer in statistischer, technischer und naturwissenschaftlicher Beziehung beschäftigen wird. Zur Erledigung sämmtlicher, der Expedition aufgetragenen Arbeiten hat man für nöthig gehalten, sechs Personen daran theilnehmen zu lassen: einen Naturforscher, als Chef der Expedition, einen zweiten Naturforscher, als Gehulfen desselben, einen Statistiker, einen Techniker, einen Zeichner und erforderlichen Falls einen Chemiker. Fur die Thätigkeit der Expedition ist ein dreijähriger Zeitraum bestimmt; sie sollte sich im Frühling des gegenwärtigen Jahrs auf den Weg machen, und der Akademiker Baer hat ihre Leitung übernommen. 3) Expedition zur Untersuchung der devonischen Region des europäischen Russlands. Im Jahr 1850 wurde es für nützlich erkannt, eine eigene Expedition zur genauen Bestimmung der Gränzen der devonischen Region im europäischen Russland und zur geognostischen Untersuchung des ganzen von dieser Region eingenommenen Landstrichs, von der Düna bis zum Don und zur Wolga, auszurüsten. Ein Theil dieses Landstrichs wurde von dem Mitgliede der Gesellschaft Herrn Helmersen im Laufe der Sommermonate des Jahres 1850 besichtigt. Gegenwärtig ist eine zweite Expedition zur Vervollständigung dieser Arbeit beschlossen worden, deren Lei-

tung man auf Empfehlung Helmersen's den Magister der Dorpater Universität Herrn P a c h t anvertraut hat. Zur Deckung
der Kosten ist demselben die nöthige Summe aus den Ein-
künften der Gesellschaft überwiesen worden.

Die kartographischen Untersuchungen der Gesellschaft im
Jahr 1852 waren folgende: 1) H e r a u s g a b e d e s A t l a s v o m
G o u v e r n e m e n t T w e r. Die Sammlung der auf den Kreis
Kaljasin bezüglichen Karten ist ganz vollendet und schon in
den Buchhandel gekommen; im Laufe des gegenwärtigen Jahres werden auch die Karten der Kreise Twer, Kortschewa,
Kaschin, Wesjegonsk und Bjejezk beendigt und herausgegeben werden. Man wird dem Atlas auch landwirthschaftliche
Bemerkungen hinzufügen, von denen die zum Kreise Kaljasin
gehörigen bereits vollendet sind. Die Arbeiten zur Berichtigung der Atlanten der anderen Gouvernements werden ohne
Aufenthalt fortgesetzt: an den Atlas des Gouvernements Rjasan war bereits 1851 die letzte Hand gelegt; im Laufe des
gegenwärtigen Jahres wurde mit dem des Gouvernements
Wladimir begonnen und an dem des Gouvernements Tambow
fortgearbeitet. 2) E i n e K a r t e d e s n ö r d l i c h e n U r a l u n d
d e s K ü s t e n g e b i r g e s (beregowy chrebet) P a i - C h o i ist von
der Gesellschaft zu Anfang des laufenden Jahrs herausgegeben
worden. 3) Die Hindernisse, die sich der Vollendung der auf
Kosten des Herrn G o l u b k o w entworfenen G e n e r a l k a r t e
v o n A s i e n entgegenstellte, sind nunmehr beseitigt. 4) Die
Herren B o l o t o w und J. C h a n y k o w haben eine K a r t e
d e s n o r d w e s t l i c h e n T h e i l s v o n C e n t r a l - A s i e n verfertigt. 5) Die K a r t e d e s S e e s I s s y k - K u l u n d s e i n e r
U m g e b u n g e n, von Herrn J. C h a n y k o w, wird im Laufe
dieses Jahres erscheinen. 6) Die von J. C h a n y k o w begon-
nene K a r t e v o m n ö r d l i c h e n P e r s i e n wird von seinem
Bruder N. C h a n y k o w fortgesetzt. 7) Die Lithographirung
der von Herrn C h a n y k o w verfertigten Karte der a s t r o n o -
m i s c h b e s t i m m t e n P u n k t e d e s n o r d w e s t l i c h e n
T h e i l s v o n C e n t r a l - A s i e n ist nunmehr beendigt. 8) Der
von Herrn M i l j u t i n bearbeitete s t a t i s t i s c h e A t l a s d e s

europäischen Russlands kann erst nach Veröffentlichung
der Resultate der letzten Volkszählung vollendet werden.
9) Zweite Ausgabe der ethnographischen Karte des
europäischen Russlands, von Köppen. 10) Eine Karte
der alten Nowgoroder Fünfstädte (pjatiny), von Ne-
wolin, wird dem achten Hefte der Memoiren der Gesellschaft
beigelegt.

Publicationen der Gesellschaft: 1) Von den Memoiren
(Sapiski) erschienen im verflossenen Jahre zwei Hefte, das
sechste und siebente. 2) Der Anzeiger (Wjestnik) der Gesellschaft wurde, wie früher, alle zwei Monate in Heften von
15 bis 20 Bogen herausgegeben. Die Redaction dieses Jour-
nals, das der Gesellschaft zum beständigen Organ dient, hat
der Secretair W. Miljutin übernommen. 3) Arbeiten der
von der Gesellschaft in den Jahren 1847, 1848 und 1850 ausgerüsteten Uralischen Expedition (Trudy Uralskoi Expe-
dizii). Der erste 49 Druckbogen starke Band dieses Werks
ist bereits erschienen und enthält die Resultate der mathematischen Abtheilung der Expedition, die unter der Leitung des
Mitgliedes der Gesellschaft, Herrn Kowalskji, stand. 4)
Ethnographisches Collectaneum (Sbornik). Der erste
Theil desselben ist veröffentlicht worden und enthält elf längere Aufsätze. 5) Denkmäler der russischen Volks-
sprache und Literatur (Pamjatniki russkago narodnago
Jasyka i Slowesnosti). Herr Sresnewskji, der die Herausgabe derselben auf sich genommen uud im Laufe des verflos-
seren Jahres eine ansehnliche Masse von Materialien gesammelt hat, ist bereits zum Druck des ersten Bandes vorgeschrit-
ten. Dieser wird zu Ende des gegenwärtigen Jahrs erscheinen
und folgende Artikel enthalten: a) Sammlung kleinrussischer
Volkslieder; b) Sammlung weifsrussischer Sprüchwörter; c)
Materialien zum sibirischen Provinzial-Wörterbuch, über 3000
Wörter in'sich schliefsend; d) Grundzüge zu einem Wörterbuch des südrussischen Dialects; e) Grundzüge zu einem Wörterbuch des weifsrussischen Dialects; f) Uebersicht der im
Volke gebräuchlichen geographischen Benennungen. 6) Samm-

lung statistischer Nachrichten über Russland (Sbornik statistitscheskich swjedenji o Rossii). Im verflossenen Jahre wurden Materialien für den zweiten Band dieses Werks gesammelt, dessen Redaction dem Herrn Lamanskji übertragen wurde. 7) Statistisches Jahrbuch (Statistischeskji Jejegodnik). Unabhängig von dem „Sbornik" hat die Gesellschaft sich zur Herausgabe eines Jahrbuchs entschlossen, in welchem sämmtliche statistische Angaben über Russland, die im Laufe des Jahrs auf eine oder die andere Weise veröffentlicht wurden, zusammengestellt werden sollen. Die erste Lieferung dieser Jahresschrift befindet sich schon unter der Presse. 8) Uebersicht des inneren Handels von Russland. In Bezug auf diesen Gegenstand hat die Gesellschaft zu Anfang dieses Jahrs vollständig ausgearbeitete Berichte erhalten: über den Salzhandel, von Herrn Lamanskji, über den Hanfhandel, von Herrn Schtschepkin, und über den Pelzwaarenhandel, von Herrn Schtschukin. 9) Geographisch-statisches Lexicon des russischen Reichs. Zur Verwirklichung dieses Unternehmens wird die Gesellschaft wegen Unzulänglichkeit ihrer Mittel nicht schreiten können. 10) Die auf Kosten des Herrn Golubkow veranstaltete Uebersetzung der Ritter'schen Geographie nähert sich ihrer Vollendung; von 286 Druckbogen sind bereits 146 ins Russische übertragen. 11) Russischer Land-Kalender für das Jahr 1851. Schon im Jahr 1850 hatte man nach den verschiedenen Gegenden Russlands 18000 Exemplare eines Programms versendet, nach welchem detaillirte Nachrichten über die klimatischen Verhältnisse des Landes erbeten wurden. Aus den in sehr bedeutender Zahl eingelaufenen Antworten hat Herr Poroschin, von dem die Idee zu dieser Untersuchung ausging, die Resultate in möglichster Vollständigkeit zusammengestellt, und werden dieselben jetzt unter seiner Aufsicht veröffentlicht.

Die von Sr. K. H. dem Präsidenten der Gesellschaft gestiftete Konstantinsmedaille ist im verflossenen Jahre dem Professor S. Kutorga für seine geognostische Karte des

Gouvernements St. Petersburg zuerkannt worden. Die vom Capitain-Lieutenant B u t a k o w ausgearbeitete Karte des Aral-See's und die historisch-geographischen Untersuchungen des Herrn *S o k o l o w*, namentlich die 1851 von ihm herausgegebene Geschichte der Bering'schen Expedition, wurden einer ehrenvollen Erwähnung gewürdigt. Dem Herrn K ö p p e n wurde für seine ethnographische Karte des europäischen Russlands die Jukowsche Prämie von 500 Silberrubeln zuerkannt. Ausserdem wurden die aus früheren Jahren wegen Mangels an preiswürdigen Schriften nachgebliebenen Rückstände der Jukowschen Prämie, im Ganzen 750 Silberrubel, an den Herrn D a n i l e w s k j i für seine handschriftliche Arbeit über das Klima des Gouvernements-Wologda, dem Herrn C h o p i n für sein Werk: Beschreibung der Provinz Armenien, und den Herrn N e b o l s i n für sein Manuscript „über den Handel Russlands mit Central-Asien" vertheilt.

Unabhängig von den oben erwähnten Untersuchungen beschäftigten sich die einzelnen Abtheilungen der Gesellschaft auch mit speciellen Arbeiten. So hat die ethnographische Abtheilung, in Erwägung, dafs unter den ihr zu verschiedenen Zeiten mitgetheilten Angaben in Bezug auf die in Russland lebenden nicht-slawischen Völkerschaften (inorodzy) die Nachrichten über den Volksstamm der Mordwinen sich durch Reichhaltigkeit und Genauigkeit auszeichnen, es für möglich erkannt, zur systematischen Bearbeitung desselben zu schreiten, um daraus eine Monographie des genannten Volksstammes zusammenzustellen. Auf die Bitte der Abtheilung hat das Mitglied der Gesellschaft, Herr M e l n i k o w, diese Arbeit übernommen.

Die k a u k a s i s c h e Section der Gesellschaft beschäftigte sich vorzugsweise mit der Berichtigung der geographischen Nomenclatur auf der vom Generalstabe des abgesonderten kaukasischen Armeekorps herausgegebenen Zehn-Werst-Karte [*)]

[*)] d. h. eine Karte nach dem Mafsstab von $\frac{1}{110000}$, wonach 10 Werst auf der Erdoberfläche einem russischen (oder engl.) Zoll entsprechen.

10 *

von Transkaukasien. Zur vollständigen Erreichung des vor-
gesteckten Zieles war es nothwendig, einen kritischen Katalog
der Städte, Dorfschaften, Berge und Districte abzufassen, wozu
sich ein besonderes Comité gebildet hat.

Unter den zahlreichen, von der sibirischen Section
projectirten oder begonnenen Arbeiten verdienen namentlich
folgende Erwähnung: 1) Die Herausgabe einer geographischen
Karte von Ostsibirien. Im Auftrage der Section hat das Mitglied derselben Kalmberg auf achtzehn Blättern die Projection
einer Karte von Ostsibirien entworfen, auf der alle astronomisch bestimmte Punkte verzeichnet sind und aus der zugleich
hervorgeht, daſs die Lage eines groſsen Theils von Sibirien
noch nicht astronomisch festgesetzt ist. 2) Die Entwerfung
einer ethnographischen Karte von Ostsibirien. 3) Die Zusammenstellung eines ausführlichen vergleichenden Wörter-
buchs aller Mundarten Ostsibiriens. 4) Die Sammlung von
statistischen Nachrichten über Ostsibirien. 5) Die Untersuchung
der Regierungs-Archive von Ostsibirien. Diese Arbeit hat
das Mitglied der Section Herr Selskji auf sich genommen
und bereits ein höchst interessantes Aktenstück über den Aufenthalt Lapeyrouse's auf Kamtschatka entdeckt. 6) Die Ausrüstung einer besonderen Expedition zur Erforschung des Be-
zirks von Wilui. Diese Expedition, die man im Laufe des
gegenwärtigen Jahrs abfertigen wollte, ist mit der Aufnahme
des Landes zwischen den Flüssen Olenek, Lena und Wilui
beauftragt, welches bisher nur wenig bekannt war und namentlich dadurch wichtig ist, daſs es Ueberfluſs an Salz und
farbigen Steinen hat. Die Expedition, unter der Leitung des
Herrn Maak, der die naturhistorischen Untersuchungen übernommen hat, wird aus einem Topographen, einem Präparator,
einem Steiger und der nöthigen Anzahl Kosaken, Reitknechte
und Führer bestehen. Zu Anfang des Aprilmonats wird sie
auf der Winterstraſse nach der Mündung des Flusses Wiljui
abgehen. Sobald die Flüsse aufthauen, wird ein Theil der
Gesellschaft mit dem Topographen und Steiger den Strom
hinauffahren, um die Aufnahme des Landes zu bewerkstelligen,

während der Naturforscher und der Präparator das Delta des
Wiljui untersuchen, sich dann mit den Anderen vereinigen,
den Fluſs Marcha, der von der linken Seite in den Wiljui
fällt, hinauffahren, über die Wasserscheide zwischen den Wiljui und Olenek setzen, diesen letztern Strom hinab- und einen
der rechts in denselben fallenden Nebenflüsse hinauffahren,
die Wasserscheide zwischen dem Olenek und der unteren
Tunguska überschreiten und, von diesem Bassin zurückkehrend, die Quellen des Wiljui einer genauen Untersuchung unterwerfen werden. Aus dem Wiljuithal wird die Expedition
über die Wasserscheide des Wiljui und der Lena nach Olekminsk gehen und von dort im November auf der Winterstraße
nach Irkutsk zurückkehren.

Die von den einzelnen Mitgliedern der geographischen
Gesellschaft unabhängig von derselben unternommenen Arbei-
ten waren zum Theil von großer Wichtigkeit. Der Akademiker
Struve veröffentlichte sein großes Werk über die mittleren
Entfernungen der Fixsterne und gab eine sehr interessante
Uebersicht der hauptsächlich unter seiner Leitung stattgefun-
denen Arbeiten zur Vermessung des Meridianbogens zwischen
Fuglenes und Ismail heraus. Von dem Flottencapitain Te-
benkow, ehemaligen Gouverneur der russisch-amerikanischen
Colonieen, erschien eine Seekarte der Nordwestküste von
Amerika, mit Einschluſs der Aleutischen Inseln und eines
Theils der Nordostküste von Asien, die er durch beigefügte
hydrographische Bemerkungen erläuterte. Der Capitainlieute-
nant Krusenstern, der auf eigene Kosten eine Reise nach
den nördlichen Gegenden des europäischen Russlands unternommen hatte, sammelte dort höchst vollständige Materialien
zur Anfertigung genauer Karten über das Petschoraland und
die benachbarten Regionen. Herr Blaremberg beschäftigte
sich mit der Entwerfung von nicht weniger ausfuhrlichen Karten der Halbinsel Busatschi, des nördlichen Theils von Ust-
Jurt, der Barsuk-Wüste und des südöstlichen Theils der Kirgisensteppe, nach den neuerdings dort bewerkstelligten Aufnahmen. Herr Kiprianow, der sich seit dem Jahre 1848

der Untersuchung des Landstrichs von Orel bis Charkow, zwi-
schen dem Don und der Désna, in geognostischer Beziehung
widmet, verfolgte die Entwickelung der Kreide-Formation des
Dnjepr-Bassins, der Jura-Formation in der Umgegend von
Orel und der devonischen von Orel bis zum Don. · Herr
Stuckenberg setzte die von ihm begonnenen Forschungen
über verschiedene Merkwürdigkeiten der russischen Fauna fort.
Herr Grum-Grimallo sammelte Materialien zu einer systematischen Uebersicht der russischen Mineralwasser und Bäder.
Der Bischof von Charkow, Philaret, gab eine ausführliche
historisch-statistische Beschreibung der Charkower Eparchie
heraus.   Endlich unternahm Herr Iwanow eine umfassende
und im hohen Grade nützliche Arbeit, deren Bedürfnils sich
längst fuhlbar gemacht hatte: die Durchsicht der in dem Archiv
des Justizministeriums zu Moskau befindlichen Staatsregister.

Ueber Bäume und Sträucher die bei Petersburg cultivirt werden können.

Von

Herrn **F. B. Fischer** *).

Man hört oft darüber klagen, dafs die Cultur von Bäumen und Sträuehen in den um Petersburg gelegenen Garten- und Park-Anlagen, durch das rauhe Klima aufs engste begränzt und man daselbst zu einer höchst ermüdenden Einförmigkeit der pflanzlichen Umgebungen gezwungen sei. In der That sehen wir auch überall die Birke vorherrschen, welche zwar, wenn sie vereinzelt und in voller Entwickelung steht, einen prachtvollen Anblick gewährt, dagegen aber einen eben so langweilenden, wenn man ihr überall und in ganzen Gehölzen begegnet. Man freut sich wenn man stellenweise diese Einförmigkeit durch einige Eichen, Linden, Ebereschen und

---

*) Mit dieser Ueberschrift befindet sich der hier übersetzte Russische Aufsatz in dem Jurnal Minist. wnutrennich djel oder Journal des Minister. des Innern. 1852. December. Er ist aber offenbar von Herrn F(edor) B(ogdanowitsch) Fischer, dem nicht blos der Botanische Garten in Petersburg Alles was er geworden ist, verdankt, sondern auch die Wissenschaft eine grofse Zahl von Botanischen Reisen in Nord-Asien, die ohne seine Veranlassung nie unternommen worden wären. E.

Ahorne unterbrochen findet, so wie auch durch die schon seit Peter des Großen Zeit hier eingeführten Lärchen, Weiss-tannen (Russ. Pichta) und Sibirischen Cedern (Pin. Cembra). Erst seit einigen Jahrzehnten hat man angefangen, die Bestandtheile der Parkanlagen in etwas zu vermehren. Durch größeren Eifer und mit einiger Geduld könnte man aber auf dem Petersburger Boden eine weit größere Zahl von Bäumen und Sträuchen erziehen, welche die dortige Winterkälten ertragen und im Freien gut gedeihen würden. Die Umgebungen der Russischen Hauptstadt würden dadurch zu derselben Mannichfaltigkeit gelangen, welche bis jetzt innerhalb ihrer, nur einige gut angelegte Gärten darbieten. — Es wird wohl für Viele überraschend sein zu erfahren, daß die Holzgewächse welche die Härte des Petersburger Klimas ertragen, sich auf mehr als dreihundert Arten belaufen: man ersieht dies aber aus dem nachfolgenden Verzeichniss. · Freilich kann man einige der in demselben genannten Sträucher nicht ohne beträchtliche Mühe erhalten und es ist sehr merkwürdig *), daß es gerade Gewächse der Russischen Flora sind, deren Erlangung die größten Schwierigkeiten verursacht.

Man wird das nachfolgende Verzeichniss gewiss noch beträchlich vermehren können und z. B. durch Aufnahme einiger Nord-Amerikanischen ·Eichenarten, von denen ich übrigens nicht aus eigner Erfahrung weiss, ob sie unsre Wintertemperatur ertragen; ebenso von mehreren ·schönen Wachholdersträuchen, welche aber eine höchst sorgsame Pflege verlangen, ferner von verschiedenen Hagebutten und Weiden, die indess wenig zur Verschönerung einer Anpflanzung beitragen.

Ich habe das nun folgende Verzeichniss von Bäumen und Sträuchern theils nach ihren ursprünglichen Wohnorten angeordnet, theils nach der ·Eigenthümlichkeit der Pflege deren sie bedürfen. Die mit einem Sterne (*) bezeichneten Namen

---

*) Wiewohl höchst erklärlich durch Mangel an Bevölkerung und Straßen.
                                        D. Uebers.

sind die von Gewächsen, welche namentlich in den ersten
Jahren einigen Schutz gegen das Klima (doch wohl die Kälte)
bedürfen.

A. Europäische oder in Europa acclimatisirte Gewächse.

Acer platanoides (Russisch klen).

— tataricum (R. neklen).

Alnus glutinosa (R. Oljcha).

— incana (R. Bjelaja oljcha).

— — laciniata.

— fruticosa. Kommt in den nördlichen Provinzen von
Russland wild vor.

— viridis.

* Aesculus hippocastanum.

Amelanchier vulgaris.

Amygdalus nana (R. stepnoi persik, bobownik.).

Andromeda caliculata.

— polifolia.

Azalea pontica. Kommt am Kaukasus und auf den Wolgaischen
· Sümpfen wild vor.

Berberis vulgaris.

— chrysantha.

Betula alba (R. beresa).

— — dalecarlica.

— carpathica.

— fruticosa (R. jernik).

— pubescens.

Calluna vulgaris (R. weresk).

* Caprifolium vulgare.

* — periclymenum.

* Colophaea wolgarica. Kommt an der südlichen Wolga wild
vor.

Caragana frutescens.

— — obtusifolia.

* Cerasus avium (R. tschereschnja).

Cerasus chamaecerasus.
— padus (R. tscheremcha).
— vulgaris (R. wischnja).
'Clematis vitalba.
* — viticella.
*Colutea arborescens.
Corylus avellana (R. orjeschnik).
Cotoneaster vulgaris (R. kisiljnik).
Crataegus oxyacantha (R. bojaryschnik).
* — pyracantha.
Cytisus biflorus (R. rakitnik).
Daphne mezereum (R. jágodki und dikji perez).
— alpina.
Evonymus europaeus.
* — latifolius.
— nanus.
— verrucosus (R. beresklet).
Fraxinus excelsior (R. jasen).
* — heterophylla.
Genista tinctoria (R. oblepicha).
Hippophae rhamnoïdes (R. oblepicha).
Juniperus communis (R. mojjewelnik).
— nana (R. mojjewelnik gorny).
Ledum palustre (R. bogulnik).
Lonicera alpigena.
— caucasica.
— iberica } kommen wild auf dem Kaukasus vor.
— coerulea.
— nigra.
— pyrenaica.
— xylosteum (R. jimolost).
*Lycium ruthenicum. In den Steppen am Kaspischen Meer.
*Morus alba (R. tut und schelkowiza).
Myrica gale (R. duschisty weresk).
Philadelphus coronarius (R. dikji jasmin).
— — flore pleno.

Pinus cembra (R. sibirskji kedr).
— pumilio (R. sosna gornaja, slanez sosnowy).
— sylvestris (R. sosna).
— uncinata (R. sosna awstrjiskaja).
* — (abies) pectinata (R. jewropeiskaja pichta).
— (picea) excelsa (R. jel).
* — larix (R. listweniza).
Populus alba (R. topolj).
— nivea (R. topolj).
— dilatata (R. raino).
— nigra (R. osokor).
— tremula (R. osina).
Prunus spinosa (R. ternownik).
— divaricata } Kommen im Kaukasus vor.
— microcarpa
Pyrus chamaemespilus.
— communis (R. Gruscha).
* — aria.
— intermedia.
— malus (R. jablon).
— (sorbus) aucuparia (R. rjabina).
— — pinnatifida.
Quercus pedunculata (R. dub).
— pyramidalis (R. dub piramidalny).
Rhamnus alpinus.
— catharticus (R. kruschina, auch joster).
— frangula (R. kruschina, auch woltschejagoda).
— Pallasii. Kommt am Kaukasus wild vor. ·
— rupestris.
Rhododendron caucasicum.
— ferrugineum.
— hirsutum.
Ribes alpinum.
— grossularia (R. kryjownik).
— nigrum (R. tschernaja smorodina).
— — fructu viridi. Kommt in Finnland wild vor.

Ribes petraeum.
— . rubrum (R. krasnaja smorodina).
Rosa alpina (R. schipownik).
— alba.
— canina.
— cinnamoma.
— mollis.
— pimpinellifolia.
— rubiginosa.
— turbinata.
Rubus caesius (R. jejewka).
— fruticosus.
— idaeus (R. malina).
Salix acuminata.
— acutifolia (R. Krasnaja werba).
— alba (R. iwa).
— aurita.
— amygdalina.
— caprea (R. werba).
— cinerea.
— daphnoïdes.
— depressa.
— fragilis.
— lapponum (R. arenaria).
— nigricans.
— pentandra (R. taljnik).
— phylicifolia.
— purpurea.
— stipularis.
— undulata.
— viminalis.
Sambucus nigra (R. busina).
—   — laciniata.
—   racemosa (R. krasnaja busina).
Spiraea chamaedryfolia (R. tawolga).
—   crenata.

Spiraea Biebersteiniania.
— oblongifolia.
*Staphylea pinnata.
Syringa vulgaris (R. siren).
— dubia.
— Josikea.
*Tamarix Pallasii (R. jidownik).
Tilia europaea (R. lipa).
Ulmus campestris (R. ilim).
— effusa (R. wjas).
Viburnum lantana (R. gordowina).
— opulus (R. kalina).
— floridum (R. buljdenej).
— oxycocous.

B. Asiatische und verzüglich Sibirische Gewächse.

Alnus viridis. Kommt in Daurien wild vor *).
Ammodendron Sieversii. In der Steppe der Kirgisen der
mittleren Orda.
Amygdalus pedunculata. In der Gegend des Baikal.
Armeniaca sibirica (R. Kammennaja sliwa). In Daurien.
Atragene alpina. Ueberall in Sibirien.
— ochotensis. Im östlichen Sibirien.
— macropetala. An der Chinesischen Gränze.
Atraphaxis spinosa. In der Kirgisischen Steppe.
Berberis emarginata.
— heteropoda. In der Kirgisischen Steppe.
— Sibirica.
Betula dahurica. In Daurien.
— Ermani. Auf Kamtschatka und bei Ajan.
— Gmelini. Im nördlichen Sibirien.

---

*) Und auf Kamtschatka. Vergl. unter andrem Ermans Reise u. s. w.
Abthl. I. Bd. 3. S. 169, 182. **D. Uebers.**

Betula nana. (R. jernik).
— Sokolowii. In Daurien.
Caragana arborescens (R. akazia).
— arenaria. Am Altai.
— jubata (R. werbljujji chwost). Am Baikal.
— pygmaea (R. jidownik). In Daurien.
— spinosa. In Daurien.
— microphylla. Am Baikal.
Clematis glauca ⎫
— longicaudata ⎬ In den Kirgisen-Steppen.
— orientalis ⎭
Cornus Sibirica (R. krasnoe derewzo). In Daurien.
Corylus heterophylla (R. Argunskji orjeschwik). Am Argun.
Cotoneaster acutifolia. Am Baikal.
— laxiflora. In Daurien.
— multiflora. Am Baikal.
— uniflora. Im Altai.
Crataegus glandulosa (R. bojaryschnik). Im Oestl. Sibirien.
— sanguinea (R. bojaryschnik). In Daurien.
Cytisus biflorus (R. rakitnik).
Daphne altaica. Im Altai.
Deutzia canescens. In Japan.
*Elaeagnus angustifolia sangorica. In der Steppe der Kirgi-
sen der mittleren Orda.
Ephedra vulgaris (R. stepnaja malina).
Hamilodendron argenteum. In der Kirgisen-Steppe.
Hippophae rhamnoides (R. oblepicha).
Juniperus dahurica (R. Sibirskji weresk).
— pseudosabina. In der Kirgisen-Steppe der mittléren
Orda.
— sabina (R. weresk).
Lonicera Chamissonis ⎫ In Daurien.
— chrysantha ⎭
— coerulea (R. jimolost).
— hispida ⎫ Am Altai.
— microphylla ⎭

Lonicera Sieversii. Am Altai.
— tatarica (R. tatarskaja jimolost).
— — sibirica.
*Lycium chinense.
Menispermum dahuricum (R. bjely chmjel).
Nitraria Schoberi. Im Altaischen Sibirien.
Pinus cembra (R. sibirskji kedr).
— pygmaea (R. Kedrowy sljepez*)). Auf Kamtschatka.
— (abies) pichta (R. pichta).
— (picea) odorata (R. sibirskaja jel).
— — ajanensis. Am Ajan.
— — Schrenkiana. In der Steppe der Kirgisen der
mittleren Orda.
— (salix) dahurica.
— — sibirica (R. listweniza).
*Populus euphratica. Am Syr Daria.
' — laurifolia (altaiskaja osokorj). Am Altai.
— suaveolens (R. Daurskaja osokor). In Daurien.
Potentilla dahurica. In Daurien.
— fruticosa.
— glabra. In Daurien.
Pyrus baccata (R. Sibirskaja jablon).
— cerasifera⎫
— prunifolia⎭ aus China?
— (sorbus) pseudosorbus (R. Kamtschatkaja rjabina).
Quercus mongolica (R. argunskji dub).
Rhamnus dahuricus (R. Krasnoe derewo auch Kruschina).
— erythroxylon. In Daurien.
Rhododendron- chrysanthum (R. Kaskara). Bei Ochozk.
— dahuricum (R. Bagulnik). Von Irkuzk an durch
Daurien.

---

*) Soll wohl slanez heissen? Vergl. Erman Reise um die Erde.
Abthl. I. Bd. 2. S. 406.

D. Uebers.

Rhododendron Kamtschaticum.

Ribes aciculare } Im Altai.
— cuneatum

— diacantha } In Daurien.
— fragrans

— heterotrichum. In den Altaischen Steppen.

— procumbens
— propinquum } In Daurien.
— pulchellum

— saxatile. In der Kirgisen Steppe.

Rosa acicularis.

— Gebleriana} Im Altai.
— Gmelini

— Kamtschatica.

— platyacantha. In der Steppe der Kirgisen der mittleren
Orda.

— pimpinellifolia.

Rubus idaeus spinosissimus. Vom Altai bis zum Grofsen Ocean.

Spiraea alpina. In Daurien.

— betulifolia. Im östlichen Daurien.

— chamaedryfolia.

— flexuosa. In Daurien.

— laevigata. Im Altai.

— salicifolia
— sorbifolia
— — alpina } In Daurien.
— thalictroides
— trilobata

*Syringa persica.

Tragopyrum lanceolatum. In den Uralischen Steppen.

Ulmus pumila. In Daurien.

Viburnum dahuricum. In Daurien.

Weigela Middendorfiana. Bei Ajan.

C. Amerikanische Gewächse.

Acer dasycarpum.
— rubrum.
Amelanchier botryapium.
   —   ovalis.
Ampelopsis hederacea.
Aristolochia Sipho.
Berberis (Mahonia) aquifolium.
*   —   —   glumacea.
Betula carpinifolia.
— excelsa.
— fruticosa.
— latifolia.
— papyracea.
— pumila.
*Caprifolium sempervirens.
Cerasus borealis.
— pumila.
— serotina.
Cornus alba.
— circinata.
— sericea.
Crataegus coccinea.
*   —   crus galli.
Elaeagnus argentea.
*Fraxinus americana.
Juglans cinerea.
  — nigra.
Kalmia glauca.
Ledum latifolium.
Lonicera villosa.
Lycium vulgare.
Menispermum canadense.
Pavia flava.

Philadelphus floribundus.

— grandiflorus.

Pinus Banksiana.

— rigida.

— strobus.

— (abies) balsamea.

— — Fraseri.

— (picea) alba.

— — rubra.

— — nigra.

— (larix) microcarpa.

— — pendula.

Populus balsamifera.

— candicans.

— longifolia.

— monilifera.

— pseudobalsamifera.

*Ptelea trifoliata.

Pyrus arbutifolia.

— melanocarpa.

— Michauxii.

— nivalis.

— (Sorbus) americana.

— — microcarpa.

Rhodora eanadensis.

Rhus radicans.

— typhina.

Ribes aureum.

— Cynosbati.

— floridum.

— oxycanthoides.

Rubus nutkanus.

— odoratus.

Sambucus canadensis.

— rubens.

Spiraea alba.

Spiraea hypericifolia.
— salicifolia.
— tomentosa.
Symphoria racemosa.
Tilia glabra.
Thuia occidentalis.
Viburnum edule.

D. Gewächse welche Heideboden verlangen.

Andromeda calyculata.
— polifolia.
Azalea pontica.
Calluna vulgaris.
Kalmia glauca.
Ledum palustre.
— latifolium.
Rhodora canadensis.
Rhododendron caucasicum.
— chrysanthum.
— dahuricum.
— ferrugineum.
— hirsutum.
— Kamtschaticum.

D. Rankende Gewächse.

Ampelopsis hederacea.
Atragene alpina.
— macropetala.
— ochotensis.

Aristolochia Siphb.
Caprifolium periclymenum.
    —   sempervirens.
    —   vulgare.
Clematis glauca.
    —   longicaudata.
    —   orientalis.
    —   vitalba.
    —   viticella.
Menispermum canadense.
    —   dahuricum.
Rhus radicans.

Die Goldgewinnung am Ural und in Sibirien im Jahr 1852.

Es sind während des genannten Jahres an Gold gewonnen worden:

in den Uralischen Wasch- und Amalgamir-
    Werken   357,506 Pud

in den Nertschinsker Waschwerken   71,000 -

in den übrigen West- und Ostsibirischen
    Waschwerken   953,566 -

oder zusammen auf Goldseifen in Russland   1382,072 Pud

aus den Altaischen und Nertschinsker
    Silbererzen wurden ausgeschieden   40,195 -

so dafs die Russische Gesammtausbeute im
    Jahr 1852   1422,267 Pud

Gold betragen hat.

Sie ist wiederum um 144,729 Pud, d. h. um nahe an ein Zehntel geringer, als die des vorigen Jahres[*]), so wie auch bereits wieder nahe an den, 7 Jahre früher, im Jahre 1845, vorgekommenen Werth hinabgesunken — auch sind es wiederum, wie in mehreren früheren Jahren, die Sibirischen und namentlich die Ost-Sibirischen Werke, welche von ihrer

---

[*]) Vergl. in diesem Archive Bd. X. S. 508 u. a.

Ergiebigkeit am meisten einbüfsten. Da bei diesen, wegen
der Gröfse des zu ihnen gehörigen Terrains, noch am wenigsten an eine wirkliche Erschöpfung gedacht werden kann,
so ist klar, dafs die scheinbare nur von dem Mangel an
Arbeitskräften in Sibirien herrührt. Auch ist dieser Umstand
jetzt anderweitig aufs leichteste zu erkennen, wenn man die
zugleich mit der Bevölkerung steigenden Gold-Ausbeuten in
Californien und Australien, mit den theils stationären, theils
sinkenden in Nordasien vergleicht, und sich dabei an die
erfolgreiche Abschliefsung des zuletzt genannten Erdtheiles
gegen Nicht-Russische Einwanderungen erinnert.

Kertsch und Taman im Juli 1852.

Von

Herrn Dr. Becker in Odessa.

Den fern von uns lebenden Freunden des Alterthums muss es auffallend erscheinen, dass die bisher gelieferten Beschreibungen von Kertsch und Taman grösstentheils von Männern verfasst wurden, die aus weiter Ferne die dortige Gegend besuchten, und nicht vielmehr von solchen, die in der Nähe ihren Wirkungskreis gefunden haben, und durch Benutzung des wöchentlich von Odessa nach Kertsch gehenden Dampfbootes schnell und leicht den klassischen Boden Panticapäums betreten, und ohne grosse Schwierigkeit einige Wochen daselbst verleben können. Der Vorwurf trifft namentlich die Bewohner Odessa's, welche sich vor Allem für berufen halten sollten, die verlangten Beschreibungen dem wissbegierigen Publikum zu liefern, und nicht gestatten durften, dass die ihnen durch die Verhältnisse zufallende Aufgabe von fremden Reisenden gelöst würde. Das Schweigen der Odessaer erklärt sich indessen leicht durch die Umstände, und wird dem vorurtheilsfreien Beurtheiler nicht als Beweiss dienen, dass in der jungen Metropole Südrusslands die materiellen Interessen der Gegenwart eine gewisse Gleichgültigkeit gegen das Alterthum hervorgerufen haben. Die Memoiren der Odessaer Gesellschaft für Geschichte und Alterthümer, so wie verschiedne

besonders erschienene Arbeiten der in Odessa lebenden Gelehrten zeugen vom Gegentheil, und die Lücke einer wissenschaftlich gehaltenen Reisebeschreibung durch die taurische
Halbinsel, rührt vielmehr daher, dass es nur Wenigen gelang,
ihre Excursionen bis nach Kertsch hin auszudehnen. Die
Südküste besitzt für die Meisten eine zu mächtige Anziehungs-
kungskraft, als dass man von ihren Reizen nicht gefesselt, und
vom schleunigen Aufbruche nicht abgehalten werden sollte.
Natur und Menschen vereinigen sich, um einem den Aufenthalt in diesem irdischen Paradiese zu einen unvergleichlichen
zu machen, und wenn da nicht leicht Jemand den Verlockun-
gen grossartiger Naturerscheinungen und der gastlichen Aufnahme dort angesiedelter Freunde und Bekannten widerstehen
kann, so ist ein starres Festhalten an weitere Reisepläne am
wenigsten vom Steppenbewohner zu verlangen, welcher nach
jahrelanger Entbehrung endlich wieder Berge und Thäler,
Bäume und Wälder, Gärten und Fluren in aller Pracht vor
sich sieht. Unwillkürlich ist ihm der Wille gebrochen; die
Tage der Freiheit verstreichen im Genusse der reizendsten
Natur und in dem Umgange mit lieben, guten Menschen, und
ehe er sich dessen versieht, rufen Pflichten und Geschäfte ihn
zurück in den nur auf kurze Wochen verlassenen Wirkungskreis. Wer von uns hat nicht den Zauber erfahren, welchen
das Südufer der Krim auf uns Odessaer ausübt? Wie oft
schon wurden von anderen und von mir gar vollständige
Reisepläne entworfen; kamen wir nach Jalta, war Alles vergessen, und die ganze Excursion beschränkte sich wiederholt
auf den nach verschiedenen Richtungen hin ausgedehnten
Besuch der Südküste. Damit es mir dieses Mal nicht wieder
so ginge, mied ich absichtlich das verführerische Jalta, und
von Sewastopol den Landweg über Simpheropol, Carasubasar
nach Theodosia nehmend, betrat ich dort das Dampfboot am
Abend, und erwachte in der Frühe des folgenden Morgens
auf der Rhede des Kertscher Busens, im Angesichte der freundlichen Seestadt, welche ein Paar Wochen mir zum Aufenthalte dienen sollte.

Die Lage von Kertsch.

Wer sich ein recht anschauliches Bild von der Localität machen will, der vergleiche den Kerscher Busen mit einem umgekehrten nach Nordwesten hin liegenden, grofsen Hufeisen, und sehe in den beiden Spitzen desselben die beiden Vorgebirge, welche auf den äufsersten Enden des schönen Busens malerisch thronen. — Das südliche dieser Vorgebirge heisst Ak-Burun; das östliche führt, so viel ich weiss, keinen besonderen Namen, könnte aber nach der Quarantaine benannt werden, welche in seiner unmittelbaren Nähe ihren Platz gefunden hat. In der Mitte dieses hufeisenähnlichen Busens, doch etwas mehr zum Vorgebirge Ak-Burun zu, denke man sich den Mithridatesberg, welcher ganz nahe vom Ufer steil herabfällt*), mit seinem Rücken aber in das viel höhere Binnenland hineinspringt. Besonders dastehende, in gerader Linie sich aneinander reihende Hügel bezeichnen mehrere Werst lang den Lauf des Mithridates, und scheinen, wie sich aus den auf den einzelnen Spitzen gelalagerten Steinmassen abnehmen lässt, vulkanischen Ursprungs zu sein. Auf dem Hochplateau, welches von der Landseite her den Kertscher Busen auf allen Seiten umkränzt, erheben sich in einem grossen Halbkreise vom südlichen Vorgebirge Ak-Burun an bis zum östlichen bei der Quarantaine, zahllose Kurgane, welche, eben so wie der Mithridates, in das Innere des Landes hineinlaufen, und durch den mitten durch dieselben durchsetzenden Rücken des genannten Berges in zwei grofse Gruppen geschieden werden. Von diesen Gruppen bietet die südlichere eine viel geringere Zahl von Kurganen dar, als die nördlichere, welche über dem Tatarendorfe (Tartarskaja slobodka) ihren Mittelpunkt hat, aber in die Niederung, in welcher das besagte Dorf und einige neuerdings angelegte Gärten liegen, nicht herabsteigt. Dasselbe ist auch bei der andern Gruppe der Fall; die Kurgane halten sich durchschnittlich auf der Höhe zu beiden Seiten des Rückens vom Mithridatesberge. Daraus glaube ich schliefsen zu dürfen, dass das alte

*) Das Manuscript des Verfassers ist hier wörtlich abgedruckt.　E.

Panticapäum in den Niederungen zu beiden Seiten des Berges, so wie am Abhange desselben und dem Meere entlang
gestanden habe. Daselbst gefundene Inschriften und dort auf-
gegrabene Reste von Bauwerken erheben diese Annahme über
allen Zweifel. Dagegen liegt das heutige Kertsch, die eine
Häuserreihe auf der Südseite des Mithridatesberges abgerechnet, hauptsächlich an dem nördlichen Theile des Busens, zieht
sich am Fuße des Mithridates hin, und baut sich zum Theil
terrassenförmig am Nordabhange desselben auf.

Der Marktplatz in Kertsch.

Gleich hinter der Reihe freundlicher, am Ufer gelegener
Häuser muss man den geräumigen Marktplatz suchen, auf
welchem an den Markttagen, und namentlich in der Frühe,
ein reges Leben herrscht. Die sonderbaren Laute einer sehr
unmelodisch klingenden Sprache, die fremden Gesichter und
Gestalten der zum Theil vom Lande kommenden Tartaren,
der auffallende Contrast zwischen europäischen und asiatischen
Früchten, zwischen russischen und tscherkessischen Uniformen, kurz hunderterlei nimmt die Aufmerksamkeit des Reisenden hier dermassen in Anspruch, dass er über der Gegenwart
lautem Getümmel das Alterthum auf einen Augenblick vergisst, und nur zerstreut und flüchtig auf die Baulichkeiten der
Nähe achtet.

Die alte griechische Kirche.

Die Neuheit des Schauspieles kann ihn indessen nicht auf
die Dauer fesseln und befriedigen; seine Blicke schweifen bald
auf die Seite, und da gewahrt er die kleine griechische Kirche,
welche als die älteste auf der ganzen Taurischen Halbinsel,
nicht unbesucht bleiben darf. Ihr Aeusseres ist freilich eben
so wenig imposant, als ihr Inneres überraschend durch glänzende Ausstattung, allein eben dieser Mangel an Licht und
Geräumigkeit, diese Vernachlässigung eines streng durchge-

führten Bauplanes, diese Vereinigung verschiedenen Geschmak-
kes in einem und demselben Gebäude, zeugt nur zu deutlich
von dem hohen Alter dieses mehr als·tausend Jahre stehenden Tempels.   Nach Dubois (voyage autour du Caucase
V. p. 114) fällt nämlich die Gründung laut einer Inschrift in
das Jahr 757·nach Christi Geburt. Das genannte Datum soll
in der Kirche auf einer der Marmorsäulen verzeichnet stehen,
allein ich habe es nicht wiederfinden können. Damit soll indessen Dubois Angabe nicht als· unrichtig verdächtigt werden. Mag doch die Inschrift·grade auf derjenigen Säule stehen, um welche gegenwärtig für die Sänger eine hölzerne
Erhöhung mit hölzerner Brüstung aufgeführt ist. Letztere
verdeckt einen Theil der Colonne, und zwar denjenigen, wo
in der That eine Inschrift angebracht sein mag. Einige noch
über die Brüstung hinüberreichende Buchstaben setzen die
Existenz einer Inscription ausser Zweifel, allein was dieselbe
aussagt, vermag ich nicht zu berichten, da die Brüstung nur
mit grofsen Schwierigkeiten fortgenommen·werden konnte,
und ich zu dieser Zerstörung keine Veranlassung geben wollte.
Der Geistliche, welchen ich über die Inschrift befragte, wusste
mir nichts darüber zu sagen, und so lasse ich es denn bei
dem Berichte Dubois, welcher die Säule unter günstigeren
Umständen, als ich, untersuchen konnte.

Das Museum in Kertsch.

Kehren wir zurück zu dem Marktplatze, auf welchem das
bunte Treiben der Menge unsere Aufmerksamkeit so eben in
Anspruch nahm. Während unsres Besuchs der altgriechischen
Kirche haben sich die Leute gröfstentheils verloren; der geräumige Platz ist fast leer geworden, und wir wenden nun
unsere Schritte unwillkürlich zum Mithridatesberge hin, zu
dessen Höhe eine breite steinerne Treppe in mehreren Ter-
rassen hinaufführt. Dieselbe geleitet zum Kertscher Museum,
welches jeder Reisende vor Allem zu sehen wünscht, und
das durch seine imposante Lage die Aufmerksamkeit schon

lange auf sich gezogen hat. Auf der Höhe des Mithridates
thronend, macht sich der dorische Tempel von unten, und
namentlich vom Meere aus gesehen, eben so malerisch, als
die auf der obersten Spitze stehende kleine steinerne Kapelle,
in welcher der um die Kertscher Alterthümer hochverdiente
Stempkowskji begraben ist, und welche den Berg und die
ganze Gegend schützend überwachet. Hinter jener Kapelle
der alte, jetzt nicht mehr benutzte Kirchhof. Dass dieser
Platz im Alterthume nicht zu gleichem Zwecke diente, bezeugen die Brunnen, welche Herr Begitschew, der jetzige
Director des Museums, auf der Höhe des Mithridates entdeckte, und welche zum Theil jetzt noch Wasser enthalten.
Manche Theile Panticapäums lagen von diesen Brunnen gewiss nicht fern, und daher kann es nicht auffallen, dass man
an den Abhängen jenes Berges Spuren alter Ansiedelungen
schon häufig entdeckt hat. Um die Geduld meines Lesers nicht
auf die Probe zu stellen, will ich hier nicht in alle Einzelnheiten eingehen, und erlaube mir nur von einem neueren
Münzfunde zu sprechen, welcher nicht ohne Interesse ist, und
in die unvollständige Chronologie der letzteren Bosporanischen
Könige vielleicht einiges Licht bringen könnte. Es ist dies
ein Topf mit mehreren hundert Kupfermünzen, welche im
Frühlinge 1852 auf dem Mithridatesberge gefunden worden
sind. Dieselben gehören dem Thotorses, Rhadamsades und
Rhescuporis an; die ersten tragen auf der Hauptseite das
Brustbild und den Namen des Thothorses und auf der Rückseite unter oder neben dem Kopfe eines römischen Kaisers
die Zahlen AꟼФ (591), BꟼФ (592), ГꟼФ (593), ΔꟼФ (594),
ЄꟼФ (595), SꟼФ (596), ZꟼФ (597) und HꟼФ (598). Auf
den Münzen des Rhadamsades, dessen Brustbild und Name
auf der Hauptseite deutlich zu lesen ist, unterscheidet
man auf der Rückseite unter oder neben dem Kopfe
eines römischen Kaisers folgende Zahlen: IX (610), AIX
(611), ГIX (613), ЄIX (615), SIX (616), ZIX (617), HIX
(618) und ΘIX (619). Die Münzen des Rhescuporis endlich

tragen auf der Hauptseite das Brustbild und den Namen dieses Königs, und bieten auf der Rückseite gleichfalls unter
oder neben dem Bilde eines römischen Kaisers folgende Zahlen: KX (620), AKX (621), BKX (621), ГKX (622), ΔKX
(624) und ЄKX (625). Von den meisten Daten waren mehrere, oft sehr viele Exemplare da, allein für das Jahr 612
(BIX) und 614 (ΔIX) der Bosporanischen Aera fand sich
unter der grofsen Menge Kupfermünzen, die einen ganzen
Sack füllten, auch nicht ein einziges Exemplar.

Das Kertscher Museum, nach dem Vorbilde des Theseus-
tempels in Athen erbaut, hat sechs dorische Säulen in der
Fronte, zählt ihrer neun auf jeder der Längenseiten, und wird
von jedem Reisenden gewiss zuerst besucht, da er sich durch
die dort zusammengebrachten Alterthümer am schnellsten und
sichersten einen richtigen Begriff von dem Leben des alten
Panticapäums zu machen im Stande ist. Den Zweck der
Besuchung erreichte ich indessen nur halb, weil ich mir bei
der Besichtigung der einzelnen Gegenstände bei Niemandem
die nöthige Auskunft über den Fundort, die Art des Fundes
und alle übrigen Details verschaffen konnte. Die Kenntniss
aller solcher Einzelnheiten ist aber unumgänglich nöthig, um
sich ein richtiges Urtheil über Alles bilden zu können, was
auf jene graue Vorzeit Bezug hat. Durch Zusammenstellung
scheinbar unwesentlicher Data, durch Vergleichung ähnlicher,
aber an verschiedenen Orten gefundener Gegenstände, durch
eine ganz ins Specielle gehende Beschreibung jedes Fundes
und durch ganz genaue Angabe des Fundortes dürfte man,
meiner Meinung nach, zu ganz uberraschenden Resultaten
gelangen. Desshalb ist es nicht dankbar genug anzuerkennen,
dass man jetzt bei allen Grabungen ein genaues Journal zu
führen angefangen hat, dass man auf die gefundenen Gegenstände, welche in jedem Berichte unter bestimmten Nummern
kurz beschrieben werden, die letzteren entsprechenden Zahlen
gleich aufzeichnet, dass man von den für die kaiserlichen
Sammlungen in St. Petersburg bestimmten Antiquitäten treue

Copien in Kertsch zurücklassen wird, dass man die während
einiger Monate sorgsam geführten Journale der Odessaer Gesellschaft für Geschichte und Alterthümer zur Veröffentlichung
einsenden will, und endlich, dass man mit der Anfertigung
einer grofsen Specialkarte, auf welcher jeder Tumulus angegeben und durch Zahlen oder Buchstaben genau bezeichnet
werden soll, eifrig beschäftigt ist. Solch' ein Verfahren ver-
spricht der Wissenschaft die schönste Ausbeute.

Ein Theil der zum Kertscher Museum gehörigen Antiquitäten ist ausserhalb des Gebäudes, doch unter den Säulen und
an den äufseren Mauern des Museums aufgestellt und soll
von uns zuerst näher betrachtet werden. Es sind dies ausser mehreren Marmorstücken von einem früheren Friese,
ausser einigen Capitälen und zerbrochenen Säulen ohne Inschriften, hauptsächlich Grabmonumente aus dem Sandsteine der
dortigen Gegend mit kunstlos gearbeiteten Basreliefs. Auf
mehreren derselben standen einst Inschriften, welche, verwit-
tert, jetzt nicht mehr zu entziffern sind, alle ausser den Na-
men der Verstorbenen und einem einfachen $\chi\alpha\tilde{\iota}\varrho\varepsilon$ oder $\chi\alpha\dot{\iota}\varrho\varepsilon\tau\varepsilon$
nichts enthalten zu haben scheinen. Unter den besser gear-
beiteten und besser erhaltenen verdienen folgende eine besondere Erwähnung: 1) eine zur Rechten sitzende Frau, vor
welcher ein Kind mit einer Graburne steht; unter beiden eine
dreizeilige Inschrift, von welcher bloss das letzte Wort **XAIPE**
zu lesen ist; 2) ein zu Pferde sitzender Mann, welchem ein
Köcher über der Schulter hängt, und hinter welchem ein anderer Mann zu Pferde; 3) ein Mann und eine Frau en face,
beide stehend unter einer dachartigen Verzierung, und sich
die Hände reichend; eine zur Rechten sitzende Frau, vor welcher ein Mann steht, welcher in der Linken einen länglichen
Schild, in der Rechten eine Lanze hält; 5) eine verschleierte
en face stehende Frau, neben welcher auf jeder Seite ein
Kind steht; 6) mehrere mit Arabesken verzierte Grabsteine,
welche auf den Gräbern aufrecht gestanden zu haben
scheinen, und desshalb einen Fuss zum Einlassen in die
Erde haben; alle ohne Inschriften, nur auf einem liest man

ΜΗΤΡΟΔΩΡΟΣ; ein auf beiden Enden abgebrochener Grabstein, auf welchem zwei Compartimente durch eine Inschrift von einander geschieden werden. Letztere lautet also:

ΛΑΟΔΙΚΗ ΓΥΝΗ   *Λαοδίκη, γυνὴ*

ΤΕΟΦΙΛΟΥ ΧΑΙΡΕ   *Θεοφίλου χαῖρε.*

In dem oberen Compartimente sitzt auf einem Stuhle, dessen Lehnen durch Sphinxe geschmückt werden, ein reichlich bewandeter Mann, zu dessen Linken eine stehende Frau, und zu dessen Rechten eine weibliche Gestalt mit einer Graburne. In dem unteren Compartimente zwei Männer hinter einander zu Pferde, aber von beiden nur der Obertheil erhalten. Bei ersterem sieht man noch den Corytus über der Schulter hängen. Die Arbeit, in hohem Relief, ist besser, als auf irgend einem der anderen Steine, denn die Verhältnisse in den einzelnen Gestalten sind vollkommen richtig; der Ausdruck in den Gesichtern ein sprechender und überhaupt alles mit Geschmack und einem gewissen Kunstsinne gefertigt. Hierher gehören ferner noch: 8) die beiden am Eingange des Museums liegenden Löwen und 9) ein über zwei Arschin hohes, mehr als eine Arschin breites Monument, das, ein längliches Viereck bildend, als Basis für eine Statue gedient haben mag, und von Herrn Begitschew in der Nähe des Tamanschen Ankerplatzes (Pristan) aufgefunden wurde. Auf der einen Seite dieses Untersatzes befindet sich eine zwölfzeilige griechische Inschrift, welche, só viel ich weiss, noch nicht bekannt ist, und desshalb von mir hier in einer treuen Copie mitgetheilt werden soll. Von den nicht überall vollständig erhaltenen, namentlich am Anfange und Ende der Zeilen fehlenden Buchstaben habe ich folgendes lesen können:

1. ΑΓΑΘΗΙ ΤΥΧΗΙ	1. Ἀγαθῇ τύχῃ
2. ΕΚ ΠΡΟΓΟΝΟΝ ΒΑΣ	2. (τὸν) ἐκ πραγόνων βασ(ι)
3. ΝΒΑCΙΛΕΑ ΜΕΓΑΝ	3. (λέω)ν βασιλέα μέγαν(Τι)-
4. ΕΡΙΟΝ ΙΟΥΛΙΟΝΡΗΣ	4. (β)έριον Ἰούλιον Ρησ(κού)-
5. ΡΙΝ ΦΙΛΟΚΑΙΣΑΡΑΚ	5. (πο)ριν φιλοκαίσαρα κ(αὶ)
6. ϽΡΟΜΑΙΟΝ ΕΥΣΕΒ	6· (φιλο)ρωμαῖον, εὐσεβ\ῇ)
7. ΙΟΣ ΤΕΛΕΣΕΙΝ	7. (Ἰούλ)ιος Τελεσεῖν(οσ)
8. ΚΛΕΟΠΙΣ ΤΟΥ ΠΟΝ	8. Κλεοπίστου, ...
9. ΑΙΝΕΩΚΟΡΟΥ ΤΟΝ	9. (κ)αὶ νευκόρου, τὸν
10. ΑΥΤΟΥ ΕΥΕΡΓΕΤΗΝ	10. (ἑ)αυτοῦ εὐεργέτην
11. ΕΝ ΤΩ ΖΜΦ ΕΤΕΙ	11. ἐν τῷ ΖΜΦ ἔτει
12. Ν. ΠΩΡ. ΑΙΩΝ	12. . . . .

So wenig als es hier am Orte ist, diese an mehreren Stellen unvollständige und in der letzten Zeile ganz verstümmelte Inschrift mit philologischer Grundlichkeit zu ergänzen und zu erklären, eben so auffallend dürfte es meinen geneigten Lesern sein, wenn ich den Inhalt desselben ganz mit Stillschweigen übergehen, und nicht schon hier auf das Wesentlichste aufmerksam machen wollte. Aus den von mir last vollständig restaurirten eilf ersten Zeilen gehet hervor, dass ein gewisser Julius Telesinus, der Sohn des Neoceren Kleopistos, seinem Wohlthäter, dem von Königen abstammenden grofsen Könige Tiberius Julius Rhescuporis, dem Freunde des römischen Kaisers und Volks, dem frommen, die auf diesem Monumente einst stehende Statue im Jahre 547 gewidmet habe. Das nach der Bosporanischen Aera bezeichnete Datum entspricht dem Jahre 250 unserer Zeitrechnung, in welchem Rhescuporis VI. (nach Andern der V.), welcher hier ebenso, wie schon mehrere seiner Vorgänger, die Beinamen Tiberius Julius führt, im Bosporus herrschte. Die Angabe des Jahres, auf Münzen häufig, kommt auf einem Monumente bei diesem Rhescuporis, wie ich glaube, hier zum ersten Male vor.

Wir haben uns vielleicht länger, als es unseren Lesern lieb war, mit denjenigen Gegenständen beschäftigt, welche

ihren Platz an den äufseren Wänden des Museums gefunden
haben, aber ich glaubte das von mir Angeführte um so weniger mit Stillschweigen übergehen zu dürfen, als in den mir
bekannten Beschreibungen davon entweder gar nicht, oder
nur ganz kurz gehandelt wird. Um so weniger will ich von
dem sagen, was im Innern des Museums aufgestellt ist. Von
diesen gewiss nicht uninteressanten Resten des. Alterthumes
haben Andere schon öfters gesprochen, und ihre Berichte
mussten vollständiger ausfallen als der meinige, theils .weil
das Kertscher Museum damals noch vielerlei besafs, was später in die kaiserlichen Sammlungen nach St. Petersburg versendet wurde, theils weil sie sich über die einzelnen Gegenstände genügendere Auskunft verschaffen konnten, als es mir,
ungeachtet aller Nachforschungen, gelingen wollte.

Das Innere des Museums besteht aus einem grofsen Saale,
welcher durch das mit Glas gedeckte Dach sein Licht erhält;
an den Wänden stehen Glasschränke, und vor diesen mit Glas
gedeckte Tischchen; erstere dienen zur Aufbewahrung der
gröfseren Antiquitäten; in letzteren sind die kleineren unter-
gebracht. Unter jenen ziehen vor allen Dingen die bemalten
etruskischen Vasen unsere Aufmerksamkeit auf sich. An Zahl
und Interesse sind dieselben eben nicht bedeutend, da das
Bessere und Wichtigere nach St. Petersburg gebracht worden
ist. Unter den zurückgebliebenen vermisst man bereits mehrere, von denen noch Herr Aschik in seinem Buche Wos-
porskoe zarstwo, gesprochen hat. — Aber um so zahlreicher
sind die gewöhnlichen Thongefäfse, welche, in allen möglichen
Formen hier vorkommend, ein Paar Schränke ganz ausfullen.
Nicht minder zahlreich sind in einem anderen Schranke die
theils alabasternen, theils thönernen Unguentaria, die Thränenfläschchen und andere Glassachen, und wieder in einem anderen die Utensilien verschiedenster Art. Hier sieht man bron-
zene Spiegel, eherne Opfergeräthschaften, Strigiles verschiedener Gröfse, Messer, Zangen und hunderterlei Kleinigkeiten.
Die in den Glastischchen aufbewahrten Münzen, meistens
bosporanische, gehören zu den gewöhnlicheren; Seltenes oder

gar Neues konnte ich unter ihnen nicht entdecken, und die
wenigen Goldmünzen bosporanischer Könige schienen mir
gröfstentheils unächt. In einem anderen dieser Tjschchen zogen einige hölzerne, ganz gut erhaltene Kästchen und Dosen
und ein vollständiger Badeapparat mit Schwamm, Bürste und
hölzernem Kamme meine Aufmerksamkeit auf sich. In der
Mitte des Saales stehen ein Paar einfüfsige Gestelle aus Holz
mit einem Glasaufsatze, unter welchem werthvollere Gegenstände aus Gold, namentlich Ringe, theils einfache, theils mit
geschnittenen Steinen verzierte, Arm- und Halsbänder, Goldblättchen, Spangen und andre Schmucksachen ausgelegt sind.
An den Wänden erblickt man über den Glasschränken in die
Mauer eingelassene Grabsteine mit Basreliefs und Inschriften.
Diese Grabmonumente, aus dem in der Umgegend überall
vorkommenden Kalksteine gefertigt, stimmen in Bezug auf
Arbeit und Darstellung mit denen sehr überein, welche wir
an den äufseren Mauern des Museums aber schon mit einiger
Ausführlichkeit beschrieben haben. Von den hier vorkommenden hat schon Herr Aschik in seinem oben genannten Werke
gesprochen, und desshalb will ich sie hier nicht wieder einzeln
aufführen; die unter den einzelnen stehenden Inschriften beschränken sich auf die Namen, die väterliche Abstammung
und einem einfachen $\chi\alpha\tilde{\iota}\varrho\varepsilon$ oder $\chi\alpha\iota\varrho\varepsilon\tau\varepsilon$. Es drängt sich uns
hier übrigens die Frage auf, wer in der Darstellung ähnlicher
Grabmonumente besonders berücksichtigt worden sei: sind es
die Verstorbenen oder die Zurückgebliebenen? Oefters lässt
sich dieses nicht mit aller Sicherheit sagen, aber bei mehreren im Museum befindlichen Grabsteinen unterliegt es kaum
einem Zweifel, dass man bei den dargestellten Figuren besonders die Verstorbenen, und zwar entweder allein, oder in
Verbindung mit den im Leben Zurückgebliebenen im Auge
hatte. So steht z. B. unter einer sitzenden Frau, mit einem
Kinde auf jeder Seite und einem Manne zu Pferde, mit corytus auf der Schulter, folgende Inschrift:

KAΛΛICTPATIA   *Καλλιστρατία,*

ΓΥΝΗ ΠΑΠΟΥ   *γυνὴ Πάπου,*

XAIPE   *χαῖρε.*

Sollte nicht hier die sitzende Frau — die Verstorbene, der Reiter — deren Mann, und die beiden Kinder — die zurück-gelassenen mutterlosen Waisen vergegenwärtigen? — Dagegen liest man unter zwei männlichen Figuren, welche stehend sich die Hände reichen, die Worte:

ΒΑΚΧΙΕ ΒΑΓΕΟΣ   *Βάχχιε Βάγεως*

ΚΑΙ ΥΙΕ ΒΑΚΧΙΕ   *καὶ υἱὲ Βάχχιε*

ΧΑΙΡΕΤΕ   *χαίρετε.*

und darf da wohl annehmen, dass die beiden Verstorbenen Vater und Sohn, ohne weitere Berücksichtigung des im Leben Zurückgebliebenen dargestellt sind.

Auffallend war mir es, daſs die Zahl der mit Inschriften versehenen Henkel von Thongefäſsen im Kertscher Museum sich kaum auf ein Dutzend belief. Sollten dieselben bei den Grabungen dort seltener vorkommen, oder hat man sie als etwas Unwesentliches zu sammeln vergessen? Letzteres scheint mir wahrscheinlicher, denn in Olbia und an anderen Orten kommen sie in groſser Menge vor. Warum sollten sie in Kertsch fehlen? Auf einer dieser Vasen las ich folgendes:

ΓΛΑΥΚΙΑ   *Γλαυκία,*

ΑΣΤΥΝΟΜΟΥΤΟ(Υ)   *ἀστυνόμου, τοῦ*

ΠΑΣΙΧΑΡΟΥ   *πασιχάρου*

auf einer anderen:

ΘΑΣΙΩΝ   *Θασίων*

ΣΟΝΝΑΣ   *Σόννας*

auf einer dritten über einem Hermesstabe:

ΙΜΑ

auf einer vierten zwischen dem Vordertheile eines Schiffes:

ΘΑΣΙΩΝ   *Θασίων*

ΔΙΑΓΟΡΑC   *Διαγόρας.*

Unter mehreren rothen Thonziegeln, welche zum Decken der
Gräber gedient haben, und von denen jeder etwa zwei Fuſs
im Quadrat messen mochte, einen starken Finger dick ist, und
einen Rand von der Stärke eines Zolles hat, konnte ich nur
auf einem die Buchstaben ΣΙΛΙΚΗ entziffern; auf den anderen standen entweder gar keine, oder sie waren so verwischt,
daſs ich sie, trotz aller Muhe, nicht lesen konnte.

Das Grab bei der Quarantaine.

Ungeachtet des Mangels an genauen Nachrichten über
die einzelnen Funde, weiss doch Jeder, dass die im Kertscher
Museum aufgestellten Alterthümer gröſstentheils aus den alten
Gräbern in der nächsten Umgebung der Stadt herstammen,
und desshalb verdienen diese vor Allem unsere Aufmerksamkeit. Hier will ich mit der Beschreibung derjenigen beginnen,
welche, allgemein bekannt, von jedem Reisenden zuerst besucht werden. Die in ihnen einst aufgegrabenen Schätze sind
gegenwärtig freilich nicht mehr an Ort und Stelle zu finden,
sondern man hat ihnen vielmehr in den reichen Sammlungen
der kaiserlichen Ermitage in St. Petersburg den ihnen gebüh-
renden Ehrenplatz angewiesen. Dorthin gehören sie, nicht
aber ins Museum einer kleinen Stadt, wo sie nur von Wenigen gekannt und gehörig geschätzt werden können. Somit
fällt denn die Beschreibung dieser werthvollen Alterthümer
für mich von selbst weg, und indem ich in dieser Beziehung
auf die Werke von Dubois und Aschik verweise, will ich
meine geneigten Leser nur in aller Kürze mit den Orten und
den Baulichkeiten bekannt machen, in welchen jene Schätze
Jahrhunderte lang Schutz fanden vor der Barbarei roher Horden und der Habsucht eingewanderter Fremdlinge.

Ich beginne meine Rundschau an der östlichsten Spitze
des Kertscher Busens, in deren unmittelbaren Nähe die Quarantaine liegt. Dieselbe, durch eine wohl vier Werst lange,
sehr gute Chaussée mit der Stadt verbunden, nimmt einen
ganz bedeutenden Raum ein, und so gelangen wir denn, in

der Begleitung eines dienstfertigen Quarantainebeamten, erst
nach einem langen Wege durch mehrere geräumige, mit Bäumen bepflanzte Höfe, in denen die Wohnungen der Beamten,
die Packhäuser, die Räucherkammern, die Zimmer für die
Quarantaine haltenden Fremden und andere Gebäude mehr die
Seiten bilden, zu dem hoch über dem Meere gelegnen Thurme
der Quarantaine. Nur einige Schritte von dem Thurme, nach
Jenicale zu, ist das Grabmal zu suchen, von welchem Dubois
(voyage autour du Caucase V. p. 272) spricht, und welches,
wenn gleich schon früher eröffnet und geplündert, doch zu
seiner Zeit noch einen marmornen Sarcophag mit trefflichen
Reliefs und einen kunstvoll gearbeiteten Deckel in sich schloss.
Dubois's ausführliche Beschreibung und dessen Zeichnungen
machen es Jedem wünschenswerth, dieses alte Kunstwerk mit
eignen Augen zu mustern, allein ich habe es weder im Museum, noch sonst wo in Kertsch wiederfinden können, und
deshalb ist es wohl wahrscheinlich, das auch jener prachtvolle
Sarcophag von Parischem Marmor der Petersburger Sammlung einverleibt worden ist. Behauene Steine, welche hier in
zwei oder drei Schichten auf der Erde über einander liegen,
veranlassten früher zu der Annahme, dafs dieselben Reste
eines alten Tempels seien, allein diese Vermuthung musste
als falsch verworfen werden, seit man ganz zufällig entdeckte,
dafs der Boden unter und neben jenen Steinen ein hohler
sei. Beim weiteren Graben gelangte man zu ein Paar unterirdischen Kammern, welche deutliche Spuren einer früheren
Eröffnung an sich tragen, und in denen man nur noch den
von Dubois beschriebenen Sarcophag, aber leider verstümmelt, wiederfand. Die beiden Kammern sind unregelmäfsig in
den natürlichen Stein und das harte Erdreich hineingearbeitet,
und diese Einfachheit führt uns, wie mir scheint, auf den Gedanken, dafs der Sarcophag, ungeachtet seines äufseren
Schmuckes und der an demselben nicht zu verkennenden
Künstlerhand, doch nur die Gebeine eines begüterten Privat-
mannes in sich geschlossen habe. Eine der Kammern hat in
neuer Zeit als Pulvermagazin gedient, und zu derselben, so

wie zu der vor ihr liegenden gelangt man durch einen neuen
Vorbau, in welchem eine Treppe zu den Kammern hinabführt.
Ob das von mir hier beschriebene Grabmal wirklich zu den
Resten von Myrmekion, wie Dubois meint, zu rechnen sei,
lasse ich dieses Mal unentschieden. Bei einer anderen Gelegenheit soll diese Frage von mir ausführlicher besprochen
werden; jetzt nur soviel, dafs man vor einiger Zeit beim Bau
einer ganz in der Nähe aufgeführten Räucherkammer eine
Menge zerbrochener Thonscherben und häufig auch Münzen
in der Erde gefunden haben soll.

Der königliche Grabhügel.

Wenden wir uns jetzt zum sogenannten Königsgrabe
(zarskji kurgan), dessen einstige Schätze und Reichthümer
Dubois (V. p. 194—227) uns durch Beschreibung und Ab-
bildung der wesentlichsten Gegenstände recht zu veranschau-
lichen verstanden hat. Dafür müssen wir ihm um so aufrich-
tiger danken, als gegenwärtig von diesen Herrlichkeiten nichts
mehr in Kertsch zu sehen ist, und wir uns auf den Besuch
des Ortes wo jene Schätze des Alterthums einst gefunden
wurden, beschränken müssen. Das Königsgrab, von der Quarantaine ungefähr eine Werst gegen Norden gelegen, zeichnet
sich durch seine Höhe und Gröfse eben nicht sonderlich vor
anderen nahe und fern stehenden Grabhügeln aus. Um so
überraschender ist es, in ihm die grofsartigsten Reste eines
königlichen Grabes erhalten zu sehen. Durch einen zu ebe-
ner Erde gradehin laufenden Gang, dessen Seiten durch ein
Paar gehörig behauene, über einander liegende Steine gebildet
werden, gelangt man zum eigentlichen Eingange. Hier zieht
sich zu beiden Seiten in der Höhe eines guten Fadens und in
gleichweiter Entfernung von einander eine Mauer hin, welche
sowohl rechts als links aus behauenen Steinen, die aber in
der Mitte nicht geglättet sind, aufgeführt worden ist. Auf
diesen perpendiculären, mit einander parallel laufenden Mauern
ruhen vollständig behauene, zwei bis drei Arschin lange, etwas

über einen Fufs hohe Steine, von denen jeder um zwei Werschok auf jeder Seite über den unten liegenden hinübertritt. Auf solche Art wird ohne Gewölbe ein dachartiger Bau gebildet, welcher, nach mehreren Faden sich immer mehr verengend, aber von horizontal liegenden Steinen zugedeckt wird. Dieser etwa 30 Schritt lange, 4—5 Faden hohe Gang führt zu einer viereckigen, etwa zwei Faden hohen Kammer, über welcher sich, in zwölf immer kleiner werdenden Kreisen, einen Fufs hohe Steine über einander lagern, und so ein Gewölbe formiren, das oben mit einem einzigen Steine zugedeckt wird. Die Eigenthümlichkeit und das Grofsartige des Baues ist gradezu überraschend, und wenn in seinem Inneren jetzt auch nichts mehr von den Schätzen des alten Königsgrabes vorhanden ist, so wird doch gewiss Jeder mit Staunen auf die Steinmassen hinblicken, die sich durch ihre eigne Schwere halten, und Jahrtausenden Trotz geboten haben. Mögen sie dem zerstörenden Einflusse der Zeit noch lange widerstehen, damit noch spätere Generationen die Riesenwerke längst verschollener Jahrhunderte anstaunen und bewundern können!

Der goldene Grabhügel.

An Umfang und Höhe ist unter allen Grabhügeln am bedeutendsten der sogenannte goldene (solotoi kurgan), welcher seinen Namen der allgemein verbreiteten Sage verdankt, dafs in seinem Innern unermessliche Reichthümer verborgen lägen. Dieselben aufzufinden, versuchten gewiss schon Viele, allein alle Bestrebungen waren vergeblich, da die massenhaften Steinblöcke, welche nach allen Seiten die Spitze des Tumulus einnehmen, die Grabungen auf der Höhe unendlich erschwerten. Gleich schwierig und fruchtlos mussten sie von unten sein, da der Grabhügel, einige hundert Fufs im Diameter messend, ein sehr bedeutendes Areal einnimmt, und es sich nicht bestimmen liefs, in welcher Richtung man den Angriff machen müsse, um ein befriedigendes Resultat zu erreichen. So träumten denn Alle von den Schätzen des goldnen

Kurganes, aber Keinem gelang es, sie zu sehen, Keinem sie
zu besitzen. Bei alle dem liefs man die Hoffnung auf end-
liche Entdeckung des Schatzes nicht sinken; beständige, in
verschiedenen Richtungen unternommene Angriffe führten endlich 1835 auf der südlichen Seite des Berges zur Entdeckung
eines Ganges, durch welchen man nach mehrfachen Schwierigkeiten in die Mitte des Tumulus gelangte. Man kann sich
die Spannung denken, mit welcher man in einen grofsartigen
Rundbau hinabstieg, über welchen sich ein ägyptisches Gewölbe eben so erhob, wie ich es meinen Lesern bei dem
Königsgrabmale ausführlich beschrieben habe, und wird sich
um so lebhafter die schmerzliche Ueberraschung vorstellen,
als man in dem so mühsam aufgespäheten Innern auch nicht
das Mindeste auffand.   Alle weiteren Nachgrabungen blieben
gleichfalls erfolglos, und so weiss man bis jetzt nicht, was
jener kolossale unterirdische Bau je enthalten habe, und wozu
man ihn äufserlich nach allen Seiten hin so ängstlich und
mühevoll verwahrt habe.   Hiernach rechtfertigt der in Sagen
und Mährchen gefeierte Tumulus durchaus nicht den ihm bei-
gelegten bedeutungsvollen Namen, allein dessen ungeachtet
sucht ihn gewiss Jeder auf, um über das Gigantische eines
Werkes zu staunen, das einzig in seiner Art und räthselhaft
dasteht. Der goldene Grabhügel, ein Glied in der Bergkette,
welche den vom Meere aus im Binnenland hineinlaufenden
Rücken des Mithridates bildet, mag 5—6 Werst vom Ufer
entfernt sein, liegt hoch über den Gärten der Herren Scassi
und Gustschin, und lässt die nach Theodosia führende Strafse
an seinem Fufse vorbeiziehen. Auf ungeebnetem Wege konnte
man bis jetzt nur kletternd in das Innere des Rundbaues hin-
absteigen, aus welchem einem eine eisige Kälte entgegenweht,
und deshalb hatte man in diesem Jahre die Absicht, den zuerst 1832 aufgefundenen Gang, der durch Erde und Gestein
ganz verschüttet war, vollständig frei zu legen, und dadurch
einen bequemen Eingang zu jenem merkwürdigen Denkmale
dem Freunde des Alterthums zu eröffnen. Mit dieser Arbeit
waren bei meinem ersten Besuche des goldenen Grabhügels

acht Sträflinge beschäftigt, und da hoffte ich das Werk noch während meines Aufenthaltes in Kertsch vollendet zu sehen. Das war aber leider nicht der Fall, denn bald kam man zu der Gewissheit, dass durch solch' ein Unternehmen nicht bloss der alte Bau gefährdet werde, sondern dafs dasselbe auch den Arbeitern durch Einsturz der ausgebrochenen Steine lebensgefährlich werden könne, und daher war es natürlich, dafs man den Plan ganz aufgab, und sich damit begnügte, den in die Tiefe herabführenden Weg mehr zu glätten, und dadurch dem Besucher den Zutritt in den Rundbau zu erleichtern.

Die Gräber über dem Tatarendorfe.

Ich habe meine Leser bis jetzt absichtlich nur mit denjenigen Grabmälern bekannt zu machen gesucht, welche sich nicht blofs in gröfserer Entfernung von der jetzigen Stadt vorfinden, sondern auch schon seit einer langen Reihe von Jahren eröffnet worden sind. Von ihnen wenden wir uns zu der Gruppe zahlloser Gräber, welche theils in der unmittelbaren Nähe des heutigen Kertschs liegen, theils bei allen neuen Grabungen hauptsächlich berücksichtigt worden sind, und noch berücksichtigt werden. Es ist dies dieselbe Gruppe, von welcher ich bereits oben bemerkte, dafs sie sich nördlich vom Rücken des Mithridatesberges hinziehe, und sich zwischen diesem und dem tiefergelegenen Tatarendorfe (tatarskaja slobodka) ausdehne. Die hier vorgenommenen Grabungen haben mit Ausnahme der Catacomben, von denen gleich gesprochen werden soll, zu keinen grofsartigen unterirdischen Bauten geführt, und daher ist aus den eröffneten Gräbern eigentlich nichts zu sehen. Alles Werthvolle und nur einigermaafsen Interessante wurde natürlicher Weise gleich herausgenommen, aber die Gräber selbst nicht weiter berücksichtigt. So kommt es denn, dafs man sich von der inneren Einrichtung der bereits eröffneten, namentlich schon seit mehreren Jahren offen liegenden Tumuli keinen rechten Begriff machen

13 *

kann. Der Regen hat im Laufe der Zeit die herausgeworfene
Erde wieder in die Gruben herabgeschwemmt, und dadurch
die Spuren der aufgedeckten Gräber gänzlich verwischt. Die
vielen, noch nicht mit Gras bewachsenen Erdhaufen zeigen
nur deutlich, dafs man die Grabungen in allen möglichen Richtungen vorgenommen hat, allein mir ist es nicht möglich gewesen, irgend einen Plan oder ein System in die Arbeiten
hineinzubringen. Fast scheint es, dafs man bei den früheren
Grabungen hauptsächlich die Gröfse der Tumuli berücksich-
tigte, und desshalb bald hier, bald dort gearbeitet hat. Herum-
springen konnte weder die Topographie des alten Panticapäums
fördern, noch für die wissenschaftliche Behandlung der aufgefundenen Alterthümer von irgend einem Nutzen sein, und
desshalb gereicht es mir zur besonderen Freude berichten zu
können, dafs bei den neuesten Grabungen ein geordnetes System beobachtet wird. Ohne Rücksicht auf Gröfse und Ansehen öffnet man einen Tumulus neben dem andren, und wird
durch dieses Verfahren und durch das bei den einzelnen Grabungen pünktlich gehaltene Journal gewiss bald in vielfacher
Beziehung zu befriedigenden Resultaten gelangen.

Die Katakomben.

Unter den Gräbern der nördlichen Gruppe verdienen die
sogenannten Katakomben eine besondere Erwahnung. Es sind
dies in den natürlichen Sandstein hineingearbeitete, halb ge-
wölbte Kammern, die in späterer, vielleicht schon vorchristli-
cher Zeit zu Grabstätten dienten. Ihre Zahl beläuft sich, wie
man mir versicherte, auf mehrere hundert, und da wäre es
wohl sehr wünschenswerth, ganz genau die Orte zu kennen,
an welchen dieselben aufgefunden worden sind. Auf einer
Specialkarte in grofsem Maafsstabe müsste man alle einzeln
verzeichnen, und das würde uns gleich zeigen, welche Gegend
als spätester Begräbnifsplatz benutzt worden ist. Die von
mir besehenen befanden sich alle in der Nähe des Tartarendorfes, und bestehen gröfstentheils aus zwei und mehreren
Kammern, welche durch niedere Oeffnungen, mehr zum Durch-

kriechen als Durchgehen, mit einander verbunden waren. In den von mir besuchten bemerkte ich in jeder Kammer je drei bettartige Lager, welche in den natürlichen Stein hineinge- hauen waren; jedes derselben hatte etwa drei Arschin Länge, 1½ Arschin Breite, und kaum eine halbe Arschin Höhe [*]). Ueber der Mitte des Lagers war in der Regel eine kleine Nische in die Steinwand hineingearbeitet; und dieselbe, obgleich gegenwärtig leer, mochte wohl gewöhnlich als Platz für ein Gefäfs, eine Lampe oder dergleichen gedient haben. Die Todten lagen ohne Sarg auf jenen bettartigen Steinlagern, und zwar durchschnittlich auf jedem einer. Doch auch hier giebt es Ausnahmen; denn in einer in meiner Gegenwart er- öffneten Katakombe lagen in zwei verschiedenen Kammern auf einem und demselben Bette je zwei Gerippe, während auf den andern die Gebeine nur eines Todten zu sehen waren. Die Katakomben, welche als Familiengräber zu betrachten sind, scheinen indessen nicht blofs der jüngsten Zeit anzuge- hören, sondern müssen auch die Grabstätte unbemittelter Menschen gewesen sein. Im entgegengesetzten Falle wären sie gewifs nicht so einfach und roh ausgeführt worden. Die Familiengräber der Reicheren mögen viel stattlicher eingerich- tet gewesen sein, und dafür kann als Beleg die Katakombe dienen, welche im Frühlinge 1852 gleichfalls in der nördlichen Gruppe, aber mehr zur jetzigen Stadt hin, aufgedeckt wurde. Dieselbe besteht aus zwei viereckigen Kammern, von denen die zweite gröfser, als die erste ist. Beide Kammern sind nicht in den natürlichen Stein roh hineingegraben, sondern ordentlich aus Steinen aufgeführt und gehörig ausgestuckt. Ueber den etwa zwei Faden hohen Mauern der zweiten Kam- mer bilden über einander liegende, etwas über die nnteren Lagen herübertretende Steine ein ägyptisches Gewölbe. Den Stuck der Wände hatte man zu Frescoarbeiten benutzt, welche durch den Zutritt der Luft leider fast ganz zu Grunde gegan- gen sind. Auf der einen Wand, dem Eingange gegenüber, sieht man nur undeutlich die Contouren zweier Reiter, und

[*]) 1 Arschin == ⅔ Engl. Fufs.

auf einer der Seitenwände hier und da noch einen gemalten
Vogel. Durch schwarze Linien gebildete Quadrate nahmen,
wie es scheint, die ganze Wandfläche ein, und umschlossen
die einzelnen Vögel. Das Ganze mag, nach den spärlich erhaltenen Resten zu urtheilen, eine einfache, aber sehr ge-
schmackvolle Verzierung abgegeben haben. In beiden Kammern waren zusammen gegen vierzig Särge aufgespeichert,
welche, aufser den schon ganz verweseten Gebeinen, die bei
der Eröffnung meistens ganz zusammenfielen, nichts enthielten,
Der gänzliche Mangel an Alterthümern in einem so grofsen
Familiengrabe mufste sehr auffallend erscheinen, allein er erklärte sich leicht, da man fand, dafs man durch den eigentlichen Eingang schon früher in das Grab gekommen war, während man jetzt durch das noch unversehrte Gewölbe den Weg
in die Katakombe genommen hatte.

Besondere Eigenthümlichkeiten der Gräber.

Bei den Gräbern, von welchen wir jetzt sprechen müssen, herrscht eine noch gröfsere Verschiedenheit, als bei den
oben erwähnten Katakomben. Denn während die der Reicheren in ordentlich ausgemauerten unterirdischen Grüften gefunden werden, bestehen die der Aermeren aus einfachen Gruben, welche in den natürlichen Stein hineingearbeitet sind.
In einigen jener Gruben wurden die Cadaver ohne weiteres
mit Erde überschüttet, aber andere sind bald mit grofsen Steinplatten zugedeckt, bald durch dachartig aufgestellte Thonzie-
gel verwahrt, so dafs die darübergeschüttete Erde nicht in
das Grab selbst hineindringen konnte. Das der Grund, wesshalb man in den Gräbern, wenn man sie nur mit gehöriger
Vorsicht eröffnet, blofs so viel Erde findet, als zwischen den
etwanigen Ritzen hat durchkommen können. In einem Tumulus trifft man oft mehrere Gräber, in deren Anlage weder
bestimmte Ordnung, noch genaue Symmetrie wahrzunehmen
ist. Sie sind bald auf der einen, bald auf der anderen Seite
angebracht, und haben nur das mit einander gemein, dafs in

jedem Grabe immer nur die Gebeine eines einzigen Todten
gefunden werden. In den steinernen Grüften der Reicheren
liegen die Verstorbenen in Särgen, welche theils einzeln,
theils in mehrfacher Zahl in jenen Gräbern vorkommen. In
der Form der Särge herrscht manche Verschiedenheit, und
gäbe es von allen aufgefundenen treue Zeichnungen, so könnte
man schon durch die Form und Bauart der einzelnen zu nicht
uninteressanten Schlüssen gelangen. Die gröfsten und un-
förmlichsten gehören sicherlich der ältesten Zeit an. Alle
sind kastenartig gearbeitet und so geräumig, dafs in jedem
statt eines Todten für drei oder vier Platz wäre. Durchschnittlich hat ein solcher alter Sarg eine, ja $1\frac{1}{2}$ Arschin in
der Höhe, eine Arschin in der Breite, und nach der Gröfse
des Cadavers zwei bis drei Arschin in der Länge. Sämmtlichen Särgen fehlt der Deckel, welcher weder durch ein
Brett noch sonst etwas ersetzt wird. Die Seitenwände laufen
nicht, wie bei unseren Särgen, schräge zu, sondern stehen
senkrecht auf dem Boden des Sarges, welches bei den Füfsen
der Verstorbenen eben so breit ist, wie bei dem Kopfe derselben. Die erste Abweichung von dieser Normalform boten
die vierzig in der oben beschriebenen Katakombe gefundenen
Särge, welche nur $\frac{3}{4}$ Arschin hoch waren, und eine gröfsere
Breite beim Kopfe, als bei den Füfsen hatten. Die Seitenwände waren indessen auch bei diesen senkrecht, und nicht
schräge. Nicht blofs die Form', auch das Material der Särge
ist ein verschiedenes; zu einigen benutzte man das Holz von
Cedern, zu anderen das der Cypressen, und zu noch anderen
das des Wachholderbaumes. Das Holz, häufig so gut erhalten, dafs man es noch gegenwärtig benutzen könnte, ist meistens glatt, allein es kommen auch Särge vor, deren äufsere
Seiten durch Schnitzwerk und eingelegte Arbeit verziert sind.
Ein solcher Sarg wurde dieses Jahr namentlich in der Zeit
aufgegraben, in welcher ich in Taman war. In den Särgen
findet man häufig, meistens an den Füfsen, seltener zu den
Seiten, Wallnüsse, gewöhnliche Nüsse oder auch Mandeln
und Kastanien. Sind deren viele in einem Grabe, so liegen

sie oft in einem Körbchen, in einer Schaale oder in einem kleinem Thongefäfse. Die Thränenfläschchen und Krüge kommen
gleichfalls in der Regel bei den Füfsen vor, viel seltener in
den Ecken beim Kopfe. Oft hat der Todte eine Münze im
Munde, und da diese häufig mit Grünspan überzogen ist, so
nehmen auch die Zähne nicht selten eine grüne Farbe an.
Anderen sind die Münzen in die Hand gegeben. Wie unendlich Schade ist es, dafs man die so gefundenen Münzen nicht
besonders aufbewahrt zu haben scheint. Durch dieselben
liefse sich gewiss manchmal das Alter des Grabes mit ziemlicher Genauigkeit bestimmen, denn es ist wohl mit ziemlicher
Wahrscheinlichkeit anzunehmen, dafs man gangbare Münzen,
und nicht alte den Todten in das Grab legte. Bei den Händen liegen in der Regel die Unguentaria, welche bald aus
Alabaster, bald aus Thon gefertigt wurden. Letztere sind
theils ganz einfach, theils (auf schwarzem Grunde) verziert
mit Arabesken oder Palmenblättern in brauner oder weifser
Farbe.

(Fortsetzung im nächsten Hefte.)

Blick auf die Sprichwörter der Kleinrussen.

Von

Herrn Dr. Julius Altmann.

In einem sehr ausführlichen, an einem anderen Orte *) mitgetheilten Aufsatz, der die Aufschrift trägt: „die provinciellen
russischen Sprichwörter" habe ich bereits hie und da Gelegenheit gehabt, in den Parallelstellen, die ich zu den Sprichwörtern der Grofsrussen beibrachte, sich auch auf einzelne
Sprichwörter der Kleinrussen zu beziehen.

Da mir indefs eine weit umfangreichere Sammlung kleinrussischer Proömien zu Gebote steht, als dort oder an anderen Orten von mir zur Mittheilung gebracht worden ist, und
da es bis zur heutigen Stunde überhaupt noch an einer kleinrussischen Sprichwörterlese fehlt, ungeachtet des sinnigen Ge-
halts, der jenen Sprichwörtern innewohnt und der sie als
Geistesverwandte der grofsrussischen Sprichwörter charakterisirt: so habe ich es mir zur Aufgabe gestellt, hier in dieser
die Kunde Russlands nach allen Seiten hin so thätig fördern-
den Zeitschrift dar Wichtigste Dessen zusammenzustellen und
der Betrachtung zu unterziehen, was ich bei einem längeren
Aufenthalte in Russland aus dem Munde von Kleinrussen und

---

*) Vergl. Schmaler: Jahrbücher für slawische Literatur, Kunst und Wis-
senschaft. Neuer Folge Erster Band Sechstes Heft. Bautzen 1853.

gelegentlich auch aus ihren Schriften an Sprichwörtern anzu-
sammeln vermochte. Die geringe Anzahl kleinrussischer
Sprichwörter, die ich aus ihrer ziemlich dürftigen Literatur
entnehmen konnte, kommt freilich kaum in Betracht dem gegenüber, was ich der mündlichen Ueberlieferung verdanke;
um indefs, wie ich es bei jenem Hinblick auf die russischen
und jüngst auch beim Hinblick auf die Sprichwörter der Bulgaren gethan *), gleich von vornherein die Literatur der Quell-
schriften zu erledigen (damit es einem geschickteren Excer-
penten vielleicht gelinge, noch mehr ans Licht zu bringen
als mir gelang): so erwähne ich, dafs ich besonders in den
sechs, z. Th. in deutscher, polnischer, russischer und lateinischer Sprache geschriebenen Grammatiken und Abhandlungen
über die kleinrussische Sprache von A. Pawlowski **), C. F.
Kalajdowicz ***), Ks. E. Mogielnicki ****), Mich. Lutskay †),
E. Lewicki ††) und Ks. Józ. Lozinski †††) mich nach den
Sprichwörtern der Kleinrussen umgethan habe, wobei meine
Ausbeute indefs, wie schon bemerkt, herzlich gering ausfiel.
Auch das witzige Werk von J. Kotljarewski, die travestirte
Aeneide ††††), liefs mich in Hinsicht auf die in der Ukraine
gangbaren Sprichwörter sehr in Stich, und auch alle sonsti-
gen Forschungen in denjenigen Schriften, die die politischen

---

*) Vergl. Schmaler l. c. Neuer Folge Erster Band Fünftes Heft.
　　Bautzen 1853.

**) Grammatika maloruskaja. 8. Petersburg 1818.

***) Abhandlung über den kleinrussischen Dialekt, in den Schriften
　　des Moskauer Vereins. I. Bd. 1822.

****) Rozprawa o jezyku ruskim (Abhandlung über die kleinrussische
　　Sprache). Im 2. Jahrgang der Ossolinskischen Zeitschrift. 1819.

†) Grammatica slavo-ruthena per Michaëlem Lutskay. Budae 1830.

††) Grammatik der ruthenischen oder kleinrussischen Sprache in Ga-
　　lizien. Przemysl 1834.

†††) Grammatyka jezyka ruskiego (malo-ruskiego) napisana w Prze-
　　myslu 1846.

††††) Jeneida cetr. (in ukrainischer Sprache mit ukrainischem Wörter-
　　buch). Kiew 1798.

und kirchlichen Verhältnisse der Ruthenen etc. zum Gegenstand haben, z. B. in der österreichischen Zeitschrift für Geschichts- und Staatskunde und den dazu gehörigen Ergänzungsblättern, worin Umrisse zu einer Geschichte des religiösen und hierarchischen Zustandes der Ruthener gegeben werden — wollten zu keinem rechten Resultate führen.

Da ferner auch jene große in Moskau im Jahre 1787 erschienene Sprichwörtersammlung, in welcher 4291 russische Sprichwörter verzeichnet stehen [*]), auf die in Kleinrussland gangbaren Sprichwörter so gut wie gar kein Gewicht legt, so wäre für mich, da ich von Moskau aus, wohl nach vielen anderen Gouvernements, aber nicht nach Kleinrussland hin Reisen unternahm, keine Möglichkeit vorhanden gewesen, eine nur einigermaßen genügende Sammlung kleinrussischer Sprichwörter zu Stande zu bringen, wenn ich nicht andrerseits das Glück gehabt hätte, Jahrelang in einer Familie zu weilen, die selber langezeit in Kleinrussland ansässig und begütert gewesen war. Von ihr, ich meine die Familie des Kommandanten von Moskau, General Staal, und namentlich aus dem Munde des letzteren selbst (der erst im Anbeginn dieses Jahres starb und mit dem man einen der edelsten Männer Russlands ins Grab versenkte) habe ich die meisten der im Nachfolgenden verzeichneten Sprichwörter, von denen mir sogar meistentheils die Oertlichkeiten angegeben werden konnten auf die sie Bezug nehmen und in der sie demnach auch wahrscheinlich ihren Ursprung fanden, so daß die hier mitzutheilenden kleinrussischen Sprichwörter recht eigentlich als provinzielle zu erachten sind, von denen sich die einen auf das heutige Gouvernement Kiew, die anderen auf das Gouvernement Poltawa, die dritten auf das Gouvernement Tschernigow und die letzten auf die slobodische Ukraine oder das heutige Gouvernement Charkow beziehen. —

---

[*]) Vgl. Dobrowsky's Slavin. Von Wenceslaw Hanka, Prag 1834 p. 306 — 307, über diese interessante Sprichwörtersammlung, aus der er eine Centurie, die er in russischer Sprache mit lateinischer Schrift und in deutscher Uebersetzung giebt, heraushebt.

Der Charakter dieser Sprichwörter ist mehr oder weniger dem der russischen Sprichwörter ähnlich, d. h. es offenbart sich aucä in den kleinrussischen Sprichwörtern eine hohe Sitteneinfalt und Natürlichkeit und ein munterer, gerader oft lakonischer Witz, der die Derbheit nicht scheut und jede poetische Verhüllung vermeidet. Man könnte die Kleinrussen aus diesen Sprichwörtern studiren und liebgewinnen ihrer hohen Gastlichkeit halber und ihres Mitgefühls wegen, welches sie für die leidende Welt um sich her sich so treu und warm bewahrt haben. Die Sprichwörter sind nebenher ausgezeichnet durch alle jene Eigenschaften, die zu einem wahren Sprichwort erforderlich sind, d. h. durch Kürze, Lebhaftigkeit, klardurchscheinende Figürlichkeit des Ausdrucks, häufige Anrede an eine bestimmte Person (Väterchen, Mütterchen, Töchterchen etc.), auch durch häufige Anwendung der Frageform, die sich zuweilen auf eine höchst komische, fast schelmische Weise bemerkbar macht, und endlich durch die häufige Beziehung auf die Natur und Oertlichkeit, wie diese auch in den grofsrussischen Sprichwörtern oftmals zur Erscheinung tritt.

Ich lasse indefs nunmehr die Sprichwörter für sich selber reden, und will, indem ich mich speziell zu den in den einzelnen Landestheilen Klein-Russlands in Brauch stehender Sprichwörtern wende, zuerst diejenigen nennen, welche im heutigen Gouvernement **Kiew**, und namentlich in und um die Stadt Kiew herum, gebräuchlich sind. Sie lauten, wie folgt:

„Es giebt nur Ein Kiew und nur Einen Dnjepr. —

Es reist nicht Jeder Studirenshalber nach Kiew. —

Nicht alle, die krank nach Lisianka kommen, kehren gesund heim. —

Zum Ertrinken ist der Dnjepr so tief wie das Schwarze Meer. —

Wer als Fuchs aus Tschernigow geht, wird als Wolf aus Kiew heimkehren. —

Preise die Desnafahrt erst, wenn du auf dem Dnjepr steuerst. —

Nenn's Grund oder Schlucht; was hilft's, wenn wir darin doch nur Schlehdorn gewinnen? —

Es ist nicht jeder Kosak ein Held, der wider die Tscherkessen gekämpft hat. —

Nicht die Rangklasse, sondern die Rubel gelten. —

Ein blinder Zar hat Augen in den Händen. —

Zarengesetz ist Gotteswille. —

Das Methjahr richtet sich nach dem Honigjahr. —.

Schneide den Kohl nicht, ehe du das Kraut hast. —

Putze das gelbe Kupfer noch so blank, es wird doch anders glänzen als Gold. —

Wenn der Weise ins Kloster kommt, verlernet er seine Weisheit. —

Einem Hungrigen gilt Schwarzbrod vor Kuchen. —

Wer dem Teufel einen Brand giebt, dessen Scheune ist vor der Feuersbrunst nicht sicher. —

Wenn uns auch die Werste nicht genugthun, um aufwärts zu kommen, so wird doch die *Sajen* für uns ausreichen, um niederwärts zu kommen. —

Den Spechten sind die Bienen werther als der Honig. —

Junge Hähne krähen viel. —

Läuten gehört zu den Glocken. —

Ohne Milch gelten die Euter nicht. —

Die Redenden sind im Recht vor den Stummen. —

Wenn's ans Rupfen gehen soll, geht es auch an's Schlachten. —

Die Henne soll gut Eier legen, die nicht geschlachtet werden will. —

Das Wort Messer hat bei allen Gänsen einen übelen Klang. —

Wenn das Alter sich nicht durch Schwächen ankündigt, so kündigt es sich durch Launen an. —

Wenn der Reichthum dem Bauern nicht die Rindshörner giebt; so giebt er ihm doch die Eselsohren. —

Der Fürstin Hemd deckt nicht mehr Blöfse als der Bäuerin ihres. —

Wer Glück haben soll, findet erst den Kwaseimer und dann die Schöpfkelle. —

Wenn man Lust hat, die Promenade zu machen, wird sich der Himmel klären, und wenn man daheim bleiben will, werden sich die Wolken zusammenziehn. —

Der Blinde sieht oft mit den Ohren besser als der Sehende mit den Augen. —

Hat man sechs Tage den Kohl gekocht, so ißt man ihn den siebenten. —

Es sucht keiner den Teufel, der ihn nicht auch findet. —

Geh zum Nonnenkloster, wenn du den Teufel bei den Mönchen nicht getroffen hast. —

Man kann wohl auf fremden Füßen stehen, aber nur auf eigenen gehen. —

Auf dem Pferd sitzen heißt noch nicht reiten. —

Liebe sieht wohl die Narben, aber sie weiß nicht, daß sie von den Pocken sind. —

Das heißt nicht schimpfen, wenn ein Schwein das andre Kothwühler nennt. —

Weil der Teufel bei den Großen so warm sitzt, darum bleibt er bei ihnen. —

Wisse das Pferd zu finden, auf dem du sitzest. —

Der Narr kauft auch wohl einen Wallach, um seinem Gestüt aufzuhelfen. —

Wer sechs Augen trifft, der kann würfeln. —

Goldener Hut deckt einen leeren Schädel. —

Dein Buckel trägt nicht meine Last. —

Wenn der Narr die Närrin freit, wird der Geck empfangen. —

Die keinen Gurt finden kann, darf nackt gehen. —

Das erste Kind möchte man zugleich an beide Brüste legen. —

Der Kopf macht den Nagel nicht allein aus. —

Keine Ratte so schön, daß der Kater sich in sie verliebte. —

Wenn ein Schwein geschlachtet wird, schreien alle. —

Kein Wolf so hungrig, er frißt dasselbige Schaf nur einmal. —

Wenn die Ernte vorüber ist, lobt jeder seine Sense. —
Hat der Geizhals das faule Ei gekauft, so rührt er's auch
in die Suppe. —

Wenn der Wind nicht des Geizigen Mühle dreht, so
dreht er sie selber. —

Wenn du dem Gast nicht Sohnesrechte beimissest, so
miſs ihm Vaterrechte bei. —

Stelle deinen Gast so, daſs auch der Schatten nicht seinen Buckel verrathe. —

Einem reichen Freier heizt man die Stube mit Tischen
und Stühlen. —

Die Knute hilft den Ukasen zu ihrem Recht zu gelangen. —

Wer an goldener Krücke geht, dessen Beinen merkt man
kein Hinken an. —

Vor der Ratte gilt der Maus Entschuldigung nicht, daſs
sie Suslik (Zieselmaus) heiſse. —

Wer den Wein nur für Wasser nimmt, nimmt auch den
Kopf nur für eine Kugel. —

Dem Armen hat der Kopek den Werth eines rothen
Zettels. —

Es hat sich schon manche Henne auf den Zaun gesetzt,
die gegen das Dach gepflogen ist. —

Pfau, deine Stimme würde noch heut gelobt werden,
wenn du immer geschwiegen hättest. —

Wenn der Esel reich wird, wachsen ihm Hörner. —

Rühre erst deine Grütze, und dann sorge für meinen
Brei. —

Das Glück klopft an Jedermanns Thür: den Fürsten giebt
es die Rubel, den Bauern die Gesundheit. —

Er fuhr auf dem Meer und fragte nach Wasser. —

Ich küsse deine Augen, aber mit meinen seh' ich. —

Hüte dein Huhn nicht allein vor des Habichts Schnabel,
sondern auch vor seinen Krallen. —

Der Granit schlägt der Sense eine breitere Wunde, als
die Sense dem Granit. —

Der Verstand geht nicht über den Kopf hinaus.

Es hilft nichts die Schleusen zu öffnen, wenn kein Wasser im Graben ist. —

Man nimmt den Kuhfladen nur so lange für einen Kuchen, bis man ihn gekostet hat. —

Erst spielt der Knabe mit Knochen und dann mit Fleisch. —

Wenn der Lahme auf dem Pferde sitzt, weiß er nichts von der Krücke. —

Einer Häßlichen Nacktheit gilt nichts. —

Man kann den Faden noch so fein spinnen, er bleibt doch sichtbar. —

Auch die Krankheit gilt, wenn nicht für den Schwindsüchtigen, so doch für den Arzt. —

Wer im Sarg liegt, für den ist Todtsein das Beste." —

Die kleinrussischen Sprichwörter, welche in dem gegenwärtigen Gouvernement Poltawa vorkommen, sind folgende:

„Kaufe den Gaul in Romni nicht, den sie schon einmal nach Mirgorod zu Markte gebracht haben. —

Wenn Gott der Steppe die Hühner weigert, so giebt er ihr die Trappen. —

Wo die Cochenille fehlt, thun es die Schildläuse. —

Vermeide schon die Flußbarben, so entgehst du den Meerhaien. —

Danke Gott, Väterchen! für die Staubstraßen, weil er dir die Kothstraßen hätte geben können. —

Was haben die Reschetilow'schen Lämmer davon, daß man die Tulupen so werthschätzt? —

Besser der Gaul, der auf dem vierten Fuße lahmt, als der gar nur drei Beine hat. —

Es hat schon Mancher einen blinden Gaul für einen sehenden gekauft. —

Weisheit schützt nicht vor Grauwerden. —

Das Kratzen hilft nichts ohne das Seifen. —

Hahnenruf hat nur am Morgen Werth. —

Man verstopft auch den Bach, wenn man die Quelle verstopft. —

Der Quell allein thuts nicht, es bedarf auch der Zuflüsse. —

Es ist auch kein Gold, was des Hetmanns Gaul fallen läfst. —

Die geschenkte Stute fohlt nicht. —

Frühe Birkenruthe schont später Birkenbäume. —

Der Tod ist nicht das letzte. —

Eine Werst, die man zum Freund geht, hat nur die Länge einer *Sajen*. —

Ohne Kohl läfst sich keine Kohlsuppe kochen. —

Danke Gott, Väterchen, dafs er deinem Esel keine Hörner gegeben hat. —

Die grauen Kühe sind den Eseln die liebsten. —

Wenn dich Einer im Bad sieht: erschrick, Töchterchen, aber lafs dich nicht vom Schlage rühren. —

Der ist dem Gewitter nicht entgangen, in dessen Scheune der Blitz eingeschlagen hat. —

Der nur ist reich, der gesund ist. —

Wer es warm liebt, der setze sich nicht in den Schatten, wenn die Sonne scheint. —

Der Regen gilt nicht viel, wo man nachgiefsen mufs. —

Das Bier zahlt man, den Kwas trinkt man. —

Denen, die die Strafen zu vollstrecken haben, gelten die Gesetze nicht streng. —

Wenn der Geizhals auch zu Ostern die Blini verzehrt, so wird er doch den Kaviar sich bis Pfingsten versparen. —

Die Braut gilt nicht ohne die Mitgift. —

Eine reiche Mitgift verschönert eine häfsliche Braut. —

Reichthum läfst wohl die Falten, aber nimmt das Alter. —

Der Baum gilt nicht mehr als der Garten. —

Der Buckel der Braut erscheint in den Augen des Bräutigams nur als Warze; aber die Warze der Frau wächst sich in den Augen des Mannes zum Buckel aus. —

Wenn der Geizige den Wald verkauft hat, möchte er die Bäume noch besonders verkaufen. —

Man sucht auch an der Fürstin Busen die dritte Brust umsonst. —

Der Fürstin Kleid flrtlert auch im Winde. —

Nachtigallenschlag ist seltener als Spatzengetriller. —

Auch die Golka (Moschusente) wird zur Hausente, wenn man ihr die Flügel stutzt. —

Auch der stattlichste Hengst ist vor Zeit ein Füllen gewesen. —

Die eigene schartige Sense gilt vor der geschliffenen Sense des Nachbars. —

Aus Enteneiern kann auch ein Pelikan nur Enten brüten. —

Backe den Grützkuchen nicht, bevor du die Grütze hast. —

Der Himmel schiefst wohl gegen die Erde, aber die Kugeln lässet er danach thauen. —

Wenn den Narren ein Bienlein stach, verwünscht er den Honig. —

Nessel, da du nicht siedest, was brennst du denn? —

Wenn der Geizige vom Papier sprechen hört, gedenkt er der weifsen Zettel. —

Brate den Storch die Eidechsen und er ifst sie nicht. —

Wem Gott den Storchmagen giebt, dem giebt er auch den Frosch-Appetit. —

Bauch und Zwiebel wollen nicht gute Freunde werden. —

Die Piroge (Pastete) ziert die Uchà (Fischsuppe) und Schönheit die Frau. —

Die letzte Schnitte Honig verwahre für deinen Gast. —

Der Platzregen, der die Liebenden trifft, besteht nur aus Tropfen. —

Die Wellen gehn nicht hoch um der Grofsen Schiffe. —

Es waren auch nur Bauernhände, die den Flachs zu der Fürstin Hemd gesäet haben. —

Einer Zarin Wange bedarf der Schminke nicht. —

Wenn der Zar fischt, fängt er Störe im Karpfenweiher. —

Der die keine Ohren hat, schenke keine Ohrringe. —

Vor der Krankheit sicher sein, heifst noch nicht vor dem Tode geschützt sein. —

Wenn der Fürst durch die Steppe reist, findet er erst den goldenen Becher und dann die Quelle. —

An des Kindes Katze merkst du, wieviel Schläge das Kind von seinen Eltern empfängt. —

Die Waaren loben gehört auch mit zum Verkauf. —

Messing! hättest du doch auch den Werth des Goldes, da du den Stolz des Goldes hast. —

Lob ist der Narren Verderben, Tadel aber nicht der Weisen Untergang. —

Wenn der Weise sich wandelt, so wird ein Kluger aus ihm. —

Die Liebenden drückt ihre Krone wie ein Kranz. —

Der Fürst trinkt Wein wie der Fürst und giebt Wasser von sich wie der Bauer. —

Mit rothem Speck kann man große Mäuse fangen. —

Das unreine Silber wird höher geschätzt als das reine Zinn. —

Brate deinem Gastfreund die Hühner vom Gutshofe, aber bezahle sie auch dem Gutsherrn. —

Wer zuviel Geld hat, vergoldet auch seinen Ochsen die Hörner. —

Wenn dein Gast die Zwiebeln liebt, dann lehre deinen Augen die Thränen unterdrücken. —

Es ist ein böser Wirth, der seinen Gästen den Kwas vorsetzet und sich das Bier. —

Melke dein Weib, wenn es dir an Milch fehlt für deinen Gast. —

Schäme dich, Väterchen, deinen blinden Gast mit vier Augen anzusehen. —

Wer schlecht Gastrecht übt, übt auch schlecht Hausrecht. —

Decke deinen Gast mit deiner Tochter zu, wenn es dir an einer warmen Decke fehlt. —

Füttere erst den fetten Gaul deines Gastes und danach deine hungrigen Kühe. —

Gieb deinem Gaste dein Herz, aber reiß' es dir nicht aus dem Leibe. —

Wenn dein Freund wie Pulver ist, dann stelle ihn nicht ans Feuer. —

14 *

·Ein goldener Schlüssel öffnet alle fleischernen Pforten. —
Sorge erst für das Bett, bevor du für die Wiege sorgst.—
Eine häfsliche Reiche bedarf keines Schleiers. —
Wenn der Reiche Durst hat, werden ihm seine Himbee-
ren gleich zu Kwas. —
Danke Gott, Väterchen, weil die Gutsfrau deiner Tochter
nur das Hemd nahm und nicht auch eie Haut. —
Ein Bad hilft nicht wider jede Schwärze. —
Die Eier verdoppeln den Werth der Henne. —
Neid sieht wohl das Riethgras, aber nicht den Sumpf,
aus dem es wächst. —
Die Glocke verkühlen lassen, gehört auch mit zum Gufs. —
Hacke die Wurst nicht, ehe du das Fleisch hast. —
Einmal sterben gilt nur." —

Aus der Reihe der kleinrussischen Sprichwörter, die mir
als in dem heutigen Gouvernement Tschernigow circulirend
bezeichnet sind, hebe ich folgendes hervor:

„Halfen dir die silbernen Bitten an Boris nicht, so richte
die goldenen an Gleb. —
Wie man es in Neschin braut, so trinkt man es in
Moskau. —
Es kann nicht Jeglicher mit Dnjeprwasser getauft sein,
es müssen auch welche in der Desna gebadet werden. —
Der Brachsen, der den Netzen in Tschernigow entgan-
gen ist, ist noch nicht sicher vor den Netzen in Kiew. —
Bade dich lieber im Osterflufs, als dafs du deinen Schmutz
bis zur Desna tragest. —
Kein stolzeres Kupfer, als welches eben aus dem Ham-
merwerk kommt. —
Wenn arme Eltern sterben, hinterlassen sie Waisen,
wenn reiche Eltern sterben, hinterlassen sie Kinder. —
Der Mastbaum rechnet sich noch immer den Tannen bei. —
Wenn Gott ein gutes Beerenjahr beschert, so beschert
er auch ein gutes Honigjahr. —
Wenn des Hetmans Weib auch nackt ginge: es würde
doch jeder in der Nackten nur des Hetmans Weib erkennen. —

Der Harz, der eben aus der Tanne quillt, spricht schon viel von der Geige. —

Sorget für der Kühe Kälber, so sorget ihr zugleich für euere Milch. —

Wem Gott den Honig doppelt, dem doppelt er auch den Wachs. —

Die Füchse thun den Gänsen mehr Schaden, als die Wölfe den Schafen. —

Spinne Flachs, wenn du keine Seide weben kannst. —

Wer den Alaun erzürnt, der verdirbt es auch mit dem Vitriol. —

Man kann nicht aus jedem Thon eine Porzellanvase drehen. —

Wenn der Geizige die Maden im Fleisch mitbezahlt hat, so ißt er sie. —

Lieber schiel als gar blind. —

Es ist für das Holz schlimm, wenn es am Feuer einen Gegner hat. —

Das Weib ziert ein hübsch Gesicht, den Mann die Wahrhaftigkeit. —

Gold gilt überall, Ruhm nur im Vaterland. —

Lieber ein offenbarer Räuber, als ein heimlicher Dieb. —

Die die Schnepfen fangen, auf deren Tisch kommen sie nicht. —

Meine Gurke ist mir lieber als deine Kantelupe. —

Dem Hungrigen schmecken die Saubohnen besser als dem Satten die Zuckerschoten. —

Wer auf einer goldenen Pfeife bläst, der lockt alles Volk herbei. —

Wie der Archimandrit ist, so ist sein Kloster. —

Wenn man bei den Bären vorüber ist, ist man noch nicht den Wölfen entgangen. —

Der Narr verlangt von der Küste, was das Meer nicht einmal giebt. —

Man muss Kwas trinken, wenn man kein Bier hat. —

Wo man Heu erntet, kann man kein Stroh ernten. —

Gestohlener Speck macht auch fett. —

· Man kann sich eher von seinem Aussatz befreien, als von seinen Vorurtheilen. —

Es wird mehr der Sünder wegen zum Kirchgange geläutet, als der Frommen wegen. —

Nicht Jeder, der Georg heifst, ist ein Heiliger. —

Wer nicht schon fromm ist, eh' er ins Kloster geht, wird nicht fromm werden, wenn er darinnen ist. —

Wer sechs Tage Kantelupen afs, ifst den siebenten die Arbuse. —

Man mufs auch dem Teufel sein Recht lassen. —

Nicht jeder Garten ist ein Obstgarten. —

Des Brauers Frau mufs saueres Bier trinken. —

Wer dem Hunde das Fleisch giebt, der mag selbst die Knochen nagen. —

Es hat nicht Jeder gestohlen, der nach Sibirien geht. —

Es hat Mancher eine Tenne, aber kein Korn darin. —

Man macht nicht aus jedem Seidenzeug ein Brautkleid. —

Wer sein Horn mit Gold überziehen kann, hat keines. —

Man fühlet die Küsse und ahnt nicht die Wehen. —

Hat der Geizige das Gansfleisch gegessen, so möchte er auch die Federn essen. —

Auch der beste Arzt kann nicht alle Krankheiten heilen. —

Wer die Zarenkrone macht, der trägt sie nicht. —

Wo die Rebhühner fehlen, mufs man sich mit Trappen begnügen. —

Wer den Spatzen die Brosamlein kürzt, dem wird Gott die Brote kürzen. —

Kaufe keine griechische Seife bei dem russischen Seifensieder! —

Schwinge den Klöpfel, wenn die Glocke klingen soll. —

Ziehe dich nicht nackt aus, Töchterchen, du wollest denn ein Bad nehmen. —

Besser schnell gehen als langsam fahren. —

Auch auf des Kaisers Tisch kommt der Kaviar unvergoldet. —

Nicht jeder Offizier ist ein General. —

Der Teufel erscheint uns gewöhnlich schwärzer als er ist. —
Das Gold nennt das Silber weißes Gold und das Silber
nennt das Gold gelbes Silber. —
Die Gurke möchte wohl für eine Tochter der Melone
gelten. —
Wenn du Tannenreiser steckst: dann hoffe nicht auf den
Schatten eines Birkenwaldes. —
Dem Stör wäre der Menschen Haß lieber als der Men-
schen Liebe. —
Wer am Strande steht, kann das Meer sehen. —
Wer die Thiere nicht liebt, wie will der die Menschen
lieben? wer die Menschen nicht liebt, wie will der Gott
lieben? —
Das ist kein guter Krieg, wo man den Don verlieren und
den Donez gewinnen kann. —
Nicht jeder Fürst ist ein Großfürst. —
Wer sich zum Gaul macht, dem will jeder den Sattel
auflegen. —
Fürst Kawkasow (scherzhafte Personificirung des Kauka-
sus) hat einen großen Magen, es gehen noch viele Russen
hinein. —
Theer und Ruß sind erbitterte Feinde. —
Man nennt das Kloster heilig, aber nicht der Mönche
wegen. —
Auch der Teufel blendet, aber nur, wenn er in einer
goldenen Kutte kommt. —
Der Wind verscheucht den Nebel und Arbeit den Trüb-
sinn. —
Ein goldenes Huhn legt diamantene Eier. —
Mein Grummet gilt vor deinem Gras. —
Der Bach, der bis zum Teich kommt, meint, er bilde ein
Meer. —
Der Frauen Bart gilt nicht. —
Die Bäuerin säet den Flachs und die Gutsfrau erntet das
Hemd. —
Eidamsrecht geht vor Sohnesrecht. —

Die Zwiebeln beschafft man leichter als den Kaviar. —

Decke deinen Gast mit deinem Hemd zu, wenn du keine Pferdedecke hast. —

Es ist ein böser Gast, dem des Wirths Tochter nicht so heilig ist als die eigene. —

Wenn deines Wirths Tochter dir nicht als Schwester gilt, so gelte sie dir als Tochter. —

Grolle nicht über die Traugebühren, denn du bezahlst dadurch das Brautrecht mit. —

Mache dein Weib nicht zu heiss, sonst verbrennt es dich. —

Ist die Reise zurückgelegt, lobt man den zerpeitschten Gaul. —

Hänge dich nicht an den Haken, sonst schneidet man Schinken aus dir. —

Den Rubeln läuft die Ehre nach. —

Du magst deinen Gast im Dunkeln empfangen, aber hinaus sollst du ihn mit Licht geleiten. —

Mit einem armen Freier schlafen, heisst die Sitte verletzen, mit einem reichen Freier schlafen, heisst ihm gerecht werden. —

Wenn sich dein Weib theilt, dann doppele sich deine Liebe. —

Verhülle das Angesicht deines aussätzigen Gastes, damit ihn kein spöttischer Blick treffe. —

Ein guter Wirth füllt seinem Gaste beim Abschied den Mund mit Brei, damit er ihm nicht zu danken habe. —

Schaue nach deinem Freunde vom Dache aus, aber biege dich nicht so weit vor, dass du in den Hof hinabfallest. —

Kratze deinem Gaste das Haupt, aber verspeise nicht seine Läuse. —

Wider Blindheit hilft auch die goldene Brille nicht. —

Wenn des Zaren Kuh auch nur ein Euter hat, so hat sie doch fünf Zitzen. —

Schenke dem lahmen Geizhals eine Krücke und er wird sich die Stube damit heizen. —

Der Reiche bedarf keines Köders, wenn er Fische fangen will." —

Ich wende mich jetzt schließlich zu den kleinrussischen Sprichwörtern, die in der sogenannten *slobodischen* Ukraine, oder dem heutigen Gouvernement Charkow, im Gange sind. Es sind ihrer besonders folgende:

„Wenn die Kröte in den Donez kommt, hofft sie, daß ihr ein Schild wachsen werde. —

Mein Uklei im Donez ist mir lieber als alle Rothflossen im Don.

Die Katze frißt nicht die Hausmäuse allein, sondern auch die Zieselmäuse. —

Trinke Schlehdorntrank, wenn du keinen Kirschwein hast. —

In Isjum*) will jede Beere für eine Weinbeere gelten. —

Man ertrinkt nicht im Donez, wenn man in der Uda liegt. —

Besser seinem vornehmen Gaste den Ofen mit Kuhmist heizen, als ihn frieren lassen, weil man kein Holz hat. —

Der Berg hält sich auch für heilig, auf dem das heilige Kloster liegt. —

Wenn der Narr nach Achtyrka um zu beten kommt, sucht er das Muttergottesbild in neun Kirchen, aber in der zehnten nicht. —

Iß den Honig, Väterchen, den du kannst, und trink den Wermuth, den du mußt. —

Wer heut die Gurken hat, der will morgen auch die Kantelupen haben. —

Nicht alle Raupen sind Seidenwürmer. —

Wenn von der Trappe geredet wird, spannt der Jäger den Hahn. —

Einem geizigen Gast magst du den Reis mit Saflor färben. —

Wer sein Haus von Pulver baut, der komme ihm nicht mit einer Fackel zu nahe. —

Wer selbst viel Taback zieht, raucht wenig. —

Im Winter gilt die Karaseja (das ungefärbte Tuch) für Seide. —

Keine Pferdsdecke so schlecht: des Hetmans Frau würde sich darein hüllen, wenn sie nackt wäre. —

Der Streit zwischen den Gurken und Kürbissen ist eher auszugleichen, als der zwischen den Arbusen und Melonen. —

*) Anspielung auf den Namen isium, der eine Rosine bedeutet. R.

Weil die Natur dir die Kreidefelsen höhlt, so höhle du ihr die Granitberge. —

. Es giebt auch Russen in den Petschenegen-Dörfern. —

Es liebt Keiner so den Salat, dafs er ihn sich von Tabaksblättern bereitete.

Sprich dem Säufer von der Pflaume und er denkt an den Pflaumenwein. —

Bei ihm hilft nur Kohlsuppe wider das Reden. —

Rückenreiben hilft nicht wider kommende Schläge. —

Keine Motte zu bös; sie verläfst den Pelz, wenn sie ihn aufgefressen hat. —

Setz' lieber einen Flicken darauf, als dafs du das Loch anguckest. —

Freue dich, Einbein, du sparst einen Fufslappen. —

Eine strenge Aebtissin macht verlogene Nonnen. —

Wenn der Teufel zu den Nonnen will, so kommt er im Mönchshemd. —

Kleine Seen schäumen sehr. —

Gott hat den Himmel erhöht, damit sich des Zaren Haupt nicht daran stofse. —

Einer Maus ist kein Speck zu fett. —

In der Ebene haben die Berge ein Ende. —

Der Pilz will den Wald belehren. —

Das Gebären ist mühsamer als das Schwangergehn. —

Wenn der Fisch die Angel ansieht, so ist er verloren. —

Was in die Wolken ragt, ragt noch nicht in den Himmel. —

Es ist ein böser Nagel, der sich wider den Hammer auflehnt. —

Blühendem Grase ist keine Blume gerecht. —

In weiten Ländern kürzt Gott die Meilen. —

. Wenn der Nagel nicht dem Hammer verfällt, so verfällt er der Zange. —

Sorge dafür, dafs der erfrorene Wolf nicht aufthaue. —

Ein guter Zahn hält Freundschaft mit der Zunge. —

Der Anfang ist mifsrathen, wenn das Ende fehlschlägt. —

Wer Glück haben soll, erfriert im Eise und thaut im Schnee wieder auf. —

Auch des Zaren Kerze brennt den Himmel nicht an. —

Nach geschehner Meerfahrt giebt es viel kluge Schiffer. —

Sperre das Maul auf, wenn es Brei regnet. —

Das Alter kommt nicht ohne die Jahre. —

Der Knochen, den dir der Gutsherr schenkt, taugt nicht für deinen Hund. —

Es giebt nicht mehr Magen als Mehl. —

Der Adler kann wohl Eulen zeugen, aber die Eule keinen Adler. —

Die Räder einer fremden Telege haben schwache Achsen. —

Der Sturz treibt deine Mühle, aber das Wasser überschwemmt mein Feld. —

Die Ruthe ist dein, aber mein ist der Rücken. —

Es erntet nicht immer Garben, wer Aehren säet. —

Wenn der Teufel den Dudelsack spielt, tanzt das ganze Kloster. —

Dem Armen sind auch die Pilze zu theuer. —

Der Lebende liegt auf den Steinen, der Todte im Sarg. —

Wer es dem Acker giebt, dem giebt er's wieder. —

Die Kuh war zwar unfruchtbar sieben Jahre lang, als sie aber ertrunken war, hätte sie kalben können. —

Der Wald giebt Pilze und Beeren zugleich. —

Wenn man satt ist, schneidet man den Brei. —

Es hat sich noch kein Adler an den Wolken das Haupt zerstoßen. —

Es gehört mehr dazu, Amme zu sein, als Brüste haben. —

Der Funke fängt Feuer, der ins Pulver fliegt. —

Jeder lobt die Unbestechlichkeit, aber Jeder hält die Hand in der Tasche. —

Es hat seinen Grund, daß das Schwein im Koth wühlt. —

Es giebt mehr Fische als Ottern. —

Der Teufel liebt Herrensuppe und nicht Bauernbrei. —

Es ist eine gute Ehe, wo die Frau von den Würsten spricht, wenn der Mann vom Kraute redet. —

Die Grofsen machen es wie der Wolf, fehlen die Schafe, wird der Schäfer gefressen.

Hundert Hiebe schmerzen wenig, wenn man sie einem fremden Rücken diktirt. —

Hast du keine Bohnen, Väterchen, ich nehm auch mit Nüssen, vorlieb. —

Wer es in die Stube scheinen läfst, dem sendet Gott grofse Schneeflocken. —

Lobt die Hebamme; sie liefs zwar die Mutter sterben, aber ein Kind lebt doch von den Zwillingen. —

Reichthum macht einen Buckel unsichtbar. —

Besser Pillen vom Stör als vom Arzte. —

So heifs brennt keine Liebe, dafs sie den Ofen heizt. —

Liebe achtet des Regens nicht, Ehe fühlt schon die Tropfen. —

Wenn es der Geizhals auch wohl bis zu den Haspen bringt, so bringt er es doch nicht bis zur Thür. —

Der Wolf liebt das Schaf mit dem Magen mehr als mit den Nieren. —

Wie man's seinen Gästen giebt, so giebt man's Gott. —

Heize deinem Gast mit deiner Krücke ein, so wird dir Gott ein gesundes Bein geben." —

Während von den so eben verzeichneten kleinrussischen Sprichwörtern auch das genauere provincielle Verhältnifs mir angegeben wurde, sind mir noch einige andere mitgetheilt worden, wo die örtliche Beziehung nicht hervorgehoben werden konnte. Sie haben, da ihnen das lokale Gepräge fehlt, daher auch mehr einen universellen Charakter, der dennoch, da auf kleinrussische Sitten und Zustände häufig Bezug genommen wird, meist getreulich den kleinrussischen Typus durchscheinen läfst. Man vermifst auch hier die Komik und den Mutterwitz nicht, der die übrigen Sprichwörter der Kleinrussen, so wie die der Grofsrussen, auszeichnet und darf sich auch bei ihnen nicht an natürlicher Geradheit, rauher Rüge des Unrechts und einen gewissen Cynismus stofsen, da bei der Sitteneinfalt des Volkes und ihrer Abgeschlossenheit von

den kultivirteren Verhältnissen des Westens, wo das Laster
sich oft hinter einer gleifsenden Hülle zu bergen weifs, jener
Cynismus mehr den Charakter der Biederkeit trägt als den
der Plattheit und Gemeinheit. Eigentlich frivole, obscöne und
zweideutige Sprichwörter giebt es weder bei den Grofsrussen
noch bei den Kleinrussen. Vielleicht geschieht es auch, weil
ihre Sprache der französischen Polirtheit und Doppelsinnigkeit
entbehrt, dafs Wortspiele so selten und ungewöhnlich sind,
und eigentlich mysteriöse Sprichwörter fast gar nicht vorkommen, indem alles, was der Russe in Versen und in Prosa
sagt, klar und erkennbar zu Tage liegt, wie das Gold oder
das Silber *), welches der Ural spendet.

Ich will nun auch einen Theil der kleinrussischen Sprichwörter gedachter Art folgen lassen, um dadurch die vorher
aufgestellte Sammlung zu completiren und sie überhaupt zu
einer so reichhaltigen und vollzähligen zu machen, dafs sie
Jedem, der einen ruhigen und prüfenden Blick auf sie wirft,
ein klares Bild von dem Geiste und Wesen der kleinrussischen
Sprichwrter abzuspiegeln im Stande sei.

Ich führe folgende Sprichwörter an:

„Reiche Leute taufen ihre Kinder auch in Wasser. —

Zum Nachbar ladet man leichter ein ganzes Dorf, als zu
sich einen einzigen Gast. —

Wenn die Babka gebähren will, genugt sie sich selbst nicht. —

Lösche den Kienspan, Väterchen! dann verliert deine
Frau ihren Buckel. —

Wer den Dudelsack spielt, ist nicht mit beim Tanze. —

Ein französischer Frack decket mehr Schande als ein
russischer Kaftan. —

Wer die Heirath im Schlafe macht, der empfängt die
Kinder im Traume. —

Wenn dir der Gutsherr den Gaul schenkt, behält er den
Schwanz für sich. —

Es verhilft nicht zur Frömmigkeit, wenn man eine Nonne
zur Mutter hat. —

*) Gediegen Silber kommt aber kaum am Ural vor.   E.

Setze die Leiter noch so grad, du wirst doch nicht zum Himmel steigen. —

Wer den Schnee schwarz nennt, wie nennt der den Ofenruſs? —

Es wird nicht aus allem Fleisch Wurst gehackt. —

Setze den stummen Frosch in' den Zarenteich und er wird quaken. —

Es raupt Mancher der Nachbarn Kohl und läſst seinen die Würmer fressen. —

Man darf jeden Berg für einen Ural halten, in dem man Gold findet. —

Es ist ein schlechter Wirth, der nicht etwas Honig den Bienen zurückläſst. —

Eine Honigzelle macht keinen Bienenbau. —

Da die Bienen schon Wachs und Honig machen, möchte der Geizhals, daſs sie auch Meth bereiteten. —

Gottchen, laſs die Birkenreiser gedeihen, damit man uns nicht Ruthen aus Eisen binde. —

Sehen schützt vor Stolpern nicht. —

Kein Fleisch so theuer als das Mittelstück *). —

Die Vornamen vergehen, aber nicht die Nachnamen. —

Wenn der Nagel in den Balken kommt, meint er, er werd' ihn spalten. —

Die Narren machen die Messe reich. —

Wenn die Narren nicht wären, hätten die H..en schlechte Zeiten. —

H..enliebe reicht nicht über die Rubel hinaus. —

Mit weiſsem Speck fängt man Mäuse und mit rothem Narren. —

Der Weisen Narrheit hat keine Geltung. —

Einen Narren braucht man nicht zu kaufen, man hat ihn schon an sich selber bezahlt. — .

Narrheit wäscht sich nicht so leicht ab, wie Schelmen-farbe. —

---

*) Media pars femininae carnis, h. e. cunnus.

Wenn ein Narr sich im Meer badet steigt ein Geck heraus. —

Wenn der Narr sich verpuppt, kommt ein Schurke hervor.—

Aufgewärmte Freundschaft schmeckt wie abgestandener Kohl. —

Wo das Glück auf der Telega sitzt, bedarf der Iswoschtschik keiner Peitsche. —

Das Glück versteht es wohl auf der Landstraße zu fahren, aber nicht in den Stall einzulenken. —

Die Sterlede werden billiger, wenn die Störe gedeihen. —

Wenn Freundschaft zu jäh verläuft, bricht sie den Hals. —

Liebe und Kwas säuern leicht. —

Wenn man die Liebe auch in den Busch jagt, sie kehrt doch ins Dorf heim. —

Wenn die Liebe erst an der Thür ist, so ist sie auch auf der Landstraße. —

Wenn die Liebe sich nach dem Bett sehnt, so geschieht's nicht Schlafshalber. —

Lege die Sense nicht an des Nachbars Heu. —

Geschenktes Grummet gilt vor eigenem Gras. —

Mit fremder Seife kann man sich auch reinwaschen. —

Wirf den Pelz nicht fort, weil die Schaben darin sind. —

Er warf den Kopeken in den Brunnen und zog den Rubel hinaus. —

Es wird den Soldaten an den Rücken geschrieben, was die Offiziere sündigen. —

Ein Stör ist auch ein Fisch. —

Der Starost mag's wohl leiden, wenn du ihn Väterchen Zar nennst. —

Unser Väterchen ist nicht allein Zar, er ist auch Russe. —

Meide das Wort Knute, wenn du mit dem Gepeitschten dich unterredest. —

Ein Fünklein setzt eine Tenne in Brand, zehn Eimer löschen denselben nicht. —

Wenn der Geizhals den Bären durch den Wald laufen sieht, so berechnet er bei sich, was die Tatze gilt. —

Der Bauern Dudelsack gilt mehr als des Gutsherrn Hinterer. —

Wenn Mancher das dem Herrgott thäte, was er dem Zaren thut, würd' er gleich ein Heiliger. —

Der Bauern Hunger setzt wohl eine Leiter an des Gutsherrn Scheune an. —

Ein gutes Hungern, Väterchen, geht dem schlechten Stehlen vor. —

Wer sich in des Juristen Schatten legt, muſs ihm Kühlungsgebühren zahlen. —

Mit ist zuweilen schlimmer als Ohne. —

Der Fuchs friſst die Traube nicht, an die er gebunden wird. —

Sperre den Wolf in den Schafstall und er wird suchen, in den Wald zu entwischen. —

Fährst du mit deiner Telege in den Sumpf, Väterchen, so fahre mit ihr auch wieder heraus. —

Wenn Scham nicht auf den Lippen ist, so ist sie auch nicht auf den Wangen. —

Es ist ein schlimmer Wolf, der die eigenen Jungen auffriſst. —

Wenn das Schäflein ein Wölflein finden will, da braucht es nicht lange zu suchen. —

Wer nach Unglück ausgeht, findet es im Dunkeln leichter als mit Licht. —

Die dritte Brust giebt Gott nicht, wenn er auch das dritte Kind giebt. —

Es ist ein böser Schäfer, der den Wolf zum Gastfreund hat. —

Eine schelmischer Mönch findet unschwer eine schalkische Nonne. —

Auch dem Weisen wachsen Eselsohren, wenn man ihn allzusehr lobt. —

Zu Entschuldigungen ist auch der Dümmste klug genug. —

Mit dem hundertsten Jahre geht man wieder in sein erstes. —

Der Bauer, den der Gutsherr lobt, ist Goldes werth. —
Narrenlist verräth sich wie Mäusedreck. —
Was man sich selber thut, dazu findet man immer Zeit. —
Man merkt's wohl am Staube, wo der Pilz gestanden
hat. —
Es braucht Einer den Kwas nicht selber bereiten zu kön-
nen, um zu finden dafs er versäuert ist. —
Wenn Wein im Don flöfse, würden die Schöpfkellen
theuer sein. —
Es muss sich erst entscheiden, ob das Kind ein Mönch-
lein oder ein Nönnlein ist, mit dem die Nonne schwanger
geht. —
Der Nonne Grofsmutter war auch eine Nonne und der
Nonne Enkelin will auch eine Nonne sein. —
Eine fleifsige Nonne findet Zeit zum Gebären, wenn der
Mönch lange genug mit ihr betet. —
Die Mäuse rächen sich an den Katzen erst, wenn die
Katzen todt sind. —
Man schimpft den Hund nicht, wenn man ihn Flöhtrāger
nennt. —
Ein Hungertag hat 48 Stunden, ein Freistag nur 12. —
Das Fasten wird denen leicht, die an's Essen nicht ge-
wöhnt sind. —
Durst macht Kwas zu Krymschem Champagner. —
Hunger ist eine Ruthe, Durst aber ein Schwert. —
Wer des Zaren Schwein isset, mufs den Schinken zehn
Jahre lang bezahlen. —
Wer den Löwen auf die Tatze tritt, der ist verloren. —
Man gäbe nicht einen Kopeken für ihn, wenn er auch
einen Rubel in der Hand hätte. —
Ein blinder Gaul findet auch wohl ein Haferkorn, aber
ein blindes Schwein findet immer den Koth. —
Zarinnen gehen nur mit Grofsfürsten schwanger. —
Ein todter Wolf beifset nicht mehr. —
Ein blöder Wolf wär' übel berathen. —

Wirf eine räudige Katze vom Dach herab und sie wird leben bleiben. —

Wenn Gott es auch Kwas regnen liefse: es würde doch den Bauern an Schöpfkellen fehlen. —

Wo die Henne kräht, kann der Hahn schweigen. —

Das Gackern der Henne weckt nicht. —

Hennen und Jungfern mufs man zeitig ein Nest machen, damit sie nicht in die Nesseln legen. —

Wenn der Wolf zur Wölfin kommt, vergessen sie beide der Schafe. —

Des Fürsten Buckel drückt auch auf die Bauern. —

Wer im Donez ertrinken soll, ist vor dem Schiffbruch auf dem Don sicher. —

Eine verbotene Gurke schmeckt besser als eine erlaubte Kantelupe. —

Frösche quaken mehr, wenn sie Fliegen sehen als wenn sich das Wetter ändert. —

Deines Gastes Bitte mufst du erfüllen, ehe er sie ausspricht. —

Wer so viel Wasser hat, wie die Fische, verlernet das Trinken. —

Rufe nicht Wolf, du habest denn sein Fell in Händen. —

Schlage nicht mit dem Stock ins Meer, sonst besprützest du dich. —

Brand bei Brand giebt ein helles Feuer. —

Es wird Keiner trunken, der aus einer leeren Flasche schöpft. —

Man kann auch aus einem Becher trinken, sagte der Säufer, und — griff nach dem Krug. —

Wer viel Birken hat, achtet der Reiser nicht. —

Nicht jedem Gast wird ein Stör vorgesetzt. —

Erst ist es billig aus des Nachbars Teich fischen, danach aber theuer. —

Er ist so stolz wie der Dreck, der aufs Feld gefahren wird. —

Wer sich mit Koth wäscht, bekommt keine weifsen Hände. —

Wenn der Wolf das Holz verläfst, thut er's der Schafe wegen. —

Die Ehe um des Fleisches willen, gilt vor der um des Geldes willen. —

Es ist Mancher daheim klug, der sich draufsen als Narr gebehrdet. —

Im Tanze entfällt keiner ein Kind. —

Der Lahme sieht nicht gern dem Tanze zu. —

Er heifst wohl Rublew, gilt aber nicht zehn Kopeken. —

Wer die Heiligen schon auf Erden findet, der bedarf des Himmels nicht. —

Flicke die Freundschaft noch so geschickt, sie wird doch immer wieder reifsen. —

Viel Kinder machen den Brei dünn. —

Die des Geldes halber freit, wird bald mit Reue schwanger gehn. —

Wer einen Stehler bestiehlt, begeht wohl ein Unrecht, aber keinen Diebstahl. —

Hast du siebzig Werst zu gehen, so nimm sechzig für die Hälfte. —

Es trinkt sich aus eines Andern Milchtopf wie aus einem Brunnen. —

Wenn du dich auch bis an des Gutsherrn Stiefel bückst, so meint der Gutsherr doch, du habest dich noch nicht tief genug gebückt. —

Man ehret den Kirschbaum nicht allein des Schattens wegen. —

Zum Ertrinken braucht auch der Faulste nicht lange Zeit. —

Giebst du deinem Weibe die Ruthe in die Hand, so entblöfse auch deinen Rücken. —

Wer seinem Weibe das Hemd nimmt, thut es vielleicht nicht, um ihr den Rücken zu streichen. —

Wer zum Ambofs bestimmt ist, ist auch dazu bestimmt, geschlagen zu werden. —

Der Hammer schlägt nicht das Eisen allein, er schlägt auch den Ambos. —

Wenn Alter nicht vor Narrheit schützt, so schützt es auch nicht vor Schlägen. —

Alter schützt eher vor Kindern als vor Liebe. —

Lieber mit zehn jungen Narren verkehren als mit einem alten. —

Wirf den Rubel zur Erde und du wirst Nikolai treffen, wenn du Georg treffen willst. —

Der Anfang macht nicht das Meisterstück, sondern das Ende. —

Aus einem stolzen Hintern fahren sechsspännige F..ze. —

Das Dorf ist auf dem Kirchhof zu suchen, welches den Arzt zum Erben setzt. —

Die Frische des Nabels gilt nicht, wenn der Leib welk ist. —

Es schlüpft keine Schlange aus dem alten Balg, bevor der neue da ist. —

Der ganze Mensch besteht nur aus Kopf, Bauch und Beinen. —

Was dem Nagel nicht gelingt, gelingt dem Bohrer. —

Ein kleiner Brunnen reicht aus, wider grofsen Durst. —

Bunt ist keine Farbe. —

Fürst sein ist mehr als Zar heifsen. —

Wenn du deiner Heerde feindlich gesinnt bist, so gieb ihr zwei Hirten. —

Ein witziger Wolf frifst zuerst den Schäfer. —

Gleitender Hirt, strauchelnde Heerde. —

Zu einem silbernen Nichts findet die Hoffnung gleich eine goldene Lade. —

Auf dem Gaul der Hoffnung kann man hundert Werst weit reiten, ohne dafs Einem der Hintere schmerzt. —

Der Krückenträger verachtet das Krummholz nicht. —

Halt es mit dem Teufel, Väterchen, wenn du neben der Hölle wohnst. —

Zählen vermehrt nicht das Geld. —

Wo es glatt ist, muß man fest auftreten. —

Väterchen, was klagst du über deinen Leichdorn, meine Schuhe sind ja weit. —

Schlachte die Henne, die gackert und keine Eier legt. —

Wann die Frau vom Teich spricht, denkt die Magd an die Enten. —

Der Ochs hat sich nicht zu beklagen, wenn man ihn Hörnerträger nennt. —

Hunger macht Haferbrei zu Reiskuchen. —

Es hilft nichts zum Kaufhof gehen, wenn man kein Geld hat. —

Auf eine silberne Frage gehört eine goldene Antwort. —

Der erste Freund der beste. —

Was hilft die Mühle, wenn kein Wind geht? —

Es hat sich schon Mancher eine Kette bereitet, der das Eisen geschmiedet hat. —

Wer einmal im Don gelegen hat, geht auch durch die Furt des Donez mit Zagen. —

Wenn der Wagen über's Eis fährt, sind die Pferde in gleicher Gefahr wie der Kutscher. —

Schad' um meine Fähre, rief der Fährmann, als er mit sammt den Fahrgästen untersank. —

Das erste Kind möchte man mit Wein taufen. —

Zu einer hölzernen Kirche gehört ein goldener Heiliger, wenn die Messe besucht sein soll. —

Man macht die Bauern zu Fürsten, wenn man sie zu gut hält. —

Wenn der Arme unter den Daumen der Reichen kommt, geschieht es ihm wie einer Laus. —

Liebende haben auch Augen bei Nacht, wenn nicht für Andre, so doch für sich. —

Wer Schrecken in des Nachbars Haus trägt, öffnet sich selbst eine Thür zur Furcht. —

Liebe sieht den Kropf der Braut erst, wenn die Braut den Buckel des Bräutigams erkennt. —

Wenn der Geizhals den Wolfspelz verkauft, läfst er sich das Schaf mitbezahlen, welches der Wolf gefressen hat. —

Der Einer sind wenig, der Nullen viel. —

Hilft das Wiehern nicht, so hilft das Schnauben, sagte das Rofs, als man ihm den Hafer in die Krippe streute. —

Wenn das Moos zum Blühen kommt, schaut es voll Verachtung auf die Rosen. —

Als man der Nachtigall Stimme lobte, fing der Karrengaul an zu wiehern. —

Der Bräutigam hat seine Augen im Herzen der Braut, aber der Ehemann hat sein Herz in den eigenen Augen. —

Die billige Woche (der billige Markt) hilft denen nur, die die Kopeken haben. —

Wo will die Laus prozessiren, wenn man sie grindig nennt? —

Er hält alles für eine Laus, was ihm unter den Nagel kommt. —

Man braucht den Dieb nicht zu geifseln, die Furcht hat ihm schon die Knute auf den Rücken gebunden. —

Jungfernehre ist zerbrechlich wie ein thönerner Pfeifenkopf. —

Da liegt das Glas — schad' um den Thee, der verschüttet ist. —

Der Baum kann auch fallen, ohne dafs man die Axt an ihn legt. —

Er hält jede Staude für Kohl. —

Für einen Lahmen ist's gefährlich auf Stelzen zu gehn. —

Sterben ist eine Kunst, die sich von selber erlernt. —

Als der Stein im Bache grofse Ringe machte, sah der Geizhals seine Finger an und schüttelte den Kopf. —

Es ist ein albernes Schaf, welches vor Rührung weint, wenn der Schäfer den Wolf mit der Keule todtschlägt. —

Wer sich zum Pfau macht, der wisse auch das Rad zu schlagen. —

Es gilt nicht Jeder für einen Missethäter, der eine Kette trägt. —

Wenn das Glück dir den Gaul zäumt, dann wehre der Hoffnung nicht, den Zaum zu ergreifen. —

Stelzbein, mische dich nicht in den Tanz. —

Wer den Kwas kauft, bezahle ihn wie Kwas, wer ihn sich schenken läfst, bezahlt ihn wie Wein. —

Mache dich nicht zur Nessel, Väterchen, sonst wirst du ausgerauft. —

Iss dich satt, dafs du fasten kannst, wenn die Hungertage kommen. —

Wenn die Sonne auch noch so fett scheint, des Armen Brod bleibt doch ungeschmälzt. —

Aus vollen Kannen ist's leichter giefsen als tröpfeln. —

Die Kinder, die die Hoffnung an die Brust legt, bleiben immer Säuglinge. —

Wenn der Narr neun Kegel sieht, will er zehn werfen" *). —

Ich will hier meine Sammlung abbrechen, um sie nicht gar zu weitschichtig ausfallen zu lassen. Auch habe ich die besten Sprichwörter aus jener Sammlung mitgetheilt, und hoffe, ihrer so viele gegeben zu haben, dafs jeder Kenner dieses Zweigs der Literatur im Stande sein wird, hiernach den Werth und die Bedeutung der kleinrussischen Proömien zu bemessen. Sie haben sich, nach meiner subjektiven Auffassung, ihres Daseins nicht zu schämen, da sie alle Bedingungen erfüllen, die man an ein Sprichwort zu machen berechtigt ist. Dafs hie und da eines oder das andere dieser kleinrussischen Sprichwörter den Nagel nicht auf den Kopf, sondern nur zur Seite getroffen haben mag, will ich nicht in Abrede stellen; auch habe ich manche geflissentlich zurückbehalten, in denen

---

*) Das Kegelspiel ist in Kleinrussland nur etwa hie und da unter den dortigen Deutschen bekannt. Das Sprichwort ist also auch aller Wahrscheinlichkeit nach erst aus dem Deutschen ins Kleinrussische gekommen, wie solcher Uebergang auch noch bei mehreren andern der oben mitgetheilten Sprichwörter stattgefunden haben wird, die den fremden Ursprung halb offen, halb versteckt zur Schau tragen.

diese Verfehltheit handgreiflich war. Untersuche man aber
die grofsen Sprichwörterschätze der romanischen und germanischen Völker, und selbst die Rosengärten der in sententiöser
und blumiger Ausdrucksweise so geübten Orientalen: immer
wird man finden, dafs alle jene Schätze neben Gold und
Silber auch geringeres Erz und manche Schlacke zur Ausbeute liefern, und dafs selbst diese Rosenhaine, den von
Saadi nicht ausgeschlossen, neben vollen und üppigen Rosen
auch einige kümmerliche Disteln zur Schau tragen. Wie sollte
also wohl die slawische Literatur von dem eine Ausnahme
machen, was ein hervorstehender Zug und eine gemeinsame
Eigenschaft aller Literaturen zu sein scheint? Ich hoffe jedenfalls, durch die Verzeichnung der hier gegebenen, so reichhaltigen Sammlung kleinrussischer Sprichwörter, die hier zum
ersten Male vor das Forum der Oeffentlichkeit treten, mir
ein eben solches Verdienst um die slawische Literatur wie
um die Sprichwörterkunde überhaupt erworben zu haben, wie
jüngsthin durch die Mittheilung meiner ebenfalls in Russland
angelegten Sammlungen von Sprichwörtern der Grofsrussen
und der Bulgaren. Es würde die Anerkennung dieses kleinen
Verdienstes für mich ein Sporn sein, auch meine übrigen reichhaltigen Sprichwörterlesen, die ich aus Russland mitgebracht,
und die fast sämmtliche slawischen und finnisch-tatarischen
Sprachen umfassen, zur baldigen Mittheilung zu bringen, was
ich um so lieber thun würde, da mir im gegenwärtigen Augenblick einige Luft und Mufse zu literarischen Produktionen gelassen ist.

Einige Notizen über Astrachan und dessen Umgebungen.

von

N. Jer-kow*).

„**H**eute, am 2. October**), regnete es von 11 Uhr an, mehr als eine Stunde lang sehr heftig — in Astrachan eine seltene Erscheinung. Eine Viertelstunde nach dem Ende des Regens waren aber die oberen Strafsen schon fast trocken. Der salzige **Staub** (puil) welcher hier den ungepflasterten Boden in

---

*) Wir entnehmen dieselben als Probe aus einem Buche welches in Moskau 1852 unter dem Titel: „Astrachan i Astrachanskaja gubernia, opisanie" etc., d. h. Astrachan und das Astrachanische Gouvernement, Beschreibung der Gegend und des dortigen geselligen und häuslichen Lebens, wie sie während eines elfmonatlichen Aufenthaltes angefertigt wurde von N-i Jer-kow. 1. Lieferung 176 Seiten. 8. Die Erwartung auf einigermafsen wichtige oder auch nur anschauliche Mittheilungen aus jenem, in neurer Zeit wenig besuchten, Landstrich, wird durch diese Schrift keinesweges erfüllt, indem der Verfasser derselben viele Dinge die sich von selbst verstehen (wie ärmliche Wirthshäuser, ungepflasterte Strafsen u. dgl.), aufs breiteste bespricht, und dagegen Characteristisches (wie die klimatischen und Boden-Verhältnisse, die Beschäftigung der Asiatischen Einwohner und vieles ähnliche) theils gar nicht berührt, theils äufserst oberflächlich und in planloser Unordnung.

**) Die Data sind nach neuem Styl umgesetzt.

den Strafsen $3\frac{1}{2}$ Zoll (2 Werschok) hoch (!!) bedeckt, hatte alle
Feuchtigkeit in sich gesogen, und ein leichter Wind hatte auch
die Oberfläche getrocknet. Es erscheint dies als ein aufserordentlicher Vorzug, wenn man bis dahin nur den Koth gekannt hat, der die Petersburger und Moskauer Strafsen im
September, October und November bedeckt. — Freilich hin-
terläfst aber der Regen auch hier in den unteren Strafsen,
z. B. auf dem Strande (na kosje) südlich vom Kreml, bei der
Armjanischen Brücke u. s. w. nie austrocknende, stinkende
Pfützen. Sie hindern die Fufsgänger wenig (!) — aber das
Fahren um desto mehr." —

„Ich will Ihnen bei dieser Gelegenheit ausführlich berichten was ich von dem Astrachanischen Klima erfahren habe.
Die Hitze und Trockenheit desselben sind bekannt — ich habe
aber noch hinzuzufügen, dafs es hier sehr unbeständige Winde
giebt. Sie erheben sich plötzlich nach langen Windstillen,
ändern sich dann häufig und werden äufserst beschwerlich.
Ohne dieselben wäre das hiesige Wetter ein wunderbar schö- ·
nes. — Man darf aber, gerechter Weise, nicht unerwähnt
lassen, dafs Astrachan ohne diese Winde völlig unbewohnbar
wäre *) — weil dann die Hitze um die Mitte des Sommers
unerträglich werden würde. — Jene Winde haben" (je nach
ihrer Richtung) „besondere Namen. Der nördliche wird wer-
chowoi" (d. h. der von oben oder zu Thal wehende) „genannt;
der südliche welcher der wüthendste, eigensinnigste und an-
haltendste ist, heifst Morjana" (d. h. der Seewind, von more,
das Meer), „der westliche heifst Gorny" (oder der Bergwind),
„und der östliche der Saraitschik. Der Regen kommt am
häufigsten mit dem Westwind, wesshalb denn auch der Westen
der Gniloi ugol, d. h. der faule Winkel genannt wird **). —

---

*) Der sinnlose Widerspruch der obigen Zeilen steht wörtlich so in dem
Originale — wie alles zwischen „ " gesetzte.

**) Auf Kamtschatka ist es der Ostwind der Gnilaja pogoda, d. h. das
faulige Wetter genannt wird. Vergl. Erman Reise etc. Abthl. I.
Bd. 3. S. 247.

Alle diese Winde sind nicht nur ziemlich unangenehm, sondern auch einigermaſsen schädlich. Der feine, salzhaltige Staub den sie aufwirbeln, erzeugt Augenkrankheiten, um so mehr da derselbe auch ohnedem" (bei ruhiger Luft?) „den Sommer über zu den hiesigen Plagen gehört. Man kann sich auch in den Zimmern nicht vor ihm retten und wenn man die Möbel in denselben auch zwanzig Mal täglich abfegt, so findet man sie doch noch $1\frac{3}{4}$ Engl. Zoll (1 Werschok) hoch davon bedeckt(!!)".

„Gewitter sind hier selten und von kurzer Dauer: bisweilen ereignen sich aber auſserordentlich heftige."

„Der Frühling fängt um die Mitte des März an *). Die Wolga verliert dann ihr Eis. Die Pflanzen werden grün und die Obstbäume bedecken sich mit üppigen, schneeähnlichen Blüthen um die Mitte des April. Das Wetter bleibt bis gegen Ende des Mai sehr angenehm und die Wärme mäſsig, demnächst beginnt aber die Hitze, mit windstillen, unerquicklichen und beklemmenden Nächten. Die Wolga und durch sie auch alle kleinere Flüsse und Bäche treten aus und überschwemmen eine ungeheure Fläche. Diese Ueberschwemmung der Umgegend von Astrachan, dauert bis gegen Ende Juli und bisweilen sogar bis zur dritten Woche des August. Dann nimmt auch die Hitze wieder ab; die Nächte werden erfrischender, während das Wasser nicht bloſs zu seinem mittlern Stande sinkt, sondern auch bald darauf bis zu der entsetzlichen Seichtheit, die ich bei meiner Fahrt nach Astrachan" (auf der Wolga), „nur allzu sehr kennen lernte."

„Man darf aber die Austritte des hiesigen Flusswassers nicht mit zu wenigen Worten abfertigen. Sie sind eine groſs-artige und in vielen Beziehungen bemerkenswerthe Erscheinung: namentlich wegen ihres Einflusses auf die Beschaffenheit des angränzenden Bodens. Man beachtet jetzt den Nutzen den man aus diesem Verhältniss ziehen könnte, noch zu we-

---

*) Auch diese und die folgenden Zeit-Angaben sind in sogenannten neuen Styl umgesetzt.

nig. In der Zukunft werden aber die Anwohner der Wolga
gewiss einsehen, was eine jährliche Ueberstauung von fast
dreimonatlicher Dauer und bis zu 14 Fufs Höhe zu leisten im
Stande ist *)."

„Es wird schon noch einmal dahin kommen, dafs man
hier die Nil-Reservoire oder ungeheueren künstlichen Seen
nachahmt. Solche Bassins wären aber von einleuchtendstem
Werthe, in einer wie die hiesige, von der Sonne verbrannten
und während funf Sommer-Monaten fast jeden Wassers beraubten Gegend."

„Uebrigens sind aber jene Ueberschwemmungen auch
schon jetzt von sehr wohlthätiger Wirkung. Sie ereignen
sich in der Jahreszeit, in der die kleineren Fischarten aus dem
Kaspischen Meere aufwärts in die Wolga steigen, um ange-
messene Stellen zu suchen, in denen sie, wie man hier sagt,
spielen und laichen. Das austretende Flusswasser führt nun
Millionen dieser ziemlich dummen aber äufserst wohlschmek-
ken Creaturen bis auf weite Entfernungen von der Wolga,
wo sie dann eine wohlfeile, oder richtiger ganz kostenfreie,
Nahrung darbieten und dabei noch vortreffliche Belustigungen
gewähren könnten. Der unendlich ergiebige Fischfang würde
nämlich während der schönen Abende, welche hier grade um
jene Jahreszeit eintreten, und oft auch während mondheller
Nächte, unbeschreiblich reizend sein."

„Bis jetzt wird er freilich nur in beschränkter Weise und
fast ausschliefslich von den Armjanen ausgeübt."

„Ausserdem beginnen mit den hiesigen Ueberschwemmungen auch der Handelsverkehr und die Schifffahrt. Die Sand-
bänke in der Wolga verschwinden. Die Dampfbote kommen
in 5 bis 8 Tagen von Nijne Nowgorod nach Astrachan, des-

---

*) Die ehemaligen Bewohner der dortigen Gegend schienen aber doch
    zu dieser Einsicht geeigneter als die jetzigen, denn jene waren (wie
    auch der Verfasser nicht umhin kann zu bemerken) sowohl zahl-
    reicher als auch cultivirter wie die letzteren.

                                                D. Uebers.

sen Rhede sich dann mit einer unzähligen (?!) Menge von
Fahrzeugen der verschiedensten Dimensionen belebt. Vom
13. Mai an gehen die Dampfbote der Kriegsflotte zweimal
monatlich am 13. und 27. jedes Monates, in See. Die Niederungen an der Wolgamündung sind überschwemmt und
überall wimmelt es von Boten. Der mittlere Theil der Stadt
wird zu einer Insel, die ringsum mit Erddämmen umgeben
ist. Man befrachtet die Fahrzeuge für die Nijne'er Messe und
bugsirt sie stromaufwärts. — Kurz überall ist Bewegung und
Leben."

„Mit der Abnahme des Wassers vern.indert sich auch,
wie ich schon gesagt habe, die Wärme der Luft und das Wetter bleibt dann bis gegen Ende des November, fast unverändert."

„In der letzten Woche des November wird es regnerisch,
auch nehmen die Nachtfröste zu und man hat bisweilen
Schnee*). ·Die Wolga gefriert meistens in der 2. oder 3. Woche
des December **). — Die Winterkälten steigen, wie man mich
versichert hat, auf —25° bis —30° Réaumur — doch glaube
ich dies nicht ganz. Der diesjährige Winter war ungewöhnlich gelinde, indem es vom 12. December bis zum 12. Januar
gar nicht fror. — Erst später stieg die Kälte und erhielt sich
längere Zeit auf —14° bis —22° R. — Am 12. December
hatte sie übrigens auch schon —24° R. betragen." —

„Mein Wirth forderte mich heut" (am 30. September) †)
„zur Besichtigung seines Weingartens auf. Er liegt 3 Werst

---

*) 1836 fiel bis zum 21 Februar kein Schnee; 1850 schneite es dagegen
schon am 18. November.

Anm. d. Verf.

**) In dem Winter von 1830—1831 gefror sie dreimal, nämlich am 4.
und 17. December und am 4. Januar. Im Winter von 1836—1837
zweimal, gegen Ende December und am 19. Januar; 1850 gefror die
Wolga am 6. December, konnte aber erst in der dritten Woche des
Januar betreten werden.

Anm. d. Verf.

†) Das Obige steht in dem Russischen Buche ohne Zusammenhang mit,

von der Mitte der Stadt gegen S.O. von derselben — in der Steppe, aber umgeben von vielen ähnlichen Gärten. Wir machten uns um 4 Uhr Nachmittags auf den Weg. Das Wetter war heiter aber ziemlich windig, so daſs der Spaziergang weniger Annehmlichkeiten hatte als bei warmem Wetter. Die Familie meines Begleiters hatte sich vor uns aufgemacht, und wir wurden von ihr, bei unserer Ankunft, auf dem Balkon eines zweistöckigen hölzernen Sommerhauses, mit Thee bewirthet. In eben diesem Gebäude befinden sich auch die Räume zur Aufbewahrung des Obstes und der Trauben."

„Der Garten umfaſst etwa zwei Desjatinen*) und ist ohne groſse Ansprüche auf schönes Ansehn, mit Weinstöcken und mit Birnen, Duljabirnen und Kirschbäumen bepflanzt, zwischen denen auf Beten: Arbusen" (Wassermelonen) „Melonen und Spanischer Pfeffer gesäet sind. Der Anbau des letztern bildet hier einen sehr wichtigen Theil der Gärtnerei. Die gesammte Pflanzung ist mit einem Schilfnen Zaune umgeben — einer Eigenthümlichkeit der hiesigen Gegend, in der das sogenannte „Küstenschilf" (primorskoi Kamysch) eine wichtige Rolle spielt — und innerhalb derselben liegen, auſser dem erwähnten zweistöckigen Hause, noch eine halb verfallene Hütte und der unausweichliche tschigir."

„Der Tschigir — diese nicht ganz dumme Erfindung — ist ein höchst einfacher Mechanismus zum Begieſsen der Gärten in diesen Ländern. Man hat ihn von zweierlei Art, nämlich

     1) mit einem Pferdegöpel

und 2) mit Flügeln nach Art einer Mühle.

Seine Einrichtung ist, wie gesagt, sehr einfach. Ueber einem

---

und vor dem bisher mitgetheilten — scheint aber nach den spärlichen Klimatischen Bemerkungen an passenderer Stelle.

D. Uebers.

*) Dieses scheint der Verfasser zu meinen, obgleich er das fragliche Maaſs nicht 2 Desjatiny, sondern 2 desjatki, d. h. wörtlich zwei Zehner nennt.

D. Uebers.

Bache, an dem Ufer desselben oder über einen gegrabenen Brunnen von geringer Tiefe — (das Wasser zeigt sich hier sehr nahe unter der Oberfläche, indem man bis auf dasselbe nur 2,3 bis 4,6 Engl. Fuſs tief zu graben hat) *) — werden in senkrechter Lage zwei hölzerne Räder auf einerlei Axe befestigt, die in einem gegenseitigen Abstande von 10,5 bis 14 Engl. Zoll, unter einander mit dünnen Querhölzern verbunden sind **). Auf diese Querhölzer wird ein starkes Strick gelegt, dessen Enden so verbunden sind, daſs er unten 3 bis 4 Zoll (2 Werschok) tief in das Wasser des Baches oder Brunnens reicht. An diesen Strick sind, in gegenseitigen Abständen von 2,3 Fuſs (1 Arschin), länglich-viereckige, hölzerne Eimer oder sogenannte „Schöpfer" (R. tscherpala) „befestigt, so daſs, wenn jene zwei Räder die gleichsam einen ausmachen" (d. h. die Trommel) „anfangen sich zu bewegen, die Schöpfgefäſse eines nach dem andern in das Wasser getaucht, mit denselben gefüllt, bis an den Umfang des Rades †) und demnächst bis auf den höchsten Punkt desselben gehoben werden. Dort werden sie allmälig geneigt und zuletzt völlig umgekehrt und gieſsen dadurch das Wasser, welches sie geschöpft haben, in ein an jenem Orte, in einer Höhe von 1 bis 2 *Sajenen* aufgestelltes hölzernes Reservoir ††). Aus diesem flieſst es in einer

---

*) Ob die Angabe von: um nur 2, 3 Fuſs unter der Oberfläche liegendem Grundwasser mit der vielfachen Klage des Verfassers über dürren und staubendem Boden zusammen zu reimen ist, bleibt der Entscheidung des Lesers überlassen. Es soll hier, wie bei andren Behauptungen von ungereimten Ansehn, nur für treue Wiedergabe des Originales gestanden werden.

D. Uebers.

**) Mit weniger unbehülflichen Worten: eine gegen 1 Fuſs breite Trommel auf horizontaler Axe.

D. Uebers.

†) So steht im Russischen, obgleich es doch nun der Räder oder richtiger der Trommel heissen müsste.

D. Uebers.

††) Hierdurch und noch mehr aus dem Folgenden, erfährt man endlich indirekt, daſs die horizontale Axe des Tschigir — auf irgend eine

schwach geneigten, auf Stützen ruhenden Rinne, ergiefst sich
an dem höchsten Punkt des Gartens und wird endlich
von demselben, gleichfalls in geneigten hölzernen Rinnen, die
auf dem Boden liegen, nach allen Winkeln und Stellen des
Gartens wo man zu begiefsen hat, geleitet. Die senkrechten
Räder" (die Trommel) „werden, wie schon oben gesagt, entweder durch Pferde oder mittelst Flugel, wie an einer Wind-
mühle, bewegt. Ohne diese Tschigir wächst hier keine einzige Pflanze — aufser Waldbäume und wilde Gesträuche."

„Die Hitze ist hier im Sommer ganz entsetzlich. — Von
Ende Mai bis zum Anfang des August und auch wohl bis noch
später, wächst die Lufttemperatur fortwährend und steigt bis
zu $+26°$ bis $+30°$ Réaumur. Der Himmel ist dann fast ohne
Ausnahme unbewölkt. Regen fallen hier äufserst selten wiewohl bisweilen in grofser Menge."

„Jetzt entbehren alle diese Gärten und die Weinpflanzungen in denselben jeden Reiz für das Auge, denn sie befinden
sich in ihrem traurigen Herbstkleide. Nur selten und an einzelnen Stellen sieht man noch auf dem verwelkten Grün, die
malerischen Trauben von glanzloser dunkelgrüner oder dunkel-
blauer Färbung. Die Reben selbst sind meist überall schon
auf den Boden gebogen und dicht mit Stroh oder geflochtenen
Matten bedeckt, um sie vor den Winterkälten und den sogenannten Schurgany *) zu schützen. Im Frühling, der hier
in gröfster Schönheit blüht (!) — und namentlich gegen Ende
des März, werden die Reben wieder abgedeckt, mit dünnen
Bastschnüren an lange, nicht hohe (d. h. nur 2,5 Arschin über

---

Weise, die gerade einer Beschreibung bedürft hätte — in einer beträchtlichen Höhe, von mehr als 1 bis 2 Sajenen, über dem Boden,
getragen wird.
                                        D. Uebers.

*) Dafs dieses Wort die Schneestürme bedeutet, die in Sibirien purgy
genannt werden, ist wahrscheinlich, wird aber von dem Verfasser
dem Gutdünken überlassen.
                                        D. Uebers.

der Erde liegende) Querhölzer (perekladiny) gebunden). In
den ersten Wochen des Mai machen sie dann Ausläufer und bedecken sich mit smaragdenem Grün. Dann sind
diese Gärten bezaubernd mit ihren stolzen (!) und vortrefflichen Spalieren (rainy), ihren Obstbäumen die in unbeschreib-
licher Fülle mit weifsen wohlriechenden Blüthen bedeckt sind,
ihren mahlerischen Tschigiren und den sie umgebenden, klaren Bächen. Sie sehen dafs man hier den Weinstock nicht
ohne Mühe und Ausgaben unterhält. Aufser dem beschriebenen Abbinden und Niederlegen, mufs man ihn auch noch
wiederhölentlich und mit Sorgfalt beschneiden, während er
sich entwickelt und etwa sechs Mal begiefsen. Hierzu werden jedes Mal eine ziemliche Anzahl von Arbeitern gemiethet."

„Es ist betrübt dafs ich genöthigt bin, zugleich mit den
Schönheiten und Reichthümern der hiesigen Natur, zu erwähnen: dafs sie fortwährend abnehmen und verfallen.
Von allen Seiten höre ich versichern, dafs unablässig Schwierigkeiten, deren man hier von allen Seiten begegnet **);
die Einwohner verhindern ihre Weingärten zu bearbeiten und
dafs von diesen daher während der letzten Zeit in der Umgebung der Stadt Astrachan, immer mehr und mehr eingegangen sind. Nach den Reden der" (Russischen) „Bewohner
hätte sich auch das hiesige Klima verändert. Die Winter
wären erst seit den dreifsiger Jahren des gegenwärtigen Jahrhunderts fürchterlich kalt geworden, das Wasser sei ausgetrocknet und die Kosten des Begiefsens würden durch
die Einnahmen vom Verkauf nicht mehr gedeckt. Traurige
und bedauernswürdige Thatsachen, welche ich durchaus nicht

---

*) Wenn diese Beschreibung nicht ganz unverständlich bleiben soll, so
  mufs man wohl auch annehmen, dafs die Reben daselbst, parallel
  mit dem Boden, in einer Höhe von etwa 6 Fufs über demselben liegen.   D. Uebers.
**) Deren nähere Schilderung aber doch von einigem Interesse gewesen
  wäre!   D. Uebers.

glauben mag, weil Einem von dergleichen Behauptungen so
schwer ums Herz wird *). Nach dem was ich selbst gesehen
habe, sind alle diese Angaben nur unredliche Ausflüchte durch
welche man die wahre, bittere Ursache aller jener Uebelstände
verhüllen will. Sie haben sie wahrscheinlich schon errathen.
Es ist der eingewurzelte und, nicht auszurottende Mangel an
Muth zu jeder anhaltenderen Arbeit, die apathische Sorglosig-
keit und der unüberwindliche Gleichmuth, durch welche
sich der Charakter der Bewohner der hiesigen Gegend sowohl, als auch leider! einiger anderen Provinzen von Russland auszeichnet **).

Der Verf. läfst nun einige historische Bemerkungen über
die Gärtnerei und den Weinbau bei Astrachan folgen, welche
ihrer ganzen Anordnung und meistens auch den einzelnen
Worten nach, mit denjenigen übereinstimmen, die wir in diesem Archive Bd. I. S. 668—680 mitgetheilt haben. Sie sind
offenbar aus demselben Russischen Aufsatz entnommen †) —
dennoch aber durch einige kleine Auslassungen und Ein-
schaltungen so wesentlich entstellt, dafs sie zu ganz falschen
Vorstellungen über den in Rede stehenden Gegenstand führen würden. Herr Jer-kow unterdrückt nämlich zuerst aus
dem von ihm benutzten Aufsatze die Worte dafs der Weinbau
für Russland überhaupt „mit der Unterwerfung von Astrachan" begonnen habe ††). Er umgeht dadurch die doch wohl
ausgemachte Thatsache, dafs jene und gewifs noch manche
andere Industrie in dem eroberten Lande (wenn auch eben
nicht grade bei der jetzigen, höchst verkommenen, Hauptstadt
desselben), ebenso wie in der Krym und in Transkaukasien,

---

*) Auch dieser sonderbare Ausdruck ist wörtlich übersetzt.
                                          D. Uebers.
**) Diese doch allzuschwülstige Umschreibung des Wortes Trägheit, ist
an einigen Stellen ein wenig abgekürzt.   D. Uebers.
†) Istoritscheskoe obosrenie mjer prawitelstwa k' pooschtschrenija i pr.
sadowodstwa in Jurn. Minist. gosud. imuschestw.
††) In diesem Archive Bd. I. S. 668.

von den türkischen und anderen ihnen verwandten Eingebornen, seit uralten Zeiten betrieben worden ist. So wie die
Spanier so haben auch die Russen überall von den Muhammedanern, die sie besiegten und verdrängten, einige einfache
Kunstfertigkeiten. vollständig angenommen, während sie andre,
von ihnen nur unvollständig erlernten oder doch seitdem nur
mangelhaft ausgeübt haben. Es ist nicht ohne einiges Interesse, dafs man noch jetzt, von der einen Seite bis nach An-
dalusien, und von der anderen bis in die Umgebungen von
Moskau, den gemeinsamen Ursprung dieser seltsamen Erbschaften an ihrer vollständigsten Uebereinstimmung erkennt:
so beispielsweise die sehr eigenthümliche (Korbähnliche) Form
der Weifsbrote in den südlichen Spanischen und in den mittleren Russischen Provinzen, des jetzigen Spanischen — oder
richtiger Spanisch-Maurischen — Feuerzeuges (aus wol-
ligen Spiral-Gefäfsen von Gräsern) mit dem Russisch-Ta-
tarischen in Sibirien u. v. a. — Zu eben diesen Türkischen Erbschaften und zwar (wiederum gleichmäfsig
in beiden Ländern) zu den schlecht angetretenen und
in Verfall gekommenen, gehört aber nun vor allem der Gartenbau, da wo er künstlicher Bewässerung bedarf. — Sollte
Herr Jer-kow wirklich nicht wissen, oder was veranlafst
ihn nicht wissen zu wollen, dafs der Tschigir, den er so mühsam beschreibt, eine anerkannt Türkische Erfindung ist? Dafs
derselbe eben deshalb von jeher nach der einen Seite in den
Asiatischen Steppen, in Buchara, in Chiwa und bis nach dem alten
Karakorum zur Erziehung der üppigsten Gärten, trotz der re-
genlosen Sommer gebraucht wurde, und nach der andern
zur Anlage und zur Erhaltung der vegas von Valencia, Murcia und Granada? — Die Spanier gestehen ganz offen, oder
verheimlichen doch keineswegs, dafs jetzt diese prachtvollen
Produkte der künstlichen Bewässerung nur defswegen auf ein
Viertel ihrer ehemaligen Ausdehnung geschwunden, ja in
vielen Distrikten durch Wüsten ersetzt sind, weil man bei
der Ausrottung der Muhamedaner, auch von den tschigirs, die
dort Noria's genannt werden eine grofse Anzahl das Schicksal

16 *

ihrer Erfinder theilen liefs *). Herr Jer-kow umgeht aber ein
solches Geständniss auf einem sehr lächerlichen Wege. Er
läfst die Astrachanischen tschigir's (wahrscheinlich also auch
deren Türkischen Namen?) erst von einem, wie er behauptet,
von der Russischen Regierung nach Astrachan geschickten,
Deutschen Gärtner erfinden. — Was erst wir dem Lande
geschenkt haben, mögen wir schon eher wieder eingehen lassen — so dürfte der Verfasser wohl gedacht haben, indem
er eine Stelle des oben erwähnten Aufsatzes folgendermafsen
abändert. — Anstatt der Worte: „1640 hatte der Weinbau um
Astrachan schon so sehr zugenommen **), dafs sich die Einwohner einen Deutschen Winzer Namens Jakob Botmann
kommen liefsen; um 1669 machten sie u. s. w. †)" liest
man bei Herrn Jer-kow „1640 hatte der hiesige Weinbau
schon eine solche Bedeutung, dafs ausdrücklich" (für denselben) „der kunstreiche Gärtner Jakob Botmann hierher geschickt wurde, welcher dann auch die witzigen tschigiri ein-
führte." —

Anstatt aber länger bei diesen, kaum der Widerlegung be-
dürfenden Angaben über die Geschichte der hiesigen Cul-
turverhältnisse zu verweilen, wollen wir lieber aus dem vorliegenden Buche noch einige bezeichnendere Thatsachen
hervorheben, die man, nicht ohne Mühe, zwischen den werth-
loseren und zuweilen ganz müfsigen Phrasen, darin vorfindet.
Zum 27. September heifst es: „Heute gab mir mein G......
Demjanki, d. i. eine hiesige Armjanische ††) Speise,

---

*) Da wo die Noria's zugleich ein Badehaus mit Wasser versorgten,
   wurden sie sogar auf ausdrückliche Verordnung, von Staatswegen als
   ein Apparat zu unchristlichen Religionsübungen zerstört. Vergl. u. a.
   in: Rochau: Vertreibung der Morisco's aus Spanien.
**) Wohl eher: „schon wieder so zugenommen."
†) In diesem Archive Bd. I. S. 668.
††) Hier ist zu bemerken, dafs der Verfasser an vielen Stellen seines
    Buches alles dasjenige Armjanisch nennt, was von irgend einem der
    verschiedenen Nichtrussischen Theile der jetzigen Bevölkerung her-
    stammt.

welche auf verschiedene Weisen zubereitet wird. Roh hat
diese Frucht *) eine abgeplattet eiähnliche Gestalt und eine
violette Farbe. G.... setzte mir einige Exemplare davon
vor, die in Butter (oder Oel (?) Russ.: w'maslje) gebraten und
mit geriebenem Zwieback bestreut waren. Der Geschmack
dieser (nur) hier einheimischen Frucht schien mir erträglich
und sogar angenehm. Man kann die Demjanki salzen und
abkochen wie Pilze (!?) — indem man sie verschieden zubereitet, wie mir meine deutsche Wirthin versicherte." — So
wenig auch diese Notiz einer botanisch brauchbaren ähnlich
sieht, so gewinnt sie doch einiges Interesse, wenn man anderweitig weiſs, daſs es ein groſses Solanum (angeblich Solanum Melongena) ist, welches bei Astrachan unter dem
Namen Demjanka von Alters her gebaut wird. Auch dieses
ist nämlich entweder identisch oder doch aufs nächste verwandt mit einem für ganz Spanien und demnächst auch für
einen Theil von Frankreich äuſserst wichtigem Gartengewächse:
dem Solanum Lycopersicum, welches in Castilien und in Valencia
Tomatera genannt wird und dessen Früchte, zugleich mit denen des auch in den Astrachanischen Weinbergen cultivirten
Spanischen Pfeffers (Capsicum grossum — oder pimentero
der Spanier) einen beträchtlichen Theil der von den Mauren
eingeführten Volksnahrung ausmacht.

Eine gleiche Uebereinstimmung und dabei in geringerem
Maſse, der Zweifel über den Antheil den an derselben entweder die klimatische Aehnlichkeit des Südens von Europa
mit dem Süden des jetzigen Russland gehabt haben könnte,
oder die nachgewiesene Verwandtschaft der ersten cultivirten
Bevölkerung beider Landstriche — findet sich ferner in dem
Anbau der Cucurbitaceen. — Melonen und Wassermelonen,
deren ursprüngliche Heimath in Kaukasien, d. h. in einem
Theil des alten Chanates von Astrakan gewesen zu sein
scheint, sind denn auch jetzt noch in den verarmten Restern
desselben nahe eben so häufig, wie in den ähnlichen von

---

*) Wörtliche Uebersetzung.

Murcia und Granada. — Auch hat sich — während die Verarbeitung der Seide und Baumwolle, die Salpeter- und Sei-
fenfabrikation und viele andere Asiatische Industrieen in Granada bedeutend gesunken sind in Astrachan aber, der vorliegenden Beschreibung zu Folge, sogar spurlos vergessen zu
sein scheinen*) — von den genannten Früchten sogar noch
eine sekundäre Benutzung, und in ihr eine Aehnlichkeit jener beiden Gegenden erhalten, die Herr Jer-kow folgender-
maßen erwähnt: „Trotz des ungeheueren Reichthums an”
(wohlschmeckenden) „Obstarten lieben die Astrachaner aufs
äußerste, rathen Sie was? die Kerne der Arbusen oder
Wassermelonen. Sie tragen dergleichen stets mit sich in
ihren Taschen und kauen sie überall im Hause, auf den Stras-
sen und, wie man mich von einigen Armjanischen Stutzern
versicherte, auch im Theater.” Es ist dasselbe Bedürfniss einer
mehligen Nahrung bei starker Wärme, welches überall in Spanien zu derselben Sitte und noch ausserdem zum Kauen von
rohen oder halbrohen Erbsen, Bohnen, Maiskörnern u. dgl.
und zur Ausstellung von dergleichen bei den Wasserverkäufern
veranlasst.

Um endlich unseren Lesern jedes Verlangen nach den
Stellen von Herrn Jer-kows Buch die wir ganz mit Stillschweigen übergehen, zu benehmen, folgt hier Alles, was er
über das Salzvorkommen in der Astrachanischen Gegend und
somit über eine sehr bemerkenswerthe und kaum hinlänglich
verstandene Erscheinung zu sagen gefunden hat:

„In den gränzenlosen Astrachanischen Steppen giebt es
viele Salzschlamme (soljanyja grjasi), die man Gaki nennt, und
viele Triebsande. Die Ryn-peski haben 400 Werst Breite,

---

*) Im Jahre 1808 soll es in Astrachan doch noch mehr als 24 Fabriken
gegeben haben, die, in einer von Altersher daselbst einheimischen
Weise, Seiden-, Baumwollen- und Leder-Waaren darstellte. Die sogenannte Tatarische Seife war noch ein bedeutender Exportartikel
und eine 60 Werst von der Hauptstadt gelegene Fabrik lieferte
30000 Pud Salpeter jährlich.   D. Uebers.

und nahe an ihrem nördlichen Ende liegt der Hauptsitz des Chanes der inneren Kirgisen Orda."

„Der Boden der hiesigen Steppen enthält fast überall Salzstellen. In dem Gouvernement (Astrachan) zählt man überhaupt 1327 Salzstellen und deshalb giebt es in demselben auch so viele Salzseen und zwar namentlich in dem

Astrachaner	Kreise 136 benannte und	2 namenlose
Krasnojarsker	. - . 83	- . - 484 - .
Tschernojarsker	- 1 - .	- 5 . -

zusammen also 711 Salzseen. Ausserdem giebt es in dem Jenotajewer Kreise den Salzberg Tscheplatschi."

„Alles dieses beweist, dafs die hiesige Gegend ehemals den Boden des Kaspischen Meeres bildete welches fortfährt sich continuirlich zu erniedrigen [*]) und ungeheure Landstriche, die ehemals überschwemmt waren, zurückzulassen." Von dem Ansehn und der Beschaffenheit dieses sogenannten Salzschlammes, erfährt man also nicht ein Wort — ebenso wenig wie von Allem, was ein zum Beobachten geeignetes oder gar ein geübtes Auge voraussetzt!

---

[*]) Dafs das Gegentheil bewiesen ist, haben wir oft erwähnt. Vergl. u. a. in d. Arch. Bd. I. S. 676; II. 433; III. 1 u. f.

Die Stadt Kutais und die Imeretier *).

Kutais, die Hauptstadt des ehemaligen Königreichs Imeretien, gehört zu den ältesten Ortschaften in ganz Transkaukasien, indem sie ihren Ursprung bis zu den Zeiten des Orpheus und der Argonauten zurückfuhrt. Sicher ist, dafs sie schon von Strabo erwähnt wird und dafs in der Umgegend um die Mitte des sechsten Jahrhunderts n. Chr. blutige Schlachten zwischen den Heeren Justinians und des persischen Königs Chosroes Nuschirwan geschlagen wurden. Was Schönheit der Lage betrifft, so hat Kutais selbst in dem pittoresken Kaukasus kaum seines Gleichen. Zum Theil auf einem Felsen, zum Theil auf den bewaldeten Anhöhen des Flusses Rion erbaut und von der mannigfaltigsten Scenerie umgeben, bietet es fast auf jedem Schritt dem Landschaftsmaler neue Themata dar; die prächtigste Ansicht aber eröffnet sich von den Gipfeln der Berge Sekedy, Kowlazminda und Zminda-Georgis, am rechten Ufer des Rion. Von dort aus erblickt man wie in einem herrlichen Panorama die Stadt, die sie umgebenden waldreichen Hügel, welche sich stufenmäfsig über einander erheben und im Norden durch Felsenwände begränzt werden, das weite Thal des Rion, das sich wie ein endloser Garten 80 Werst gegen Westen erstreckt und mit der Küstenlinie

*) Auszug aus einem Aufsatze des Vice-Gouverneurs von Kutais Gnilosarow im „Kawkasskji Kalendar."

des Schwarzen Meeres verschmilzt, endlich die Achalzycher
Gebirgskette, deren in blauen Nebel gehüllte Schneegipfel
einen grofsen Theil des Jahres hindurch ihren blendenden
Glanz hinabwerfen. Alles dieses zusammen bildet ein Gemälde, von welchem auch Der die Augen nicht abzuwenden
vermag, der sich an die majestätische Natur gewöhnt hat.

Der Rion wurde von den Griechen Phasis genannt,
aber nur bis zum Dorfe Warzicha, wo der Flufs Quirila sich
in ihm ergiefst, den sie irrthümlich für den Phasis hielten,
während sie dem wahren Phasis von dort ab den eingebornen
Namen Rion liefsen, der so viel als reifsend bedeuten soll.
Diese Etymologie ist auch in der That nicht unwahrscheinlich,
da der Rion wirklich mit grofser Rapidität fliefst. Von dem
Flecken Oni, wo seine Quellen sich befinden, hat er auf einer
Strecke von 130 Werst einen Fall von ungefähr 2300 Fufs,
so dafs auf jede Werst im Durchschnitt etwa 18 Fufs kommen. Am reifsendsten ist er an einigen Stellen, wo er, zwischen Felsen eingeengt, cataractenartig herabstürzt, und selbst
bei der Stadt Kutais, in welcher er aus einer dicht bewaldeten, höchst malerischen Schlucht eintritt, ist die Strömung so
stark, dafs die aus Ratscha und Letschgum kommenden Schiffe
oft an den Klippen zerschellt werden. Nicht selten ertrinken
auch unvorsichtig Badende, deren Körper man erst in weiter
Entfernung auffindet. Besonders furchtbar und erhaben ist
der Rion zur Zeit der Frühlingsregen, wenn der Schnee
schmilzt: indem er sich bei Kutais bis zu einer Breite von
130 *Sajen* ausdehnt, erhebt er sich 8 Fufs über sein gewöhn-
liches Niveau und rollt mit donnerndem Getöse und Gebrüll
seine schäumenden, gelblich trüben Wellen dahin, auf welchem
zahlreiche Balken und Baumstämme treiben. Die Liebhaber
des Pittoresken versammeln sich dann am Ufer, um die stürmischen Fluthen anzustaunen, während speculative Geister
aus dem Volk an den weniger bewegten Stellen hölzerne
Haken in der Form eines Ankers hineinwerfen, um das Treib-
holz aufzufangen. Für die Kinder ist dies ein wahres Fest,
das sich drei- oder viermal im Jahre wiederholt. Desto trau-

riger ist es für diejenigen, deren Land fortgeschwemmt, deren Gärten, Mühlen und Häuser zerstört werden, was ziemlich häufig vorkömmt. Die stärkste Fluth trat im Jahr 1842 ein; die Vorstadt Bolachowan und das Judenviertel wurden ganz überschwemmt, und das Wasser stieg, wie man versichert, um 17 Fufs. Zur Sommerzeit dagegen ist der Rion ziemlich rnhig, obwohl er nie aufhört zu brausen. Seine gröfste Breite beträgt dann bei Kutais 30 Sajen, die geringste 18 Sajen; die Tiefe ist verschieden, aber keinenfalls bedeutend, da sich an einigen Punkten Furthen bilden. Das Wasser ist kalt und zum Trinken äufserst gesund, wird aber in Folge der Regen schmutzig, weshalb die Einwohner das Brunnenwasser vorziehen. Der Rion durchströmt Kutais auf einer Ausdehnung von 3 Werst 150 Sajen und hat zwei steinerne Brücken: die erste, alte, wurde noch von den imeretischen Zaren erbaut, verbindet die alte Stadt mit der neuen und besteht aus einem 12 Sajen langen Hauptbogen und vier kleineren; die zweite ist auf Befehl des Fürsten Woronzow erbaut und erst im Jahr 1851 eröffnet worden. Sie dient zur Verbindung der Stadt mit dem Rionthal, durch welches die Strafse nach den Häfen des Schwarzen Meeres führt, hat eine Länge von 38 Sajen und liegt auf drei hölzernen Bogen mit steinernen Pfeilern. Sie kostete 25000 Silberrubel, welche Summe aber mit dem Nutzen, den sie der Stadt bringt, in keinem Verhältnifs steht. Jenseits dieser Brücke liegt eine weite Ebene, auf der sich jetzt ein neuer Stadttheil bildet; mit einem Aufwande von 160000 Rubeln wird ein grofsartiges Hospital erbaut, ein Platz ist zur Errichtung einer Kaserne gekauft und zur Anlegung einer Soldatenvorstadt geschritten worden.

Das Weichbild von Kutais ist nicht genau bestimmt; wenn man jedoch die Anfangs 1852 gezogene Octroilinie als Gränze annimmt, so hat die Stadt eine unregelmäfsige Gestalt, liegt auf einem theils gebirgigen, theils ebenen Boden und mifst 9 Werst 472 Sajen im Umfang. Der Flächeninhalt dieses Raumes beträgt 641 Desjatinen und 645 Quadratsajen, wovon 21 Desjatinen 1040 Quadratsajen auf einen kleinen

Platz und auf die Strafsen, 293 Desjatinen 810 Quadratsajen
auf die Gebäude und Gärten kommen; der Rest ist von dem
Flufs, den Friedhöfen und wüstem Lande. eingenommen. Der
Werth des Bodens ist verschieden; im Mittelpunkte der Stadt
gilt die Quadratsajen gegen 10 Rubel, in entlegeneren Theilen von 1 Rubel bis auf 25 Kopeken herab. Uebrigens sind
diese Preise erst seit der Erhebung von Kutais zur Gouvernementsstadt eingetreten; vor dieser Zeit wurde hier das
Land für eine Kleinigkeit verkauft, indem man eine Baustelle,
die jetzt 2 bis 300 Silberrubel kostet, für 100 Rubel oder noch
weniger haben konnte. Nur in dem katholischen Viertel und
der Judenstadt hatte der Grund und Boden immer einigen
Werth, weil diese Stadttheile an sich nicht sehr grofs sind,
die Bevölkerung sich stets vermehrt und Keiner sich gern von
seinen Glaubensgenossen trennen will.

Mit seinen Strafsen kann sich Kutais nicht brüsten; sie
sind alle schmutzig, holprig und unregelmäfsig. Es giebt freilich stellenweise Pflaster; welches aber nur in der Absicht gelegt zu sein scheint, den Fufsgängern bei schlechtem Wetter
die Möglichkeit zu gewähren, von einem Steine zum anderen
zu springen. Da hier früher keine Equipagen existirten, so
hat man natürlich nicht daran gedacht, die Strafsen fahrbar
zu machen, und auch heute findet man aufser der Carosse des
Gouverneurs nur drei oder vier Privat-Droschken und einen
Miethswagen, der Euch immer zu Diensten steht, wenn das
Wetter gut ist und Jedermann zu Fufse geht, dessen Ihr aber
bei schlechter Witterung nur nach langem Warten und mit
grofser Schwierigkeit habhaft werden könnt. Die Eingebornen, selbst die vornehmsten Fürstinnen nicht ausgeschlossen,
unternehmen alle ihre Ausflüge zu Pferde; man kennt hier
nicht einmal die grusischen Arben, die in der Gegend von
Tiflis so gebräuchlich sind und in welchen die dortigen Kal-
batoni nach ihren Landsitzen fahren. Die imeretischen Arben
hingegen sind, trotz ihrer Aehnlichkeit mit den griechischen
Kriegswagen, ganz elende Fuhrwerke, die nur deshalb Erwähnung verdienen, weil sie, vorne auf zwei hölzerne Unterlagen

gestützt, das Pflaster noch mehr verderben und die Wege immer unfahrbarer machen. Nur wegen einer einzigen Eigenschaft kann man den hiesigen Strafsen dankbar sein: sie trocknen nämlich in Folge der abschüssigen Localität schnell ab und ein zweiwöchentlicher Koth verschwindet fast in einem Tage. Uebrigens wird jetzt eine schöne Chaussée vom Hause des Gouverneurs bis zur neuen Brücke, d. h. beinah durch ganz Kutais auf einer Strecke von über 500 Sajen, angelegt, mit bedeckten Gossen und zwei Arschin breiten Trottoirs von behauenen Quadersteinen. Aufserdem wird eine Kunststrafse von dem rothen Bache (Krasnaja rjetschka) aus auf der Route nach Tiflis gebaut, die den steilen Eingang in die Stadt ausgleichen und sich dann mit der neuen Chaussée vereinigen soll. Alles dieses wird nicht nur den Einwohnern wesentlichen Nutzen bringen, sondern auch zur Zierde der Stadt gereichen, namentlich wenn längs dem Wege Bäume gepflanzt und die unförmlichen Zäune durch eine lebendige Hecke ersetzt worden sind. Dann wird Kutais eine ganz andere Gestalt annehmen und die unbedeutenden hölzernen Hütten der Imeretier werden sich wie niedliche Lauben darstellen.

Man zählt in Kutais 481 Häuser, worunter nur 15 steinerne; die übrigen sind von Holz und nach der gewöhnlichen imeretischen Methode gebaut. Die hiesige Architectur ist recht hübsch; die Gebäude bestehen meistens aus anderthalb Stockwerken, die Mauern aus glatt behauenen Bohlen; die geräumigen Balcone sind mit zierlichen Geländern und Säulen versehen und bilden, namentlich wenn sich das Weinlaub um sie rankt, den besten und schönsten Theil des Gebäudes. Sie dienen als Empfangszimmer für die Gäste und als Lieblings-Aufenthalt der Familie; hier sieht man vom Morgen bis zum Abend mit Handarbeit beschäftigte Frauen, spielende Kinder und an Feiertagen die geputzten Schönen Imeretiens. Die Balcone erfüllen hier denselben Zweck, wie die flachen Dächer in der Altstadt Tiflis. Das Innere der Häuser ist gleichfalls recht niedlich; die Zimmerdecken sind meistens mit Schnitzwerk verziert und nicht selten durch viereckige Kuppeln mit

geschmackvollen Ornamenten gebildet; die grofsen, weiten
Kamine erinnern an das Mittelalter und sind aus glatt be-
hauenem Stein verfertigt, in welchen mancherlei hübsche Arabesken geschnitten sind. Ein solches · Häuschen gewährt zur
Sommerzeit einen wahrhaft reizenden Anblick; des Winters
aber müssen seine Bewohner von der Kälte.viel leiden, ·da
bei seiner leichten Bauart der Wind an allen Ecken und Enden eindringt. Die Eingeborenen, die hieran gewöhnt sind,
empfinden dies weniger, allein die Russen, welche das Schicksal nach Imeretien führt, müssen hier im Süden weit mehr
frieren, als zu Hause in der Nähe des Polar-Kreises. —
Doch fängt man jetzt an, sich allmälig zu russificiren und die
Häuser etwas fester zu bauen: die Bretterwände werden
ordentlich mit Gyps überstrichen, es werden doppelte Fufs-
böden und Decken angebracht und statt der Kamine Oefen
eingesetzt. Auch einzelne steinerne Häuser sind in der letzten
Zeit eingerichtet worden; es herrscht.indessen hier ein (auch
in Russland nicht unbekanntes) Vorurtheil gegen dieselben,
indem man sie für weniger gesund und wohnlich hält, als die
hölzernen.

. Trotzdem, dafs fast ganz Kutais von Holz gebaut ist, gehören die Feuersbrünste hier zu den Seltenheiten, obwohl
Niemand die geringste Vorsicht dagegen anwendet und die
aus dünnen Latten bestehenden Dächer bei dem schwächsten
Funken wie Pulver auflodern würden. Feuerspritzen sind in
der Stadt ganz unbekannt, und es ist nur die Anordnung getroffen, dafs im Falle eines Brandes die Einwohner mit Eimern
zum Löschen herbeieilen. Auch sind in der ganzen Stadt nur
vier Häuser versichert. Das Bauholz ist in der Umgegend
eben so gut als billig zu haben. Das Fichtenholz kommt aus
Letschgum und Ratscha und ein Balken von 6 Werschok Dicke
und 3 Sajen Länge wird für 1 Rubel 60 Kopeken Silber verkauft, ein Balken Eichenholz von derselben Gröfse für 1 Rubel; 4½ Arschin lange und 1½ Werschok dicke Bretter
kosten: von Nufsholz 1 Rubel 20 Kopeken, von Castanien,
Ahorn·und Selkwaholz 50 Kopeken, von Erlen 15 Kopeken.

Was den Stein betrifft, der zu den Kaminen, Säulen, Strebe-
pfeilern und Bogengewölben gebraucht wird, so gewinnt man
ihn neun Werst von Kutais auf dem Krongut Eklar, und sein
Preis hängt von der Gröfse und Schwere der Fliesen ab. Es
ist ein kleinkörniger, kalkhaltiger Sandstein, und
liefert treffliches Baumaterial; wenn man ihn aus der Erde
nimmt ist er weich; erhärtet jedoch in der Luft, und erhält bei der Behauung eine Art von polirter Glätte. In der
Nähe von Kutais hat man auch einen rothen Stein mit dunkelen Flecken; er wird zu Kaminen verwendet, wo er sich
durch die Hitze des Feuers härtet, in der freien Luft, aber
wird er durch die Feuchtigkeit locker und zerbröckelt sehr leicht.

Kutais zählt 3407 Einwohner, wovon 49 dem geistlichen,
390 dem Adels- und Beamtenstande, 946 dem Bürgerstande
und 1885 zur Klasse der Kron-, Kirchen- und Privatbauern
gehören. Die übrigen sind Leute verschiednen Standes (Ras-
notschinzy), Hofgesinde, verabschiedete Soldaten und Ausländer (15). Von ihnen bekennen sich 1374 zur orthodoxen
(russisch-griechischen), 352 zur armenisch-gregorianichen, 504
zur katholischen und 14 zur lutherischen Confession, 1103 sind
Juden und 60 Muhammedaner. Aufserdem befinden sich in
Kutais verschiedne Militair-Commando's, im Ganzen 948 Mann
stark. —

Man sieht hieraus, dafs Kutais weder grofs, noch volkreich
ist; trotzdem treibt es jedoch einen nicht ganz unbedeutenden Handel mit den Landesproducten Imeretiens. Diese sind
hauptsächlich Getraide, Wein und Seide, welche letztere bei
besserer Verarbeitung eine Quelle des Reichthums für die
Einwohner werden könnte. Der Gartenbau ist zwar ein be-
liebter Industriezweig, steht aber noch auf der niedrigsten
Stufe; man hat Ueberflufs an Obst, aber es giebt darunter
nicht eine Sorte, die sich zur Ausfuhr eignete; sogar die
Weintrauben sind unansehnlich und von geringer Qualität.
Nur die Wallnüsse werden als Handelsartikel benutzt und
haben daher einigen Werth; das Batman wird mit 40 Kopeken, oder ungefähr 2 Kopeken das Pfund, bezahlt. Von gros-

ser Wichtigkeit könnten dagegen die im Distrikt Tkwibul, 40
Werst von Kutais, entdeckten Steinkohlenlager werden, die
sich sowohl durch die Güte des Materials, als durch Reichhaltigkeit der Gruben auszeichnen*). Im Ganzen beschäftigen
sich in Kutais etwa 200 Familien mit dem Handel, der in
262 Läden mit Einschluſs der Werkstätten von Handwerkern
und Professionisten, betrieben wird. In allen diesen Ge-
schäftslocalen befinden sich höchstens für 100000 Rubel Waaren; der jährliche Umsatz mag 60000 Rubel betragen. Der
frühere Handel von Kutais unter den Königen und nachher
unter russischer Herrschaft bis zum Jahr 1824 war völlig —
unbedeutend. Die Lebensmittel waren auſserordentlich billig,
alles Andere aber auſserordentlich theuer. Gläsernes und irdenes Geschirr sah man nur im Hause des Regenten von
Imeretien; die armen Offiziere, die von ihrem Solde leben
muſsten, begnügten sich mit Holzgeschirr, und in den Wohnungen der Fürsten gebrauchte man Sachen, die von Vater
auf Sohn und Enkel übergingen. Mit den vermehrten Bedürfnissen stellte sich auch eine gröſsre Handelsthätigkeit ein;
da aber die Wege über den Kaukasus und durch das Schwarze
Meer damals noch gefährlich waren, so beschränkte sich die
Waarenzufuhr auf Tiflis, woher man vorzugsweise persische
Fabrikate erhielt. Die 1824 erfolgte Erhebung von Kutais
zum Freihafen mit einem Einfuhrzoll von 5 pro Cent gab dem
Handel einen groſsen Aufschwung, und die hiesigen Kaufleute
fingen an, die Leipziger Messe zu besuchen, um dort Waaren
einzukaufen. Die vortheilhafteste Periode für den Handelsstand
von Kutais war der Zeitraum von 1831 bis 1834. Der Auf-
hebung des Freihandels entgegensehend, versorgten sich die
Händler im voraus mit ansehnlichen Waarenvorräthen, die sie
mit einem Gewinn von 50 pro Cent verkauften und dadurch
nicht unbedeutende Capitalien erwarben. Hierauf wandten sie
sich nach Nijne-Nowgorod und bezogen von der dortigen
Messe verschiedene Waaren zum Werthe von etwa 80 bis
100000 Silberrubel, welche sie theils in Kutais selbst, theils

*). Vergl. in diesem Archive Bd. VI. S. 553. E.

in den umliegenden Dörfern verkauften. Obgleich aber die
Stadt seit ihrer Erhebung zum Gouvernementssitz sich sehr
vergröfsert und belebt hat, so ist doch der Verkehr mit Nijne-
Nowgorod einigermafsen in Verfall gerathen, was wohl
hauptsächlich dem Schleichhandel zuzuschreiben ist, der
in den Gränzstädten, so wie von Mingrelien aus, betrieben
wird. Gegenwärtig beläuft sich der Werth der in Nijne an-
gekauften Handelsartikel auf nicht mehr als 60000 Rubel jährlich. Sie bestehen vornehmlich aus Tuch und Seidenwaaren,
aus Porzellan und Krystallgeschirr, wobei noch die Kisten, in
welche man diese Gegenstände packt, eine 'wichtige Rolle
spielen. Sie werden von den imeretischen Bauern mit gros-
ser Vorliebe aufgekauft und bilden bei Hochzeiten einen unentbehrlichen Gegenstand der Mitgift. Ferner ist äufserst starker Begehr nach.— Regenschirmen, da jetzt kein ordentliches
Frauenzimmer auf der Strafse erscheint, ohne einen ungeheuren Regenschirm in der Hand zu haben. Beim Reiten dienen
sie nicht nur, um vor den Strahlen der Sonne zu schützen,
sondern auch um die Reiterin gegen die unbescheidenen Blicke
der Vorübergehenden zu sichern. Dann und wann verirren
sich russische Hausirer nach Kutais, wo sie leidliche Geschäfte
machen. Der bemerkenswertheste unter diesen wandernden
Kaufleuten war ein speculativer Kopf, der mit einem beweglichen Panorama oder vielmehr mit einem einfachen Guck-
kasten ganz Imeretien durchreist und überall grofse Sensation
erregt hatte. Den Imeretiern gefielen sowohl seine Erläute-
rungen, von denen übrigens die Hälfte der Zuhörer nichts
verstand, als die Bilder selbst, auf welchen grüne Paläste, rothes Steinpflaster, russische Soldaten in blauen Uniformen und
ein türkischer Pascha, der, den Turban in die Stirn gedrückt,
mit Courierpferden dahinsprengt, um dem Sultan die Einnahme
von Warna zu berichten, dargestellt waren. „Er mufs aber
dumm sein, dieser Mensch" bemerkte ein Imeretier beim Anblick der ihm vorgeführten Herrlichkeiten. — „Und warum?"
„Er zeigt so wunderschöne Sachen und nimmt dafür nur
einen Schaur (5 Kopeken), während doch Jeder ihm gern

einen Abas (20 Kopeken) gegeben haben würde!" — Am
Schlusse des Schauspiels nahm der Künstler ein Kinderspiel-
zeug aus der Tasche, welches aus zwei Böcken bestand, die
beim Druck einer Feder mit der Stirn zusammenstiefsen —
was er mit der ernsthaftesten Miene und unter dem lebhaften
Beifall der Anwesenden ausführte. So verdiente er ein ganz
hübsches Stück Geld und begab sich dann nach Tiflis, um
von dort aus bis nach Persien vorzudringen. —

Die Imeretier sind noch so, wie sie aus der Hand der
Natur hervorgegangen; die Schule hat nichts, die Kirche nur
wenig für sie gethan. Doch fehlt es ihnen keinesweges an
guten Eigenschaften; sie haben viel natürlichen Verstand, sind
gutmüthig und gastfrei [*]) — ihr Hauptfehler ist eine gewisse
Halsstarrigkeit und Streitsucht, die sie in fortwährende Pro-
zesse verwickelt. Criminalverbrechen sind unter ihnen selten;
in Kutais fielen während des fünfjährigen Zeitraums von 1847
bis 1851 nur sechzehn Diebstähle und eine im Streit zugefügte
Verwundung vor. Man mufs gestehen, dafs dies nicht viel
für eine Stadt bedeuten will, in welcher, aufser den ansässigen Einwohnern, eine Menge Volk aus der Nachbarschaft zu-
sammenströmt, besonders wenn man erwägt, dafs die Diebstähle meist durch die Unvorsichtigkeit der Beraubten verursacht
wurden. Zu den Tugenden der Imeretier gehört auch die
Toleranz oder die Abwesenheit des Fanatismus in Bezug auf
Andersgläubende. Trotz ihrer Anhänglichkeit an die orthodoxe
Religion und ihrer festen Ueberzeugung, dafs diese Glaubens-
form die einzig richtige sei, haben sie niemals die Mitglieder
anderer Secten verfolgt und zu Anfang des 17. Jahrhunderts
sogar den Mönchen des Theatiner-Ordens erlaubt, sich in
Imeretien niederzulassen, mit der Absicht, die Einwohner zum
Katholicismus zu bekehren. Es ist wahr, dafs die Theatiner

---

[*]) Der Verfasser rühmt noch an den Imeretiern, dafs sie nicht phi-
losophiren (ne philosophstwujut), oder wie es ehemals auch im
Deutschen hiefs: „nicht raisonniren". In Folge davon sähen sie dann
in den Russen ihre Brüder und schämten sich nicht ihnen nachzuahmen.

keinen besonderen Erfolg hatten und daſs man gegenwärtig
in Kutais, dem einzigen katholischen Kirchspiel in Imeretien,
nicht mehr als 504 Katholiken beiderlei Geschlechts zählt.
Die hiesigen Katholiken sind meistens armenischen Ursprungs,
was sie aber nicht zugeben wollen — ja, sie fühlen sich durch
diese Benennung beleidigt. Wenn man sie fragt, zu welcher
Nation sie gehören, so ist die Antwort immer: zur Katholischen.
Die Imeretier behandeln sie wie Brüder und machen keinen
Unterschied zwischen ihnen und ihren eigenen Glaubensgenossen; von den Katholiken aber kann man dieses durchaus nicht
sagen, natürlich mit Ausnahme derjenigen, welche einige Bildung erhalten und die Welt gesehen haben. Der gröſste
Theil von ihnen lebt in einem eigenen Kreise, der alle Fremde
ausschlieſst. Dieses rührt nicht davon her, daſs sie die Imeretier hassen, wozu sie keine Veranlassung haben; der wahre
Grund ist, daſs sie sich vor ehelichen Verbindungen mit Gliedern der orthodoxen Confession fürchten. Mag der Bräutigam noch so reich, die Braut noch so schön sein — wenn
sie Orthodoxe sind, so ist eine Heirath mit ihnen ein Gräuel.
Dieser Fanatismus war vor einigen Jahren viel stärker: ein
solches Ehebündniſs versetzte damals die ganze katholische
Gemeinde in Trauer; der Pater betrachtete die Familie als
verflucht, die alten Frauen beweinten sie als verlorne Seelen.
Jetzt beginnen diese Vorurtheile allmälig zu schwinden, und
es ist vorauszusehen, daſs die kleine Schaar imeretischer Katholiken sich über kurz oder lang, wenn nicht durch den
Glauben, so doch durch die Bande des Bluts, mit der orthodoxen Bevölkerung verschmelzen wird. Besonders gern verheirathen sie ihre Töchter mit Polen, von welchen sich in
Folge dessen eine nicht geringe Anzahl in Kutais angesiedelt
hat. Die Katholiken beschäftigen sich vorzugsweise mit dem
Handel; doch findet man unter ihnen auch einige adelige
Familien. —

  Alles, was wir von den Beziehungen der Imeretier zu den
Katholiken gesagt haben, gilt auch von ihrem Verhältniſs zu
den Armeniern, mit dem Unterschiede, daſs die Armenier von

aller Bigotterie fern sind, mit den Orthodoxen freundschaftlichen Verkehr pflegen und ihre Töchter an sie verheirathen. Die Armenier leben zerstreut in verschiedenen Gegenden der Stadt und beschäftigen sich alle mit dem Kleinhandel. Eben so friedlich leben die Imeretier mit den Juden. Es ist wahr, daſs sie mitunter einen Juden durchprügeln, aus keinem andern Grunde, als weil er ein feiger Jude ist — daſs ein Gutsbesitzer ihn drückt und mit der Uebersiedelung in ein andres Dorf bedroht, wenn er reich ist *); aber alles dieses ist noch kein Unglück (!?) — die Juden sind geduldig und können sich ohne Mühe loskaufen, da sie den ganzen Handel Imeretiens in Händen haben und in der That ziemlich wohlhabend sind. Man hat Beispiele, daſs sie den Gutsbesitzern 10000 Silberrubel gezahlt haben um sich und ihre Familie freizukaufen — ja, daſs sie 1000 Rubel und mehr gegeben, um nicht an einen anderen Ort versetzt zu werden. Ihres Glaubens halber werden sie indeſs von Niemanden gedrückt, man sucht nicht, sie zum Christenthum zu bekehren, und macht ihnen ihre Religion nicht zum Vorwurf, wie es wohl in gebildeten Ländern geschehen ist. Manche von ihnen leben sogar auf den Klosterländern und entrichten ihre Abgaben in Weihrauch und Wachs zu gottesdienstlichen Zwecken. In Kutais zählt man über 1100 Juden; sie bewohnen einen eigenen und zwar den schönsten Stadttheil, leben aber schmutzig und unsauber. Bei ihrer Synagoge werden 32 Knaben erzogen, welche die heiligen Bücher in hebräischer Sprache lesen lernen; unter sich reden jedoch die Juden imeretisch.

Zwischen den Russen und Imeretern ist in religiöser Beziehung kein Unterschied, mit Ausnahme einiger Nüancen, welche beweisen, daſs die beiden Kirchen zwar einen gemein-

---

*) Obwohl der Verfasser sich nicht weiter hierüber ausläſst, so geht doch aus dieser und den folgenden Angaben hervor, daſs die Juden als Leibeigene der Gutsbesitzer und Klöster behandelt werden. Auch war das obige Lob der Toleranz in Transkaukasien, vor dem gegenwärtigen Russischen Feldzug „gegen die Ungläubigen" geschrieben.

17 *

schaftlichen Ursprung hatten, aber lange Zeit ihren getrennten
Weg gingen, bis sie von neuem unter einer Hierarchie vereinigt wurden. So fehlen im russischen Kalender die Namen
einiger von der imeretischen Kirche verehrten Heiligen, als
Artschil, Schio, Luarsab, während die Imeretier andererseits
die russischen Heiligen Wladímir, Olga, Boris und Gljeb nicht
kennen. Eben so werden einige russische Festtage von den
Imeretiern nicht gefeiert, und bei Heirathen, Taufen und der
den Sterbenden ertheilten letzten Oelung finden in den religiösen Ceremonien unbedeutende Abweichungen statt.

Die Imeretier waren von je her zur Bildung geneigt,
obwohl jahrhundertlange Kriege und bürgerliche Zwistigkeiten
sie verhinderten, diesem Triebe zu folgen. Als sie 1810 unter
russischen Scepter kamen, wandten sich noch vor Stillung der
durch den abgesetzten Zaren Salomon erregten Unruhen der
Adel und die Geistlichkeit von Imeretien an den Gouverneur,
Generalmajor Simonowitsch, mit der Bitte, Schulen im Lande
zu errichten. Indessen wurde erst 1821 eine geistliche Lehr-
anstalt in Kutais gegründet, worauf 1835 die Eröffnung einer
Kreisschule folgte; endlich besteht hier seit 1850 ein Gouver-
nements-Gymnasium mit einer „adeligen Pensionsanstalt" für
30 Zöglinge. In allen diesen Instituten zählt man dermalen
305 Schüler; die Kinder lernen leicht und zeigen so glückliche
Anlagen, dafs sie ohne Mühe den Grusiern und Russen zuvor-
kommen und höchstens den Armeniern nachstehen, die überall
für die besten Schüler gelten. Doch werden ihre Fortschritte
durch zwei Umstände erschwert: erstens verstehen die Zöglinge bei ihrem Eintritt in das Gymnasium zum Theil kein
Russisch, während alle Lehrgegenstände in russischer Sprache
vorgetragen werden (!), und zweitens fehlt es ihnen aufser der
Schulzeit nicht nur an Aufsicht, sondern auch oft an einem
passenden Unterkommen. Wohlhabendere Leute vertrauen
ihre Kinder Bekannten an oder geben sie zu den Lehrern in
Pension; die Söhne der armen Asnauern aber, die ganz sich
selbst überlassen und ohne alle Mittel zum Unterhalt nach
Kutais kommen, müssen in der ersten besten Hütte oder

Scheune Zuflucht nehmen. Schon im Hause ihrer Aeltern
an Entbehrungen gewöhnt, behelfen sie sich mit der einfachsten
Speise, einer Kleidung von grobem Tuch und einem harten
Lager; mehr wäre für sie Luxus, und auch dies ist nicht
immer zu haben. Als Beweiss von der Genügsamkeit der
Imeretier dient die Militairschule bei dem hier in Garnison
liegenden Linienbataillon. Die Zöglinge erhalten nur die gewöhnlichen Soldatenrationen, werden in grobes Commifstuch
gekleidet; der strengsten Militairdisciplin unterworfen und Jedem zum Unterhalt nur 13 Rubel 66 Kopeken Silber jährlich
ausgesetzt, und dennoch drängen sich die Aeltern dazu, ihre
Kinder bei dieser Schule unterzubringen. Indessen sucht sich
der imeretische Adel vorzugsweise für den Civildienst auszubilden, obwohl bei der aufserordentlich grofsen Anzahl seiner
Mitglieder nur wenige auf eine Anstellung rechnen können.
Im Jahr 1851 gab es nämlich im Gouvernement Kutais 233
von der Regierung anerkannt fürstliche und 2937 adelige Familien (Asnauren), wozu noch 661 kamen, die auf den Adel
Anspruch machten und ihre Rechte zu beweisen erbötig waren. Kein Wunder also, dafs es manchem dieser Fürsten und
Edlen oft an einem Stück Brod fehlt; überhaupt leben viele
von ihnen wie einfache Landleute und bebauen mit eigenen
Händen ihr Feld oder ihren Garten. — Die weibliche Erziehung ist in Imeretien gänzlich vernachlässigt. Es giebt in
Kutais nur eine Töchterschule, die im Jahr 1848 von der
Fürstin Woronzow errichtet ward und in der 30 Mädchen,
worunter die Hälfte aus russischen Familien, unterrichtet
wurden.

Was das Klima betrifft, so gehört Kutais in dieser Beziehung sowohl wie durch seine Lage zu den begünstigsten
Städten Transkaukasiens. Es liegt unter 42° 13′ nördl. Breite
und 60° 20′ östl. Länge, 471 Fufs über dem Meeresniveau, und
sein höchster Theil, die Altstadt, 360 Fufs über dem Bette
des Flusses Rion. Von bedeutenden europäischen Städten liegen Adrianopel, Rom, Ajaccio und Saragossa fast unter derselben Breite mit Kutais, ohne dafs jedoch ein analoges kli-

matisches Verhältniss stattfindet. Am nächsten stehen ihm in dieser Hinsicht: Marseilles, welches unter 43° 18' N. Br. und 140 franz. Fuſs über der Meeresfläche, und Madrid, welches unter 40° 25' N. Br. und 1993 Fuſs über dem Meere liegt. — Die mittlere Temperatur dieser Städte wird durch folgende Zahlen ausgedrückt:

	Frühling.	Sommer.	Herbst.	Winter	Jahr.
1. Kutais	+10,82	+18,58	+12,88	+4,8	+11,59
2. Marseilles	+ 9,75	+18,73	+12,00	+ 4,90	+11,34
3. Madrid	+10,57	+19,73	+11,31	+4,96	+11,63
4. Rom	+11,66	+18,77	+13,67	+6,54	+12,66

Was Tiflis anlangt, so hat Kutais, obwohl es beinah einen vollen Grad nördlicher gelegen ist, ein weit gemäſsigteres Klima, namentlich im Winter, welches theils in der hohen Lage von Tiflis, dessen niedrigster Punkt sich 1350 Fuſs über dem Meeresniveau befindet, theils darin, daſs er dem Kasbek gerade gegenüber auf der Linie der kalten Nordwinde gelegen ist, seinen Grund hat. Kutais hingegen ist durch die hohe Felsenwand der Ratschiner Gebirge vor den Nordwinden geschützt. Anderseits haben die westlichen Winde freies Spiel, die vom Schwarzen Meere Wasserdampf mit sich führen, und da letztere im Osten durch die Wachan-Gebirge, im Süden durch die Bergkette von Achalzych und Adjar und im Norden durch die Ausläufer des Kaukasus eingeschlossen werden, so schweben über Kutais, wie über dem ganzen Rion-Thal beständig Wolken, die sich häufig in Regen entladen; diese Regen aber geben dem Boden eine reiche und kräftige Vegetation und befördern den Waldwuchs, durch welchen die Feuchtigkeit genährt und unterhalten wird. Das Klima von Kutais charakterisirt sich demnach durch zwei Hauptzüge: eine durchgängig gemäſsigte Temperatur und Feuchtigkeit der Atmosphäre. Es fällt hier eine gröſsere Masse Regen als an irgend einem anderen Punkte Transkaukasiens; im Jahr 1849 belief sich dieselbe z. B. auf 70000 engl. Linien, während sie in Leukoran, welches gleichfalls einer starken Feuchtigkeit unterworfen ist, nur 59000, in Derbent 19000 und in Baku nicht mehr als 7000 Linien betrug*). Diese Eigenschaften des Klima von Kutais machen sich Jedem bemerklich, der hier eine kurze Zeit zubringt. Selbst im tiefsten Winter ist die Kälte fast unbekannt. Im Jahre 1851 fiel das Thermometer nicht unter — 1 Grad Réaumur, und im November und December war die Witterung so warm und angenehm, dafs die Bäume noch zum Theil mit Laub bedeckt waren, die Rosen zu blühen fortfuhren und die Mitte des Tages so vollständig dem Sommer glich, dafs Viele in der freien Luft zu Mittag speisten, indem sie sich durch die ewig grünen Lorbeeren vor den Strahlen der Sonne schützten. Im Januar und Februar fällt bisweilen etwas Schnee, liegt aber nur wenige Tage, und eine Schlittenbahn gilt in Kutais für eine grofse Seltenheit. Dagegen regnet es oft wochenlang ohne Unterbrechung, und das Brausen des Winters vereinigt sich dann zu einem traurigen Concert mit dem Geheul des Schakals, die in den entfernteren Theilen der Stadt dicht neben den Häusern umherschweifen und wie Kinder schreien. Kaum blickt jedoch die Sonne hervor, kaum trocknen die Strafsen ab, so bedeckt die Erde sich wieder mit üppigem Grün und lieblichen Blumen. Zuerst unter diesen zeigen sich: Primula veris, Cyclamen amoenum, Galanthus nivalis, dann Scilla amoena, Viola odorata, Leucojum vernum, Erythronium densatum, bald darauf schlagen die Bäume aus und in den ersten Tagen des April ist der Lenz da in seiner ganzen Herrlichkeit. Der Sommer hingegen tritt bei weitem nicht so milde auf wie der Winter. Die Hitze vermehrt sich so rasch, dafs sie noch im April mitunter bis auf 30° R. im Schatten steigt; doch ist sie um diese Zeit noch erträglich, da sie durch die lauen Winde und die kühlen Abende gemäfsigt wird. Im Juli indessen er-

---

*) Dafs diese Angaben für die jährliche Regenmenge von resp. 5473,7, 4614,5, 1485,0 und 547,4 Pariser Zollen sämmtlich auf irgend einem lächerlichen Irrthum beruhen, ist klar, da bis jetzt durch zuverlässige Beobachtungen, kaum irgendwo mehr als 100 bis 110 Par. Zoll für dieselben gefunden worden ist. R.

hebt sich ein trockener, brennender erstickender Ostwind, ein
wirbelnder Staub verfinstert die Luft und bedeckt die Bäume
wie mit einem Trauerflor, die Blätter verdörren, die Blumen
welken. Nach zwei oder drei Wochen steigt jedoch im Westen
ein frisches Lüftchen auf; in der Ferne zeigen sich rettende
Wolken, der Ostwind schweigt, die Schwalben flattern in den
Lüften, die Erde fast mit ihren Flügeln berührend — ein
Blitzstrahl, ein Donnerschlag, und die dichten Tropfen des
Sommerregens fallen auf den erschöpften Boden nieder.
Uebrigens hört die Hitze auch nach einem solchen Gewitter
nicht auf; sie dauert vielmehr bis zum September fort, ist
aber jetzt erträglich, da sie durch die Feuchtigkeit gemäfsigt
wird. Ein Hauptvorzug des hiesigen Klima's ist ferner, dafs
man weder durch Scorpionen und durch Mücken oder Wespen
geplagt wird, die in allen anderen Theilen Transkaukasiens
zu Hause sind; höchstens fliegt mitunter Abends eine vereinzelte Mücke in das offene Fenster herein, ist aber durchaus
nicht furchtbar, da sie ihre Ankunft bei Zeiten durch ein lau-
tes Summen verkündet. Wie ein tapferer Ritter, verschmäht
es dieses Insect seine Gegner zu überfallen; es stöfst zum
Angriff in die Trompete und gewährt dadurch die Möglichkeit,
sich zur Gegenwehr zu rüsten.

So wenig man aber auch im Ganzen über den Sommer
in Kutais zu klagen hat, müssen doch hier, wie überall, Frühling und Herbst als die schönsten Jahreszeiten betrachtet werden. Namentlich ist der Herbst überaus reizend, da er, ausser den ihm eigenthümlichen Vorzügen, auch an denen des
Frühlings theilnimmt. Nach der Hitze im Juli und August
zeigt sich überall neues Grün; gegen Ende Septembers blüht
von neuem der Flieder, dann folgen Rhododendren und Aze-
lien, und im October reifen wieder einige Früchte, wie die
Kirsche, Pflaume und Alytscha (?) — die Luft ist rein, frisch
und durchsichtig, die Witterung beständig schön. Um die
Aehnlichkeit mit dem Frühling zu vollenden fehlt nur der Gesang der Nachtigall, obwohl man bei dieser Gelegenheit nicht
umhin kann zu bemerken, dafs es in Kutais und überhaupt in

Imeretien, trotz der zahlreichen Waldungen, ungleich weniger Vögel giebt als im Norden. Ob vielleicht der gröfste Theil der Singvögel des Sommers nach Norden fliegt, um seine Jungen in der frischen Luft aufzuziehen, ob dies durch andere Ursachen bedingt wird — genug, in den hiesigen prachtvollen Wäldern erschallt der Gesang weit seltener, als in Russland unter der ernsten Tanne und traurigen Birke. Selbst die von den Dichtern des Orients so hochgefeierte Nachtigall steht in der Lieblichkeit ihres Gesangs hinter ihrer nordischen Schwester zurück. Nur die Lerche giebt ihren entfernten Stammgenossen nichts nach; hier, wie in Russland, schwebt sie fröhlich durch die Lüfte und ihre silberhelle Stimme erschallt im muntern Trillern.

In gesundheitlicher Rücksicht geniefst Kutais, trotz seines angenehmen Klima's, keines vortheilhaften Rufes, und in der That sind Fieberkrankheiten hier endemisch. Zu den Ursachen derselben gehören: 1) die Lage von Kutais selbst, in einer ziemlich tiefen Ebene, von Bergen umgeben, welche die Luft einengen und die schädliche Ausdünstungen der Erde in ihrem Umkreis zurückhalten. Die Ostwinde, die, wie oben erwähnt, in den Monaten Juli und August vorherrschen, haben nicht nur keine erfrischende Wirkung, sondern tragen vielmehr zur Entwickelung des Krankheitsstoffs bei: indem sie durch die von der Sonnenhitze glühenden Schluchten streichen, verbreiten sie eine erstickende Schwüle und sind noch ausserdem mit den schädlichen Dünsten der in Fäulnifs übergehenden Pflanzen geschwängert. Sobald sich dagegen der Westwind erhebt, wird die Atmosphäre reiner und die Krankheiten nehmen ab. 2) Die Feuchtigkeit der Luft. 3) Der schnelle Uebergang von der Hitze zur Kälte. Kaum ist die Sonne untergegangen, so fällt schon ein starker Thau, der alle Wärme absorbirt, so dafs das Thermometer oft in einer Viertelstunde von 24 auf 15 Grad Réaumur sinkt. Endlich 4) die Unvorsichtigkeit der sich hier aufhaltenden Fremden und die schlechte Beschaffenheit der Wohnungen. Alles dieses zusammen giebt zu Fiebern Veranlassung, die das ganze Jahr anhalten und

sich besonders in den Monaten Juli und August entwickeln.
Um diese Zeit erhalten sie sogar einen epidemischen Charakter und verwandeln sich von viertägigen anfangs in drei-, dann
in eintägige, die zuletzt einen sehr bösartigen Typus annehmen. In dieser Jahreszeit treten auch Gallenfieber häufig auf.
Doch werden meistens nur neue Ankömmlinge befallen, die
noch nicht acclimatisirt sind oder Diätfehler begehen. Aus
diesem Grunde leidet vorzugsweise das Militair an solchen
Fiebern, was auch leicht erklärlich ist. Im Laufe des Tages
von der Sonnenhitze und dem beschwerlichen Dienst erschöpft,
geniefst der Soldat ohne alle Vorsicht und Mäfsigung der er-
frischenden Kühlung des Abends. Im blofsen, von Schweifs
durchnäfsten Hemde giebt er sich der Zugluft preis, füllt seinen geschwächten Magen mit unreifen, spottbillig verkauften
Früchten; schlürft in vollen Zügen Wasser oder rohen Kwas
und legt sich dann unter freiem Himmel schlafen. Kein Wunder, dafs sich das Fieber bald einstellt, welches aber leicht
beseitigt werden könnte, wenn es bei Zeiten einer angemes-
senen medicinischen Behandlung unterworfen würde. Zum
Unglück glaubt der gemeine Russe, mit seiner kräftigen Con-
stitution der Krankheit trotzen zu können, und läfst sich erst
dann ins Hospital bringen, wenn sie sich vollltändig entwickelt
und ihren ganzen bösartigen Charakter angenommen hat. —
Indessen werden die Patienten auch dann, wenn die Säfte
nur nicht verdorben sind, binnen kurzem wieder hergestellt
und aus dem Hospital entlassen; aber da sie, trotz der erhaltenen Lection, zu ihrer früheren Lebensweise zurückkehren,
so erkranken sie bei der ersten Erkältung oder Indigestion
von neuem. So trifft es sich oft, dafs ein und derselbe Kranke
viermal nach einander ins Hospital kommt, von Obstructionen
oder Wassersucht befallen wird und in der Blüthe seines Alters
und seiner Kräfte zu Grunde geht. Seine Cameraden schieben dies alles auf das imeretische Klima und geben demselben einen bösen Ruf, den es keinesweges in dem Mafse verdient. Die Eingebornen und die russischen Beamten, welche
die gehörigen Vorsichtsmafsregeln treffen, bleiben meistens

von Fieberkrankheiten verschont oder leiden doch nicht mehr
daran, als in anderen minder berüchtigten Gegenden des Südens. Folgende Ziffern werden den Unterschied zeigen, der
zwischen der Sterblichkeit im Hospital zu Kutais und in der
Stadt selbst besteht, wobei nur zu bemerken ist, dafs sich die
Zahl der Krankheitsfälle in der Stadt nicht angeben läfst
und dafs man auch für die der dortigen Todesfälle keine so
vollständige Belege hat, als für die im Hospital vorgefallnen,
da ungeachtet aller Aufmerksamkeit der städtischen Medicinal-
behörde ihr Manches verborgen bleibt, was auf die Verhältnisse der hiesigen Bevölkerung Bezug hat.

	In das Hospital wurden aufgenommen:	Davon starben:	In der Stadt starben:
Im Jahr 1848	2118	102	96
- - 1849	2621	116	150
- - 1850	2629	168	37
- - 1851	2358	146	85
	9726	531	368

Wenn wir nun erwägen, dafs die Besatzung von Kutais
in ihrer Vollzahl aus 2198 Mann besteht (wovon übrigens stets
ein grofser Theil nach andren Punkten entsendet ist und dann
ins Osurgeter Militairspital kommt) und dafs die Stadt 3407
Einwohner hat, so finden wir, dafs nach dem vierjährigen
Durchschnitt im Hospital 133, in der Stadt 92 Personen des
Jahres mit Tode abgehen. Es geht hieraus zur Genüge hervor, welche Sterblichkeit unter dem Militair herrscht und wie
zahlreich die Krankheitsfälle sind, die bei demselben vorkommen. Auf die Eingebornen und seit längerer Zeit ansässigen
Fremden übt das Klima, wie schon gesagt, keinen schädlichen
Einfluss aus; sie erfreuen sich einer festen Gesundheit und
erreichen zum Theil ein ziemlich hohes Alter. Wegen der
Cholera, die im Jahr 1847 hier wüthete, findet man jedoch
heutzutage in Kutais nur wenige Greise; unter 1136 zu den
steuerpflichtigen Klassen gehörigen Personen männlichen Geschlechts zählte man 1850: 20 zwischen 60 und 70 Jahren;
4 zwischen 70 und 80, und 3 zwischen 80 und 90. Hundert-

jährige. Greise gab es nicht einen einzigen. Geboren wurden
von 1848 bis 1851 506 Kinder, so dafs sich die Geburten zu
den Todesfällen (mit Ausschlufs des Militairs) ungefähr wie
13:10 verhalten.

Aufser den klimatischen Fiebern sind auch andere Krankheiten zu erwähnen, namentlich Scorbut, Ruhr, Typhoiden und
Pocken. Die Typhoiden füllen zwar zur Winterzeit das Hospital, haben jedoch nicht den hartnäckigen Charakter des reinen
Typus und sind nur dann gefährlich, wenn sie sich mit anderen Entzündungskrankheiten vereinigen, wie im Winter 1851,
wo sich Entzündungen der Luftröhre zu ihnen gesellten. Was
die Pocken betrifft, so nehmen ihre Verheerungen alljährlich
ab, je mehr sich die Zahl der Geimpften vergröfsert, und man
kann hoffen, dafs sie binnen einiger Jahre in Kutais ganz aufhören, obgleich sie fortwährend von den Osetinern und anderen Bergvölkern eingeschleppt werden. Das Klima von Kutais wirkt ferner sehr ungünstig auf Zahnübel; in Folge der
überaus feuchten Luft werden die Zähne leicht von Fäulnifs
angefressen, und es giebt Wenige, die nicht an Zahnschmer-
zen oder Flüssen leiden. Inzwischen bleibt das Fieber die
Hauptkrankheit, und es wird dreimal so viel China im Hospital verbraucht, als irgend ein andres Medicament. Aufserdem
wandte man früher bedeutende Quantitäten Calomel an, zu
dem man um so lieber seine Zuflucht nahm, als er schnell
auf den Körper wirkte und in zweifelhaften Fällen dem Gange
der Krankheit nicht schadete; da er jedoch oft sehr üble und,
namentlich in dem hiesigen feuchten Klima, nicht selten tödt-
liche Folgen nach sich zieht, so gebraucht man gegenwärtig
den Calomel im Hospital zu Kutais nur in den äufsersten
Fällen.

Es werden jetzt bei Fieberkranken Versuche mit Xan-
thium spinosum angestellt, die sich sehr befriedigend ergeben
haben, indem das Fieber nach dem dritten Paroxysmus aus-
bleibt. — Wenn die Erfahrung auch künftig die heilsamen
Eigenschaften dieses sehr gewöhnlichen, im ganzen Kaukasus
wachsenden Krauts bestätigen sollte, so wäre es für das Land

ein wahrer Gewinn. Man hatte zuerst in Bessarabien angefangen, es als Heilmittel zu gebrauchen.

So sehr das Klima von Imeretien zur Entwickelung von
kalten und hitzigen Fiebern beiträgt, einen so günstigen Einfluss äufsert es auf Scropheln und Lungenkrankheiten und
überhaupt auf chronische Beschwerden der Respirationsorgane.
Wie der Oberarzt des Hospitals von Kutais versichert, giebt
es viele Beispiele, dass an Scropheln oder Brustübeln leidende
Recruten hier völlig geheilt werden, und in allen Fällen ohne
Ausnahme findet eine entschiedene Erleichterung statt. Diese
selbe Erscheinung ist bei den in Kutais angestellten Beamten
wahrgenommen worden. Der Aufenthalt in dieser Stadt bietet demnach die Aussicht dar, für Krankheiten Heilung zu
finden, gegen welche im Norden die Kunst der geschicktesten
Aerzte nichts vermag, während hier die Natur selbst ihnen
Linderung bringt.

Russische Wallrossfänger und Pelzjäger auf Spitzbergen in den Jahren 1851 und 1852 *).

In Russland lassen sich fast alle Zweige der Industrie auffinden, welche der Mensch nur auszubeuten versucht hat, um aus der ihm umgebenden Natur irgend einen materiellen Nutzen zu ziehen. Während die Bewohner der Krim und Transkaukasiens den Weinstock pflegen und Maulbeerbäume pflanzen, während der Landmann in den kornreichen Gouvernements auf eine ergiebige Ernte hoffend, im Schweifse seines Angesichts das Feld pflügt: sehen wir die Küstenbewohner des archangelschen Gouvernements mit der stürmischen See kämpfen und, um ihr tägliches Brod zu erringen, sich der ganzen Strenge der nordischen Natur, tausend Gefahren und dem grausen Hungertode selbst aussetzen.

Wenn wir die Berichte der Seefahrer, Fischer und Jäger anhören, wenn wir erfahren welche Schwierigkeiten und Gefahren der Wallrofs- und Stockfischfang mit sich führt, wenn wir das gebrechliche Fahrzeug der Wagehälse betrachten, so erwacht in uns ein unwillkührlicher Zweifel an der Ausführbarkeit eines solchen Unternehmens. Der russische Abenteurer aber kümmert sich wenig um die unglaublichen Mühseligkeiten, denen er sich unterziehn mufs; er bemerkt sie kaum und dankt Gott wenn er, zum Lohne dafür, nur sein Leben fristen

*) St. Petersburger Zeitung 1853.

kann. Der Küstenbewohner hängt eben so sehr an seiner
rauhen Heimath, wie der Südländer am sonnigen Lande, wo
er geboren ist. Er sucht seinen Erwerbkreis zu erweitern
und beschränkt seine Fahrten nicht blos auf die Küsten des
Weifsen Meers: er segelt nach Kalgujew, nach Nowaja-Semlja,
nach Spitzbergen. Diese letzten Expeditionen sind für ihn die
wichtigsten, sowohl in Hinsicht auf die Entfernung des Reise-
zieles, als auch in Betracht der kostbaren Beute, die er zu
machen hofft. Es versteht sich von selbst, dafs ein solches
Unternehmen nicht aus den eignen Mitteln des armen Aben-
teurers bestritten werden kann: weder ist er im Stande ein
so wohlgebautes Fahrzeug auszurüsten, wie es zur Ueber-
schiffung des nordischen Oceans erforderlich, noch die zum
Fange der Rauchthiere nöthigen Geräthschaften und eine Masse
von Proviant anzuschaffen, welche für die Schiffsmannschaft
für zwei Jahre ausreichen soll. Daher mufs man jenen Männern des Kaufmannsstandes Dank wissen, welche die Unternehmungen begünstigen und unterstützen, welche, mit Erfolg
gekrönt, für mehrere Jahre dem kühnen Abenteurer einen ge-
sicherten Unterhalt verschaffen. Trotz den Gefahren, trotz der
Strenge des Winters auf Spitzbergen, wo während drei Monaten keine Sonne am Horizonte aufgeht, fehlt es nie an Lieb-
habern auf der Insel zu überwintern. Ein solches Unternehmen
nun ist auch in den Jahren 1851 und 1852 ausgeführt worden.

Im Juni 1851 konnte man an einem der Landungsplätze
Archangels ein Schiff bemerken, welches dem Kaufmann Kus-
nezow gehörte und dort seine Ladung einnahm: seine Bestimmung war Spitzbergen, wo es überwintern sollte. Täglich
kamen Neugierige herbei, um es in Augenschein zu nehmen
und erfahrne, wissenschaftlich gebildete Seeleute, die sich mit
dem Steuermann unterhielten, staunten, wie ein einfacher
Bauer, ohne den geringsten Begriff von mathematischen Instrumenten zu Höhenmessungen, ohne Lothleine, selbst ohne
Uhr, nur allein mit einem Compafs und einer höchst unvoll-
kommenen, selbstverfertigten Karte versehen, wie ein solcher
es wagen könne in die Regionen des Nordpols, fast bis zu

den grönländischen Küsten dringen zu wollen: aber auf ähnliche Aeufserungen und Fragen antwortete der Steuermann stets: „Meine Hoffnung beruht auf dem lieben Gott!"

Endlich· nachdem das Fahrzeug Lebensmittel für .zwei Jahre· und eine hinlängliche Quantität Bauholz zur Errichtung der sogenannten Lagerhütte (Hauptquartier), eingenommen hatte, stach es bei günstigem Winde in See. — Die Mannschaft bestand aus achtzehn Personen, Jagd und Fischerei treibenden Bauern, meist aus dem mesenschen und kemschen Kreise stammend, und die Fahrt ging so glücklich von Statten, dafs sie schon nach zehn Tagen, d. h. am 7. Juli die östlichsten Ufer Spitzbergens zu Gesicht bekamen; da aber, nach der Aussage des Steuermanns, welcher diese Gegenden schon früher zu zwei verschiedenen Malen besucht hatte, dor günstigste Platz zum überwintern sich an der Südseite der Insel bei der sogenannten rimbowschen Landzunge befand, mufste das Schiff wieder die hohe See suchen. Unaufhörliche Nebel und Eisfelder, welche die Insel umlagerten, hielten es 11 Tage auf, bis· man endlich· am 19. Juli eine Durchfahrt durch das Eis und auf der Nordwestseite der Insel eine zugängliche Bucht entdeckte, welche zwar niemand aus der Schiffsmannschaft bekannt war, wo man aber nothgedrungen einstimmig zu überwintern beschlofs: leider war dieses der rauheste Platz, den man wählen konnte.

Am 20. Juli wurde das Fahrzeug ausgeladen, abgetakelt und mit Hülfe der Fluth an's Ufer geschafft; sodann die Lagerhütte errichtet und nachdem diese Vorkehrungen getroffen, zerstreute sich die ganze Gesellschaft, um längst der Küste alte, von Fischern und Jägern verlassene Hütten aufzusuchen, deren auf eine Strecke von etwa 100 Werst·fünf gefunden wurden: eine von ihnen stand, wie die Aufschrift bezeugte, schon gegen 80 Jahr.

Die Jäger versorgten sich mit Fangeisen für Eisfüchse und Kugelbüchsen zum Erlegen der Rennthiere und bezogen je drei bis vier Mann, diese· zerstreuten Hütten, nachdem sie überein. gekommen, beim Einbrechen der dunkelen Jahreszeit

und wenn jede Jagd aufhört, am eigentlichen Landungsplatze
zusammenzutreffen.

Der Fang ging glücklich von Statten, und siebenzehn
Wochen bewohnten sie ihre zerstreuten Hüttchen. — Mitte
November*) sah man die Sonne nicht mehr aufgehen und vom
5. December an hörte sogar jede Morgen- und Abenddämmerung auf: daher sich die 18 Jäger verabredetermafsen sämmtlich in der grofsen Lagerhütte versammelten. Schneestürme
herrschten unaufhörlich und bald zeigten sich bei einigen von
ihnen Zeichen des Scorbuts. Alle angewandten Mittel erwiesen sich erfolglos; die Zahl der Kranken stieg von Tage zu
Tage und am 20. Dezember befanden sich unter diesen achtzehn Personen nur sechs Gesunde.

Frisches Fleisch mufste für die Kranken durchaus herbeigeschafft werden und als am 25. Dezember zum ersten Mal
wieder die Morgenröthe anbrach, wagten sich drei der Kühnsten hinaus, um auf den Klippen Rennthieren nachzuspüren.
Aber erst nach drei Wochen glückte ihre Jagd, und nur weil
zufällig kein Schneegestöber und keine sehr grofse Kälte eintrat, kamen die Wagehälse glücklich mit dem Leben davon;
sonst wären sie rettungslos verloren. Bei ihrer Rückkehr fanden sie nur noch einen Gesunden vor, der kaum im Stande
war für die Kranken Speise zu bereiten. Die strenge Kälte
wirkte höchst nachtheilig auf den Zustand der Kranken und
in der Lagerhütte vernahm man nur das Gewimmer der Leidenden, deren Zustand die vier Gesundgebliebenen umsonst

---

*) Diese und die folgenden Zeitangaben sind wahrscheinlich, jedem wissenschaftlichen Gebrauche zuwider, nach dem sogenannten alten oder
Russischen Styl — ausserdem aber auch so äufserst fehlerhaft, dafs
sich die Breite des Beobachtungsortes aus

dem Verschwinden der Sonne zu etwa	69°,5
der Wiederkehr	82°,8
dem Ende der Dämmerung	84°,6
dem Anfang der Dämmerung	85°,2
dem Datum des letzten Unterganges	76°,7

ergeben würde!

zu erleichtern suchten. — Es währte nicht lange so fanden
Todesfälle statt: der erste am 29. Januar, der letzte am 19.
Mai; der Steuermann verschied am 1. März.

In diesem Zeitraum starben zwölf Menschen und von den
sechs Ueberlebenden waren nur drei im Stande irgend eine
Arbeit zu verrichten.

Nach langem Warten ging endlich die Sonne am 17. Februar auf, und seit dem 12. April stand sie fortwährend am
Horizonte, ohne unterzugehn. Zu gleicher Zeit erschien aber
auch das dicke und feste sogenannte Grund- oder Lagereis
und thürmte sich weit und breit um die Insel herum: und in
dieser Lage mufsten die Gesunden erwarten in kurzer Zeit
das Loos ihrer Unglücksgenossen zu theilen und verblieben
ohne einen Strahl von Hoffnung bis zum 1. Juli. — Im Juni
thaute zwar der Schnee von den Bergen, das Eis aber um-
lagerte die Ufer nach wie vor, und um das Fahrzeug vom
Ufer zu ziehen und flott zu machen, hätte man eine lange
Furche durch das Eis hauen müssen: wie hätten nur drei ent-
kräftete Männer eine solche Arbeit unternehmen können? Ihr
Untergang schien unvermeidlich.

Glücklicherweise wurden einige Norweger, die hier seit
Jahren auf den im Juni und Juli die Insel umgebenden Eisschollen den Wallrofsfang betrieben, ihrer ansichtig: am 3. Juli
1852 besuchten vier von ihnen unerwartet die armen Verlassenen und wurden von diesen freudig und nach russischer
Sitte gastfrei mit Salz und Brot empfangen. Ihre inständigen
Bitten um Hülfe mufsten sie durch Zeichen ausdrücken: die
Norweger versprachen wiederzukommen und am 5. Juli kamen richtig neun Mann, welche in Gemeinschaft der drei Russen die Arbeit kräftig begannen. Ein 300 Fufs langer Canal
wurde durch das Eis gehauen, das Schiff vom Ufer gezogen,
mit dem noch übrigbleibenden Mundvorrath und dem von den
Norwegern erbeuteten Wallrofsthran beladen und am 12. stach
es in See, während der gröfste Theil der Felle, welche die
Russen in den verschiedenen zerstreuten Hütten geborgen,

daselbst zurückblieb, indem sie in dieser Jahreszeit nicht herbeigesehafft werden konnten.

Am 23. Juli 1852 langten endlich die vielgeprüften sechs Russen, begleitet von vier Norwegern, bei Hammerfest in Norwegen an.

Das Mifslingen des ganzen Unternehmens mufs aller Wahrscheinlichkeit nach der unglücklichen Wahl der Lagerstätte in der rauhesten Gegend der Insel zugeschrieben werden. Merkwürdig ist aber der Umstand, dafs diese wie durch ein Wunder vom qualvollsten Tode erretteten Menschen alle bereit sind, bei der ersten Aufforderung wieder nach Spitzbergen zurückzukehren, indem sie sich auf das Beispiel einiger Wagehälse berufen, denen es wirklich geglückt ist, fünf bis sechs Winter daselbst zu verleben und immer wieder glücklich heimzukehren.

Schliefslich müssen wir noch bemerken, dafs Spitzbergen von den Pelzjägern und Seeleuten des Archangelschen Gouvernements allgemein „Grumant" geheifsen wird. Ist das vielleicht der verdorbene Name Grönlands? Haben die kühnen Voreltern dieser Seeleute vielleicht jene ferne Halbinsel besucht, oder darf man nicht wenigstens der Vermuthung Raum geben, dafs ähnliche Fahrten nach Spitzbergen schon zu einer Zeit unternommen wurden, wo man die Küsten des nördlichen Amerika's noch wenig kannte und jene Insel häufig mit Grönland verwechselte?

Resultate von Höhenbestimmungen im Kaukasus, in Transkaukasien und in Persien.

Die hier folgenden Angaben finden sich in dem in diesem Jahre in Tiflis gedruckten Kaukasischen Kalender (kawkasskji Kalander) [*]. Derselbe enthält, neben manchen anderen interessanten Notizen, auch ein geognostisches Profil der zwischen dem Elborus und dem Beschtau gelegnen Gebirgsgegend, zu welchem Höhenbestimmungen, wie die vorliegenden, als wesentlichste Grundlage gedient haben. — Wir werden auf dieses Profil und auf den zugehörigen Text bei einer anderen Gelegenheit zurückkommen und bemerken für jetzt nur, daſs eine nähere Einsicht in die Operationen die zu den Höhenangaben geführt haben, und daher auch die Mittel zur Beurtheilung der Zuverlässigkeit der einzelnen von ihnen, auch in dem Russischen Aufsatze vergebens gesucht werden. Wir können daher für jetzt nur für diejenigen von ihnen, die unter der Bezeichnung „von der Akademischen-Expedition" vorkommen, auf den sie betreffenden Aufsatz in diesem Archive Bd. I. S. 749 verweisen, so wie auch für die von Herrn Parrot, Dubois und Abich herrührenden, auf deren Berichte über ihre Kaukusischen Reisen. Von den neueren Aufnahmen, die von Herrn Chodsko geleitet wurden, ist uns bis jetzt noch keine erschöpfende Darstellung zugekommen.

---

[*] Vergl. in diesem Bande des Archives S. 238

'In 'dem Russischen Aufsatz sind die Höhen in Englischen Fufsen angegeben, hier aber (aus den bekannten Gründen welche die Anwendung von einerlei Mafs, und namentlich der Toise du Pérou als der üblichsten für wissenschaftliche Messungen, empfiehlt), in Pariser Fufs zu 6 auf 1 Toise umgesetzt worden und zwar nach dem hier hinreichend angenäherten Verhältniss von

10000 Engl. Fufs = 9383 Pariser Fufs.

Nummer		Höhen in Par. Fufs über dem Meeressp.	Nach:
	In der Hauptkette des Kaukasus.		
1	Elbrus Westspitze . . .	17382	d. Akad. Expedit.
	— Ostspitze	17315	desgl.
2	Namenloser Berg in dem Balkar Bezirk	15896	desgl.
3	Kasbek	15534	desgl.
4	Berg zwischen Elbrus und Kasbek	14357	Hrn. Chodsko's Triangulazion
5	Adai-choch in Osetien . .	14314	desgl.
6	Basar djus im Nuchiner Kreise	13793	desgl.
7	Tepli in Osetien	13633	desgl.
8	Schach-dag im Kubinsker Kreise	13042	Abich barometr.
9	Silga-choch in Osetien .	11888	Chodskos triang.
10	Jalawat (höchste Punkt) im Nuchiner Kreise . . .	11438	desgl.
11	Baba-dag im Schemachaer Kreise	11165	desgl.

Nummer		Höhen in Par. Fuſs über dem Meeresp.	Nach:
12	Nördl. von Baba-dag (Tſap)	11063	Chodskos triang.
13	Kion-choch im Wladikaw-kaſer Kreise	10555	desgl.
14	Kru-choch	10490	desgl.
15	Salawat (ein andrer Gipfel?) im Nuchiner Kreise . .	10486	Hr. Gerasimow in. einem Astrol.
16	Galawdur in Osetien . .	9955	Chodskos triang.
17	Ninikos auf der Lesgischen Gränzlinie	9722	desgl.
18	Dadiasch in *Swanetien* .	9614	Abich barometr.
19	Sakoris-zweri iŋ Kachetien	9491	Parrot barometr.
20	Dunatschi-baschi im Nuchi-ner Kreise	8436	Chodskos triang.
21	Giumischty im Schema-chaer Kreise	8370	desgl.
22	Ach-bulag der Gipfel beim Dorfe Wanduma	7591	desgl.
23	Gud Berg, auf der Grusi-schen Gränzlinie . . .	7535	desgl.
24	Kow-dag im Schemachaer Kreise	7516	desgl.
25	Kiu piutsch	7061	desgl.
26	Mta-zminda in Osetien . .	7022	desgl.
27	Tschilink im Kubiner Kr...	6971	desgl.
28	Diwrar	6784	desgl.
29	Sardachan	6606	desgl.
30	Nijal-dag über dem Dorfe Laitsch im Schemachaer Kreise	6502	desgl.
31	Galadj im Kubiner Kreise	6427	desgl.

Nummer		Höhen in Par. Fuß über dem Meeressp.	Nach:
32	Togrja über dem Dorfe Kisch nahe bei Nucha .	6380	Chodskos triang.
33	Pir-darjak über Schemacha	3246	desgl.
34	Adjidara im Schemachaer Kreise	2581	desgl.
35	Kaibljar im Schemachaer Kreise . . . . . ., . .	2674	desgl.
36	Schichan-dag im Bakiner Kreise	2477	desgl.
37	Nalban-dag im Nuchiner Kreise	1341	desgl.
38	Gechmjal (Schoban-dag) im Bakiner Kreise . . .	1229	desgl.
39	Kjürges im Bakiner Kreise	1229	desgl.
40	Iljchi-dag desgl.	994	desgl.
41	Karaibat desgl.	845	desgl.
42	Kyrchmaku desgl.	582	desgl.
43	Belj pelj desgl.	450	desgl.
44	Seichan bachtschi desgl.	384	desgl.
45	Sugaiter Ebene desgl.	34	desgl.
46	Spiegel des Kasp. Meeres	80	desgl.
	Südliche Fortsetzungen des Gebirges.		
47	Giumbi-dag b. Dorfe Kosda	3974	desgl.
48	Kisjaki im Schemachaer Kr.	3246	desgl.
49	Bidjow desgl.	2867	desgl.
50	Sagjar-dag im Lenkoraner Kreise	2083	desgl.
51	Bojan-atag im Schemachaer Kreise	1810	desgl.

Nummer		Höhen in Par. Fufs über dem Meeressp.	Nach:
52	Garami bei dem Dorfe Nasdagi im Lenkoraner Kr.	1773	Chodskos triang.
53	Torogai desgl.	1229	desgl.
54	Schichi kaja desgl.	957	desgl.
55	Mischow-dag	910	desgl.
56	Kalmas	613	desgl.
57	Kiurow-dag . . . . . : .	436	desgl.
58	Ag-sybir	375	desgl.
59	Kiursjangja	273	desgl.
60	Baba-sanan	132	desgl.
61	Bofji-promysl Fischerhütten	56	desgl.
62	Spiegel des Kasp. Meeres	80	desgl.
	In dem Adjarer Gebirge und dem kleinen Kaukasus.		
63	Alages im Eriwaner Kreise	12620	desgl.
64	Papudjich im Ordubater Kr.	12076	desgl.
65	Gjamisch in dem Murowdag Gebirge in Karabag . .	11532	desgl.
66	Ag Mangan im Eriwaner Kr.	11167	Abich barometr.
67	Michtjukjan in Karabag .	11147	Chodskos triang.
68	Kisil-dag beim Agdag . .	11091	desgl.
69	Ag-dag über dem Goktschai im Eriwaner Kreise . .	11006	desgl.
70	Ischichli im Kalisali Gebirge in Karabag	10987	desgl.
71	Gesalj-dara in Karabag .	10985	desgl. und Abich barometr.
72	Bos-dag im Akeksandropoler Kreise	10727	desgl. desgl.

Nummer		Höhen in Par. Fuß über dem Meeresp.	Nach:
73	Karandych-dag im Distrikt von Daralages	10434	Abich barometr.
74	Inak-dag gegenüber dem Konur-dag in Karabag .	10396	Chodskos triang.
75	Godorebi bei Abul im Aleksandropoler Kreise . .	9824	desgl.
76	Schisch täp im Eriwaner Kreise	9822	Abich barometr.
77	Kiuki-dag im Nachitschewaner Kreise	9665	Chodakos triang.
78	Tej-achmed im Kreise von Jelisawetopol	9599	desgl.
79	Kara artschag im Nowobajaser Kreise	9487	desgl.
80	Emlekli im Aleksandropoler Kreise	9402	desgl.
81	Ag-lagan Gipfel	9400	Abich barometr.
82	Chalab über dem Dorfe Woskresensk im Aleksandropoler Kreise	9327	Chodakos triang.
83	Murgus im Jelisawetopoler Kreise	9270	desgl.
84	Ag-lagan im Aleksandropoler Kreise	9233	desgl.
85	Alla-olar im Jelisawetopoler Kreise	9205	desgl.
86	Utschtapaljar auf der Türkischen Gränze im Aleksandropoler Kreise . .	9185	desgl.
87	Indjasu	9129	desgl.
88	Schach-dag im Jelisaw. Kr.	8985	desgl.

Nummer		Höhen in Par. Fuſs über dem Meeressp.	Nach:
89	Karakaja über Borjom . .	8783	Chodskos triang.
90	Kyrch-kis in Karabag . .	8773	desgl.
91	Mepis-zgaro im Gurischen Kreise	8773	desgl.
92	Abul im Aleksandrop. Kr.	8605	desgl.
93	Ketschal tapa im Nachit-schewaner Kreise . .	8529	desgl.
94	Ardjewan im Tifliser Kr. .	8487	desgl.
95	Kirkity dag im Jelisaw. Kr.	8487	desgl.
96	Kirs im Schuschiner Kreise	8455	desgl.
97	Madatap im Aleksandrop.Kr.	8351	desgl.
98	Taginaury im Gurischen Kr.	8220	desgl.
99	Aigrydja im Jelisawetop.Kr.	8210	desgl.
100	Karni jarych im Eriwaner K.	8070	desgl.
101	Nagebo im Gurischen Kr.	8060	desgl.
102	Maralidja im Jelisawet. Kr.	8023	desgl.
103	Maimech	7929	desgl.
104	Souch-bulag über dem Gok-tschai See	7929	desgl.
105	Ljalwar im Tifliser Kreise	7901	desgl.
106	Dali-dag im Jelisawet. Kr.	7835	desgl.
107	Tlil im Gurischen Kreise .	7714	desgl.
108	Adatapa ein Vorgebirge am Goktschai See	7629	desgl.
109	Achbulag im Nuchiner Kr.	7591	desgl.
110	Pir-dag im Schemachaer Kr.	7423	desgl.
111	Schagris-dag im Nowobo-jaseter Kreise . . .	7375	desgl.
112	Tschambarak im Jelisaw.Kr.	7309	desgl.
113	Tumangel der Thurm über dem See	7150	desgl.

Nummer		Höhen in Par. Fufs über dem Meeressp.	Nach:
114	Schakarbag im Jelisaweto- poler Kreis	7074	Chodskos triang.
115	Eschtija im Achalzycher Kr.	6999	desgl.
116	Okius-dag im Jelisaw. Kr.	6362	desgl.
117	Tegengel desgl.	6249	desgl.
118.	Beleblik	6183	desgl.
119	Keljde-Kuri bei Manglis .	5940	desgl.
120	Tonety desgl.	5874	desgl.
121	Schindljar neben d. Basch- kitschet	5855	desgl.
122	Bedeni bei Bjeloi Kliutsch (d. Weissen Quelle) . .	5630	desgl.
123	Damnirich im Jelisaw. Kr.	5311	desgl.
124	Tschordachly desgl.	4889	desgl.
125	Gomer über der weissen Quelle	4523	desgl.
126	Skala (oder Ein Felsen) üb. d. Festung Schuscha .	4414	Abich barometr.
127	Noworojal im Jelisaw. Kr.	4222	Chodskos triang.
128	Magmurty	3657	desgl.
129	Kabach-tapa bei Schamchor	2834	desgl.
130	Kanman-dag in Karabach	2843	desgl.
131	El-dag bei der Colonie Je- katerinendorf	2646	desgl.
132	Topa-dag bei Djulf . . .	2495	desgl.
133	Jaglydj bei Kod	2476	desgl.
134	Karatschug im Karabag .	2022	desgl.
135	Utschgjud bei Schamchor	2476	desgl.
136	Karabulag im Karabag .	1867	desgl.
137	Der Berg Samelo im Osur- geter Kreise . .	1745	desgl.

Nummer		Höhen in Par. Fufs über dem Meeressp.	Nach:.
138	Karaul-tapa (oder die Wache Tapa) bei dem Dseganer Posten	1548	Chodskos triang.
139	Die Ebene Schamchor . .	975	desgl.
140	Chrialet im Gurischen Kr.	554	desgl.
141	Taschburan im Karabag .	421	desgl.
142	Sardob am Kur	75	desgl.
	In der Suramer Ge-birgskette.		
—	Siljga choch	11868	desgl.
143	Germuch ·	9842	desgl.
144	Syrchlebert	8863	Abich barometr. und desgl.
145	Morecha	8281	Chodskos triang.
146	Lochoni	5882	desgl.
147	Peranga	4972	desgl.
148	Mansunari	4008	desgl.
149	Dsagaurda	3861	desgl.
150	Mittlere Höhe des platten Rücken zwischen den Thälern des Dsirumi und Kwirila, 6 Werst SW.lich von Peranga	3002	desgl.
	Im Kachetischen Ge-birgszuge.		
151	Jalno im Tifliser Kreise .	5799	desgl.
152	Ziwa	5424	desgl.
153	Saim zweri bei Gombor .	5411	Parrot barometr.
154	Nukriani im Signacher Kr.	3369	Chodskos triang.

Nummer		Höhen in Par. Fuß über dem Meeresp.	Nach:
155	Nikoriziche bei Zarskji ko-lodes (Zaren Brunnen) .	3316	Chodskos triang.
156	Taura-tapa im Signacher K.	3097	desgl.
157	Kara agatsch bei Zarskji kolodes	3068	desgl.
158	Dwa brata (d. zwei Brüder)	2899	desgl.
159	Tschoban dag im Signacher Kreise	2777	desgl.
160	kleiner Syltscha im Tifliser Kreise	2448	desgl.
161	Amartuli in demselben . .	2439	desgl.
162	Syrchow kala im Nuchiner Kreise	1998	desgl.
163	Ellar ogi im Signacher Kr.	1876	desgl.
164	Kasailu im Jelisawetop. Kr.	1651	desgl.
165	Karamarjan im Nuchin. Kr.	1379	desgl.
166	Nalban dag	1341	desgl.
167	Guiruch entschi am linken Ufer des Kur	1313	desgl.
168	Siula tapa an demselben im Signacher Kreise .	989	desgl.
	Im Kubiner Kreise und dem Gebirgigen Da-gestan.		
169	Magi dag zwischen d. Dör-fern Bortsch und Rutul	13257	Gerasimow d. Feldmessen *)

*) Bei diesen und bei den übrigen hier ebenso bezeichneten Höhenanga-
ben steht in dem Russ. Aufsatz „mit der Kippregel bestimmt" und es
ist daruuter vermuthlich die Messung von Höhenwinkeln mit einem
rohen Winkelinstrument und von einer Basis durch eine Messtisch-
Aufnahme verstanden.   E.

Nummer		Höhen in Par. Fufs über dem Meeressp.	Nach:
169 bis	Schach dag im Kubiner Kreise	13051	Abich barom. u. Chodskos triang.
170	Gutach in Dagestan . .	12550	Gerasimow Fdm.
171	Boul	12427	desgl.
172	Una dag	12364	desgl.
173	Tschulgoi dag	12347	desgl.
174	Kara-kaja	11586	desgl.
175	Kinalug der Gipfel über d. Dorfe	11380	Chodskos triang.
176	Djulty dag in Dagestan .	11378	Gerasimow Fdm.
177	Alachun dag	11280	desgl.
178	Jerisi dag	11280	desgl.
179	Shalbus dag	10800	Abich barometr.
180	Tokorkil	11228	Gerasimow Fdm.
181	Djufa dag	10298	desgl.
182	Tschutur im Kubiner Kr. .	9637	Chodskos triang.
183	Tschiracher Berg in Dagestan	9422	Gerasimow Fdm.
184	Schunu dag	9018	Abich barometr.
185	Achgjaduk im Kubiner Kr.	8691	Chodskos triang.
186	Chunsuntu in Dagestan .	8039	Gerasimow Fdm.
187	Ujug im Kubiner Kreise .	7920	Chodskos triang.
188	Krys	7891	desgl.
199	Tilitlinskaja in Dagestan .	7695	Gerasimow Fdm.
190	Karyk sylja	7665	Abich barometr.
191	Tschnis dag	7547	Gerasimow Fdm.
192	Turtschi dag	7497	Abich barometr.
193	Chanakoi tau	7368	Gerasimow Fdm.
194	Autschi mejer	7312	desgl.
195	Arak tau	7267	desgl.

Nummer		Höhen in Par. Fuß über dem Meeresp.	Nach:
196	Gunibskaja	7208	Gerasimow Fdm.
197	Lewani-baschi	7182	desgl.
198	Salatau	7115	desgl.
199	Gimrinsk	7042	Abich barometr.
200	Garkas	6985	Gerasimow Fdm.
201	Arakansk	6803	desgl.
202	Höchste Punkt der Kute-schiner Berge	6765	desgl.
203	Ein Berg nördlich von den Andiner Pforten in Dag. .	6752	desgl.
204	Waziliu	6578	desgl.
205	Tustan	6387	desgl.
206	Tschulgjasy im Kubiner Kr.	6372	Chodskos triang.
207	Budug tschadyr bjelja eben-daselbst	6287	desgl.
208	Zanatychsk in Dagestan .	6207	Gerasimow Fdm.
209	Erpilinsk	6118	desgl.
210	Andiner Pforten	6105	desgl.
211	Kaljaku	6005	Chodskos triang.
212	Dom	5908	Gerasimow Fdm.
213	Betlinsk	5859	desgl.
214	Klit im Kubiner Kreise	5808	Chodskos triang.
215	Murdinsk in Dagestan .	5717	Gerasimow Fdm.
216	Chartikulsk	4780 *)	desgl.
217	Kegersk	5488	desgl.
218	Unzukulsk	5142	desgl.
219	Kuppinsk	4505	desgl.
220	Karantai	3254	desgl.

*) Im Original steht 5094 Engl. Fuß — aber vielleicht verdruckt, für 5994 Engl. Fuß. In diesem Falle müsste es oben 5624 heissen.

Nummer		Höhen in Par. Fufs über dem Meeressp.	Nach:
221	Torkinsk	2626	Gerasimow Fdm.
222	Atly buiny	2567	desgl.
223	Karaul-tapa b. d. Djangutai	2469	Abich barom.
224	Ulikala in Dagestan . .	2410	Gerasimow Fdm.
225	Besch barmak im Kub. Kr.	1737	Chodskos triang.
226	Kurgankum in Dagestan	1083	Gerasimow Fdm.
227	Ach-burun im Kubiner Kr.	947	Chodskos triang.
228	Kurgan Toarch kale in Dagestan	502	Gerasimow Fdm.
229	Begil im Kubiner Kreise .	254	Chodskos triang.
	Auf der Südgränze gegen die Türkei u. gegen Persien.		
230	Der grofse Ararat . . .	15914	Abich barom. u. Chodskos triang.
231	Der kleine Ararat . . .	12043	Abich barom.
232	Die Glätscherschlucht (lednikowy owrag) . . .	11249	desgl.
233	Perli dag	10019	Chodskos triang.
234	Tschingil	10010	desgl.
235	Untere Theil (?) des Jakobthales	8620	Abich barom.
236	Sinak	7834	Chodskos triang.
237	Berg über dem Dorfe Kulp	3969	desgl.
238	Berg bei dem Kloster Chor	2881	desgl.
	In den Kabarder und Sunjaer Gebirgen.		
239	Bermamyt bei Kislowodsk	7330	Dubois barom.
240	Beschtau bei Pjatigorsk .	4299	Akadem. Exped.

Nummer		Höhen in Par. Fufs über dem Meeressp.	Nach:
241	Der Berg Koirum-bero .	2259	Gerasimow Fdm.
242	- - Atschuluk . .	2235	desgl.
243	- - Borojoibje . .	2010	desgl.
244	- - Borgon-nik . .	1695	desgl.
245	- - Mahomet-kchi .	1589	desgl.
246	- - Taltan-korta .	1458	desgl.
247	- - Tri brata (R. drei		
	Brüder) ein Kurgan . .	1235	desgl.
248	Der Berg Nogoibars . .	1183	desgl.
	In dem Terek Gebirge. .		
250 *)	Der Berg Mask	3258	desgl. .
251	- - Tiurpansu . .	1925	desgl.
252	- - Borisu . . .	1911	desgl.
253	- - Chamzimbyilyk .	1852	desgl.
254	- - Balascha . . .	1570	desgl.
255	- - Uriulnik . . .	1471	desgl.
256	- - Chajan kala .	1379	desgl. .
257	- - Chajan korta .	1359	desgl.
258	- - Arzu bei der		
259	Festung Wosdwijensk .	1359	desgl.
	- - Nogoimirsakorta	1326	desgl.
	Bei und in Tiflis.		
	Bei Tiflis.		
260	Der Gelbe Berg (Joltaja		
	gora) bei Manglis . . .	5630	ChodskosTriang.

*) So steht in dem Russischen Verzeichniss.

Nummer		Höhen in Par. Fufs über dem Meeressp.	Nach:
261	Der Kartaliner Berg bei Manglis	5311	Chodskos Triang.
262	Der Koldjory, höchster Punkt	4635	desgl.
263	Der Jelisaweter Posten (ein Berg)	4269	desgl.
264	Gorowani (über Michet) .	3396	desgl.
	In Tiflis.		
265	Der höchste Punkt in dem Teletiner Zuge . . .	2858	desgl.
266	Der Dawidsberg (Mtaz-minda)	2251	desgl.
267	Machatka (auf d. Awlabar)		
268	Metech	2026	desgl.
269	Balkon der Davids Kirche	1979	desgl.
270	Das Haus in d. Festung (?)	1820	desgl.
271	Das Meteorol. Observator.	1469	desgl.
272	Die Petschaina Kirche . .	1416	desgl.
273	Das Seminarium	1322	desgl.
274	Johannes-Täufer Kirche .	1303	desgl.
275	Brücke über den Kur . .	1265	desgl.
	Auf den Landstrafsen.		
	Die Grusische Heerstrafse.		
276	Die Station Gartiskar . .	1513	desgl.
277	Die Stadt Duschet . . .	2947	Gosiusch d.Nv.u. Transk. Vermessung barom.
278	Die Station Pasanaur . .	3232	Parrot barometr.

Nummer		Höhen in Par. Fufs über dem Meeressp.	Nach:
279	Die Station Koischaur . .	5525	Parr. bar. u. Trsk. Vermess. barom.
280	- - Kobi . . .	6057	Transkauk. Vermess. barom.
281	- - Kasbek . .	5972	Parrot barom.
282	Der Darjaler Posten . .	3472	desgl.
283	Die Station Lars . . .	3097	desgl.
284	- Festung Wladikawkask	2055	Transkauk. Vermess. barom.
285	- Station Jekaterinograd	706	Akadem. Exped.
286	- - Aleksandria .	849	desgl.
287	- . - Aleksandrowsk	984	desgl.
288	- - Weschpagiuk .	1119	desgl.
289	- Stadt Stawropol (die Kathedrale)	1880	desgl.
290	Die Station Nowotroizk .	495	desgl.
291	Das Dorf Lietniak . . .	197	desgl.
292	- - Pestschanokopsk	313	desgl.
293	- - Nowo Jegorlyk	344	desgl.
	Auf der Imeretischen Heerstrafse.		
294	Poti, Insel im Rion gegenuber der Festung . . .	5	ChodskosTrlang.
295	Der Posten Chorginsk . .	35	Gosiusch Nivell.
296	- - Sakabertsk . .	70	desgl.
297	- - Maransk a. Rion	63	desgl.
298	- - Gubi Zchalskji	191	desgl.
299	- - Abaschinsk . .	196	desgl.
300	Die Stadt Kutais	444	desgl. und Abich barometr.

19 *

Nummer		Höhen in Par. Fuls über dem Meeressp.	Nach:
301	Der Posten Simonetsk . .	294	Abich barometr.
302	- - Kwirilsk . .	446	desgl. und. Gosiusch Nivell.
303	- - Bjelogorsk .	774	Abich barometr.
304	- - Sakarbalsk .	1307	Gosiusch Nivell.
305	- - Malitsk . .	1407	desgl. und Abich barometr.
306	- - Origorebsk .	1888	Gosiusch Nivell.
307	Das Dorf Suram	2147	desgl.
308	Der Posten Gargarebsk .	1888	desgl. ·
309	Die Stadt Gori	1775	desgl. und Abich barometr.
310	Der Posten Tschalsk . .	2202	Gosiusch Nivell.
311	- - Sadubansk .	1618	desgl.
312	Das Dorf Muchran . . .	1614	desgl.
—	Kurbrücke in Tiflis . . .	1265	ChodskosTriang.
	Der linke Flügel der Kaukasischen Linie.		
313	Die Stadt Mosdok . . .	567	Abich barometr.
314	- Sation Stoderewsk .	598	Gerasimow Fdm.
315	- - Naursk . . .	309	Akadem. Exped.
316	- - Galigajewsk .	283	Gerasimow Fdm.
317	- - Nikolajewsk .	283	desgl.
318	- - Tscherwlennaja	107	Aleksandrow barom.
319	- - Ischtschörskaja	309	Gerasimow Fdm.
320	- Festung Grosnaja . .	344	Aleksandrow barom.
321	- Verschanzung Tasch- kitschu	73	desgl.

Nummer		Höhen in Par. Fufs über dem Meeressp.	Nach:
322	Die Station Mekensk . .	276	Gerasimow Fdm.
323	Der Weiler Sowelewsk .	387	desgl.
324	Die Festung Wnesapnaja .	924	desgl.
325	- Station Kalipowsk . .	197	desgl.
326	- Stadt Kisljar	105	Akadem. Exped.
327	Das Dorf Tscherny rynok	69	desgl.
	Am Sunja Flusse		
328	Die Festung Nasran . .	1196	Gerasimow Fdm.
329	Der Thurm Tschetschensk	1178	desgl.
330	- Posten Eldyrchanowsk	1171	desgl.
331	Die Station Troizk . . .	998	desgl.
332	- - Sunjensk . .	900	desgl.
333	- Ehemalige Befestigung Pregradny stan . . .	900	desgl.
334	Die Station Michailowsk .	815	desgl.
335	Der Post. Kasach-Kitschinsk	789	desgl.
336	Die Trümmer von Nijnie-Samaschki	743	desgl.
337	Die Verschanz. Sakan-jurt	670	desgl.
338	Der Thurm Nephtansk .	473	desgl.
339	Die Befestig. Tepli-kitschu	539	desgl.
	Am Flusse Assa.		
340	Die Verschanz. Nesterowsk	1130	desgl.
341	- Station Asjinsk . . .	785	desgl.
	An der Tschatschna.		
342	Die Station Mahomet jurtowsk	1556	desgl.
343	Die Versch. Urus Martansk	952	desgl.

Nummer		Höhen in Par. Fufs über dem Meeressp.	Nach:
344	Die Festung Wosdwijensk	841	Gerasimow Fdm.
345	Die Befest. Atschchojewsk	723	desgl.
	Flussniveaus.		
	Der Wasserspiegel des Kur.		
346	Austritt des Kur aus der Borjomer Schlucht . .	17	Abich barometr.
347	Mündung des Aragwa . . .	1430	Chodskos geod. und barom.
—	Tiflis (Brücke über d. Kur)	1266	ChodskosTriang.
348	Mündung Daegama . . .	476	desgl.
349	Dorf Sardob	79	desgl.
350	Vereinigung des Kur und Arakses	18	Abich barometr.
	Der Wasserspiegel d. Arakses in der Türkei.		
351	Kagisman	3599	desgl.
352	Kuljp	2844	desgl.
353	Igdyr gegenüber	2500	desgl.
354	Dagmag	2428	desgl.
355	Scharur gegenüber . . .	2343	desgl.
356	Karmir Wank	2213	desgl.
357	Ordubat	1841	desgl.
358	Migri	1510	desgl.
359	Posten Mirsa Mechtalinsk .	542	desgl.
360	— Kardulinsk . .	*)	Transk. Triang. barom.

*) Die hierher gehörige Zahl fehlt in dem Russischen Aufsatz.

Nummer		Höhen in Par. Fuſs über dem Meeresap.	Nach:
360	Vereinigung des Arakses und Kur	18	Abich barometr.
	Der Wasserspiegel des Terek. .		
361	Bachmündung bei d. Dorfe Res	7132	Transk. Triang. barom.
362	Beim Dorfe Des (in der Trusoser Gemeinde) . .	6698	desgl.
363	Beim Eintritt in die Thal-Enge 7 Werst oberhalb Kobi	6577	desgl.
364	300 Sajen unterhalb d. Station Kobi	6165	desgl.
365	Beim Posten Kasbek . .	4930	Meier Barometr.
366	- - Darial . .	3540	desgl.
367	- - Lars . . .	2903	desgl.
368	- Dorfe Makrinkina .	2602	desgl.
369	- Posten Baltinsk . .	2447	desgl. u. Transk. Triangl. barom.
370	- - Noworedantsk	2128	Meier Barometr.
371	- d. Fest. Wladikawkas	2095	Transk. Triang. barom.
372	- der Stadt Mosdok .	414	Meier Barometr.
	Wasserspiegel des groſsen Liachow-Flusses.		
373	Vereinigung der zwei Bäche beim Dorfe Britat . .	6547	Transk. Triang. barom.

Nummer		Höhen in Par. Fufs über dem Meeressp.	Nach:
374	Vereinigung der Bäche Bri- tati-don und Edisi-don .	4908	Transk. Triang. barom.
375	Mündung des Baches Sob	4805	desgl.
376	3 Werst oberhalb der Fest. Roksk	4682	desgl.
377.	Mund. des Baches Djomag	4363	desgl.
378.	Lager der Ingenieure im Jahre 1851	4156	desgl.
379	Mündung des Flusses Tla	4054	
380	Gegenüber d. Dorfe Chuze	3378	desgl.
381	Djawy	3266	desgl.
382	Mündung des Flusses Paz	3022	desgl.
	Wasserspiegel des Ksan- flusses.		
—	Quellen v. der linken Seite	9121	desgl.
—	Quellen v. der rechten Seite	8755	desgl.
383	Brücke zwischen den Dör- fern. Bagin und Gorgo .	5940	desgl.
384	Brücke in dem Dorfe Mo- nactyr bei der Mündung der Tschurta	3171	desgl.
385	Bei dem Dorfe Korinty .	2759	desgl.
	Wasserspiegel des Rion.		
386	Glätscher des Rion oberhalb des Dorfes Gebi . . .	6059	Abich barometr.
387	Tschantschachi ein Zuflufs		

Nummer		Höhen in Par. Fuſs über dem Meeresp.	Nach:
	des linken Uſer zwischen den Dörfern Gloly und Gurschew	5114	Transk. Triang. barom.
388	Dorf Gebi	4258	Abich barometr.
389	Vereinigung der Flüsse Gebi und Globy oder Anfang des Rion	3481	desgl. und Transk. Triang. barom.
390	Mündung des Sakaur oberhalb Oni	2646	Transk. Triang. barom.
	Wasserspiegel des Nar-don oder Ar-don.		
391	Gegenüber d. Dorfe Saki .	6802	desgl.
392	— d. - Puriati	6296	desgl.
893	Münd. d. Ginati-don . .	5630	desgl.
894	Gegenüber d. Dorfe Nari .	5489	desgl.
395	Münd. d. Mamison . . .	5217	desgl.
396	— d. Ilso	4729	desgl.
397	Die krummen Pforten (kry-wyja worota) in der Kas-sarsker Schlucht . . .	4250	desgl.
398	Brücke bei d. Dorfe Nusala	3153	desgl.
399	Unal bei den Thurmruinen am Flusse	2702	desgl.
400	Alagirer Hütte	2158	desgl.
	Wasserspiegel d. Phiag-don.		
—	Quelle b. d. Abh. d. Styrchoch	7920	Abich barometr.

Nummer		Höhen in Par. Fufs über dem Meeressp.	Nach:
401	Dorf Koloto	7268	Transk. Triang. barom.
402.	⁃ Gutiati	5686	desgl.
403	- Chidikus	3979	desgl.
404	Zwisch. den Dörfern Phardig-don und Dalla-kan .	3585	desgl.
405	Verein. d. Flüsse Ginal-don und Gisal-don	2608	desgl.
	Wasserspiegel d. Tedsawin im Tifliser Kreis.		
406	Beim Dorfe Gebriani . .	4476	desgl.
	Wasserspiegel des Koisu.		
407	Beim Dorfe Pudachar . .	3496	Abich barometr.
408	- - Gergebil . .	2257.	desgl.
409	Vereinigung d. beiden Koisu bei Gergebil	2150	Gerasimow Fdm.
410	Beim Dorfe Gimry . . .	667.	Abich barometr.
411	Bei der Befest. Tschirjurt	400	desgl.
	Wasserspiegel des Alasan.		
412	Bei der Stadt Telawa.	833.	Parrot barometr.
	Seen im Gebirge.		
413	See bei dem Glätscher der Südspitze des Schag-dag im Kubiner Kreise . .	11759	Abich barom.
414	See Kali an dem der linke Arm des Ksan entspringt	9120	Transk. Triang. barom.

Nummer		Höhen in Par. Fuls über dem Meeressp.	Nach:
415	Wasserfall des Ksan beim Austritt an den See Keli	8914	Transk. Triang. barom.
416	Mittlerer See auf der Bergebene über Gorgo in Osetien	9045	desgl.
417	Oestlichster See auf der Bergebene über Gorgo in Osetien	8652	desgl.
418	Oberer See Zitelichati, Quelle des rechten Arm des Ksan	8755	desgl.
419	Unterer See Zitelichati, Quelle des rechten Arm des Ksan	8727	desgl.
420	See Balychgel an der Gränse des Eriwaner Gouv. mit der Türkei	6888	desgl.
421	See Göktschei im Neu-Bajaseter Kreise	5508	desgl.
422	See Zoni, Quelle des Quirillaflusses	5302	desgl.

Nummer		Höhe	Temper.	Nach:
	Süſswasser Quellen in Osetien.			
423	Am SSO.-Abhang d. Berges Germuch	9045	$+2°,05$	Transk. Triang. barom.
424	Obrh. d. Dorf. Gorgo in d. Araksesthale	8652	$+0,25$	desgl.
425	B. See Zitelichati im obern Ksanthale .	8464	$+1,95$	desgl.
426	Auf d. Sekarischen Passe an der Süds.	8445	$+1,55$	desgl.
427	Am Fuſse d. Ostseite d. Bergs Galawdur	8267	$+2,35$	desgl.
428	Am Abh. d. Brg. Ard-jewan im Tifl. Kr.	8267	$+1,85$	desgl.
429	Am Nordabhange d. Germuch . . .	8136	$+1,05$	desgl.
430	Auf d. Wege v. dem Dorfe Choj auf den Kaldasan-Pass .	7300	$+2,75$	desgl.
431	Sardar - bulag am Fuſse d. Gr. Ararat	7050	.—	Abich barom.
432	Bei d. Dorfe Bosorta	6373	$+5,25$	Transk. Triang. barom.
433	Unterh. d. Dorf. Pu-riati am Fl. Nar-don	6296	$+2,25$	desgl.
434	Am NO.-Abh. d. Ber-ges Mta-zminda .	6231	$+6,25$	desgl.
435	B. Dorfe Saumasig	6061	$+5,65$	desgl.
436	Auf d. Pass zwischen Saniba u. d. Terek	5950	$+6,95$	desgl.

*) Wahrscheinlich in Réaum. Gr., obgleich nichts darüber angegeben ist.

Nummer		Höhe	Temper.	Nach:
437	Am NO.-Abhang des Tonet bei Manglis	5733	+3°,60	Transk. Exp. bar.
438	Am NO.-A. d. Tonet	5647	+ 4,80	desgl.
439	Am Nar-don d: Dorfe Nari gegenüber .	5490	+11,75	desgl.
440	Beim Dorfe Misuri im Walde d. Alagirer Gemeinde . .	5067	+ 7,25	desgl.
441	Am S.-Abhg. d. Mtazminda	4924	+ 6,65	desgl.
442	Am W.-Abhang des Passes zw. d. Dörfern Dargowas und Barsikan . . .	4532	+ 7,35	desgl.
443	B. Dorfe Dra oberh. Ateni (reichhaltig)	4438	+ 6,05	desgl.
444	4 Quellen am Rion unterh. d. D. Globi	3284	+ 8,25	desgl.
445	Am SO.-Abhang des Berges Gorowan b. Mzcheter Kloster .	2983	+ 7,45	desgl.
	Mineral. Quellen in Osetien*).			
446	Am Abhang des Passes von Styrcho gegen den Tiak-don	7920	+ 1,75	desgl.
447	Schwefels. Quell.**) beim Aufsteig. v. d. D. Choj auf d. Pass Kaldasan . . .	7447	+ 7,05	desgl.

*) Trotz der Unterscheidung zwischen Mineralquellen und Süſswasserquel. ist nicht wahrscheinlich, daſs die letzteren aus chemisch reinem Wasser bestehen. E.

**) Vielleicht Schwefel- u. Sauer- (d. h. Kohlensäure) Quelle.

Nummer		Höhe	Temper.	Nach:
448	B.D.Des a. ob.Terek	6812	$+10°,45$	Transk. Exp. bar.
449	In d. Schlucht ober-			
	halb d. Dorfes Sbu	6737	$+$ 9,75	desgl.
450	Beim Dorfe Edisy .	5969	$+$ 6,85	desgl.
451	Beim Dorfe Britati .	5536	$+$ 6,35	desgl.
452	Oberh. d. Dorfes Na-			
:	rion-Nardon . .	5498	$+$ 8,25	desgl.
453	Am Fuße des Berges			
	Sawaljan in Persien	5123	$+36,8$	Abich barom.
454	Auf d. Wege v. d. D.			
.	Mesis sadgomy zu			
	d.D.Zoni(Naphta-			
	haltig)	4908	$+$ 6,85	Transk. Exp. bar.
—	das. ohne Naphthag.	4908	$+$ 7,45	desgl.
455	B. d. Lag. d. Ing. im J.			
	1851 am F. Ljachwa			
	analysirt durch d.			
	Apoth. Kreslowskji	4156	$+$ 7,25	desgl.
456	Beim Dorfe Glola .	4137	$+$ 8,85	desgl.
457	Beim Dorfe Uzeri .	3209	$+10,25$	desgl.
—	Temper. d. Gases in			
	einem Loche ober-			
	halb dieses Punktes	—	$+20,05$	desgl.
458	B. Dorfe Kunagkjant			
	im Schemachaer K.	2219	$+39,5$	Abich barom.

Nummer		Höhen in Par. Fufs über dem Meeresp.	Nach:
	Pässe auf welchen Fufspfade über den Kaukasus liegen.		
459	Alachun-dag in Dagestan .	10670	Gerasimow Fdm.
460	Una-dag in Dagestan . .	10624	desgl.
461	Von Chinalug nach Kutkatin	10385	Abich barom.
462	Glätscher auf d. Silga-choch in Osetien	10199	Transk. Exp. bar.
463	Styr-choch, Uebergang vom Nar-don zum Phiag-don	10176	desgl. und Abich barometr.
464	Kadlasan desgl. vom Dorfe Ljachwa zum Terekflusse	10105	Transk. Exp. bar.
465	Lager am Fs. d. Silga-choch	10002	desgl.
466	Sekarer, Ueberg. v. Ljach-wa zum Nar-don . . .	9860	diese u. Abich bar.
467	Zw. d. Dörfern Chinalug u. Kurusch in Dagestan .	9743	Abich barom.
468	Zw. den Dörfern Saki und Sjeweraut in Osetien .	9698	Transk. Exp. bar.
469	Am Abhang des Berges Ga-sawdar wo die Sonnen-finsterniss im Jahre 1851 beobachtet wurde . .	9688	Chodskos Triang.
470	Rokskji-Pafs von Ljachwa zum Nar-don	9327	Transk. Exp. bar.
471	Tschukaro-mta(Tschitcharu)	9325	Abich barom.
472	Von Djamur zum See Keli, am obern Ksan . . .	9214	Transk. Exp. bar.
473	Vom Dorfe Britati z. Dorfe Tly in Osetien . . .	9008	desgl.

Nummer		Höhen in Par. Fuſs über dem Meeressp.	Nach:
474	Zw. Chinalug und dem Distrikt Schach-djusi . .	8957	Abich barom.
475	Zw. den Dörfern Sba und Saki in Osetien . . .	8933	Transk. Exp. bar.
476	Glur-awseg, von Mamison zw. d. D. Globy am Rion	8810	desgl.
477	Zw. d. Dörfern Lesa und Kris im Kubiner Kreise	8304	Abich barom.
478	Zw. den Gr. u. Kl. Ararat	8275	desgl.
479	Pass Kochma-dag in Dages.	8167	desgl.
480	Wichlinskji in Dagestan .	7757	Gerasimow Fdm.
481	Zw. den Walagirsker und Digorsker Gemeinden .	7667	Transk. Exp. bar.
482	Der Kreuzberg (gora krestowaja) Pass von Kobi nach Kaischaur . . .	7467	Parrot und Transk. Exp. bar.
483	Von Achton nach Kuri in Dagestan	7440	Gerasimow Fdm.
484	Erster Pass von Kumuch nach Akuscha in Dagest.	7138	Abich barom.
485	Von d. Kurtatiner Gemeinde zur Walagirer	6832	Transk. Exp. bar.
486	Zuar in Dagestan . . .		
487	Zweiter Pass von Kumuch nach Akuscha	6715 6642	Gerasimow Fdm. Abich barom.
488	Von Mistan nach Ardebil auf der Gränze des Alexandrop. Kr. geg. Persien	6558	desgl.
489	Von Achalkalak zur Stadt Alexandropol	6360	desgl.

Nummer		Höhen in Par. Fuß über dem Meeresp.	Nach:
490	Besobdal	6268	Parr. bar. u. Trsk. Exped. barom.
491	Zwischen den Dörfern Zadisy und Tschasowly .	6118	desgl.
492	Zwisch. den Dörfern Tschasowly und Zony . . .	6072	desgl.
493	Zwischen dem Dorfe Saniba und dem Terek im Wladikawkaser Kreise .	5940	Transk. Exp. bar.
494	Zwischen Djiksir und Pindasy auf der Gränze des Lenkoraner Kreises gegen Persien	5838	Chanykow Fldm.
495	Zwischen d. Dörfern Dargaws und Kani im Wladikawkaser Kreise . .	5574	Transk. Exp. bar.
496	Zwischen Barsikan u. dem Dorfe Dargaws in dems.	5564	desgl.
497	Zwischen den Dörfern Oni und Sachtscheri in Imeretien	5527	Abich barom.
498.	Agsi-biuk (die Wolfspforte)	5460	Parrot barometr.
499	Zwischen den Dörf. Akuscha und Gerga in Dagestan	5448	Abich barometr.
500	Zwischen Ogly und Aïmaka in Dagestan	5402	Gerasimow Fdm.
501	Von Manglis zu dem Dorfe Achalkalak	5359	Transk. Exp. bar.
502	Zwischen Chaltan u. Schemacha	5430	desgl.

Nummer		Höhen in Par. Fuſs über dem Meeresp.	Nach:
503	Zwischen Ogly u.Gawascha-dara in Dagestan . . .	4919	Gerasimow Fdm.
504	Zwischen Akuschu u. 'Ulku-sija	4850	Parrot barometr.
505	Von Gombor nach d. Stadt Telaw	4825	Abich barom.
506	Von Djungutai nach Ogly in Dagestan	4821	Parrot barom.
507	Nakeraly, d. Pass von Kwi-bul nach Oni	3806	Abich barometr.
508	Der Suramer Pass über d. Wichliner Gebirge . .	2841	desgl. und Gosiusch Nivell.
509	Zwischen d. Befestigungen Petrowsk u. Temir-chan-schur	1325	Gerasimow Fdm.
	Einige bewohnte Punkte des Kaukasus.		
510	Das Dorf Kurusch . . .	7841	Abich barom.
511	Oni bei Chinalug	7835	desgl.
—	Das Dorf Kalota am Fiag-don in Osetien . . .	7268	desgl.
512	Das Dorf Des am oberen Terek	7181	Transk. Exp. bar.
513	Die Festung Tschirachsk in Dagestan	7050	Abich barom.
514	Das Dorf Saki an d. Brücke zum oberen Nar-don . .	7046	Transk. Exp. bar.
515	Das Dorf Waki in Osetien	6822	desgl.

Nummer		Höhen in Par. Fufs über dem Meeressp.	Nach:
516	Das Dorf Wagini am obe-ren Ksani	6719	Transk. Exp. bar.
517	Das Dorf Wichli in Dag.	6646	Gerasimow Fdm.
518	- - Chinalag . . .	6611	Abich barometr.
519	- - Chinalag . . .	6534	desgl.
520	- - Radionowka im Alexandropoler Kreise .	6451	ChodskosTriang.
521	Das Lisry in d. Mamisoner Schlucht am ob. An-don	6249	desgl.
522	Das Dorf Kris im Kub. Kr.	6175	desgl.
523	- - Schiralin in Dag	6068	desgl.
524	- - Rytscha . . .	5925	Gerasimow Fdm.
525	- - Sba bei den Müh-len, in Osetien	5856	Transk. Exp. bar.
526	Das Dorf Gra in Dagestan	5717	Gerasimow Fdm.
527	Eine Waldblöfse oberhalb des Dorfes Tedeleti . .	5658	Transk. Exp. bar.
528	Das Dorf Dag-kiant oder Gorch im Tifliser Kreise	5658	desgl.
529	Das Dorf Mistan im Lenko-raner Kreise	5518	Abich barometr.
530	Das Dorf Zoni bei dem Thurme in Osetien . .	5453	desgl.
531	Das südl. Schloss der Ku-mucher Herrschaft . .	5316	Gerasimow Fdm.
532	Das Dorf Tschani bei Nari in Osetien	5208	Abich barometr.
533	Die Stadt Kars in der Türkei	5201	desgl.
534	Die Festung Achalkalaki im Alexandropoler Kreise .	5171	ChodskosTriang.

20 *

Nummer		Höhen in Par. Fufs über dem Meeressp.	Nach:
535	Die Festung Kuppa bei d. Mühle in Dagestan . .	5142	Abich barom.
536	Das Dorf Tedeleti in Oset.	5135	Transk. Exp. bar.
537	- - Lesa im Kub. Kr.	5009	desgl.
538	- - Ruwaru im Lenkoraner Kreise	4951	desgl.
539	Das Dorf Mitschit im Nuchiner Kreise	4948	Abich barometr.
540	Das Dorf Chram	4908	Chodskos Triang.
541	- - Ulusija in Dag.	4884	Abich barometr.
542	- - Rutul am Samurfl.	4864	Gerasimow Fdm.
543	- - Agjan im Schemachaer Kreise . . .	4762	Chodskos Triang.
544	Die Kumucher Festung .	4759	Abich barom.
545	- Ortschaft Zalka im Tifliser Kreise	4673	Chodskos Triang.
546	Die Ortsch. Ogly in Dag.	4606	Abich barometr.
547	- Festung Aleksandropol	4522	desgl.
548	- Ortschaft Dargaws b. d. Kirche in d. Tagaurer Gemeinde	4457	Transk. Trg. bar.
549	Die Ortsch. Akuscha, höchster Punkt, in Dagestan .	4398	Abich barometr.
550	Die Festung Karachsk . .	4395	desgl.
551	Trümmer der Stadt Ani auf der Türkischen Gränze .	4379	desgl.
552	Die Ortschaft Dargaws am Gisal-don bei den Mühlen	4363	Transk. Exp. bar.
553	Die Ortschaft Glola im Ratschiner Kreise . . .	4357	Abich barom.

Nummer		Höhen in Par. Fufs über dem Meeressp.	Nach:
554	Namin in Persien an d. Gr. des Lenkoraner Kreises .	4335	Abich barom.
555	Die Stadt Ardebil in Persien	4280	desgl.
556	Das Dorf Zedisy im Rat-schiner Kreise	4278	desgl.
557	Das Dorf Gebi am Rion .	4258	Transk. Exp. bar.
558	– – Tscharmadagar im Kubiner Kreise . .	4241	Abich barom.
559	Das Dorf Tschasakly am Fl. Djadjora in Osetien	4225	Transk. Exp. bar.
560	Steg über den Ginal-don zw. den Dörfern Kani u. Saniba in der Tagausker Gemeinde	4203	desgl.
561	Das Dorf Zmiti in der Kur-tatiner Gemeinde . . .	4137	desgl.
562	Achtinsk, Festung . . .	4026	desgl.
563	Prijutinsk, Posten . . .	4017	Gerasimow Fdm.
564	Fluss Paza bei dem Dorfe Kumulta	4002	Chodskos Triang.
565	Kodjora, ehemaliges Regie-rungsgebäude (?kasenny dom)	3933	Transk. Exp. bar.
566	Aimaker Festung . . .	3898	Parrot barometr.
567	Sadoner Hütte	3762	Gerasimow Fdm.
568	Das Dorf Gegda im Kubi-ner Kreise	3753	Transk. Exp. bar.
569	Das Dorf Urma in Dage-stan	3744	Chodskos Triang.
570	Manglis bei Tiflis . . .	3734	Abich barometr.
571	Festung Schuscha . . .	3621	Chodskos Triang.

Nummer		Höhen in Par. Fufs über dem Meeressp.	Nach:
572	Dorf Chuze, Gas-Loch an der Ljachwa	3406	Abich barom.
573	Salzgruben Kulp	3365	Transk. Exp. bar.
574	Ortschaft Chertwis . . .	3343	desgl. .
575	Marasa	3321	Abich barometr.
576	Dorf Chaltan im Kub. Kr.	3302	Chodskos Trang.
577	Fest. Djawa an d. Ljachwa	3266	Abich barom.
578	Dorf Balakany in Dagestan	3170	Gerasimow Fdm.
579	Wohnpl. (Uratschischtsche) Gombory	3169	Parrot barom.
580	Wohnplatz Chudum-basch in Dagestan	3157	Abich barometr.
581	Festung Eriwan	2975	desgl.
582	Dorf Uzeri am Rion . .	2946	desgl.
583	Festung Achalzych . . .	2932	desgl.
584	Kloster Etschmiadsin . .	2867	Parrot barom.
585	Dorf Dsaschna	2829	Abich barometr.
586	- Chotewi in Imeretien	2741	desgl.
587	Station Nukriany	2671	desgl.
588	Stadt Nachitschewan . .	2629	desgl.
589	Dorf Zchinwal an d. Liachwa	2616	desgl.
590	- Kutkoschin im Nuchiner Kreise	2610	desgl.
591	Dorf Oni im Ratschin. Kr.	2580	desgl. u. Transk. Triangl. barom.
592	- Korbuli in Imeretien .	2555	Abich barometr.
593	Schanze Kachsk auf der Lesgischen Gränze . .	2505	Chodskos Trang.
594	Zarskji kolodzy (Zar-Brunn.)	2505	desgl.
595	Festung Kislowodsk auf der Kaukasischen Gränzlinie	2439	Dubois barom.

Nummer		Höhen in Par. Fufs über dem Meeressp.	Nach:
596	Dorf Aralych im Eriwaner Kreise	2437	Abich barom.
597	Vorwerk Bachiola bei dem Dorfe Korbuli	2421	desgl.
598	Stadt Ordubal (der Basar)	2420	desgl.
599	Schloss Modonacha bei Satschscheri	2377	desgl.
600	Scharurer Quarantaine im Eriwaner Kreise . . .	2346	desgl.
601	Dorf Zwari in Imeretien .	2302	desgl.
602	Festung Nucha	2299	Chodskos Triang.
603	Ruinen der Gergebiler Feste in Dagestan	2216	Gerasimow Fdm.
604	Dorf Itwisy in Imeretien .	2197	Abich barom.
605	Stadt Schemacha . . .	2148	desgl. und Chodskos Triang.
—	Dorf Suram im Gorischen Kreise	2147	Gosiusch Nivell.
606	Stadt Telaw in Kachetien	2094	Parrot barom.
607	Kloster Djrutschsk in Imeretien	2084	Abich barom.
608	Dorf Djangutai in Dagest.	2067	desgl.
609	Colonie Marienfeld . . .	1974	Parrot barom.
610	Dorf Migry im Ordubater Kreise	1916	Abich barom.
611	Stadt Kuba	1840	desgl. und Transk. Trg. bar.
612	Dorf Sabni in Kachetien .	1779	Parrot barom.
613	Ischkarty in Dagestan . .	1775	Gerasimow Fdm
614	Wohnplatz Deschlagar . .	1694	Transk. Exp. bar
615	Dorf Zinodaly in Kachetien	1682	Parrot barom.

Nummer		Höhen in Par. Fufs über dem Meeressp.	Nach:
616	Dorf Tkwibuly in Imeretien	1662	Abich barom.
617	Grab des König Lewan in Jeniseli	1649	Parrot barom.
—	Dorf Muchran im Gorischen Kreise	1614	Gosiusch Nivell.
618	Stadt Teheran in Persien .	1603	(?)
619	Dorf Dtschala am Zusammenflufs d. Kwirila und Schuscha	1598	Abich barom.
620	Festung Sakataly auf der Lesgischen Linie' . . .	1584	Chodskos Triang.
621	Station Mahomet-jurtowsk	1555	Gerasimow Fdm.
622	Flecken Satschcheri in Imeretien	1532	Abich barom.
623	Dorf Ziplawaki desgl. . .	1513	desgl.
624	Festung Termichant tura .	1503	Transk. Exp. bar.
625	— Lagodechi auf der Lesgischen Linie . . .	1492	Chodskos Triang.
626	Trümmer des Schlosses Achulgo in Awarien . .	1214	Gerasimow Fdm.
627	Tschetschensker Thurm (alte Jurten)	1176	desgl.
628	Dorf Napareul in Kachetien	1138	Parrot barom.
629	— Machatubani in Imeret.	1130	Abich barom.
630	⌐ Jeniseli in Kachetien	1120	Parrot barom.
631	— Koduk in. Dagestan .	1087	Gerasimow Fdm.
632	— Irganai	974	desgl.
633	Kloster Gelati in Imeretien	964	Abich barom.
634	Dorf Schakriani in Kachet.	941	Parrot barom.
635	Trümmer der Festung Siransk in Dagestan . .	918	Gerasimow Fdm.

Nummer		Höhen in Par. Fufs über dem Meeressp.	Nach:
636	Jewgeniewer Verschanzung	757	Abich barom.
637	Kutais	444	desgl. und Gosiusch Nivell.
638	Osensker Posten in Dagest.	241	Gerasimow Fdm.
639	Petrowsker Verschanzung	235	desgl.
640	Dorf Rwa im Lenkoraner Kreise	218	Abich barom.
641	Stadt Derbent	142	desgl. und Transk. Exp. bar.
642	Festung Baku	138	ChodskosTriang.
	Obere Gränze d. Pflanzenwüchses und des Anbaues der Gerste und des Weizen.		
	In dem Osetischen Gebirge.		
643	Gränze des Pflanzenwuchses oberhalb des Dorfes Sba	9175	Transk. Exp. bar.
644	Gränze der Gerste bei dem Dorfe Kalota	7601	desgl.
645	Gränze der Gerste bei dem Dorfe Saki	7084	desgl.
646	Gränze der Gerste bei dem Dorfe Choj	6990	desgl.
647	Gränze der Gerste bei dem Dorfe Waki	6821	desgl.
648	Gränze der Gerste auf dem Berge Ardjewan, Südabhang	6521	desgl.
649	Gränze der Gerste bei dem Dorfe Sba	6436	desgl.

Nummer		Höhen in Par. Fufs über dem Meeressp.	Nach:
650	Gränze der Gerste bei dem Dorfe Tapankan	6446	Transk. Exp. bar.
651	Gränze der Gerste bei dem Dorfe Jephremowka Aleksandropoler Kreise . .	6268	Abich barom.
652	Gränze der Gerste bei dem Dorfe Bosoita	6240	Transk. Exp. bar.
653	Gränze des Weizen bei d. Dorfe Bajegal	6033	desgl.
654	Gränze des Weizen bei d. Dorfe Roki	5922	desgl.
655	Gränze des Weizen bei d. Dorfe Dodonastaw . .	5808	desgl.
656	Gränze des Weizen bei d. Dorfe Tedeleti im Walde	5489	desgl
657	Gränze des Weizen bei d. Dorfe Gebriani . . .	52 5	desgl.
	Obere Gränz. d. Weinbaues.		
658	In dem Dorfe Kurt am Ksan	3350	desgl.
659	In dem Dorfe Uteri am Rion	3031	desgl.
660	In d. D. Ateni b. d. Klosterr. *)	2110	desgl.
	Obere Gränz. d. Waldungen.		
661	Gränze von Rhododendron Caucasicum in Osetien **)	8830	desgl.

*) Bei dem Dorfe Babnewi 11 Werst oberhalb Ateni kommen Weinstöcke in einer nicht bekannten Höhe vor.

**) Wie dieses als gleichbedeutend mit einem Waldbaum genommen werden soll ist schwer zu sehen, da ja im Gegentheil die Rhododendren erst in Höhen vorzukommen anfangen, in denen die Waldung aufhört.   E.

Nummer		Höhen in Par. Fuſs über dem Meeressp.	Nach:
662	Birkengr. oberh. d. D. Girschewa im Ratschiner Kr.	7516	Transk. Exp. bar.
663	In Kachetien	7355	Parrot barom.
664	Beim D. Tapankan in Oset. an d. oberen Ljachwa .	7253	Transk. Exp. bar.
665	Am Nordabhange des Berges Germuch	7150	desgl.
666	Oberh. des Dorfes Gabriani im Tifliser Kreise . .	6802	desgl.
667	Oberh. des Dorfes Zoni .	6325	desgl.
668	Ueber d. Fest. Djawa . .	6315	desgl.
669	Am Berge Mta-zminda (NNW.-Abh. gegen Oset.)	6240	desgl.
670	Am SW.-Abh. d. Syrchlebert	6173	desgl.
671	Birkengr. oberh. Manglis .	5931	desgl.
672	Am S.-Abh. d. Mta-zminda	5864	desgl.
673	An dem Berge Kaldekari im Tifliser Kreise	5564	desgl.

Gipfel des Kaukasus zwischen der Befestigung Anapa und Gagra.

Nach dem Lotsenbuche für das Schwarze Meer (Lozia Tschernago morja w' Nikolajewje 1851).

	Höhe
Berg Idokapas bei dem Vorgebirge gleichen Namens, Gelendjik gegenüber	2261
Bigiuse	2307
Arenintki	2429
Nuasi	3246
Goetché, bei dem Fort Lasarew	2824
Tschisa châtsch	3491
Berg A. dem Fort Golowin gegenüber	5837
Berg B. dem Fort Golowin gegenüber	8736
Berg C. dem Fort Golowin gegenüber	4419
Berg E. dem Fort Golowin gegenüber	6980
Nugaigus bei demselben Fort	10068
Ziferbek oder Pilaw-Tepel bei Gagra	8155

Höhen einiger Punkte in dem Bezirk von Kodjora und dessen Umgebungen.

Nummer		Höhe
	Berge.	
1	Der Signalberg	4636
2	Georgiwer Kirche unterhalb des Signals .	4467
3	Uebergang zu dem alten Mangliser Weg über das Kodjorische Gebirge, dem Signalberge gegenüber	4388
4	Bei dem Steinbruch südwestlich von dem Landgut von Noodt	4320
5	Auf dem Gut von Demonkal	4301
6	Kerogly	4276
7	An den Kirchenruinen bei dem Demonkaler Hause	·4173
8	Ueber Waschlowan	4157
	Landhäuser.	
9	Von Tarchanow	4255
10	- Demonkal	4277
11	- Noodt	4250
12	Kirche (?)	4175
13	Von Mensenkampf	4174
14	- Rajewskji	4157
15	- Knjas Mirskji	4154
16	Kirchenruine	4153
17	Institut (?)	4148
18	Von Hak	4146
19	- Bjelajew	4144
20	- Brusilow	4094
21	- Blot	4081

Nummer		Höhe
22	Ruine der Kirche an der Tifliser Strafse .	4079
23	Oberes Haus von Jermolajew	4046
24	Von Knjas *S. M.* Woronzow	4034
25	- Knjas Dm. Orbeljanow, grofses oberes Haus	4021
26	Von Jermolajew, unteres Haus	4016
27	- Salzmann	4001
28	- Kn. Dm. Orbeljanow, untere Häuser .	3987
29	- Andrejewskji	3869
30	Kirche in Kumisy auf dem Berge . . .	3320
31	Haus des Knjas Polewandow in Tebach-mela	3044
32	Dorf Waschlowani	2709
33	Haus von Gurginbeg in Schindisy . . .	2552
	Thäler oder Schluchten (owragi).	
34	Zwischen der Besitzung von Noodt und dem Institut(?), Anfang	4069
35	Oestliche Ecke der Gränze zwischen dem Institut und den Besitzungen vom Knjas Woronzow	4034
36	Gränze zwischen den Besitzungen v. Noodt, Blot und dem Institut	4023
37	Quelle bei dem Hause von Andrejew . .	3964
38	Fufsweg unterhalb des Hauses von Andrejew	3722
39	Vereinigung der Schluchten von Woronzow und Andrejew	3667
40	Schlucht die von der Kirche auf den untern Tifliser Weg führt	3604
41	Vereinigung der Schluchten unterhalb der Güter von Hak und Jermolajew . . .	3421
42	Mangliser Weg in der Andrejewer Schlucht	3368
43	Anfang des Wasserfalls	3237

Nummer		Höhe
44	Vereinigung der Schluchten von Hak und Andrejewskji	3223
45	Ende des Wasserfalls	3168
46	See bei dem Dorfe Kumisy	1548
47	Kura, Brücke in Tiflis	1267
—	- bei dem Dorfe Karadjalara	1164
48	Wendung des Mangliser Weges in der Schlucht bei dem Wasserfall	3905
49	Derselbe Weg, unten (?)	3894
50	Ecke der Gränze von Demonkal und Tarchanow	3877
51	Unteres Ende der Schlucht bei dem Gute von Demonkal	3686
52	Auf dem Wege zwischen Kodjory und Tabachmela, wo sich die Strafse nach Bjeloi-Kljutsch trennt	3078

Gefälle einiger Flüsse im Kaukasus und in Transkaukasien *).

	Länge der Strömung in Werst	Höhenunterschied	Gefälle auf der Längeneinheit
1. Die Kura.			
von der Türk. Gränze bis zum Austritt aus d. Borjomer Schlucht	130		
von da bis z. Mündung d. Aragwa	105	0,1786	0,001700
von da bis zur Brücke in Tiflis	20	0,0500	0,002500
von da bis zur Mündung d. Flusses Dsegam	140	0,2409	0,001720
von da bis zum Dorfe Sardob .	225	0,1209	0,000527
von da bis zur Vereinigung mit dem Arakses	120	0,0186	0,000262
von da bis zur Mündung der Kura	150	0,0297	0,000194
zusammen von der türkischen Gränze bis zur Mündung der Kura	890		
von der Mündung der Aragwa bis zur Mündung der Kura . .	760	0,6387	0,000851

*) Wir haben für diese Tafeln den Längenmaßstab der Russ. Angabe beibehalten, ihm aber den Höhenmaßstab gleich gemacht und auch die dritte Spalte so umgesetzt, daß sie eine Anschauung der beabsichtigten Resultate gewährt. Was die Beschaffenheit dieser letzteren betrifft, so bemerkt der Russ. Verf. daß er die Längen der Strömungen aus einer Russ. Spezialkarte, die Höhenunterschiede aber aus dem vorstehenden Verzeichniss entnommen habe.   E.

Gefälle einiger Flüsse im Kaukasus und in Transkaukasien.

	Länge der Strömung in Werst	Höhenun- terschied	Gefälle auf d. Längen- einheit
2. Der Arakses.			
von Kagisman (in der Türkei) bis Kuljp	54	0,2297	0,00425
von da bis Igdyr (Amarat) . .	34	0,1046	0,003073
von da bis Scharur	111	0,0480	0,000433
von da bis Karmir Wank . . .	63	0,0397	0,000631
von da bis Ordubat	62	0,1128	0,001823
von da bis Migri	25	0,1014	0,00406
von da bis Mirsa Mechtulinsk .	115	0,2949	0,00257
von da bis zum Posten Kardulinsk	64	0,0292	0,00046
von da bis zur Vereinigung mit der Kura	62	0,1306	0,00211
Mündung der Kura	150	0,0296	0,00020
zusammen von Kagisman bis zur Vereinigung mit der Kura . .	590	1,0909	0,00184
und von Kagisman bis zum Kas- pischen Meer	740	1,1205	0,00151

Gefälle einiger Flüsse im Kaukasus und in Transkaukasien.

	Länge der Strömung in Werst	Höhenunterschied	Gefälle auf derLängeneinheit
3. Der Terek.			
von der Mündung des Baches beim Dorfe Res bis zum Dorfe Des	8,5	0,132	0,0155
von da bis zur Kobiner Station .	12	0,162	0,0135
von da bis zum Posten Kasbek .	14,5	0,374	0,0251
von da bis zum Posten Darial .	8,5	0,422	0,0499
von da bis zum Posten Lars . .	6,5	0,194	0,0299
von da bis zum Posten Baltinsk	13	0,139	0,0107
von da bis zum Posten Nowo-Redansk	5	0,097	0,0194
von da bis zum Posten Wladikawkas	7	0,010	0,0015
von da bis zur Stadt Mosdok .	138	0,512	0,0037
von da bis zur Mündung ins Kaspischen Meer	314	0,150	0,00047
zusammen von Res bis Wladikawkas	75	1,5334	0,02044
zusammen von Res bis zum Kaspischen Meer	527	2,1957	0,004168

Verhandlungen der Gelehrten Ehstnischen Gesellschaft zu Dorpat.

Der zweite Band dieser Zeitschrift ist mit dem vorliegenden vierten Hefte (1852) vollendet. Es beginnt mit einer, vom Dr. Kreutzwald abgefassten, sehr anziehenden Lebensbeschreibung Dr. Fählmanns, des früheren Vorsitzers der Gesellschaft, welcher noch im mittleren Mannesalter (1799—1850) nach langen körperlichen Leiden hinweggerafft wurde. Seine Leistungen für die ehstnische Sprache und Litteratur verdienen um so mehr bewundernde Anerkennung, je beschränkter die Erholungszeit war, die ein sehr ausgedehnter Wirkungskreis als practischer Arzt zu jener Lieblingsbeschäftigung ihm übrig gelassen. In einem Vorworte sagt die Redaction: „Seine Versuche für die ehstnische Grammatik die Gesetze festzustellen, nach denen die Sprache sich in ihrer Formenbildung bewegt, haben allerdings auch Gegner gefunden, welche jene Gesetze in anderer Weise meinten auffassen zu müssen. Indessen werden auch diese Gegner, wenigstens die leidenschaftslosen und gerechten unter ihnen, unserem Verewigten das Verdienst nicht absprechen, dass er mit einer seltenen und sehr ausgebreiteten Kenntniss der ächten ehstnischen Volks-Sprache, dabei mit unermüdetem Fleisse und Eifer, sowie mit Scharfsinn und Besonnenheit an die Erforschung der Sprachgesetze gegangen ist und dass er dadurch vielfach anregend gewirkt hat. Ein weit gröſseres Verdienst und einen viel weiter reichenden Ruhm erwarb sich unser Fählmann durch die Sorgfalt, mit welcher er den allmählig verschwindenden Ueberresten der ehstnischen Volkspoesie nachspürte, wie dieselbe im Lied und in der Sage hervortritt .... und durch die zarte und gewandte Uebertragung solcher Poesien in die

21 *

deutsche Sprache" . . . . . „Mit seinen Arbeiten hatte Fählmann auch dem Volke, dem er selbst entsprossen zu sein sich
freute,*) eine Stelle unter den Völkern von natürlich tiefem
und zartem Sinne für poetische Auffassung errungen und gesichert" . . . .

Einige posthume Arbeiten des Verewigten, dessen Bio-
graphie schon als dargelegter Entwickelungsgang eines kräftigen Geistes und Characters viel Interesse hat, machen beinah
den ganzen übrigen Inhalt dieses Heftes aus. Die erste handelt von der ehstnischen Rechtschreibung (S. 51—71).
Es folgt eine reizende Sage von Wannemuine (dem Wäi-
nämöinen der Finnen), sofern er Ehstland angehört. Ueber
diese könnten wir nicht berichten, ohne sie ganz abzuschrei-
ben, und verweisen daher lieber den Leser auf dieselbe. Dann
erhalten wir eine Ode Fählmanns in asclepiadischen Strophen,
die da beweist, dass das Ehstnische auch den antiken Vers-
arten sich willig leiht, nebst Uebersetzung im selben Vers-
mafse (vom Collegienrath Santo). Folgende Strophen mögen
als Probe dienen:

Text.	Uebersetzung**).
Terre, mönnigi paik, armas ja kal- lis mul,	Seid mir freundlich gegrüfst, Orte so lieb und wehrt,
Kus ma mónnigi kord önnega wi- bisin,	Wo die Träume des Glücks oft ich so süfs geträumt,
Kulin öpiko laulu,	Bald der Nachtigall Lieder,
Kalla mängimist watasin.	Bald belauschend der Fische Spiel!
. . . .	. . . .
Lotus, Jummala täht sinna, sa kut- sud mind,	Hoffnung, Botin des Herrn, freund- licher winkst du mir
Kuhhu mönni jo läks röemuga öisates:	Dorthin, wo das Gestad Mancher mit Jauchzen grüfst:
Terre! näen ma sind Jälle,	Sei gegrüfst mir, ich seh dich
Terre! önnistud issa-ma!	Wieder, dich, o mein Vaterland!

---

*) Er war auf einem Landgute des Kreises Jerwen (Järwa ma, d. i.
Seeland) geboren, welches sein Vater, ein Freigelassener (also
National-Ehste), damals verwaltete.

**) Wörtlich: „Sei gegrüfst, mancher Ort, lieb und theuer mir — wo ich
manches Mal mit Glück verweilte — hörte der Nachtigall Lied —

Am Schlusse kommt ein Bericht über die Wirksamkeit der Gesellschaft in den Jahren 1848—51, Vortrag des damaligen Präsidenten Reinthal. Es handelt sich hier von den Fortschritten, welche in diesem Lustrum auf dem Felde der ehstnischen Sprachkunde gemacht worden sind. Der meiste Raum ist jedoch den früheren Leistungen (seit 1637) gewidmet. Seit dem Bestehen der ehstnischen Gesellschaft haben sich die Mitglieder Fählmann, Heller und Hollmann (alle drei nicht mehr am Leben) auf diesem Gebiete das meiste Verdienst erworben. Zum Drucke verbereitet wird ein Ehstnisch-deutsches Wörterbuch des Pastors Akerman, dem das Hupel'sche zu Grunde gelegt ist, und wobei reiche Wörtersammlungen verschiedner Sprachfreunde mit benutzt sind.

Dem uns gütigst übersandten Exemplar dieses Heftes waren noch beigefügt: 1) ein schön ausgeführtes Bildniß Fählmanns nebst Facsimile seiner Handschrift; 2) ein Exemplar eines ehstnischen Gratulationsgedichtes zur 50jährigen Jubelfeier der Universität Dorpat (am 12. December 1852), nebst beigefügter Uebersetzung. Das Gedicht (von Kreutzwald) ist jambisch, mit alternirenden Reimen; die ziemlich freie Uebersetzung (von Reinthal) in verwandtem (etwas längerem) Metrum und ohne Reime. Eine Strophe daraus sei die hier folgende:

Kreutzwald.

Kes Emma jõe kuulsa kalda
Teist Tara-paika ehhitand,
Kust Wannemuinse laulo walda
Meil õhto willul lehwitand?
Kas muistne kele-kedo-kattal
Ei suitse Tara hie mäel?
Kas Ilmarise weski-rattal
Ei lua tarkust Emma-jõel? [*)]

Fisches Spielen zusah. Hoffnung, Gottes Stern du, du rufest mir — wohin Mancher schon ging vor Freude jauchzend — Sei gegrüßt, ich sehe dich wieder — sei gegrüßt, gesegnetes Vaterland."

[*)] Wörtlich: „Wer hat an Mutterbaches berühmtem Ufer — eine andere

Reinthal.

Hier an des Embach's sagenreichen Ufern
Erhob die zweite Tara-Stätte sich,
An der nun wieder Wannemuinens Sang
So manche Sommernacht, wie einst, durchsäuselt.
Raucht nicht noch jetzt in Tara's Hain der Hügel,
Wo einst der Sprachenkessel brodelte?
Und wird an Ilmarinens Mühlrad nicht
Die Weisheit heut am Embach noch geschaffen?

Zum Verständniss der mythischen Anspielungen verweisen
wir den Leser auf folgende Artikel der unserem Artikel als
Ueberschrift dienenden Zeitschrift: „Ehstnische Sagen, die sich
auf Dorpat und seine Umgebungen beziehen" (Band I, Heft 1,
S. 38 ff.) — „Wie war der heidnische Glaube der alten Ehsten
beschaffen?" (Band 2, Heft 1, S. 63 ff.).

Tara-Stelle erbaut — von wo Wannemuinens Lieder — uns in der
Abendkühle (wieder) säuseln? — Der weiland sprachenkochende Kes-
sel — raucht er nicht (noch) auf Tara-Haines Hügel? — Ilmarinens
Mühlrad — schafft es nicht (wieder) Weisheit am Mutterbache?

Das Inland, eine Wochenschrift für Livland, Ehstland und Kurland. *)

Die zweite Hälfte des 17. Jahrgangs (zweites Halbjahr 1852) enthält wieder viele für uns lehrreiche Artikel, die wir unse-. ren Lesern in fünf Categorien vorführen wollen.

-Erd- und Völkerkunde. Beschreibung des See-bades Chudleigh (No. 30). Es liegt auf einer der höchsten Erhebungen des ehstnischen Strandplateau's, und bietet dem Landschaftsmaler, wie dem Naturforscher, dem Genesung Su-chenden wie dem munteren Touristen vielseitigen Stoff zu Studien und Genüssen. Wechsellagernde Kalk-, Thon- und Sandsteinschichten der untern silurischen Formation steigen hier 250—300 Fuſs hoch und schroff ausgezackt über den Meeresspiegel empor, durch jahrtausendlanges Unterwühlen vom Treibeise und Nachstürzen der unterhöhlten Felsgehänge von einem schmalen, niedrigen, reich bewachsenen Geröllwall am Fuſse als Küstenstrich umsäumt. Hie und da durchbre-chen diesen Wall Bäche von raschem Gefälle in tief einschnei-denden Querthälern, die dem Geologen zum Theil belehrende Schichtenprofile darbieten. — Beschreibung des Städchens Talsen und dessen Umgegend in Kurland (No. 36). Ein ar-tiges Bergstädtchen, am nördlichsten Ausgange des bedeutend-sten und in sich gedrängtesten Hügelknäuels der bergigen Ge-

*) Vergl. im 12. Bande des Archivs, S. 577 ff.

gend Kurlands, mit gesunder Luft, viel gewerblichem Leben
und ungefähr 1000 Bewohnern, darunter 400 Juden! Die
Bevölkerung dieses Ortes, den man, ebensowenig als das See-
bad Chudleigh, in Cannabichs Geographie suchen darf, ist in
stetem Zunehmen. — Ingede aeg oder die Seelenzeit im
Fellin'schen (No. 51), d. h. die Zeit, in welcher die Manen der
Abgeschiedenen auf Erden wandeln sollen. Diese Periode
dauert in dem erwähnten Districte Livlands vier Wochen
lang. Am ersten Abend werden die Seelen daselbst mit Brei
aus Mehl oder Grütze und Weizenbrod von der diesjährigen
Erndte bewirthet, welche Speisen man gewöhnlich auf den
Heuboden für sie hinstellt. An diesen und den vier folgenden
Montag-Abenden verrichten die Ehsten daheim keine ihrer
gewöhnlichen Arbeiten. Am letzten Montag werden für die
(wieder abziehenden) Seelen Braten und Suppe bereitet. Alle
Hausgenossen warten ihren Abzug ab, der beim ersten Hahn-
enschrei in der Nacht stattfindet, und setzen sich dann erst
zu Tische, die zubereiteten Speisen zu verzehren. Sind die
Seelen bei Schnee und Frost abgezogen, so glaubt man, im
nächsten Jahre werde es Miswachs geben. Bei den übrigen
Ehsten fristet diese Sitte der Seelenspeisung nur noch ein
kümmerliches Dasein.

    Geschichte und Alterthümer. Zur Erklärung des
Stadtnamens Dorpat (No. 48—51), von Herrn Neus.
In einem älteren ehstnischen Volksliede findet sich ein Orts-
name, welcher einer älteren Form des Stadtnamens Dorpat,
dem Tarbetum Heinrichs des Letten, genau entspricht. Es
beginnt nämlich mit folgenden Zeilen: Püüdsin minna Pür-
jetuie, tahtsin minna Tarwetuie, d. i. ich sehnte mich
nach Pürjeto, ich verlangte nach Tarweto. *) Der Zusammenhang erfordert, dass man unter Pürjeto oder Tarweto
eine geträumte glückselige Gegend (ein Eldorado) verstehe.

---

   *) P-uie, T-uie sind, wie Herr Neus in seiner Sammlung ehstni-
     scher Volkslieder nachgewiesen hat, alte Wohinfälle, deren Form auf
     Werfälle in o zurückweist.

Vorstellungen von einer solchen sind dem ehstnischen Volke
einst sehr geläufig gewesen, und es giebt ihr allerlei scharf
bezeichnende Namen, die Herr Neus in den ehstnischen Volksliedern bereits erklärt hat. Darf man nun auch jene beiden
Namen hierher rechnen? Dies scheint unbedenklich; denn
Tarweto ist die nach den Lautgesetzen genau zutreffende
ehstnische Form für das finnische tarpeeton, d. i. „ohne
Bedürfniss," „ohne Mangel." *) So läßt sich auch Pürjeto,
wenn gleich nur mittelbar, auf das finnische pyrjin (assidue
consector, studeo) zurückführen und bedeutet, da to Suffix der
Verneinung ist, einen Ort, der kein hastiges Streben, keine
Mühe kennt. **)

Die meisten der in alten Liedern vorkommenden Namen
für Eldorado's sind noch jetzt Namen wirklich vorhandener
Ortschaften. Ferner gilt die Gegend von Dorpat noch dem
heutigen Ehsten in Wierland und weiter als heiliger Boden.
Endlich muss die Lage, die ganze weite Umgebung der Stadt
mit ihren Namen und Sagen wenigstens im Allgemeinen hier
in Betracht gezogen werden. So z. B. finden sich im Süden
Dorpats zwei „heilige Bäche" (pühhad jöed), und ein „heiliger See" (pühha järw); im Osten ein gleicher, u. s. w.
Wasser- und Höhendienst sind höchst wahrscheinlich da, wo
jetzt Dorpat steht, sehr in Uebung gewesen und die von
Fählmann herausgegebenen Sagen (s. den 1. Band der „Verhandlungen der ehstnischen Gesellschaft") bezeichnen diese
Gegend als das Revier, wo Götter und Heroen einer paradie-
sischen Vorwelt gewirkt und gewandelt.

---

*) In der heutigen Form des Stadtnamens — wie er bei den Ehsten
lautet, nämlich Tarto — wäre hiernach be ausgefallen; in der Ver-
stümmelung Dorpat aber als pa geblieben.

*) Da das privative to auf ein tuma zurückgeht, wie im Finnischen
ton auf toma, und die Stammform in allen Casus wieder eintritt,
so sollte man freilich im Wohinfalle Pürjetumaie und Tarwe-
tumaie erwarten. Allein Herr Neus bemerkt, dass Ortsnamen (im
Ehstnischen) auch sonst und nicht selten eine fremdartige, den an-
derweiten Sprachgesetzen widerstreitende Form zeigen.

   — Die Begründung der römisch - deutschen Herrschaft in Livland (No. 40, 42, 43, 44). Die unter diesem Titel im Jahrgang 1851 abgedruckten Aufsätze hatten nachgewiesen, wie unbedeutend und gefährdet die Anfänge der livländischen Kirche waren. Der Verfasser will nun ausführlich erzählen und klar auseinandersetzen, wie von jenen Anfängen aus die kirchlich-politische Macht der Deutschen in Livland sich in dem Grade befestigte, dass sie noch über drei Jahrhunderte fortdauern konnte. Da es ihm aber — wie er sagt — noch nicht sobald möglich sein wird, diese Arbeit in allen Theilen zu vollenden, so fährt er inzwischen fort, Auszüge aus dem bisher Verfassten zu geben. Seine vornehmsten Hülfsmittel waren: das Chronicon livonicum vetus; eine grofse Menge Urkunden; neuere Geschichtwerke, mehrere Rechtsgeschichten, u. s. w. Die Auszüge selber sind hier noch unvollendet: sie drehen sich einstweilen um die „völlige Bekehrung und Unterwerfung der Liven und Letten in den Jahren 1206—14."

   — Das „Dörptsche Studentenleben" im 17. Jahrhundert wird uns lebendig dargestellt (No. 42 und 44) unter den besonderen Ueberschriften: die Wissenschaft — das tägliche Brod — Cravalle.

   Mythologie, Mährchen und Curiosa. Hier gebührt wieder der Vortritt dem gelehrten Artikel über „Wind- und Frostgottheiten", welcher in drei Nummern (No. 30, 31, 33) fortgesetzt und zum Schlusse geführt wird, aber keine Auszüge mehr verträgt. Zunächst nennen wir das artige Ehsten-Mährchen „Pitk Hans und der Teufel" (No. 45), das Lettische „Soltis' Eheweib" (No. 40—41), und einige Mährchen von Meerjungfern (No. 31, 37).

   Schöne Litteratur oder allgemein Litterarisches. Die wahrhaft humoristischen, auch ethnologisch werthvollen „baltischen Skizzen" sind unter folgenden besonderen Titeln fortgesetzt: „der Währwolf" (Schluss, No. 27) — eine Elenjagd (No. 30, 32) — ein Doctor vor 50 Jahren (No. 33) — ein Sonntag auf einem Pastorate (No. 35, 36). In der Elenjagd kommt der Verfasser (Sp. 602) beiläufig auf die Nationalität der Letten zu sprechen. Er sagt hier unter Anderem: „keine europäische Tochtersprache gleiche so ihrer Mutter, dem Sanskrit, als die Lettische." Dies ist insofern unrichtig, als die mit dem Sanskrit verwandten Sprachen Europa's zu diesem nicht im Verhältnisse der Kindschaft stehen, sondern in dem einer Schwesterschaft; das Sanskrit hat keine dieser Sprachen erzeugt, sondern ist mit ihnen gleichen Stammes, und alle Glieder der grofsen Familie beleuchten einander gegenseitig. Weiter heisst es: „der Orientalist Bopp soll sich mit Letten im Sanskrit ganz bequem unterhalten haben." Da hat sich unser Herr Verfasser etwas weiss machen lassen; denn 1) ist Bopp nie unter den Letten gewesen; 2) hat dieser Forscher, bei all seiner tiefen und gründlichen Kenntniss des Sanskrit, sich nie aufs Sprechen der Sanskrit-Sprache (die in Indien selbst schon längst nicht mehr gesprochen wird)*) oder überhaupt auf ihren practischen Gebrauch verlegt.

Brief des Herren Jegor von Sievers an Roman von Budberg. Das merkwürdigste in diesem ästhetischen (von Berlin datirten) Schreiben (No. 42 und 43) sind Beobachtungen seines Verfassers über den Dichtergreis Tieck, die er bei mehreren Unterhaltungen mit demselben angestellt. Er berührt die vielfache Zurücksetzung und Verunglimpfung, die dieser bedeutende Mann der Litteratur in seinem Alter erfahren müssen, und bemerkt, dass er sich, Theils durch eigene Schuld, Theils durch fremde Angriffe genöthigt, ganz isolirt habe. Dies ist das Schicksal aller geistigen Verpuppung, und Tieck hatte sich in seine Romantik verpuppt. Man sollte nun denken, der ehrerbietige Grufs eines seiner dünne gesäten Geistesverwandten, und käm er aus dem entferntesten Welttheil, hätte ihn wenigstens bewegen können, in dem Buche zu blättern, das ein solcher ihm in Begleitung solchen Grufses

*) Die zwei bekanntesten Töchtersprachen des Sanskrit im heutigen Indien sind: das Bengalische und Hindustanische.

zu Füfsen legte — dem war aber auch nicht so! Der Re-
censent kaufte unlängst für einige Groschen ein Exemplar der
„Phantasier og Skizzer" des liebenswürdigen und echt
romantischen dänischen Dichters Andersen. Das Exemplar
war aus Tieck's Bibliothek; Andersen hatte es unserem
deutschen Romantiker zugeschickt und eigenhändig hineinge-
schrieben:

Digteren

Ludwig Tieck

meb Beundring og Hengivenhed

fra Forfatteren.

d. h. „dem Dichter L. T. mit Bewundrung und Ergebenheit
vom Verfasser". Dennoch war das Büchlein vom Anfang bis
zum Ende nicht einmal aufgeschnitten! Die „Phantasier og
Skizzer" sind aber schon zwanzig Jahre vor dem Besuche des
Herren v. Sievers herausgekommen, d. h. im Jahre 1831, in
welchem auch Andersen jenes Exemplar (von Dresden aus)
dem deutschen Dichter übersandte, der damals erst an der
Schwelle des Greisenalters stand.

Landwirthschaft. Hierher gehören: „der Arbeitslohn
im Verhältniss zum Getreidepreise in näherer Beziehung auf
Kurland" (No. 28) — „die Beulenseuche" unter den Hausthie-
ren (No. 29) — „aus dem Protocolle der 25. Generalversamm-
lung der Goldingenschen landwirthschaftlichen Gesellschaft"
(No. 34).

Mineralogische Arbeiten von Herrn Kokscharow.

Herr Kokscharow, von dem wir mehrere krystallographische Untersuchungen in früheren Bänden dieses Archives um so mehr zu erwähnen hatten, als sie fast die einzigen ihrer Art waren, die in Russland ausgeführt oder doch in dortigen Zeitschriften beschrieben wurden [*]), hat jetzt angefangen eine Sammlung von kritischen Beiträgen zur Mineralogie herauszugeben und zwar gleichzeitig in Russischer Sprache und in einer von ihm selbst geschriebenen Deutschen Bearbeitung. Die erstere befindet sich in dem Gorny Jurnal oder Russischen Bergwerksjournal, Jahrgang 1853 No. 1 u. f., während die Deutsche Bearbeitung sowohl in den Verhandlungen der Petersburger mineralogischen Gesellschaft (Jahrgang 1852 u. f.), als auch in selbständigen Abdrücken aus denselben erschienen ist.

In einem Vorworte sagt der Verfasser dafs er seiner Schrift den (etwas seltsam klingenden) Titel: „Materialien zur Mineralogie Russlands" gegeben habe, weil er darin von „Russischen Mineralien" mehr oder weniger detaillirte Beschreibungen und Abbildungen zu geben gedenke. Es ist aber zu erwarten, dafs er es mit dieser geographischen Beschränkung nicht streng nehmen werde, denn wenn es auch bisweilen einige Zeit lang scheint, als sei ein oder das andere

---

[*]) In diesem Archive Bd. VII. S. 129; VIII. S. 131, 807; X. 164.

Fossil seinem Vorkommen nach an eines der Erd-
stücke gebunden, denen politische Zufälligkeiten einen besonderen Namen verschafft haben, so pflegt doch dieser Anschein
sehr bald durch ausgedehntere Erfahrungen widerlegt zu werden, und er würde daher, selbst wenn er sich einmal länger
erhielte, vom wissenschaftlichen Standpunkte durchaus keine
Beachtung verdienen.

Die Vermuthung daß das Vorkommen der von Herrn K.
abgehandelten Gattungen, in Russland, ihm nur eine Gelegen-
heitsursache zur Beschäftigung mit derselben abgegeben, ihn
aber keineswegs abgehalten hat dieselben auch, und oft recht
vorzugsweise, nach Exemplaren aus anderen Gegenden der
Erde zu studiren, wird dann auch schon durch das uns vorliegende erste Heft bestätigt.

Die in demselben abgehandelten Gattungen welche, absichtlich, ohne systematische Ordnung aufgeführt werden, sind:

1. **Wasserfreies Eisenoxyd**
   a. Eisenglanz.
   b. Rotheisenstein.
2. **Titaneisen**
   a. Ilmenit.
   b. Titaneisen in kleinen krystallinischen Körnern.
3. **Korund**
   a. (eigentlicher) Korund.
   b. Diamantspath.
   c. Schmirgel.
4. **Fischerit.**
5. **Bleivitriol.**
6. **Anatas.**
7. **Rutil.**
8. **Brookit.**
9. **Schwefel- und Kohlensaures Blei.**
10. **Cancrit**

und es sind von diesen die mit großen Fleiße abgehandelten
Gestaltverhältnisse ebenso oft durch Messungen an Krystallen
von anderweitigen Fundorten als an solchen von Russischen

bestimmt werden.. So folgen z. B. die für das rhomboëdrische
System des Eisenglanzes angegebenen Verhältnisse der Hauptaxe zu den drei auf ihr senkrechten Nebenaxen

$$1,365576:1:1:1$$

aus der Annahme dafs dessen Rhomboëderflächen

in den Polkanten um 86°0′

in den Mittelkanten um 94°0′

gegen einander geneigt sind und es werden zur Begründung
derselben nur Messungen an Krystallen vom Vesuv erwähnt
welche für die erstere Neigung in der That

$$86°\,0′$$

ergeben haben und für die andere

$$93°\,59′\,30″$$

im Mittel aus 10 zwischen

$$93°\,58′\,0″$$

und

$$94°\,0′\,0″$$

variirenden Ablesungen — so wie auch für einige Flächen-
winkel an den aus jener Hauptform abgeleiteten Gestalten,
Bestätigungen durch goniometrische Beobachtungen an Eisen-
glanzen von Elba und von Polewsk am Ural.

Für die gleichfalls rhomboëdrische Hauptgestalt des Korund
werden die Axenverhältnisse

$$1,36289:1:1:1$$

oder die ihnen entsprechenden Neigungswinkel

in den Polkanten um 86°4′

in den Mittelkanten um 93°56′

nach den von Herren Brook und Miller zusammengestellten
Messungen an Individuen von verschiedenen Fundorten, angenommen und darauf nur für drei Winkel der abgeleiteten
Gestalten die, nur approximativen Messung, an einem Krystall
vom Ilmengebirge und die zuverlässigere an einem anderen

aus China, mit dem aus jener Annahme hervorgehenden
Werthe verglichen.

Der bis jetzt nur bei Nijne Tagilsk am Ural vorgekommenen Fischerit, dessen Zusammensetzung ziemlich nahe den
Ausdrücken:

$$\ddot{Al}^6 \ddot{P}^3 + 24 \dot{H}$$

$$(\ddot{Al}^4 \ddot{P}^3 + 18 H) + 2 \dot{H}^3 \ddot{Al}$$

oder auch

$$\ddot{Al}^2 \ddot{P} + 8 \dot{H} \cdot$$

entspricht, scheint in seiner Hauptform als ein rhombisches
Prisma vorzukommen, von dem indessen bis jetzt nur das
Verhältniss ihrer beiden Nebenaxen

$$1,68196 : 1$$

annähernd bestimmt worden, das der Hauptaxe zu denselben
aber noch unbekannt geblieben ist.

Für die rhombische Hauptform des Bleivitriol bleibt
Herr K. einstweilen bei dem Verhältnisse der Hauptaxe zu
den beiden Nebenaxen

$$0,77556 : 1 : 0,60894$$

stehen, welche der von ihm gemachten Messung von drei
Winkeln abgeleiteter Gestalten an Krystallen von MontePoni
auf Sardinien entsprechen.

Von der tetragonalen Hauptform des Anatas werden die
durch Herren Brook und Miller nach verschiedenen Messungen für wahrscheinlich erklärte Verhältnisse der Hauptaxe
zu den Nebenaxen:

$$1,77713 : 1 : 1$$

ohne weiteres beibehalten und ebenso für den tetragonalen
Rutil das Verhältniss

$$0,64418 : 1 : 1$$

welches von Miller angegeben von Herrn K. aber mit Messungen an einem Brasilischen Krystalle und an einigen aus

der Nikolajewer Goldseife am Ural übereinstimmend gefunden
worden ist.

Herrn K's. krystallographische Untersuchungen über den
Brookit, welcher bekanntlich bis auf zufällige Beimengungen
von 1,5 bis 4,5 Procent Eisenoxyd, aus Titansäure besteht,
haben wir früher vollständig mitgetheilt *) — und es bleiben
uns daher aus dem vorliegenden ersten Hefte der mineralogischen Materialien nur noch die auf das Schwefelkohlensaure
Blei und die auf den Cancrinit bezüglichen Notizen zu erwähnen.

Von dem dimorphen Schwefel- und Kohlensauren Blei
dessen Zusammensetzung dem Ausdruck:

$$\dot{P}b\,\ddot{S}+3\dot{P}b\,\ddot{C}$$

entspricht und welches bisher theils unter dem Namen Lead-
hillit im rhombischen Systeme, theils als Suzannit im rhom-
boëdrischen krystallisirt, beschrieben worden ist, sind neuerdings unkrystallinische Parthien in dem mit Bleierzen durchsetzten Braueisenstein von Nertschinsk bemerkt worden und
ebenso ist auch der sogenannte Cancrinit der ziemlich genau
nach dem Ausdruck:

$$\dot{N}a\,\ddot{S}i+2\ddot{A}l\ddot{S}i+\dot{C}a\,\ddot{C}$$

zusammengesetzt ist, bis jetzt bei Miask am Ural nur in der-
ben oder kurzstänglichen Parthien vorgekommen, welche,
ihren Blätterdurchgängen nach, zum hexagonalen Systeme
gehören.

---

*) In diesem Archive Bd. VIII. S. 307.

Dem bisher erschienen Theile von Herrn Kokscharow's Abhandlung sind 8 Tafeln von ebenso sorgfältigen als sauberen Zeichnungen beigegeben, die von einer jeden in dem Texte erwähnten Krystallform ihre Projectionen auf eine zu der ¡Hauptaxe senkrechte Ebene, und auf eine gegen diese Axe zweckmäfsig geneigte, darstellen und welche in ähnlicher Weise fortgesetzt, eine sehr angenehme Ergänzung zu den krystallographischen Atlasen von Hauy und Anderen bilden werden.

Gnadenbrief Ali-Ben-Abu-Taleb's an das armenische Volk *).

Ein in Tiflis ansässiger armenischer Kaufmann, Schirmasan, der vor einigen Jahren eine Reise nach Persien machte, erfuhr dort, daſs man in einer Moschee zu Ardebil noch das Original eines Gnadenbriefs besitze, der von Ali, dem vierten Kalifen und Schwiegersohn Mohammed's, dem armenischen Volke verliehen worden. Wie Schirmasan berichtet, kostete es ihm viale Mühe, eine Copie desselben zu erhalten, wovon wir die Uebersetzung folgen lassen. Die Urkunde selbst ist in kufischen Buchstaben, im Monat Safar des vierzigsten Jahres der Hedjra, in der Wüste Charaswal (?) geschrieben, und zwar von einem gewissen Haschan, Sohn Ataba's, Sohn Walal's, auf Befehl Ali's, des Sohnes Abu-Taleb's, „des Hauptes der Tapferen, des Heiligen der Heiligen und Löwen Gottes" etc.

„Im Namen Gottes, des Wohlthäters und Beschützers! Möge seine Gnade ewig über uns walten!

Dank und Segen dem Schöpfer der Welt und gebührende Verehrung unserem grofsen Propheten, dem tugendhaften Mohammed und seinem heiligen Hause!

Einige ehrenwerthe, durch ihre Aufklärung und ihren hohen Rang bekannte Personen der armenischen Nation, als: Jakob Seid, Abdmiuch und der Sohn Sagan's, der Geistliche Abraham, der Bischof Jesaias und Andere, vierzig an der

---

*) Nach dem Kawkas.

Zahl, die einem von uns nach den Festungen und an die
Gränze abgesandten Manne ihre Mitwirkung und Wohlthaten
zu Theile werden liefsen, haben uns um die Ausstellung dieses Gnadenbriefs gebeten. In Erwägung dessen befehlen wir
in ihrer Gegenwart, sowohl in unserem Namen, als in dem
aller Nachfolger des Islam, von Osten bis Westen, allen denen, die sich unter unserem Schutze befinden: So lange ich
lebe und nach meinem Tode, so lang der Islam bestehen wird,
sind alle Könige, gebietende Fürsten und Gewalten verpflichtet, diese unsere Verordnung heilig zu halten. So lange das
Meer seine Feuchtigkeit bewahrt, der Regen vom Himmel
fällt, die Erde Gewächse hervorbringt, die Sterne leuchten
und die Sonne wärmt, möge Niemand es wagen, mein Gebot
durch Hinzufügung, oder Verminderung, oder Aenderung zu
verletzen oder dessen Sinn zu verstümmeln. Wer etwas hinzufügt, der verdoppelt seine Strafe und verringert unsre Gnade,
und wer etwas an unsrer Verordnung ändert, wird für einen
Uebelgesinnten, einen Uebertreter des göttlichen Gebotes,
einen treulosen Unterthan erkannt werden und den Zorn Gottes auf sich laden.

Sintemal diese Verordnung auf die Bitte Seid's, des Bi-
schofs und anderer vornehmen Bürger, deren Namen oben
angegeben sind, zu Gunsten aller unter unserem Schutze be-
findlicher Christen erlassen worden, so möge kraft derselben
immerwährender Friede und Freundschaft zwischen Christen
und Muselmännern eintreten! Ich wünsche dieses, und werde
unverbrüchlich an meiner Verordnung festhalten, so lange sich
Christen unter meinem Schutze befinden, ohne die Religion
meiner übrigen Unterthanen zu mifsachten. Die ihrem Glauben treuen Christen aber sollen gleich sein den Muselmännern
und Rechtgläubigen.

Solchergestalt gebe ich, auf die Bitte der Christen und
in der Rathsversammlung der muselmännischen Häupter und
meiner vornehmsten Würdenträger, diese Verordnung, und
moge sie sowohl von ihnen als ihren Nachkommen treu erfüllt werden!

Wenn aber einer von den Königen oder regierenden Fürsten die Armenier bedrücken sollte, so mögen sie ihren Be-
drängern gegenwärtigen Freibrief vorzeigen. Die Könige und
die Muselmänner sind verpflichtet, Alles unserer Verordnung
gemäfs auszuführen; in allen ihren Handlungen müssen sich
dieselben nach unserm Willen richten, sich auf jede Art bemühen, die geringste Uneinigkeit beizulegen, die Christen weder
drücken, noch sie verachten; denn es ist mein Wunsch, dafs
keine Zwietracht herrsche zwischen den Christen und meinem
mächtigen und berühmten Volke. Wenn nun jemand das verletzt, was ich zu Gunsten der meiner Barmherzigkeit gewür-
digten Christen geschrieben habe, so wird er an der Nicht-
fullung des göttlichen Willens Schuld sein, der es mir eingab,
den Christen wohlzuthun, sie von aller Verfolgung und allem
Druck zu befreien. Mit dieser Absicht verleihe ich ihnen gegenwärtigen Freibrief, in welchem, auf die Bitte der Christen
und mir nahe stehender Personen, ich das Versprechen er-
theile im Namen Gottes, des Propheten und aller Heiligen,
vom ersten bis zum letzten, dem göttlichen, durch einen Engel und den heiligen Propheten zu uns gelangten Gebote zufolge, welches die Ehrfurcht vor den Gesetzen, die Erfüllung
der Pflichten und die unverbrüchliche Heilighaltung dieser von
Gott inspirirten Verordnung bezweckt, — den mir unterthä-
nigen, zu meinem Volke gehörigen Christen wohlzuthun und
sie von allem Unrecht und Druck zu befreien; wofür sowohl
mir, als meinem über die ganze Welt zerstreutem Volke die
Belohnung nicht fehlen wird. Den Fürsten befehle ich, von
den Christen nach meiner Verordnung Tribut zu erheben, sie
weder zu beleidigen, noch zu verfolgen, sie nicht zu nöthigen,
ihre Lebensweise zu ändern, weder den Mönch, noch den
Christen(sic), noch den Einsiedler; den Predigern die Verbreitung ihres Glaubens nicht zu verbieten, die christlichen Dörfer und Wohnungen nicht zu verwüsten, sie ihres Eigenthums
nicht zu berauben und ihnen die Errichtung von Glocken-
thürmen bei ihren Kirchen nicht zu untersagen.
Wer diese meine Anordnung oder meinen Befehl verletzt,

der verletzt auch das göttliche Gebot und macht sich
der ewigen Strafe würdig. Ein König, oder wer er auch
sein mag, darf nicht nur die Christen nicht mit Gewalt zum
muselmännischen Glauben bekehren, sondern auch nicht sich
mit ihnen in religiöse Streitigkeiten einlassen; Alle aber sind
verbunden, friedlich mit ihnen zu leben und im Falle der
Noth sie zu vertheidigen, ihnen Schutz zu gewähren und, wo
sie sich immer niederlassen, sie vor allem Unglück zu behü-
ten, das ihnen möglicherweise widerfahren könnte.

Sollten die Armenier zum Bau ihrer Kirchen und Klöster
oder zur besseren Errichtung ihrer Städte und Häuser Hülfe
verlangen, so ist es die Pflicht der Muselmänner, sie zu unterstützen, ihnen einen Theil ihres Vermögens als Almosen zu
schenken, ohne denselben zurückzufordern, und ihnen in allen
Unternehmungen mit gutem Rath beizustehen, denn solches
ist Gott und seinem Propheten wohlgefällig.

Wer dieses Gebot verletzt oder antastet, der wird als
Ungläubiger und Verräther an dem Propheten erkannt wer-
den, dessen Schutz verwirken, und der Prophet wird den
Schuldigen bestrafen.

Mit einem Wort, wer diesem Erlaß nicht Folge leistet,
der ist ungehorsam gegen den Willen des Heiligen der Heiligen Ali, Sohns des ruhmreichen Abu-Taleb, dessen Befehle
die Muselmänner zu erfüllen verpflichtet sind, indem sie leutselig Allen Güte und Barmherzigkeit erzeigen, so lange die
Erde steht und bis zum Ende der Welt, dem Namen des
Schöpfers zum Ruhm."

Kertsch und Taman im Juli 1852.

Von

Herrn Dr. Becker in Odessa.

(Fortsetzung des in diesem Bande S. 190 abgebrochenen Aufsatzes.)

Die im Juli 1852 geöffneten Gräber.

Bei der grofsen Menge der in diesem Jahre eröffneten Gräber würde es nicht blofs die Grenzen dieser Abhandlung überschreiten, sondern auch die Geduld meiner Leser auf eine zu harte Probe stellen, wenn ich die Beschreibung aller jener Grabungen hier einzeln geben wollte. Ich beschränke meinen Bericht auf einige wenige Gräber, bei deren Aufdekkung ich selbst zugegen war, und führe von den andern blofs das an, was unter den vielen in ihnen gefundenen Gegenständen hauptsächlich meine Aufmerksamkeit auf sich zog. Das Local, in welchem jene Grabungen vorgenommen wurden, ist immer in der nördlichen Gruppe der Kurgane oberhalb des Tartarendorfes zu suchen, und könnte von mir nur auf einer Specialkarte in grofsem Maafsstabe genauer bezeichnet werden. Da uns diese abgeht, so bemerke ich nur, dafs die in meiner Gegenwart geöffneten Gräber nicht fern von der Stadt oberhalb der beiden ersten Mühlen standen, während die anderen, hier nicht näher zu beschreibenden, meistens weiter

gegen das Tatarendorf zu gelegen waren. Von ersteren bemerke ich folgendes:

1) in einem ¼ Arschin*)·breiten, 3 Arschin langen Grabe,
welches mit unbehauenen Steinen zugedeckt war, fand man
zwei kleine Thongefäße von roher Arbeit und eine eherne
Schnalle. Erstere standen bei den Füßen des Verstorbenen;
die Schnalle lag in der Mitte. Von dem Todten selbst war
nichts mehr zu sehen; sogar die Knochen hatten sich schon
ganz in Staub verwandelt. Bei alle dem ersah man aus der
Länge des Grabes, daß der dort Bestattete ein Mann gewesen,
dessen Aermlichkeit durch die Einfachheit der Gefäße und
durch den Mangel jedes Schmuckes im Grabe kaum bezweifelt werden darf. Die noch erhaltene Schnalle gehörte an
einen bereits verweseten Gurt, welcher um den Leib des Verstorbenen geschnallt gewesen sein mochte; deßhalb wurde sie
auch in der Mitte gefunden.

2) Viel interessanter war ein andres, mit Erde zugedeck-
tes·Grab, in welchem von dem Todten selbst zwar keine
Reste mehr übrig sein konnten, das aber dafür eine vier Werschok hohe, zweihenklige Thonvase enthielt, welche mir in
doppelter Beziehung wichtig zu ᵗsein scheint; denn erstens
halte ich sie für ein einheimisches Erzeugniß, und zweitens
ist das auf ihr dargestellte Sujet ein neues. Der Thon des
Gefäßes stammte sicherlich aus der nächsten Umgegend, da
er weder so fein ist, als der den sogenannten Etruskischen
Vasen eigenthümliche, noch den schönen Glanz hat, welcher
die altgriechischen Vasen vor allen auszeichnet. Wir sehen
an dieser Vase, daß man in der Fabrikation thönerner Gefäße in·Panticapäum nicht auf der niedrigsten Stufe stand,
und müssen das noch mehr finden, wenn wir uns die auf dem
Gefäße in Wasserfarben ausgeführte Malerei näher ansehen.
Hier erblicken wir auf der Hauptseite zwei mit Schildern versehene Männer im Kampfe gegen zwei Schlangen; der zur
Linken stehende wird von der einen Schlange schon umstrickt

---

*)·1 Arschin = 28 Engl. Zoll, 1 Werschok = 1,75 Engl. Zoll.

und ist im Sinken; der Mann zur Rechten, dessen graciöser Kopf mit der phrygischen Mütze geschmückt ist, wehrt sich dagegen mit aufgehobenem Messer muthig gegen die auf ihn eindringende, in der Mitte der beiden Krieger sich erhebende Schlange, und scheint als Sieger aus dem verzweifelten Kampfe hervorzugehen. Die Malerei der ganzen Gruppe ist mehr farbig; die phrygische Mütze namentlich gelb, so wie auch die inneren Riemen an den Schildern. Auf der Rückseite, wo die Darstellung nur durch schwarze Contouren angedeutet wird, sieht man zwei bewandete Personen, zwischen denen eine Hermessäule; unter letzterem ein Phallus. Arabesken nehmen den Raum unter den Henkeln ein.

3) Wir kommen jetzt an einen Tumulus, in welchem drei Gräber aufgefunden wurden. Das eine, mit drei grofsen Steinplatten und einem Grabstein zugedeckt, war eine Arschin breit, eine Arschin 2 Werschok tief, und $2\frac{1}{2}$ Arschin lang. In dem Grabe lag der Todte in einem ganz zerfallenen Sarge von sehr dünnem Holze. Die Gebeine waren dergestalt verweset, dafs man aus den wenigen Resten fast gänzlich aufgelöster Knochen nicht sehen konnte, ob ein Mann oder eine Frau in dem Sarge bestattet worden, allein da das Grab nur $2\frac{1}{2}$ Arschin lang war, so vermuthete ich gleich, dafs dasselbe die sterblichen Reste einer Frau in sich bergen müsse. Diese Vermuthung wurde durch den Fund im Grabe und durch die Inschrift auf dem Grabsteine bestätigt; denn ein zwei Werschok langes, einen Finger breites Goldblättchen, mit Oehrchen an beiden Enden, wiefs auf einen Frauenschmuck hin und diente, da es am Kopfe gefunden wurde, wahrscheinlich als zierender Kopfputz. Die beiden Oehrchen lassen vermuthen, dafs durch dieselben eine Schnur gezogen, und dafs mit dieser das Goldblättchen in den Haaren befestigt wurde. Auf dem aus Sandstein gearbeiteten Grabsteine erschien in erhabener Arbeit eine en face stehende Frau mit verhülltem Haupte und Körper, die Rechte über den Leib, die Linke unter dem Gewande haltend. Zur Linken ein stehendes Kind mit einer Graburne; das Ganze unter einer dachartigen Verzierung.

23 *

Der Grabstein eine Arschin zwei Werschok lang, und 9 bis 10 Werschok breit, trägt folgende Inschrift:

.. ΜΑ ΓΥΝΗ   Μᾶ, γυνὴ

ΗΡΑΚΛΕΩΝΟΣ   Ἡρακλέωνος

ΧΑΙΡΕ⁻   .   χαῖρε

Ich bemerkte schon oben, daſs bei den Darstellungen auf Grab-monumenten vorzüglich die verstorbenen scheinen berücksich-tigt worden zu sein, und sehe daher in der stehenden Frau des Heracleon's verstorbene Gattin. Die Inschrift, deren Alter durch die Form der Buchstaben bezeugt wird, ist vollständig erhalten, und deſshalb darf man nicht annehmen, daſs MA das Ende eines Namens sei, zu dessen Vervollständigung noch· eine Zeile über. MA ΓΥΝΗ hinzugedacht werden müsse. — Die Gröſse des zweiten Grabes, welches drei Arschinen lang war, lieſs daraus schlieſsen, daſs dort ein Mann · begraben liege, allein die im Grabe gefundenen Glasperlen, die Ohr-gehänge, die kleine Maske eines Faunes, und der zum Tra-gen als Amulet an einem Ringe hängende Phallus weisen deutlich auf ein weibliches Grab hin. Am Kopfe der Verstor-benen stand ein einfaches, einhenkliges Thongefäſs mit schma-lem Halse, einer dreistreifigen gelben Borde in der Mitte und kunstloser gelber Verzierung am Halse. Ein Thränenfläsch-chen und ein Fläschchen von violettem Glase lagen zu den Füſsen der Frau. In diesem Grabe fehlte der Sarg, und von dem Cadaver, welcher nicht durch Steinplatten vor der auf-geschütteten Erde geschützt worden war, konnte begreiflicher-weise nichts mehr erhalten sein. — Das dritte Grab endlich, obgleich mit Steinen verdeckt, war vollkommen leer; selbst die Knochen des Todten hatten sich hier in Staub ver-wandelt.

4) In einem zwei Arschin langen, ¼ Arschin breiten, mit groſsen Steinen zugedecktem Grabe, welches in den natür-lichen Stein hineingearbeitet war, fand man bei den Füſsen· des mit Ausnahme einiger Knochen in Staub verwandelten Todten eine gläserne Viole, ein Thränenfläschchen und vier

kleine Schälchen von dunkelem Glase, von denen jedes einen
Zoll im Durchmesser mafs; an der Stelle des Kopfes lagen
Perlchen theils von schwarzer Masse, theils aus Glas; einige
waren vergoldet. Aus der Mitte holte man ein Paar silberne
Ringe heraus, von denen der eine, ganz dünne, gleich beim
Herausnehmen zerbrach, der andere, um vieles stärker,
an dem Knochen des kleinen Fingers gefunden wurde. So-
wohl die Kürze des Grabes, als die in demselben aufbewahr-
ten Gegenstände beweisen, dafs daselbst eine Frau oder ein
Mädchen begraben gewesen sei.

5) Schliefslich noch von einem Grabe, welches reiche
Ausbeute erwarten liefs, aber die erweckten Hoffnungen nicht
rechtfertigte, denn nachdem mit grofser Mühe die mächtigen,
dasselbe verdeckenden Steine fortgehoben waren, gelangte
man zu einem $3\frac{1}{2}$ Arschhin langen, $1\frac{1}{2}$ Arschin hohen, und
eine Arschin breiten Grabe, in welchem aufser einem Stücke
verrosteten Eisens, den wahrscheinlichen Resten einer Waffe,
und den zu Staub verwandelten Gebeinen des Verstorbenen
auch nicht das Mindeste gefunden wurde.

Ich fürchte meine geneigten Leser gar zu sehr zu langweilen, wenn ich sie auch mit der Beschreibung der übrigen,
in meiner Gegenwart geöffneten Gräber behelligen sollte, und
kann von solch' einer Ausführlichkeit um so eher abstehen,
als ich ihnen von letzteren eben nichts Besonderes zu sagen
hätte. Alle hatten mehr oder weniger Aehnlichkeit mit den
von mir so eben besprochenen, und die in ihnen gefundenen
Gegenstände beschränkten sich auf einfache Thongefäfse, wie
solche zu hunderten in dem Kertscher Museum zu sehen
sind. —

Viel gröfseres Interesse bieten diejenigen Alterthümer,
welche theils im Frühlinge des laufenden Jahres, theils während meines Ausfluges nach Taman in den Kurganen über dem
Tartarendorfe aufgefunden wurden. Letztere waren bei dem
Fürsten Gagarin, dem gegenwärtigen Statthalter in Kertsch,
für's erste aufgestellt, und erstere befanden sich bis auf weiteres bei dem Herrn Begitschew, dem zeitweiligen Direktor

des Museums; die einen, wie die anderen sollen später in der
kaiserlichen Eremitage oder im Kertscher Museum eine blei-
bende Stelle finden.

Im Juli 1852 gefundene Gegenstände.

Unter den vielen im Juli herausgegrabenen Gegenständen, welche ich durch die Güte des Fürsten Gagarin öfters
zu sehen Gelegenheit hatte, will ich nur. auf diejenigen aufmerksam machen, welche als seltene Erscheinungen näher
gekannt zu werden verdienen. Vor allem muſs ich hier einer
geschmackvollen, dunkelen Schaale von Glas gedenken, in
welche schlangenförmige Verzierungen eines weiſsen Glas-
flusses hineingelassen sind.   Dieselbe, etwa sechs Zoll im
Durchmesser haltend, ist nach aufsen gekerbt, und zeigt uns,
zu welch' einer aufserordentlichen Vollkommenheit die Alten
es in Glasarbeiten gebracht haben. Die selten gute Erhaltung
giebt der Schaale noch besonderen Werth; man könnte sie
auf den ersten Blick für ein Erzeugniſs der Neuzeit halten;
nur bei näherer Untersuchung gewahrt man einige feine
Sprünge, wo sich das Glas in ganz dünnen Schichten abzu-
lösen anfängt.   Daſs aber die in den Gräbern gefundenen
Gläser ihre ursprüngliche Härte und Glätte verlieren können,
das sah man recht deutlich an einer Flasche mit langem Halse,
aus bläulich grünem Glase. Hier hatte sich die ganze Aufsen-
seite, wie eine Schaale, vom Glase abgetrennt, bröckelte bei
der geringsten Berührung ab, und wäre, wenn Jemand sie
mit warmer Hand angefaſst hätte, ihm an den Fingern hängen
geblieben. Dagegen hatten eine andre Flasche und ein vier-
eckiges Glas, beide aus dünnem weiſsem Glase und in einem
Grabe beim Haupte des Todten gefunden, ihre ursprüngliche
Festigkeit durchaus nicht verloren. Dasselbe gilt von mehreren Thränenfläschchen und einem anderen Glase, ähnlich
unseren Wassergläsern, aber nur um vieles dünner und leichter, als man sie jetzt zu fertigen pflegt. Unter den Gegenständen von Gold zogen meine Aufmerksamkeit besonders
folgende auf sich: ein Paar sehr geschmackvoll gearbeitete

Ohrgehänge, mehrere goldene Ringe mit geschnittenen Steinen (auf einem unter andern die stehende Pallas, auf einem anderen ein Käfer), einige Schmucksachen der Frauen und verschiedene Goldblättchen, die auf den Gewändern mögen befestigt worden sein.

Nicht ganz gewöhnlich waren ein Paar thönerne ausgebauchte Urnen von schwärzlicher Farbe, die eine gestreift, die andere glatt, jede mit drei Ohren und jede gefullt mit der Asche verbrannter Menschenknochen. Von grofser Kunstfertigkeit zeigten mehrere Statuetten aus terra cotta, namentlich eine stehende Matrone in reicher Bewandung, Amor die Psyche küssend, in zwei ganz gleichen Exemplaren, und die kleine Larve eines wolllüstigen Faunes. Von der Masse kleiner, ganz einfacher Thongefäfse schweiften meine Blicke auf eine kleine, kaum zwei Werschok hohe Vase, wo auf schwarzem Grunde ein sehr graciöses Köpfchen in rother Zeichnung zu schauen war. Endlich verdient noch ein Grabdenkmal von Sandstein erwähnt zu werden. Auf demselben erblicken wir in erhabener Arbeit unter einer dachartigen Verzierung einen zur Linken reitenden Mann mit herabhängendem Köcher und vor demselben ein stehendes Kind. Unter der ganzen Darstellung liest man die Worte:

ΑΛΕΞΑΝΔΡΕ   Ἀλέξανδρε

ΕΡΩΤΟΣ ΧΑΙΡΕ   Ἔρωτος χαῖρε

Da der Name Ἔρως auch sonst in hiesiger Gegend schon öfters vorgekommen ist (s. Böckh Inscript. No. 1964 u. Aschick l. c. l. p. 83), so ist Ἔρωτος als Genitiv und als Name des Vaters zu verstehen.

Im Frühlinge 1852 gefundene Gegenstände.

Ich beschliefse die Beschreibung der Kertscher Antiquitäten mit einem Besuche bei dem Herrn Bogitschew, in dessen Wohnung die im Frühlinge gefundnen Gegenstände aufgestellt sind. Sie stehen in einem besonderen Schranke, welcher vor Jahren schon aus altem, in den Gräbern vorgekommenem

Holze gefertigt wurde. Ein einfaches Gefäfs von graulichem
Thon zieht hier zuerst unsere Aufmerksamkeit auf sich. Dasselbe, etwa 2½ Fufs hoch, ist in der Mitte am breitesten,
läuft nach oben enger zu, hat drei Henkel, und ist mit der
Asche verbrannter Menschenknochen gefüllt. Von der früheren Malerei in Wasserfarben sieht man fast nichts mehr, allein
dafür liest man deutlich auf der einen Seite die kunstlos geschriebenen Worte:

ΚΑΘΑΡΑΙ   καθαραὶ

ΛΕΠΡΑΙ   λέπραι

Dafs sich dieselben auf die gleichsam durch das Feuer gerei-
nigten, in dem Gefäfse aufbewahrten Knochen beziehen, dürfte,
meiner Meinung nach, kaum bezweifelt werden, allein um so
auffallender ist der metaphorische Gebrauch von λέπραι in
Bezug auf die Knochen, welche als die inneren Schlacken des
menschlichen Organismus hier betrachtet werden. Auf einer
andren Stelle am Halse findet man die Buchstaben ΛΑΓΟϹΡΙΖ,
welche ich nicht zu deuten verstehe. Ein Gefäfs ganz ähnlicher Art, aber mit vier Henkeln und gänzlich verwischter
Inschrift hatte ich bereits früher beim Fursten Gagarin gesehen, weifs aber nicht, ob zwischen beiden irgend eine Verbindung nachzuweisen ist. Auf jeden Fall gehören beide einer
und derselben Zeit an. Von dem eben beschriebenen Thongefäfse streifen unsere Blicke hin über eine Menge alabaste-
ner oder bemalter unguentaria, über viele Thränenfläschchen,
Lampen, kleinere und gröfsere Arbeiten in terra cotta und
verweilen endlich am längsten bei einer ganzen Sammlung
griechischer Vasen, auf denen der Panticapäische Greif, Pal-
menblätter und arabeskenartige Verzierungen am häufigsten
vorkommen und von mir nicht weiter besonders beschrieben
werden sollen. Um so lieber entwürfe ich meinen Lesern ein
recht anschauliches Bild von den complicirteren Darstellungen,
sehe aber wohl ein, dafs hier eine Beschreibung ohne Zeichnungen sehr mangelhaft ausfallen mufs. Dennoch wage ich
wenigstens das Wichtigere anzudeuten, hoffend, dafs meiner

ungenügenden Skizze eine ausführlichere Beschreibung mit den
dazu nöthigen Abbildungen recht bald nachfolgen werde. Ich
glaube besonders auf Folgendes aufmerksam machen zu
müssen:

1) Auf der Hauptseite einer 6½ Werschok hohen, zweihenkligen Vase erblickt man auf schwarzem Grunde in röthlichen Farben den nackten Bacchus mit dem Thyrsusstabe in
sitzender Stellung; vor ihm steht zur Rechten eine bewandete
Bacchantin mit einer Handtrommel, und hinter derselben ein
geflügelter Genius, mit einer Fußspitze bloß den Boden berührend, und etwas in den Händen haltend, was einem Bande
ähnlich sieht. Auf der Rückseite zwei bekleidete, mit den
Gesichtern sich zugewandte Figuren, von denen die zur Rechten stehende eine Handtrommel hält, die zur Linken die ihrige
hat fallen lassen. Um den Rand der Vase, so wie über und
unter den Darstellungen eine Borde, und unter den beiden
Henkeln arabeskenartige Verzierungen.

2) Eine 5¾ Werschok hohe Vase bietet auf der Hauptseite auf schwarzem Grunde Folgendes in röthlicher Zeichnung: auf eine zur Linken niederkniende Gestalt in weißer
Farbe wird von einer zur Linken stehenden, bewandeten weiblichen Figur (einer Bacchantin) aus einem Gefäße eine Liba-
tion ausgegossen; zur Rechten sitzt der nackte Bacchus mit
Thyrsusstab in der Rechten und zur Linken gewandtem Kopfe.
Auf der Rückseite beschäftigen sich zwei einander gegenüberstehende bewandete Figuren auf einem zwischen ihnen sich
erhebenden Altare mit einem Opfer. Oben und unten von
den Darstellungen eine Borde.

3) Auf der Hauptseite einer 5½ Werschok hohen, zwei-
henkeligen Vase ist roth auf schwarzem Grunde eine Bacchantin mit Thyrsusstab sitzend dargestellt; sie stützt den linken
Arm auf eine Handtrommel und wendet ihren Kopf zu dem
links von ihr stehenden Satyr. Ihr zur Rechten steht eine
andere Bacchantin, welche mit aufgehobener Linken dem Sa-
tyre zuwinkt. Die sitzende Bacchantin scheint genossen zu
haben, die andere will genießen. Auf der Rückseite zwei Fi-

guren, von denen die zur Linken stehende ein Opfermesser
hält, die andere, zur Rechten, auf eine zwischen beiden stehende Säule hinweist. Oben und unten von den Darstellungen, so wie am Rande der Vase finden sich Verzierungen.

Die Hauptseite einer $4\frac{1}{2}$ Werschok hohen Vase schmückt
auf schwarzem Grunde mit rother Zeichnung eine zur Rechten reitende Amazone, welche mit ihrer Lanze einen weißen
Greif mit röthlichen Flügeln angreift, und als Siegerin aus
dem Kampfe hervorzugehen scheint; auf der Rückseite zwei
sich gegenüberstehende Figuren. Eine zierliche Borde umgiebt
die Darstellungen von oben und unten, und findet sich auch
am Rande der Vase.

5) Ein ganz ähnliches Sujet sieht man auf der Hauptseite
einer $6\frac{1}{2}$ Werschok hohen Vase, bei welcher die röthliche
Zeichnung auf schwarzem Grunde ruht. Auch hier eine zur
Rechten reitende Amazone im Kampfe mit einem Greife, dessen Körper weiß, die Flügel aber röthlich sind. Der Schild
der Amazone ist zur Erde gefallen, die Lanze fehlt ganz, und
es steht zu erwarten, daß der Greif den Sieg davontragen
werde. Auf der Rückseite zwei bekleidete Figuren, von welchen die zur Linken stehende eine cista, die zur Rechten einen
Wedel in der Hand hält. Bordenartige Verzierung über und
unter den Darstellungen und am Rande der Vase.

6) Eine $5\frac{1}{2}$ Werschok hohe Vase zeigt uns auf der Hauptseite auf schwarzem Grunde bei röthlicher Zeichnung eine
halbbekleidete Frau, die sich gegen zwei Männer zu wehren
sucht, aber von denselben überwältigt wird; der zur Linken
stehende trägt eine phrygische Mütze und Flügel an den
Füßen, der zur Rechten einen Helm. Auf der Rückseite zwei
einander gegenüberstehende bewandete Figuren. Ueber und
unter den Darstellungen, so wie am Rande der Vase reichliche Verzierungen.

7) Auf einer 6 Werschok hohen Vase sehen wir auf der
Hauptseite auf schwarzem Grunde in röthlicher Zeichnung
einen verwundeten Mann, welcher mit verhängtem Haupte
auf der Erde sitzt und von dem Schilde eines ihm zur Lin-

ken stehenden Kriegers gegen den Angriff eines von der Rechten mit aufgehobenem Schwerte andrängenden Feindes gedeckt
wird. Auf der Rückseite zwei stehende, in lange Gewänder
gehüllte Figuren, von denen die zur Linken die Hand unter
dem Gewande herausstreckt, die zur Rechten einen Schlauch
in der Hand hält. Eine arabeskenartige Verzierung läuft um
den Rand der Vase, so wie oben und unten von den Darstellungen.

8) Eine 4³/₄ Werschok hohe Vase mit rother Zeichnung
auf schwarzem Grunde und mit Verzierungen am Rande, so
wie über und unter der Darstellung, zeigt uns auf der Hauptseite zwei mit den Gesichtern sich gegenüberstehenden Figuren, von denen die zur Linken eine Fackel hält, die zur Rechten die Hand herabsinken läfst. Auf der Rückseite eine einzeln stehende Figur, die mit einer Fackel in der Hand zur
Rechten schreitet. Alle drei Figuren sind in lange Gewänder
gehüllt.

9) Auf einer 8 Werschok hohen, zweihenkligen Vase, mit
arabeskenartiger Verzierung um die Henkel, den Rand und
die Darstellungen, sehen wir auf der Hauptseite auf schwarzem Grunde folgende Zeichnung in röthlicher Farbe: eine
weibliche Gestalt in reichem Kopfputze wird von einem Schwane
getragen, während Genien mit Fackeln zu beiden Seiten schweben. Auf der Rückseite drei bewandete Figuren, von denen
zwei zur Rechten gewandt sind, und eine zur Linken, jenen
entgegenschreitend. — Alle drei sind mit einem Opfer beschäftigt.

10) Endlich erwähnen wir noch eine 7 Werschok hohe
Vase, auf deren Hauptseite auf schwarzem Grunde mit röthlicher Zeichnung ein zur Linken gewandtes Viergespann, das
von einer auf einem zweirädrigen Wagen stehenden, bekleideten weiblichen Gestalt geführt wird. Das erste und dritte
Pferd vom Zuschauer ist weifs, das zweite und vierte röthlich. Auf der Rückseite stehen drei stark bewandete Figuren,
von denen zwei zur Rechten, eine zur Linken gewandt ist.
Am Rande der Vase, so wie oben und unten von den Dar-

stellungen eine Borde, über und unter den beiden Henkeln
Arabesken.

Aufser diesen fast vollständig erhaltenen Vasen sieht man
noch bei dem Herrn Begitschew manche Vasenfragmente,
welche, sobald die vereinzelt daliegenden Stücke gehörig werden zusammengepafst sein, in mannichfacher Beziehung die
Aufmerksamkeit auf sich ziehen dürften. Ich spreche indessen
jetzt nicht von ihnen, wohl fühlend, dafs ich durch die bereits
gegebenen Details die Geduld meiner Leser hinlänglich geprüft habe. Möge mein Streben nach Vollständigkeit dabei
nicht verkannt werden, und es mir gelungen sein, durch meine
Schilderung dem fern lebenden Freunde des Alterthums ein
recht anschauliches Bild von den Schätzen zu entwerfen,
welche in dem klassischen Boden des alten Panticapäums
noch jährlich entdeckt werden und schon seit geraumer Zeit
die Aufmerksamkeit des gebildeten Publicums vorzüglich in
Anspruch nehmen.

Die Insel Taman.

Je ausführlicher meine Beschreibung der Kertscher Alterthümer ausgefallen ist, um so kürzer will ich über Taman
handeln, das wohl von jedem Reisenden besucht zu werden
verdient, und während einer ganzen Woche meine Zeit in
Anspruch nahm. Den Ausflug dahin unternahm ich in der
Gesellschaft des Herrn Begitschew, und mufs gestehen,
dafs ich in Niemandem leicht einen gefälligern Reisegefährten
und bessern Cicerone hätte haben können. Herr Begitschew
ist es nämlich unter dessen Leitung und Aufsicht die Grabungen in Taman ausgeführt werden, und welcher defshalb mit
allem, was auf die Insel Bezug hat, genau bekannt sein mufste.
Somit fehlte es mir dann weder an Zeit, um das in vielfacher
Rücksicht interessante Land nach allen Seiten und Richtungen
zu durchstreifen, noch an Gelegenheit, um mir über das Ge-
sehene die nöthige Auskunft zu verschaffen. Um so auffallender dürfte es meinen Lesern sein, dafs ich dessen ungeachtet

nur in aller Kürze von Taman hier sprechen werde, allein sie
sollen gleich sehn, daſs die Ungleichheit der Behandlung durch
die Verhältnisse bedingt wird. Während nämlich Alles, was
auf das alte Panticapäum Bezug hat, in Kertsch und dessen
nächster Umgebung zu besichtigen ist, sind die Alterthümer
Tamans auf der ganzen Insel zerstreut, und können ohne Karten und Zeichnungen nicht füglich beschrieben werden. Da
ich solche hier nicht zu geben Willens bin, so beschränke ich
mich darauf, meine Leser mit dem Küstenstriche am Tamanschen Limane bekannt zu machen, und kann das um so eher,
als im Jahre 1852 alle Grabungen, die in Fontan ausgenommen, in dieser Gegend stattfänden. Uebrigens verzichte ich
selbst bei der Beschreibung dieses Küstenstriches auf Forschungen im Gebiete der alten Geographie, da solche nicht
gut vereinzelt und ohne genaue Prüfung der uns erhaltenen
Autoritäten alter Schriftsteller unternommen werden können.
Auch in dieser Beziehung bietet nämlich Taman gegen Kertsch
einen schroffen Contrast; die Existenz Panticapäums auf der
Stelle und in der Nähe des heutigen Kertschs wird von Niemandem mehr bezweifelt, aber uber die Lage der alten Ortschaften des Bosporanischen Reichs auf der Asiatischen Seite
herrschen gar abweichende Ansichten. Bei einer andern Gelegenheit will ich dieselben aufs neue prüfen, und mit Hülfe
der gewonnenen Localkenntnisse die Worte der Alten zu erklären suchen. Dergleichen sehr ins Einzelne gehende Untersuchungen wären hier nicht an ihrer Stelle, und würden den
Leser eben so überraschen, als wenn ich hier auf die Orte,
wo die noch erhaltenen, oft zahllosen Tumuli auf frühere Ansiedlungen hinführen, ohne weitern Beweis diesen oder jenen
alten Namen beziehen wollte.

Durch das an allen Wochentagen zwischen Kertsch und
Taman gehende Dampfboot ist die Verbindung zwischen der
europäischen und asiatischen Seite gegenwärtig eine Kleinigkeit. Auch ich benutzte dasselbe, um unabhängig von Wind
und Wetter möglichst schnell hinüberzukommen. Die Fahrt
dauert etwa vier Stunden, und ist nicht uninteressant, da man

das Uferland nicht aus den Augen verliert, und auf demselben
bald schon bekannte Punkte wiedersieht, bald diejenigen Orte
in der Ferne erblicket, welche alsobald besucht werden sollen.
Zuerst beschäftigt uns noch das Festland, auf welchem wir
gegen Süden, hinter dem Vorgebirge Ack-Burun, die
Pawlowsche Batterie, die alte Quarantaine und
das Vorgebirge Kamysch-Burun deutlich vor uns sehen; auf der anderen Seite, hinter dem Vorgebirge bei der
jetzigen Quarantaine zeigt sich uns Jenikale mit seinen weissen Häusern, so wie die Meerenge, durch welche man in das
Asowsche Meer hineinfährt. Wenden wir unsere Blicke darauf ein wenig mehr östlich, so übersehn wir die ganze nördliche Landzunge (*sjewernaja kosa*), welche, Jenikale gegenüber liegend, auf der Ostseite die Durchfahrt ins Asowsche
Meer begränzt. Die *sjewernaja kosa* ist ein Theil der von
Dubois sogenannten Cimmerischen Insel, welche im Norden
vom Asowschen Meere, im Westen von der Kertscher Meerenge, im Süden von dem Tamanschen Limane bespühlt, und
durch einen Wall im Osten von den übrigen Theilen Tamans
abgetrennt wird. Auf der Cimmerischen Insel präsentirt *sich*
vor allen anderen Erhöhungen der Kuku-oba, in welchem Hügel Dubois (V. 36) das Denkmal des Satyrus wiedererkennen
will. Mehrere Werst hinter dem Kuku-oba liegt das Dorf
Fontan. Jetzt schauen wir auf die andere Seite hin. Hier
erscheint uns im W. die südl. Landzunge (*jujnaja kosa*), welche,
etwa zehn Werst lang, von dem nordwestlichsten Punkte der
Phanagorischen Insel, wie Dubois diesen Theil Tamans als
Gegensatz zu der Cimmerischen Insel nennt, in die Kertscher
Meerenge hineinspringt. Um vieles schmäler, als die *sjewernaja kasa*, und überall nur wenige Fuſs über dem Meeresspiegel erhoben, scheint sie jüngern Ursprunges zu sein, als jene.
Wir verfolgen die südliche Landzunge bis zu dem Punkte,
wo sie sich mit dem ein Paar Faden hohen Festlande Tamans
vereinigt, und mustern jetzt das ganze Südufer des Tamanschen Limanes. An der westlichen Spitze der Insel erkennen
wir über einem kleinen Salzsee, Tusla, die vereinzelt daliegen-

den Häuser des Cordons; vor uns haben wir das Städtchen Taman; ein wenig mehr nach Osten sehen wir das von Suworow angelegte Phanagoria, und noch östlicher die bis hart ans Ufer gehenden zahllosen Kurgane vor und hinter der Poststation Sjennaja.

Die Alterthümer in Taman.

Während wir uns so von den wichtigsten Punkten eine richtige Idee gemacht haben, ist das Dampfboot in Taman angekommen. Wir verlassen es und eilen gleich zu dem Platze, wo die neuesten Grabungen stattgefunden hatten, und damals noch fortgesetzt wurden. Den Weg dahin nehmen wir hart am Wasser, in westlicher Richtung, und zwar zur rechten Seite vom Ankerplatze. Hier zieht sich unter dem 5—6 Faden hohen Ufer ein schmaler, oft nur ein Paar Faden breiter Saum von Erde hin, über welchen die Wellen bei hohem Wasser zum Theil fortspülen, und auf den manchmal alte Münzen ausgeworfen werden. Diese Niederung war nach allen eingezogenen Nachrichten früher eine viel breitere, denn statt das an andern Orten das Uferland durch Ausspühlungen jährlich zunimmt, entreifst das Wasser hier dem Lande beständig gröfsere und kleinere Theile. Wenigstens versicherten mir mehrere der alten Einwohner Tamans, dafs sie sich noch sehr wohl erinnern könnten, wie der jetzige schmale Erdsaum 30—40 Faden breit gewesen sei, und wie auf demselben verschiedene Baulichkeiten gestanden hätten. Wir kommen auf unserem Wege an den alten Brunnen, von welchem Dubois (V. 87 und 90) spricht, und zu dessen Brüstung ein Paar alte Marmorblöcke ohne Inschriften und Reliefs benutzt worden sind, steigen nach einer guten Viertelwerst zu dem hohen Ufer hinab, und befinden uns, neben der Lisaja gora, auf der Stelle, wo einst eine türkische Festung ihren Platz hatte. Hier ist das Ufer wohl noch einmal so hoch über dem Niveau des Meeres, als bei dem Tamanschen Ankerplatze. Die Natur hat es indessen nicht so geschaffen. Die türkische Festung, welche die ganze Gegend durch ihre Position beherrschte, lag auf einer künstlich hervorgebrachten Höhe. Auf dem 5—6 Faden über dem Meeresspiegel erhabenen Lande hatte man noch eben so viel Erde aufgetragen, und so kommt es denn, daſs das Ufer hier über zehn Faden über dem Wasser liegt. Die in dieser aufgeschütteten Erde, von einem gewissen Pulenzow gemachten Grabungen, führten vor etwa acht Jahren zu einem höchst. wichtigen Funde goldener Münzen von Panticapäum (Aschik l. c. II. 17. §. 15), welche an Schönheit alle früher bekannten Stücke weit hinter sich zurücklassen, und zu der Annahme verleiteten, daſs die türkische Festung auf den Ruinen einer alten Stadt aufgeführt sei. Durch Fortschaffung der aufgeschutteten Erde glaubte man auf die Reste griechischen Alterthums zu kommen, und deſshalb begann man im Jahre 1852 die Grabungen auf dem Platze, wo die türkische Festung gestanden. Nachdem man dort die Erde in einem Quadrate abgetragen hatte, das 15 Faden Länge, 10 Faden Breite und eine Tiefe von 6—7 Faden hält, gelangte man endlich auf die Muttererde, allein ohne auch nur einigermaaſsen für die beschwerliche und kostspielige Arbeit durch irgend einen Fund von Bedeutung belohnt zu werden. In den oberen Schichten grub man nur Scherben zerbrochener türkischer Gefäſse und ein Paar türkische Krüge von Thon aus, fand dann den unteren Theil einer bewandeten Marmorstatue von ziemlich unvollkommener Arbeit, und kam endlich auf Steine, welche über einander lagen, aber nicht, wie man hoffte, zu einem Gebäude gehörten, sondern, Gott weiſs, durch welche Umstände unter dem Schutte in einiger Ordnung verborgen lagen.

Glücklicher war die Entdeckung, welche man hinter den bezeichneten Grabungen, etwa 50 Faden vom Meere, ganz zufällig machte. Die Einwohner Tamans suchen nämlich das nöthige Material für ihre steinernen Bauten in der längs des Meeresufers so reichlich aufgeschütteten Erde, und müssen das um so mehr, da die Gegend ganz steinlos ist, und das Hinüberschaffen von Steinen aus Kertsch sehr kostspielig wäre.

Bei diesem Graben entdeckte man die Mauern eines alten Gebäudes, welches aber, wie ich glaube, der türkischen Zeit angehören dürfte. Die Mauern sind in einem Quadrate gebaut,
messen auf der Seite zum Meere hin vier und einen halben
Faden, und auf den Längenseiten fünf ein drittel Faden. Die
Steine werden durch Kalk zusammen gehalten, welcher die
Härte eines Steines bekommen hat. Auf den turkischen Ursprung dieses Gebäudes schließe ich deßhalb, weil der Kanal
welcher zur türkischen Zeit aus dem gleich näher zu beschreibenden Bassin zum Meere fuhrte, mit den neuerdings entdeckten unterirdischen Ruinen scheint in Verbindung gestanden zu
haben. Jenes Bassin, von welchen Dubois (V. p. 22) ausführlich
handelt, liegt unmittelbar hinter der für die türkische Festung
aufgeworfenen Erde, halte eine ovale Gestalt, und ist gegenwärtig so versandet, daß man sich kaum vorstellen kann, wie
sich hier je eine große Masse Wassers habe vorfinden können. Daß aber das dennoch so war, erzählt nicht bloß Dubois, welcher in dem Bassin noch Wasser sah, sondern bestätigen auch alle alten Einwohner Tamans, unter denen mir
einer erzählte, daß er sich sehr wohl erinnere, wie das überflüssige Wasser aus dem Bassin durch den oben erwähnten
Kanal ins Meer geflossen sei, und in dem Kanale zwei türkische Mühlen getrieben habe. Die Ueberhand nehmenden
Versandungen in Taman mögen allerdings, wie Dubois behauptet, besonders daher stammen, daß zur türkischen Zeit die
ganze Gegend mit Bäumen reichlich bepflanzt war, und daß
diese es den oft heftig wehenden Winden unmöglich machten,
den mit einer dünnen Grasschicht bewachsenen Treibsand
überall aufzuwühlen; allein zum Theil lassen sie sich auch
daher erklären, daß die wohl eine Werst im Umkreise fassende
Sandgrube zwischen Taman und Phanagoria, aus welcher der
Treibsand in Taman vorzüglich zu stammen scheint, damals
ganz mit Gras bewachsen oder mit einer dünnen Steinschicht
bedeckt war *).

---

*) In beiden Fällen also wieder durch eine Verkümmerung der Vegeta-
tion seit der Russischen Eroberung. Vergl. in diesem Bande S. 233.

Seit man letztere zu den Bauten in Phanagoria benutzte,
und das Vieh auf den grasreichen Stellen weiden liefs, öffnete
man dem verderblichen Treibsande Thor und Riegel, und ist
jetzt seinem verderblichen Einflusse ganz blofsgestellt. Die
der Sandgrube am nächsten liegenden Theile haben am meisten
von den Versandungen zu leiden, und daher kein Wunder,
dafs sie nioht angebaut werden. Die früher dort stehenden
Gebäude sind abgetragen, und an andre, dem Sande weniger
ausgesetzte Orte verpflanzt worden. Nur die Kirche, in deren
Hofe zu Dubois Zeit viele höchst interessante Alterthümer aufbewahrt wurden, hat Stand gehalten, allein der Sand hat sich
an beiden Seiten der · steinernen, über einen Faden hohen
Hofmauer so aufgethürmt, dafs man, ohne das Thor aufmachen
zu lassen, mit aller Leichtigkeit hinübersteigt. Im Hofe sucht
man vergebens nach den von Dubois dort gesehenen Merkwürdigkeiten; aufser einem Paar in die äufsere Wand der
Kirche eingemauerten, unleserlicher Inschriften und einigen an
den Kirchenmauern aufgestellten zerbrochenen Säulen findet
man jetzt dort nichts, was die Aufmerksamkeit vorzüglich in
Anspruch nähme. Auch im Inneren der Kirche war *nichts*
Besonderes zu sehen; die bekannte Inschrift, durch welche
wir erfahren, dafs der Fürst Gleb die Entfernung von Tmu-
tarakan bis Kertsch im Jahre 1056 auf dem Eise gemessen
habe, wird in einer Copie auf Papier und unter Glas in der
Kirche aufbewahrt; das Original ist nach Petersburg gesendet
worden.

Von den übrigen Antiquitäten Tamans ist wenig zu sagen: wenigstens waren alle meine Forschungen nach neuauf-
gefundenen griechischen Inschriften oder anderen Resten des
griechischen Alterthums erfolglos. Dennoch beweisen sowohl
die vielen türkischen Inschriften, welche in dem Städtchen
zerstreut vorkommen, als auch verschiedene Marmorblöcke,
die in einigen Häusern zu Thürschwellen verwendet worden
sind, in anderen unbenutzt auf den Höfen stehen, dafs die
jetzt höchst unbedeutende Ortschaft in früheren Zeiten eine
ansehnliche und wohlhabende Stadt gewesen sei. Auch nach

neuen, kürzlich gefundenen Münzen forschte ich vergeblich;
die wenigen, welche ich aufspüren konnte, gehörten zu den
durchaus nicht seltenen von Panticapäum, und sollen von mir
hier nicht weiter beschrieben werden. Unter allen zog nur
eine, selten gut erhaltene Kupfermünze meine Aufmerksamkeit auf sich. Es war dies folgende:

Hauptseite:

ΒΑCΙΛΕΩC ΜΙΘΡΑΔΑ(ΤΟΥ),

Kopf des Königs Mithridates III. im Diadem, zur Rechten.

Rückseite:

ΒΑCΙΑΙCCΗC ΓΗΠΑΙΠΥΡΕΩC,

Kopf der Königin Gepäpyris im Diadem, zur Rechten; vor
dem Kopfe auf der rechten Seite IB

Æ 5½

Die auf beiden Seiten deutlich zu lesenden Inschriften bestätigen nicht blofs die bereits von Mionnet (Sup. IV. p. 494)
ausgesprochene und von Spaskji (prilawlenie k' solschineniju pod
saglawien Bosphor Kimmerjiskji p. 17) noch bezweifelte Ansicht,
dafs der wahre Name der Bosporanischen Königin, welche
bald Papäpyris, bald Gepäpyris heifsen sollte, wirklich Gepäpyris gewesen, sondern können auch als neuer Beweis dafür
dienen, dafs diese Gepäpyris für die Gemahlin Mithridates
des III., nicht aber, wie man früher annahm, für die des Sau-
romates zu halten sei.

Die Grabungen in Tusla.

Sehen wir uns jetzt an, was die in diesem Frühlinge
über der südlichen Landzunge, in der Nähe von Tusla, vorgenommenen Grabungen ergeben haben. Zu denselben gelangen wir, indem wir in westlicher Richtung von Taman
aus am Ufer hinschreiten. Ein Paar Werst von dem Cordon
bei Tusla fanden sich nicht weit vom Ufer, welches hier 4
bis 5 Faden über dem Meeresspiegel erhoben ist, mehrere bedeutende Kurgane, von denen Herr Begitschew im April 1852

etwa zwanzig hat eröffnen lassen. Die Ausbeute, welche sich
auf einige zweihenkelige Amphoren aus gewöhnlichem Thone
und ein Paar Grabmonumenten aus Sandstein beschränkte,
entsprach nicht den Erwartungen. Auf einer der Amphoren,
deren Höhe eine Arschin einen Werschok beträgt, stand am
Halse eine zweizeilige Inscription, allein dieselbe war nicht
mehr zu entziffern; in der ersten Zeile konnte man nur noch
ΦΙΛΟΥ lesen. Was die erwähnten beiden Grabmonumente
anbetrifft, so wurde jedes von ihnen in einem besondern Grabe
gefunden. Das eine ist zerbrochen, und mifst in seiner jetzigen Gestalt 14 Werschok in der Höhe und 9½ Werschok
in der Breite. Bei einem Rande von 1 Werschok auf den
beiden äufseren Seiten erblickt man in der oberen, sechs
Werschok hohen Hälfte, in ganz rohem Relief, einen Mann
auf gallopirendem Rosse. Der zweite Grabstein ist eine Arschin hoch und 11 Werschok breit, hat nach oben eine dach-
förmige Gestalt, und trug eine dreizeilige Inschrift, von welcher die obere Zeile ganz verwischt ist; von den Buchstaben
der zweiten kann man blofs die fünf ersten ΟΣΤΡΑ deutlich
lesen, während zwei oder drei nach ihnen folgende nicht mehr
zu unterscheiden sind; in der dritten ist der Name
ΑΠΟΛΛΟΝΙΟΥ deutlich erhalten. In beiden Grabmonumenten war die Arbeit um vieles roher, als auf ähnlichen, in
Kertsch gefundenen Denkmälern.

Die Sjennaja.

Viel wichtiger, als die in der Nähe von Tusla gelegenen
Kurgane sind die auf der entgegengesetzten Seite sich erhebenden zahllosen Tumuli bei der Poststation Sjennaja, und
deshalb lade ich meine freundlichen Leser ein, sich dieselben
mit mir etwas näher anzusehen. Zu diesem Endzwecke kehren wir nach Taman zurück, und folgen der an dem Tamanschen Limane gegen Osten sich hinziehenden Poststrafse. —
Der Weg führt uns durch das nur ein Paar Werst von Ta-

man gelegene Phanagoria, wo, seit die Festung aufgegeben
worden, das Militairhospital die einzige Merkwürdigkeit ausmacht. Zu unsrer Rechten erhebt sich einige Werst von der
Poststrafse eine ziemlich hohe Bergkette, in welcher die bekannten Schlammvulkane ihren Sitz haben, und zu unserer
Linken zieht sich der Tamansche Liman hin, an dessen jen-
seitigem Ufer der Kuku-aba, majestätisch auf der Cimmerischen
Halbinsel thronend, unsere Aufmerksamkeit beständig in Anspruch nimmt. Auf der 16. Werst ändert sich das Terrain in
unserer Nähe; denn von hier an beginnt eine doppelte Kette
von Kurganen, zwischen welchen sich die Poststrafse gerade
hin durchzieht, so dafs die nördliche Kette zu unserer Linken,
die südliche zu unsrer Rechten ununterbrochen dahinläuft. —
Jene, stets dem Ufer des Tamanschen Liman folgend, und oft
bis hart an das Wasser hinabsteigend, geht fast in gerader
Linie bis zur Poststation *Sjennaja*, und biegt dann links um
den östlichen Busen des genannten Limanes. Hier wird der
6—7 Werst lange Lauf der nördlicheren Kette auf ein Paar
Werst unterbrochen, dann aber beginnt, beim Chautor Artin-
chow, eine neue Fortsetzung bis an den Wall, welche die
Cimmerische Insel von der Phanogorischen scheidet. Die andere, an der südlichen Seite des Postweges hinlaufende Kette
begleitet uns gleichfalls bis zur Poststation *Sjennaja*, biegt aber
dann rechts ab, und mündet endlich aus am westlichsten Busen des Achtanisowkaschen Limanes.

Bemerkenswerth ist ferner noch die aufgeschüttete Erde,
welche etwa $2\frac{1}{2}$ Werst vor der Poststation *Sjennaja*, an dem
Ufer des Tamanschen Limanes, überall vorkommt, an manchen
Stellen 7—8 Faden hoch ist, und oben hin und wieder ganz
eben erscheint. Auf der Oberfläche haben sich hier freilich
nirgends alte Bauwerke erhalten, allein gräbt man in die auf-
getragene Erde hinein, so stöfst man beständig auf steinerne
Fundamente oder einzeln liegende Steine. Aus diesem Grunde
vertritt jener Aufwurf gegenwärtig die Stelle eines Stein-
bruches, denn da in der Muttererde Tamans nirgends Steine

vorkommen, so wird das Material an Steinen für alle Neubau-
ten dort herausgenommen.

So wenig meine kurze Beschreibung des bei der Sennaja
so interressanten Locals auf Vollständigkeit Anspruch macht,
so glaube ich doch meinen Lesern so viel klar gemacht zu
haben, daſs es auf der ganzen Insel Taman keinen wichtigeren Punkt für Grabungen gäbe, als die ganze Umgegend der
genannten Poststation. Die schon seit vielen Jahren hier beständig unternommenen Grabungen haben indessen bis jetzt
wenig Wichtiges und Interessantes geliefert, und das wohl
deſshalb, weil die höheren Tumuli zum Theil schon früher
geöffnet worden sind, und bei den neueren Grabungen nur
die kleineren berücksichtigt worden sind.

Die weniger reiche Ausbeute hat indessen von der Fortsetzung der Arbeiten nicht abgeschreckt, und ich bin fest
überzeugt, daſs diese Beharrlichkeit am Ende doch noch zu
wichtigen Entdeckungen führen muſs. Ein solches Resultat
läſst sich um so eher erwarten, als man im Jahre 1852 entdeckt hat, daſs die Kurgane mit eingesunkener Spitze, von
welchen man bisher annahm, daſs sie bereits früher *eröffnet*
worden seien, zum Theil vielleicht noch gar nicht ausgeleert
sind. Wenigstens zeigte der in meiner Gegenwart geöffnete,
daſs die Senkung auf der Spitze nicht durch fruhere Grabungen entstanden sei, sondern vielmehr durch den Zusammensturz des im Innern gebrauchten Holzwerkes. Auf ähnliche
Weise werden die Senkungen an anderen Kurganen zu erklären sein, und ist das wirklich der Fall, so ist noch bei
vielen gröſseren Hügeln eine reiche Ausbeute zu erwarten.

Für die im Sommer 1852 in der Sennaja zu unterneh-
menden Grabungen hatte man aus der südlichen Kette einige
Tumuli ausgewählt, welche zu den gröſseren gehörten. In
ihrer unmittelbaren Nähe war im Jahre 1851 der marmorne
Deckel eines Sarcophags aufgefunden worden. Er lag in einem
Grabe, das man schon früher geöffnet, und mit barbarischer
Rohheit geplündert hatte. Der verstümmelte Deckel, welcher
allein zurückgeblieben war, zeugte nicht bloſs von dem einsti-

gen Reichthum des Grabes, sondern führte auch auf den Gedanken, daſs hier die Begräbnifsstätte angesehener und reicher
Personen gewesen sei. Deſshalb wurden denn drei Kurgane,
die nicht weit von einander standen, und etwa eine Werst
südlich über den Chator des Herrn Semeniaku liegen, in
Angriff genommen, allein von allen dreien führte nur
der Tumulus mit eingefallener Spitze, von welchem man am
wenigsten erwartet hatte, zu einem erfreulichen Resultate.
Nachdem man nämlich hier, von der Spitze beginnend, vier
Faden tief die aufgeworfene Erde fortgeschafft hatte, gelangte
man zu zwei aus Erdziegeln aufgeführten Mauern, die bei
einem Zwischenraume von $1\frac{1}{2}$ Sajen (Faden), mit einander
parallel liefen. Erdziegeln zu ähnlichem Behufe waren schon
früher in der Sennaja vorgekommen, und wurden, in der Sonnenhitze getrocknet, im Alterthume in der steinlosen Gegend,
eben so wie noch jetzt, zu Bauten statt der Steine benutzt.
Unter jenen Mauern lagen einst horizontal gelegte Balken,
aber diese waren in Fäulnifs übergegangen, und hatten durch
ihren Zusammensturz die Senkung auf der Spitze veranlaſst.
Der ursprünglich freie Raum zwischen den beiden Mauern
hatte sich seit dem Einsturze der Balken ganz mit Erde gefullt. Diese wurde fortgeschafft, und da entdeckte man neben
einander die Reste von zwei hölzernen Särgen, deren Gröſse
und Gestalt sich nicht bestimmen liefs, da das Holz durch
Fäulnifs zerstört war. Nur die hölzernen, mit Metall beschla-
genen Füſse, auf denen die Särge geruht, konnte man noch
erkennen. In dem einen Sarge war eine Frau, in dem anderen ein Mann begraben; beide lagen mit dem Kopfe nach
Osten.

Auſser einer weiſsen bröckeligen Masse im Grabe der
Frau war von den Knochen nichts mehr erhalten. In eben
demselben Grabe fand man noch Folgendes:

1) zwei schlangenartige, an beiden Enden mit pyramidal-
förmigen Knöpfchen verzierte Spangen von massivem Golde,
und ganz von derselben Form, nur etwas kleiner, als die ein
Paar Monate früher in einem Grabe bei Kertsch gefundenen.

Da dieselben an der Kopfstelle lagen, so mögen sie als Haar-
putz gedient haben; 2) acht längliche, unten spitze, ohr-
gehängenartige Verzierungen aus getriebenem Golde, jede
oben mit einem kleinem Loche; 3) mehrere kleine, inwendig
hohle, mit einem Loche versehene Kügelchen, gleichfalls aus
getriebenem Golde.   Dieselben scheinen mit den unter No. 2
genannten Verzierungen einen Halsschmuck gebildet zu haben;
4) verschiedene goldene, leicht, aber sehr geschmackvoll gearbeitete Verzierungen *) zur Befestigung auf dem Gewande.
Im Grabe des Mannes fehlte alles Gold; dagegen fand man
dort mehr als hundert theils eiserne, theils eherne Pfeilspitzen,
einen eisernen durch den Rost ganz verdorbenen Panzer, dessen Glieder durch kupferne, über einander liegende Blätter
zusammengehalten wurden, ein eisernes Schwert und eine
Lanze. Der Rost hatte hier alles so verzehrt und angegriffen,
dafs die einzelnen Gegenstände bei der leisesten Berührung
zerbrachen, und nur in Stücken, aus denen sich nichts Voll-
ständiges mehr zusammensetzen liefs, herausgenommen werden konnten. — Da beide, eben beschriebene Gräber noch
nicht auf der Muttererde standen, so setzte man, nachdem sie
vollständig ausgeräumt waren, die Grabungen in der aufgeworfenen Erde des Tumulus noch weiter fort, und kam nach
1½ Faden auf ein drittes Grab, bei dessen Eröffnung ich
zwar nicht mehr zugegen war, welches aber, nach den später
eingezogenen Nachrichten, gleichfalls nur Pfeilspitzen enthalten haben sollte.

Die Grabungen in Fontan.

Aufser den Grabungen bei Tusla, in Taman und bei der
Poststation Sjennaja hat man im Sommer 1852 noch einen
schon öfters angegriffenen, aber noch nie ganz geöffneten,
sehr grofsen Tumulus in dem Dorfe Fontan auf der Cimmerischen Insel auszugraben angefangen, allein die bisherigen

---

*) Unter denselben gefielen mir besonders ein Paar Vögelchen, einige
   Käfer und zwei liegende Ziegenböcke.

Arbeiten hatten bis zu der Zeit, wo ich sie sah, nur zu der Entdeckung einer Münze Rhescuporis II. geführt. Dieselbe

Hauptseite:

Kopf des Rhescuporis zur Rechten mit dem Monogramme
BAP hinter dem Kopfe und den Buchstaben IB unter dem Gesichte; Punkte ziehen um den Rand.

Rückseite:

ΓΑΙΟΥ ΚΑΙCΑΡΟC ΓΕΡΜΑΝΙΚΟΥ

Kopf des Caligula zur Rechten. Æ. 6.

ist freilich weder unbekannt, noch selten, allein da sie schon ein Paar Faden tief unter der aufgeworfenen Erde des Tumulus gefunden wurde, so dürfte sie, um das Alter des mächtigen Kurganes ungefähr zu bestimmen, nicht ohne Wichtigkeit sein. —

Ich schliefse meinen Bericht über die im Sommer 1852 in Taman unternommenen Grabungen mit dem aufrichtigen Wunsche, dafs die dort mit Eifer fortgesetzten und mit Umsicht geleiteten Arbeiten immer gröfsere Aufschlüsse über ein Land geben mögen, welches, als wesentlicher Bestandtheil des Bosporanischen Reiches eine Rolle im Alterthume spielte, und uns noch jetzt durch seine zahllosen Kurgane den sprechendsten Beweis giebt von seiner früheren Bedeutsamkeit.

Die Kriegsmacht Persiens *).

Seit dem Jahre 1809 hatte Abbas-Mirza mit Hülfe französischer und in der Folge englischer Offiziere eine reguläre Armee in Persien gebildet. Diese Truppen konnten mit Erfolg gegen asiatische Völkerschaften kämpfen, hielten aber gegen die Russen nicht Stand, und nach dem Frieden von Turkmantschai (1828) mußte daher die regelmäßige Armee ganz neu organisirt werden. Sie befand sich in einem ziemlich guten Zustande bis zum Tode Abbas Mirza's im Jahr 1834, wurde aber durch die Expeditionen des gegenwärtigen Schachs gegen die Turkmenen 1836 und besonders gegen Herat 1837 und 1838 fast gänzlich vernichtet, so daß sie von einer regelmäßigen Armee nichts behalten hat, als den Namen, und auf Papier zwar 110000 Mann zählt, wovon jedoch in der Wirklichkeit kaum der dritte Theil vorhanden ist. Wir geben hier die Zusammensetzung der persischen Armee nach den Etats von 1837, als sie sich zum Feldzuge von Herat vorbereitete.

Die persische reguläre Armee besteht aus funfzig Infanterie-Regimentern (Faudj) zu einem Bataillon Es giebt vier

---

*) Von dem Kawkas nach der 1853 veröffentlichten „Statistischeskoje opisanie Persii" (statistischen Beschreibung von Persien) des Oberstlieutenant Blaramberg mitgetheilt. ~

Garde-Regimenter. Die Zahl der Offiziere und Gemeinen (Sarbasen) beläuft sich für jedes Regiment auf 1097 Mann. Zwei Regimenter bilden eine Brigade, unter dem Commando eines Sertip oder Generalmajors. Der jetzt regierende Schach führte die Charge eines Emir-Toman ein, der ein Corps von 10000 Mann befehligt. Die Würde eines Sardar oder Oberbefehlshabers wurde von Muhammed-Schach 1840 zum erstenmal an Baba-Chan verliehen. Die früheren Sardars waren entweder gestorben oder standen nicht mehr im activen Dienst. Der Emir-Nisam ist ein anderer hoher Militairbeamte; indessen erstreckt sich der Einfluß Muhammed-Chan's, der diesen Titel führt, nur auf die Truppen von Aderbaidjan, welche Provinz er als. Kriegs-Gouverneur verwaltet.

Im Jahre 1835 ward eine Escadron Uhlanen, 120 Mann stark, gebildet, die in rothe Kaftane gekleidet und mit Piken bewaffnet wurden. Außerdem wurden 200 Gulams oder Dienstleute des Königs unter das Commando des englischen Majors Ferrand gestellt, der ihnen den Cavalleriedienst lehrte und den Stamm eines Dragoner-Regiments aus ihnen bilden sollte; indessen gingen diese beiden Reitercorps auf der Expedition gegen die Turkmenen 1836 fast gänzlich zu Grunde.

Die ganze Artillerie bildet ein einziges Corps, da man hier die Eintheilung derselben nach Brigaden, Batterieen etc. nicht kennt. Sie hat einen obersten Befehlshaber unter dem Titel Emir-Ton-Chan und besteht nur aus reitender Artillerie; da es jedoch an Pferden fehlt, so muß mehr als die Hälfte der Artilleristen zu Fuße gehen.

Die Armee wird entweder durch Rekruten-Aushebungen oder durch Anwerbung von Freiwilligen vollzählig erhalten. Jeder Kreis (ulus) und jedes Dorf stellt dieselbe Zahl Rekruten, wie zur Zeit Aga-Muhammed-Chan's, mit dem Unterschiede, daß der jetzige Schach nur Soldaten, und nicht Reiter mitsammt den Pferden verlangt. Die Aeltesten der Dörfer bestimmen die Rekruten nach Willkür und setzen auch ihre Zahl fest, da hierüber durchaus keine gesetzlichen Anordnungen bestehen. In Aderbaidjan ist die Rekrutirung im Verhältniß zur Bevölkerung weit stärker als in den anderen Theilen Persiens; es muſs hier der zehnte Mann gestellt werden, ohne die Freiwilligen zu rechnen, deren Zahl sehr bedeutend ist. Die Garde-Regimenter sind fast ganz aus Freiwilligen zusammengesetzt, die von dem verstorbenen Abbas-Mirza mittelst eines Handgeldes von drei Tomans angeworben wurden.

Die Perser haben nicht, wie die Türken, eine Abneigung gegen Neuerungen. Steht der Kriegsdienst auch bei den Groſsen und den Adel in keiner groſsen Achtung, so unterwirft sich doch der persische Bauer ohne Murren seinem Schicksal, und zieht freudig, ja mit Stolz die Uniform an. Uebrigens besitzt er alle Eigenschaften, die für einen guten Soldaten erforderlich sind: er ist von starkem Körperbau, an Mühseligkeiten gewöhnt, mäſsig, geduldig, gewandt und ein ausgezeichneter Fuſsgänger. Aus solchem Material lieſse sich eine treffliche Armee herstellen, wenn man es nur zu benutzen verstände. Was sich aber besonders in Persien fühlbar macht, ist der Mangel an guten Offizieren. Militairschulen oder Kadetten-Anstalten existiren nicht, und es giebt weder ein gedrucktes noch ein geschriebenes Kriegs-Reglement oder irgend ein Werk, das den Offizieren zur Anleitung oder Belehrung dienen könnte. Wie in Allem, was hierzulande geschieht, folgt man lediglich der Tradition und der Routine. Die Manöver sind höchst einfach; jedes Regiment wird in zwei Glieder aufgestellt und mehrere Regimenter zusammen bilden eine Linie. Colonnen werden nie gebildet. Beim Schieſsen fällt das erste Glied auf das Knie, ein Gebrauch, den die Perser wahrscheinlich von ihren französischen Lehrmeistern beibehalten haben, unter welchen die Schlachtordnung aus drei Gliedern bestand, der aber ganz zwecklos ist, seitdem die englischen Offiziere die zweigliedrige Ordnung einführten. Mit Ausnahme der Garde und einiger alten Regimenter von Aderbaidjan, wissen indeſs die übrigen kaum, an welchem Ende sie die Ladung in den Lauf der Flinte hineinstecken sollen.

Die Kleidung der regulären Truppen besteht aus einer Tuchjacke (Kurtka), bauschigen weiſsen Beinkleidern (Schara-

wary) von Leinwand, über dem Knöchel befestigt vermittelst
eines Stiefels mit langer Spitze, und dem Popach oder der
persischen Mutze von Schaffell. Unter der Kurtka tragen die
Sarbasen gewöhnlich ihre Bauerkleider, indem sie die Schöfse
des Kaftans in die erwähnten weiten Hosen stecken. Die
Farbe der Uniform ist nicht näher bestimmt; sie hängt davon
ab, ob es möglich ist, das nöthige Tuch zu bekommen, und
die Regimenter sind daher in Uniformen verschiedener Farbe
gekleidet. Nur die Garderegimenter tragen meistens rothe
Uniform. Die Patrontasche ist klein und der russischen ähnlich; sie hat ein Bandelier, das sich auf der Brust mit einem
anderen kreuzt, welches die Scheide des Bajonetts enthält;
ein breiter Riemen mit einer Schnalle dient als Gürtel und
hält die Bandeliere fest. Ränzel sind in Persien unbekannt
oder wenigstens nicht gebräuchlich. Die Flinten sind englischer Fabrik, man geht aber so nachlässig mit ihnen um,
dafs der gröfste Theil verdorben ist.

So ist die Beschaffenheit der persischen Armee zu Hause,
in Friedenszeiten. Begleiten wir sie jetzt auf einem Feldzuge. —

Die Zweifel an der Wahrhaftigkeit der alten Geschichts-
schreiber verschwinden für den, der ein persisches Heer auf
eine Kriegsexpedition ausziehen sieht; man kann sich dann
leicht die unglaublichen Erfolge europäischer Feldherren erklären, die mit einem verhältnifsmäfsig geringen Häuflein ungeheure Massen in die Flucht schlugen. Es war die Manns-
zucht und Ordnung, die über die Verwirrung und Regellosig-
keit siegte; denn noch heute bietet eine persische Armee auf
dem Marsche sowohl als im Lager das Bild des vollständigsten Chaos dar. Man mufs übrigens einräumen, dafs jetzt
wenigstens ein Theil jedes Regiments zusammen marschirt
und, im Nachtlager angelangt, sich in Schlachtordnung, d. h.
in Linie aufstellt; aber das ist auch Alles. Bagagewagen
kennt man in Persien nicht. Dem Heere folgt eine enorme
Menge Lastthiere, welche aufserordentlich viele Leute den
Reihen der Armee entziehen und einen endlosen Schweif bil-

den. Beim Ausmarsch wird jedes Regiment mit einer bestimmten Anzahl Esel versehn, die von den Soldaten selbst geführt
werden müssen.   Da die Sarbasen keine Ränzel haben, so
werden ihre Kleider, die Mundvorräthe und selbst die Zelte
auf dem Rücken dieser geduldigen und folgsamen Thiere
transportirt. Der wahre Ruin der persischen Armee sind aber
die Mirza's (Secretaire oder Schreiber), die Hofbedienten und
die Tscherwodars oder Viehtreiber.   Dieses keiner Disciplin
unterworfene Gesindel quartiert sich ein, wo es ihm gutdünkt,
geht seinen eigenen Weg, eilt der Avantgarde voraus oder
bleibt im Rücken der Armee.   Im Lager ist es noch schlimmer; jeder bindet seine Pferde oder Maulesel neben seinem
Zelte an, und da letztere ohne alle Ordnung aufgeschlagen
sind, so entsteht dadurch ein wahres Labyrinth. Auch hat die
Erfahrung bewiesen, dafs plötzliche Ueberfälle auf ein persisches Lager stets von Erfolg gekrönt wurden.   Die Perser
haben dieses nicht vergessen; statt aber der Ursache dieses
Uebels nachzuforschen und ihm abzuhelfen, glauben sie sich
durch die Vermehrung der Wachtposten zu schützen, die in
kurzer Entfernung von einander aufgestellt werden und sich
fast im Lager selbst, neben den ersten Zelten, befinden.   Es
giebt bei ihnen weder Cavallerie-Vorposten, noch Patrouillen;
die Schildwachenkette schreit unaufhhrlich aus vollem Halse:
Achtung! — bis sie vor Müdigkeit einschläft, so dafs nach
Mitternacht das ganze Lager in tiefem Schlummer liegt. Zur
Zeit des Aufbruchs oder nachdem die Armee in einem neuen
Lager eingetroffen, vereinigt sich das Wiehern der Hengste
und Maulthiere, das Geschrei der Treiber, das Geklingel der
an die Hälse der Cameele und Maulesel befestigten Glöckchen
und die laute Unterhaltung der Sarbasen zu einem so furchtbaren Tumult, dafs man auch einen Kanonenschufs nicht
hören würde. Man mufs Zeuge eines solchen Wirrwarrs
sein, um sich eine klare Idee von dem Zustande eines persischen Lagers beim Ausmarsch oder bei Ankunft der Armee
zu bilden.

Der Mangel an Ordnung, das Zusammendrängen einer so

ungeheuren Masse Pferde und Lastvieh, endlich gewisse, den
Muhammedanern eigenthümliche (?) Gewohnheiten — Alles
trägt dazu bei, die persischen Lager ekelhaft schmutzig zu
machen. Nach achttägigem Stande muß man den Lagerplatz
verändern, wegen der schädlichen Ausdünstungen, welche die
Luft erfüllen. Auf dem Marsche hat die Armee keine mobi-
len Lazarethe und nicht einmal Mittel zum Transport der
Kranken. Die, welche sich nicht zu Fuße weiterschleppen
können, werden mit dem übrigen Gepäck auf die Esel, Cameele und Maulthiere geladen und ihrem Schicksal überlassen. Es ist jedoch zu verwundern, wie wenige Kranke sich
gewöhnlich in der persischen Armee finden, und auch die
Sterblichkeit ist sehr gering.

Man hat weder Offiziere des Generalstabs noch Ingenieure.
Ein Mirza unter dem Namen Adjutant-Baschi macht die Befehle des Schachs bekannt; ein anderer führt den Titel: Chef
der Ingenieure; ferner giebt es noch einige Zöglinge des Ge-
nerals Gardaune und der Engländer, die aber in der Armee
nicht verwendet werden.

Das Rechnungswesen ist gleichfalls in den Händen der
Mirza's, die ohne Schonung oder Schaam die armen Sarbasen
und selbst die Regiments-Commandeure plündern, welche letztere sich nach Kräften an ihren Untergebenen schadlos halten.
Die Soldaten stehen mit dem Obercommando in durchaus
keiner Verbindung, sondern erkennen nur ihren unmittelbaren
Chef als Vorgesetzten an, der gewöhnlich noch in ihrem hei-
mathlichen Dorfe von ihnen selbst gewählt worden ist. Es
folgt hieraus, daß die Subordination sich nicht außerhalb des
Kreises einer jeden Brigade erstreckt; ein Offizier oder Soldat
der ersten Brigade z. B. weiß nichts von den Offizieren der
zweiten Brigade und leistet ihnen keinen Gehorsam. Unter
den höheren Befehlshabern findet fortwährender Hader statt,
und ihre Feindschaft wird von den Sarbasen verschiedener
Regimenter und Stämme getheilt, deren Streitigkeiten oft mit
einem blutigen Kampfe enden. Im Lager schlagen sie sich
meistens mit den Zeltstangen, indessen war ich auch Zeuge,

daſs zwei Regimenter wegen eines streitigen Hammels auf einander feuerten.

Die Regiments-Commandeure sind nicht selten zwölfjährige Kinder, da die Sarbasen nur den Sohn ihres früheren Befehlshabers anerkennen, der zu gleicher Zeit das Haupt des Stammes war, aus welchem das Regiment zusammengestellt ist; demzufolge wird das Amt eines Regimentchefs bei den Nomadenvölkern erblich und geht vom Vater auf den Sohn über. Es versteht sich von selbst, daſs diese Obersten nicht den geringsten Begriff vom Militairdienste haben. Wenn die Sarbasen mit ihrem Befehlshaber unzufrieden sind oder ihren Sold lange nicht erhalten haben, so wenden sie ein sonderbares Mittel an, um sich Genugthuung zu verschaffen: das ganze Regiment begiebt sich „ins Bäst," d. h. in die Moschee, und bleibt an diesem geheiligten und unverletzbaren Orte, bis man seine Forderungen erfüllt oder den Befehlshaber abgesetzt hat.

Dies wären die Hauptmängel in der Organisation der persischen Armee. Die stattgefundenen Reformen bestehen vornehmlich in der Verminderung des Trains und des Gesindels verschiedener Art, welches dem Heere zu folgen pflegte. Der orientalische Luxus, von welchem so viel gesprochen wird, ist, wenn er je in den persischen Lagern geherrscht hat, jetzt bis auf die letzte Spur verschwunden. Im Jahr 1836 führte nur allein der Schach zwei von seinen Frauen mit sich, deren Suite aus zehn Dienerinnen bestand. In den Feldzügen von 1837 und 1838 gab es überhaupt keine Weiber im persischen Lager. Es läſst sich indessen mit dieser Armee noch Vieles machen, da sie, wie gesagt, so gute Elemente in sich schlieſst. Der persische Soldat begnügt sich mit Brod und Wasser, und erträgt ohne Murren Hitze und Durst. Von der Regierung empfängt er täglich $3\frac{1}{2}$ Pfund Weizenmehl, oder sollte sie doch wenigstens empfangen; auf dem Marsche backt er selbst sein Brod, ohne des Ofens, der Hefen und anderen in unseren Bäckereien nöthigen Zuthaten zu bedürfen. Fehlt es an Brennholz, so begnügt er sich mit trockenem Grase, Kuh- oder Cameelmist, den man immer in der Steppe finden

kann. Jede Corporalschaft hat eine eiserne Platte, zwölf bis
funfzehn Zoll im Durchmesser, mit der man eine Grube bedeckt, die in die Erde gegraben worden und worin man ein
Feuer angezündet hat; sobald die Platte heils ist, beschmiert
man sie mit einer dünnen Schichte Teig, und in wenigen Minuten ist das Brod fertig. Fleisch und Reis sind für den Sarbasen Luxusartikel; er ist schon glücklich, wenn er sein Brod
mit etwas Hammelfett, Obst, einer Zwiebel oder getrockneten
Kräutern würzen kann. Die Sarbasen beschäftigen sich auch
mit dem Kleinhandel; jeder von ihnen treibt ein Gewerbe,
und man sieht häufig auf den zusammengestellten Musketen
ein zum Verkauf bestimmtes Hammelviertel hängen. Da die
Regierung den Truppen höchst selten ihre Löhnung auszahlt,
so muls sie dergleichen Unregelmäfsigkeiten durch die Finger
sehen, die sie den Sarbasen nicht verbieten kann, welche sich
nur durch ihre eigene Industrie und zum Theil auch vom
Plündern nähren.

Zur regulären Armee gehören die Arsenale und verschiedene andere Institute, die wir mit einigen Worten erwähnen
müssen. Eine Giefserei für Kanonen und Kanonenkugeln befindet sich in Teheran, eine zweite in Tauris, eine dritte für
Kanonen zu Anseli in Gilan, endlich eine vierte fur Kanonenkugeln zu Amol in der Provinz Masanderan; in letzterer wird
Eisen aus den benachbarten Bergwerke verwendet. Die Produkte aller dieser Anstalten zeichnen sich nicht durch besondere Güte aus. Was das Arsenal in Teheran betrifft, so ist
es nach einem Mafsstabe angelegt, der den heutigen finanziel-
len Mitteln Persiens keinesweges entspricht, und verschlingt
bedeutende Summen. Es befinden sich darin acht Gebläsöfen
(duchowyja petschi, fours á reverbère) zum Kanongiefsen,
vier Hohöfen für die Kugeln, Vorrichtungen zum Bohren der
Kanonen und Flintenläufe, zur Anfertigung von Congreve-Ra-
keten, eine Werkstätt zur Bereitung des Geschirrs der Artil-
leriepferde, eine Lafettengiefserei etc. In allen diesen Anstalten herrscht grofse Unordnung und die Arbeiter erhalten selten

ihren Lohn. In den Jahren 1839 und 1840 waren hier zwei
russische Werkmeister unter Aufsicht eines Offiziers der (russischen) Garde-Artillerie angestellt; trotz ihrer Bemühungen
aber konnten sie im Lauf eines vollen Jahres nur zwei Pul-
verkarren für die Artillerie zu Stande bringen und kehrten im
August 1840 nach St. Petersburg zurück. Das Kupfer wird
aus der Türkei und aus Russland über Rescht eingeführt. Im
Jahr 1837 wurden 29000 Musketen in England bestellt, sind
aber bis jetzt nicht angekommen, obwohl der englische Fabri-
kant, der sie liefern sollte, 30000 Tomans als Aufgeld empfangen hatte.

Das Pulver, welches für die Armee bereitet wird, ist
schlecht, und die Pulvermühle des Schachs bei Teheran bleibt
wegen Mangel an Geld lange unthätig. Sie wurde von dem
Italiäner Barberie angelegt, der aber jetzt, da er keinen Sold
erhielt, den persischen Dienst verlassen hat. Uebrigens ist es
den Einwohnern nicht verboten, selbst Pulver zu machen, und
jeder kann sich hiermit zu Hause beschäftigen. Was die Flintensteine anlangt, so werden sie zwar auch hierzulande gefunden, aber die Perser verstehen nicht, sie zu verarbeiten, und
müssen sie daher aus England und Russland kommen lassen
Zur Zeit der turkmenischen Expedition im Jahr 1836 waren
bei vielen Soldaten die Gewehre ohne Flintensteine. Die Pa-
tronen wurden auf Pferden oder Cameelen in kleinen hölzernen Kästchen transportirt, welche mit Wachstuch oder in
Naphtha getränkter Leinwand bedeckt sind, was sie vor der
Feuchtigkeit nicht schützt. Im Jahr 1836 wurden hundert
zweiräderige Arba's (Fuhren) gebaut, die im Arsenal von Teheran verfaulen, ohne je gebraucht zu werden. Auch die
Artillerieparks werden auf Cameele und Maulthiere geladen
und die Pulverkasten im Lager in einen Haufen zusammengestellt. Bei einem feindlichen Angriff wird dann dieser Park
immer zuerst im Stich gelassen, indem die Treiber sich sogleich mit ihren Cameelen und Maulthieren zu retten suchen
Die ungeheuren Schwärme irregulärer Cavallerie, welche
einst den gröfsten Theil der persischen Armee bildeten, sind

verschwunden seit der Zeit, dafs Abbas-Mirza und nach ihm
Muhammed-Schach die reguläre Infanterie verstärkten und ihr
auch Rekruten aus den Nomadenstämmen einreihten. Jetzt
wird die Armee bei Antretung eines Feldzuges von einer geringen Anzahl irregulärer Cavallerie, auf schlechten Pferden,
schlecht gekleidet und noch schlechter bewaffnet, begleitet.
Von den Nomadenvölkern, aus denen sie besteht, hat jedes
seine eigenen Offiziere und Befehlshaber. Die Reiter erhalten
einen jährlichen Sold von sechs bis neun Tamans, wogegen
sie ihre eigenen Pferde mitbringen und sich auf eigne Kosten
bewaffnen müssen. Im Felde werden ihnen Rationen für sich
und Fourage für ihre Pferde verabfolgt oder wenigstens versprochen. Diese schlecht berittene und ausgerüstete Cavallerie ist im Kriege von geringem Nutzen, da sie, statt der Armee
zu folgen, sich bald zerstreut und Banden von Räubern und
Marodeuren bildet, welche Freund und Feind plündern.

Chorasan war früher durch seine treffliche Reiterei berühmt; zu jener Zeit war jedoch dieses Land fast unabhängig von Persien. Seitdem Abbas-Mirza und der jetzige Schach
die Häuptlinge des kurdischen Chorasans unterwarfen und
absetzten, ist der durch unaufhörliche Raubzüge genährte krie-
gerische Geist der Einwohner sehr gesunken, und die Reiterei
von Chorasan ist heutzutage nicht besser, als die übrige persische Cavallerie.

Die persische Miliz besteht aus bewaffneten Bauern zu
Fufs und zu Pferde, die zur Erhaltung der Ordnung im Inneren und in den Küstenprovinzen des Kaspischen Meeres als
Schutzwehr gegen die Einfälle der Turkmenen dienen, so wie
in den von Räubern heimgesuchten Gegenden als Escorte für
Caravanen, Couriere und Reisende verwendet werden. Die
Miliz von Masanderan und Chorasan hat Flinten mit Luntenschlössern; die erstere gilt für sehr tapfer und man findet
unter ihr gute Schützen. Der verstorbene Feth-Ali-Schach
hatte grofses Zutrauen zu seinen kadjanischen Tufendji (Miliz-
soldaten) und wählte aus ihnen seine Leibwache. Zweitausend

von ihnen nahmen an der Expedition gegen Herat theil, indem
Masanderan keine Truppen zur regulären Armee stellt, sondern nur inner- und aufserhalb der Provinz 14000 Tufendji
unterhalten mufs. Die Miliz steht immer unter dem unmittelbaren Commando der zu ihrem resp. Stamme gehörigen Anführer. Die Tufendji von Chorasan sind im Allgemeinen
schlecht bewaffnet und feig, so dafs sie oft beim ersten Schufs
davonlaufen. Jeder von ihnen hat nicht mehr als fünf Patro-
nen, und bei ihren Gewehren mit Luntenschlössern geht das
Schiefsen aufserordentlich langsam von statten. Die Gewehre
sind meistens mit gabelförmigen Stützen (soschki) versehen.

Es giebt in Persien keine eigentlichen Festungen, man
mufste denn diesen Namen der Citadelle von Ardebil geben,
die von dem Engländer Montis regelrecht aus gebrannten Ziegelsteinen erbaut ist. Die übrigen Hauptstädte, als Tauris,
Teheran, Ispahan, Kasbin, Nischapur, Mesched etc., sind nur
mit Lehmwällen von 18 bis 25 Fufs Höhe und 4 bis 8 Fufs
Dicke umgeben, in bestimmten Entfernungen von Thürmen
flankirt die gleichfalls aus getrockneter Erde aufgeführt sind.
Vor der Mauer befindet sich ein Graben von 3 bis 6 *Sajen*
Breite und 3 bis 4 *Sajen* Tiefe. Diese Befestigungen sind
allerdings hinreichend, die Stadt vor einem plötzlichen Ueberfall zu sichern, können aber einen regelmäfsigen Angriff nicht
aushalten. In jeder dieser Städte liegt eine Garnison, die gewöhnlich aus den Cadres des in dem resp. Distrikt ausgeho-
benen Regiments besteht. Nur die Städte von Chorasan sind
mit Truppen aus der Provinz Aderbaidjan besetzt. Im Jahr
1835 wollte man die in den Städten liegenden Garnisonen
wechseln und z. B. das Ispahaner Bataillon oder Faudj nach
Schiras, das Schiraser nach Ispahan schicken; allein viele von
den Sarbasen entflohen und kehrten in ihre Heimath zurück,
so dafs die Regierung diesen Plan aufgeben mufste.

Schon seit dem Jahre 1809 wurde eine Anzahl englischer
Offiziere von Zeit zu Zeit durch die ostindische Compagnie
von Hindostan nach Persien abgefertigt, um hier die reguläre

Armee zu organisiren. Nach dem zwischen Persien und der ostindischen Compagnie geschlossenen Vertrage macht letztere sich anheischig, auf Verlangen der persischen Regierung ihr jedesmal eine bestimmte Zahl Offiziere und Sergeanten zu schicken, die von Persien während ihres Aufenthalts im Lande besoldet wurden. Auf Befehl des Gesandten am Hofe von Teheran, Sir John Macneill, weigerten sich jedoch diese Engländer, der Armee des Schachs auf dem Feldzuge nach Herat zu folgen und kehrten 1838 sämmtlich nach Bagdad und Indien zurück. Im März 1840 kamen zehn französische Instructoren unter Anführung des Capitains Boissier in Ispahan an, und die damals in Persien befindliche französische Gesandtschaft wirkte ihnen einen täglichen Sold von einem, dem Boissier aber von 1½ Toman aus. Gegen Ende des Jahres 1840 traf auch der General Damas mit einigen Offizieren in Teheran ein; allein bei der gegenwärtigen Auflösung der persischen Armee und dem zerrütteten Zustande Persiens im Allgemeinen, werden die Franzosen den Sarbasen schwerlich einige Disciplin beibringen können. Während der drei Monate bis zu meiner Abreise aus Persien waren sie wenigstens ohne alle Verwendung und in gänzlicher Unthätigkeit verblieben.

Die Heerstrafsen sind in Persien erträglich, obwohl die Regierung nichts zu ihrer Unterhaltung thut. Von den Ufern des Araxes über Tauris, Teheran, Scharud, Nischapur, Meschcd bis Herat einerseits, und von Teheran über Kum, Kaschan, Netens und Ispahan bis Schiras andererseits, so wie von dieser Stadt über Firusabad nach Bender-Buschir, findet die Artillerie und Bagage zur Sommerzeit keine grofsen Hindernisse. Dagegen sind die Strafsen, die von Gilan und Masanderan nach den, durch den hohen Bergrücken Achburu von dem übrigen Persien getrennten Provinzen fuhren, sehr unwegsam, sogar für Lastthiere; von Teheran nach Masanderan und von Bostam nach Asterabad gehen nur Fufspfade, doch ist letzterer etwas besser, und man kann, obwohl mit Schwierigkeit, die

leichte Artillerie auf demselben fortbringen. Im westl. Persien
sind die Strafsen gleichfalls, wegen der gebirgigen Lage dieser
Gegend, zum Transport von Artillerie nicht geeignet. Die
oben genannten Wege sind übrigens nur acht Monate im Jahre
fahrbar; während der vier Wintermonate, d. h. vom November bis zum März, werden sie ganz verdorben. Zwischen
Tauris und Teheran z. B. wird die Communication durch tiefen Schnee gehemmt; den Durchgang durch die Ebenen von
Udjan und Sultanieh machen die Schneegestöber alsdann gefährlich.

Statt der Landstrafse sieht man um diese Zeit nichts als
einen für die Caravanen bestimmten Fufssteg, von dem man
sich bei Lebensgefahr nicht entfernen darf und der sich endlich in eine Art von Treppe verwandelt, auf der Pferde und
Cameele sich kaum fortbewegen können. Gegen Ende Februar wird die Passage noch schwieriger: der Schnee schmilzt
und macht einem entsetzlichen Kothe Platz, die Flüsse treten
aus und tiefe, reifsende Bäche zeigen sich dort, wo man im
Sommer auch nicht einen Tropfen Wasser antrifft; allein
Dank der Trockenheit des Klima's und des Bodens wird alle
Nässe bald von der Erde aufgesogen oder sie verdunstet, so
dafs gegen Ende März und im April die Flufsbetten wieder
trocken sind und der Staub, dieses fünfte Element Persiens,
bereits in Wirbeln aufsteigt.

- Die Redaction des Kawkas bemerkt zu obigen Notizen,
dafs sie von Herrn Blaramberg nach seinen im Jahr 1841
gemachten Erfahrungen zusammengestellt sind. Seit jener
Zeit habe sich Manches in Persien geändert, und auch die
Armee sei von dem Geiste der Reform nicht unberührt geblieben.

Wenn man der in Teheran erscheinenden Hofzeitung
trauen könne, so wende die dortige Regierung der Organisation der Kriegsmacht besondere Aufmerksamkeit zu; Se. Hoh.

der Schach habe mehrere Verordnungen über vorzunehmende Neuerungen und Verbesserungen erlassen, halte oft Inspectionen über die Truppen und befehle seinen obersten Würdenträgern, sie gleichfalls zu besichtigen, welche letztere überdies verbunden seien, in ihrer von andren Berufsgeschäften freien Zeit den Vorlesungen über Kriegskunst beizuwohnen, die von einem gewissen französischen Obersten gehalten werden.

Ueber Neus's ehstnische Volkslieder. *)

Die Volkspoesie der Finnen und Ehsten bestärkt uns in einer Behauptung, die wir schon öfter ausgesprochen: dass nämlich wahre und tiefe Innerlichkeit, wahre Glut und Stärke der Gefühle nicht im warmen Süden, sondern im kalten Norden zu Hause sind. Was von südeuropäischen Völkerstimmen zu unserer Kenntniss gekommen, das hat, verglichen mit ähnlichen Leistungen des Nordens, einen frostigen Character; und versteht man unter der „südlichen Glut" die wildere Sinnenlust, so muss man wenigstens zugeben, dass sie weniger edel als die nordische. Da die Liebe bei den Nordländern geistigerer Natur ist, so hat sie auch in den Volksdichtungen ein viel umfassenderes Gebiet: älterliche, kindliche, geschwisterliche Zuneigung riefen einen Theil der reizendsten lyrischen Ergüsse dieser Art ins Dasein; und die Eindrücke der grofsen Wesenmutter, an deren Busen die Völker des Nordens sich inniger anschmiegen, als die südlichen, finden bei ihnen auch ihren reinsten und rührendsten Ausdruck.

----

*) Herausgegeben von der ehstnischen litterarischen Gesellschaft. Urschrift und Uebersetzung. Reval 1850—52, drei Abtheilungen mit fortlaufender Seitenzahl. XX und 477 Seiten.

Vorliegende Sammlung gehört zu denen, in welchen die
ganze Seelenwelt eines Naturvolkes sich entfaltet, und zwar
eines solchen, bei dem die Liedergabe weiland Individuen jedes
Geschlechts und Alters, wie jeder Lebensstellung gemein war;
wo man einige der ergreifendsten Lieder armen, früh ver-
waisten und in harter Dienstbarkeit lebenden Mädchen ver-
dankte, wie denn das weibliche Geschlecht, in Ehstland wie
im benachbarten Finnland, von jeher. zum Kranze der Volkspoesie die lieblichsten Blüthen geliefert hat. Es spricht sich
hier und jenseit des finnischen Meerbusens ein Volk aus, das
mehr in sich hinein gelebt, als viele andere Völker, und dessen Schicksal war, eine frühe Beute unternehmender Nachbarn zu werden. Nicht moralische Schwäche hat dieses
Schicksal herbeigeführt, sondern Mangel an politischer Umsicht und Klugheit, wozu freilich rohe Mittel der Vertheidigung kamen. Auch die Verzweiflungskämpfe der Ehsten um
ihre Selbständigkeit tönen in Liedern nach, und vielleicht niemals ist das Glück des Kriegertodes ergreifender geschildert
worden, als in folgenden Zeilen:*)

> Könnt ich doch im Kriege sterben,
> Ungekränkt im Kriege sterben,
> In der Feindschaft Schofs entschweben
> Ohne Leidenspein, die lange,
> Ohne Schwächung des Verscheidens,
> Ohn Entseelung durch die Seuche!
> Schöner ist im Krieg entschlummern,

---

*) Abtheilung 3, S. 327. Ganz ähnlich sagt Kullervo in der finnischen
Rune (neue Ausgabe der Kalevala, S. 256):
> Schön zu sterben ists im Kriege,
> Herrlich durch des Schwertes Schneide
u. s. w. Siehe Schott „über die Sage von Kullervo". Berlin 1852.
Die dritte Zeile des ehstnischen Liedes, das ich hier unverändert
nach Hrn. Neus's Uebersetzung mittheile, lautet wörtlich: „in der
Feindschaft Schofse abfallen (wie z. B. Blätter von den Bäumen,
wariseda)" — die fünfte: „ohne Ermattung des Krankenlagers
(ilma koole kurnamista)."

Nieder vor den Fahnen fallen,
Leben an Schwertkampf verkaufen,
An der Armbrust Pfeil erstarren!
Keinen Hader giebts mit Krankheit!
Keine Knechtung unter Trübsal,
Schlaflos auf dem Schmerzenslager.
Kriegestod kennt höhre Freude
Bei den Wunden von den Brüdern,
Wann das Auge weint der Schwester:
„Ach mein Bruder in der Blüte
Ist in offner Sehlacht gefallen!"

In seiner Vorrede bemerkt Herr Neus, die ehstnische Volksdichtung scheine gegenwärtig mehr und mehr ihrem Untergang entgegenzugehen. „Während noch am Ende des vorigen, ja zu Anfang dieses Jahrhunderts der eintönige Gesang der Volkslieder alle gemeinsame Feldarbeiten, alle gemeinsamen Vergnügungen belebend und ermunternd begleitete, ist er bei den Arbeiten nur noch selten zu vernehmen, ja in manchen Theilen des Landes selbst bei den Vergnügungen bereits gänzlich verschollen." Die seit dem Beginne des 17. Jahrhunderts von Deutschen verfassten, mehrentheils geistlichen Lieder in ehstnischer Sprache blieben bis zu Anfang des gegenwärtigen Jahrhunderts fast ohne allen Einfluss auf die eigne dichterische Schöpfung des Volkes; jetzt aber zeigen einzelne Versuche der Ehsten schon das Bestreben, die Art und Weise jener Dichtungen nachzubilden und sich anzueignen. Diese neue Richtung wird die alte ächte Nationalpoesie von Grund aus zerstören. Es war also gerade an der Zeit, dass man eine Sammlung ächter Volkslieder ans Licht stellte, die alle von der eigenthümlichen Anschauung des Volkes durchdrungen sind, wenn auch der Stoff hin und wieder von benachbarten Völkern entlehnt sein sollte.

Eben die eigenthümliche Anschauung des ehstnischen Naturdichters hat aber im Vereine mit mythischen Erinnerungen und anderen Nachklängen längst vergangener Zustände, gewisse Dunkelheiten in diese Lieder gebracht, die es zum

Theil sogar für den heutigen Ehstländer sein mögen. Was
sie mit der Naturpoesie fast aller bekannten Völker gemein
haben, das ist theils Uebertreibung bis zum Unmöglichen, vor
Allem in der scherzhaften und satirischen Gattung; anderen
Theils die Neigung, einmal Gesagtes, Erzähltes, Beschriebe-
nes in aller Ausführlichkeit zu wiederholen, und zwar öfter
im nemlichen Liede, so dass gewisse Lieder von der erzählenden Gattung nur diesem Umstand ihre ansehnliche Länge
verdanken: bald ist die Antwort umständliche Wiederholung
einer umständlichen Frage, nur etwa mit Verneinungen der
einzelnen Puncte; bald wird dieselbe Frage oder dieselbe Erklärung wohl zehnmal in extenso wiederholt, weil man
ebenso oft veranlasst worden ist, die erstere zu stellen, oder
die letztere zu geben, u. s. w.

Wenn die ehstnische Dichtung uns seltnere Wendungen
und Verbindungen, seltne und veraltete Wörter bietet, so
darf dies nicht befremden; merkwürdiger aber ist, dass die
älteren und besseren Volkslieder eine Fülle eigenthümlicher,
von der gewöhnlichen Sprache abweichender Formen enthalten, die gewissermafsen eine eigne dichterische Grammatik bilden. Die allermeisten Erscheinungen dieser Art sind
aber im Finnischen noch jetzt Regel; sie weisen demnach
auf ein Zeitalter hin, in welchem die beiden Schwestersprachen
einander näher standen als heutzutage.

Auf S. XII—XV giebt der Herr Verfasser Rechenschaft
über die von ihm benutzten (gedruckten und handschriftlichen)
Sammlungen, über Auswahl und Anordnung der Lieder. Er
selbst hat manches Lied entdeckt. Dann kommt er auf die
Grundsätze zu sprechen, die ihn beim Uebersetzen geleitet
haben.

Genaue Nachahmung metrischer Eigenheiten eines fremden Volkes ist immer Künstelei und undankbar. Wie gefällig
und selbst majestätisch nimmt sich ein bekanntes Versmafs der
Hindus aus, wenn Sanskritworte sein Substrat sind! wie steif
und schleppend ist es in deutscher Nachbildung! Als Beispiel
diene folgender artige, eine Antithese enthaltende Sloka:

König Nâlas' | jugendlich Weib | lief dem Gatten
          bekümmert nach;
Buddhalingga's | jugendlich Weib | lief dem
          Gatten | vergnügt davon.

Setzen wir „kummervoll" statt „bekümmert", und „heiter" für
„vergnügt", so erhält der Vers einen noch gehackteren und
gleichsam trommelnden Character.

Das Ehstnische steht unserer deutschen Muttersprache
in vieler Beziehung ferner als das geographisch so weit ent-
legene Sanskrit, und doch ist sein Metrum im Wesentlichen
der uns geläufige ·vierfüfsige Trochaicus, dessen Göthe in seiner letzten, behäbigeren Periode mit bekannter Vorliebe sich
bedient hat.   Die elegischen Lieder zeigen dieses Metrum im
Ganzen am ebenmäfsigsten; bei anderen, die von lebhafterer
Bewegung, mischen sich besonders Dactylen vielfach ein, vorherrschend aber so, dass die Zeile stark abschliefst, wenn
ein oder mehrere Dactylen in ihr vorangegangen.   In allen
älteren Volksliedern waltet ausserdem (wie in den finnischen)
das Gesetz der Alliteration oder des Buchstabenreimes (besser
Anlautreimes), welcher vielfältig die Wahl der Ausdrücke bestimmt.   Eine künstlichere Verflechtung dieser Art Reime,
wie im Altnordischen, ist fast nirgends zu bemerken, wol aber
unbeschränkte Willkür im Gebrauch derselben, so dafs sie
bald gehäuft erscheinen, bald gänzlich fehlen.   Mit richtigem
Gefühl werden sie aber fast ohne Ausnahme in die Hebung
(arsis) gesetzt.   Kein einziges Wort des ganzen Sprach-
schatzes beginnt mit kurzer Vorsilbe; und die (ausserdem) in
jedem mehrsilbigen Wort auf der ersten Silbe ruhende Beto-
nung, welche (im Verein mit deren Länge) den Anfang des
Wortes als das bedeutsamste hervorhebt, leitete in der Dichtung, welche nach Mafsgabe der Eigenthümlichkeit jeder Sprache
Gesetz und Gestaltung sucht, nothwendig auf die Alliteration;
daher eine Entlehnung dieser Eigenthumlichkeit (aus Scandi-
navien) mehr als unwahrscheinlich.   Der in den neueren Sprachen sonst gewöhnliche Silbenreim ist den ehstnischen Volksliedern zwar nicht völlig fremd, doch bedienen sich die ältern

desselben nur selten und an einzelnen Stellen, wo er ausserdem mehr Wirkung des Zufalls zu sein scheint.

Bei seiner Uebersetzung hat der Herausgeber „den wahren Sinn überall mit Genauigkeit wiederzugeben und zugleich
Färbung und Ton eines jeden Stückes andeutend zu spiegeln"
gesucht. Darum schien ihm unbedenklich „seltnere und alter-
thümliche Wörter mit Mafs einfliefsen zu lassen, freilich zuweilen auf die Gefahr hin, altfränkisch und dunkel zu werden." Leider ist dies mitunter in solchem Grade geschehen,
dass man sich an das ehstnische Original um nähere Aufklärung wenden muss; doch ist die Uebersetzung dem deutschen
Leser sehr viel häufiger zum Verständniss des Originals nothwendig, als umgekehrt; und das grofse Verdienst des Herren
Verfassers kann durch einzelne Dunkelheiten, Härten im Ausdruck u. dgl. keineswegs geschmälert werden. Für wichtig
hielt es auch Hr. Neus, die Alliteration beizubehalten, doch ohne
peinliche Wahrung von Zahl und Stellung; er liefs sie gehäuft
auftreten, wo sie sich von selbst darbot und wegfallen, wo
sie zu theuer erkauft worden wäre.

Da die Uebersetzung jedoch keine erklärende Umschreibung sein sollte, so schien es nothwendig, den einzelnen Liedern kurze Einleitungen voranzuschicken, in denen zugleich
auf dasjenige hingewiesen ist, was der ehstnischen Volksdichtung mit den Liedern anderer Völker verwandt und gemein-
sam. Unter Verwandtem ist hier jedoch nur zu verstehen,
was entweder dem Inhalt oder der Form nach, oder in Beidem
zugleich so viel Uebereinstimmendes mit Fremdem zeigt, dafs
diese Uebereinstimmung nur erklärlich scheint, wenn man eine
Entlehnung „herüber oder hinüber" annimmt.

Am Schlusse der dritten Abtheilung folgen (S. 447—468)
Anmerkungen und Berichtigungen in Notenschrift, worin der
Verfasser über Finder und Fundorte der einzelnen Lieder Kunde
giebt, · Druckfehler berichtigt, eigenthümliche Wortformen
erklärt, und falsche oder verdächtige Lesarten verbessert.
Endlich folgt ein Namen- und Sachregister zu den beigebrachten Bemerkungen (S. 469—477).

Wir wollen nun sehen, wie der Verfasser seine Sammlung classificirt hat und bei dieser Gelegenheit einige schöne
Lieder oder auch — der Kürze wegen — Bruchstücke solcher
als Proben mittheilen. 1. Erinnerungen aus dem Heidenthum. Eines von diesen, die „Gattenmörderin" über-
schrieben, hat, wie es scheint, den thatsächlichen Inhalt, dass
eine junge Frau, die ihren Mann gemordet, entfloh und, von
Gewissensqual getrieben, ihren Tod in einem See fand.

. . . .

> Maje ging die Herde führen; *)
> Freunde aus der Ferne riefen:
> „Maje, uns Befreundete!
> Warum ist voll Bluts dein Messer?
> Blutbefleckt der Nebelermel, **)
> Haubentuch †) von Erlenfarbe?"
> Maje merkt es, gab zur Antwort:
> „Hab den schwarzen Hahn geschlachtet,
> Abgethan den schwedschen Sperling;
> Darum ist voll Blut mein Messer,
> Blutbefleckt der Nebelermel,
> Haubentuch von Erlenfarbe."
> „Hast du etwa, kleine Maje,
> Hast den jungen Jurg getödtet,
> Deinen Mann im Schlaf gemordet?
> Flieh dann, Maje, willst du Rettung!"

. . . .

> Maje ging zu flehn der Espe:

---

*) Mai oder Maje ist s. v. a. Magdalene. Ihr Mann wird Jürri, d. i.
Georg genannt. Das Lied selbst also ist aus christlicher Zeit. —
Ich bemerke zugleich, dass ich hier und in den folgenden Liedern
die Allitteration unbeachtet lasse, daher öfter von Herren Neus abweichen muss.

**) Nebel-Ermel (uddo käiksed) soll vermutlich heissen: Ermel aus
sehr feinem Zeuge. Dergleichen Zeug, wie z. B. Nesseltuch, heisst
in der That uddo-linnane Nebel-Linnen.

†) Haubentuch ist das lange Tuch über der Haube, esthnisch linnik.

„Eil, o Espe, mir zu Hülfe!"
Ihr entgegen stöhnt die Espe:
„Wie mag ich dir Rettung bringen?
Gleich wie meine Blätter beben,
Also bebt dein Blut und banget.
Flieh o Maje, willst du Rettung!"
. . . .
    Maje ging zu flehn der Tanne:
„Eil, o Tanne, mir zu Hülfe!
Decke mich, o Tannenrinde!"
Tanne hört es, gab zur Antwort:
„Wie mag ich dir Hülfe bringen?
Nieder werd ich noch geschlagen,
Zimmerbalken braucht man nöthig.
Hier entdecket wirst du werden:
Flieh, o Maje, willst du Rettung!"
    Maje weinte, gab zur Antwort:
Tragt meine Gaben(?) auf den Anger,
Fachet dorten an die Flamme,
Mit den Garnen mit den blauen,
Mit den Bändern, mit den bunten!*)
    Maje ging zu flehn dem Farren:**)
Eile mir zu Hülf, o Farre!
Hörts der Farre, gab zur Antwort:
„Steige du auf meinen Nacken,
Setz dich nur auf meinen Rücken;
Will dich tragen weit ins Wasser,

*) Der Sinn scheint zu sein, dafs die Verbrecherin die Zeugen des
    Mordes (Ermel und Haubentuch) verbrannt wissen will. Das ehst-
    nische wermed, welches Herr Neus mit „Gaben" übersetzt, bedeu-
    tet nach Hupel „Striemen, Wunden."
**) In der Einleitung zu dieser Ballade bemerkt Herr Neus, das hier
    erwähnte schwarze (?) Rind (im Texte steht nur ärg Ochse, ohne
    Epithet) sei entweder der Geist des Sees, des Gewässers selbst,
    oder mindestens der Diener des Wassergeistes. Eine andere ehst-
    nische Sage lässt einen See in Gestalt eines grauen Rindes aus sei-

Unter Meeres Ufer bringen.

Dahin kommen Netzemänner,

Kommen junge Netzemänner,

Kommen Alte mit den Garnen:

Werdest du entdeckt von diesen!"

2. Beschwörungen und Lieder von der Zauber-
macht. — 3. Catholische Erinnerungen, d. h. Lieder,
welche noch Anspielungen auf Verehrung der Heiligen und
Feste der römischen Kirche enthalten. — 4. Episches und
Geschichtliches. Zu diesen gehört das erhabene Lied „die
Tage der Vorzeit," worin das grofse Trauerspiel der Schicksale Ehstlands in schrecklicher Lebensfülle und beinah chro-
nologischer Ordnung an uns vorüberzieht. Zuerst der Angriff
christlicher Bekehrer auf die Heiligthumer des Volkes; dann
ein fruchtloser Verzweiflungskampf der erbitterten, von finnischen Nachbarn unterstützten Ehstländer mit ihren Sensen,
Keulen und Eishacken gegen die Schilde und Panzer der deutschen Ritter. Vergebliche Zuflucht zu Beschwörungen. Mord-
brand, Plünderung, Leibeigenschaft. Das nächste Lied, „die
Tage der Unterjochung" ist mehr düster und resignirt; man
vermisst aber hier, bei aller poetischen Schönheit im Einzelnen, den logischen Zusammenhang. — 5. Elegisches. Von
den „Waisenliedern" möge hier ein kürzeres folgen:

O mein Vater, Väterchen!

Meine Mutter, Mütterchen!

Nimmer weinte sie im Leben,

Nimmer auf der Erde weilend;

Weint erst, als sie lag im Sterben,

Sagte im Verscheiden weinend:

„O meine Kinder tief in Trauer,

---

ner früheren Heimath auswandern. Zuweilen erscheint auch in deutschen Sagen der Flussgeist als Rind. Noch merkwürdiger, eine
chinesische Legende aus dem Buche Hi tschao sin jü beschreibt
den Genius eines Bergsees in Kuang-si mit folgenden Worten: „er
hatte die Gestalt eines Ochsen (nieu), zwei Hörner, einen Bart
und ein Par Augen die wie Firnis glänzten."

Kranzeshäupter meine Töchter,
Bleiben nach, vergiefsen Thrânen!
Kommt der Wind, trägt ihnen Trost' zu,
Scheint die Sonn, kämmt ihre Köpfchen."

Windes Trost, er währt nur Stunden,
Trost der Sonne währt nur Tage:
Dauernder ist Mutterliebe,
Kräftiger ist Vaters Flehen!

Weg trug man des Wegs die Mutter,
Floh da längs des Hags die Liebe,
Flohen warme Wort am Moor hin.
Wird der Mutter Grab gegraben,
Weilt an Grabes Rand die Liebe;
Senkt man in das Grab die Mutter,
Sinkt mit ihr hinab die Liebe!

Ob du selber auch verwest bist,
Nein, dein Wort ist nicht verweset!
Ob du, Theuere, verblichen,
Deine Lieb ist nicht verblichen!
Ob du auch vergangen, Holde,
Deine Huld ist nicht vergangen!
Moder sind die Föhrenbretter,
Staub sind nur die Sterbekleider.

Und nun eines von denen, in welchem Schmerz der Trennung von einer noch lebenden Person sich ausspricht:

Hör es, du mein hold Geschöpf,
Merk es, du mein Beerenherz!
Scheiden mustest du von mir,
Harren must ich hier nach dir.
Zogest fort nach fernen Landen,
Blieb zurück bei schlimmem Herren!
Wohl wars herbe hinzugeben,
War verwundend, zu entlassen,
Schmerzlich, auf den Weg zu senden!
Bist gar oft mir im Gemüthe,
Mir im Herzen wann ich esse.

Immer ist vor mir dein Antlitz,
Immer ist vor dir das meine!
Treffen je sich traut die Theuern,
Traut die Theuern, lieb die Lieben?
Traut die Theuern in dem Thale,
Lieb die Lieben bei der Linde?
An dem Ufer, in dem Thaugras,
Unter Blumen, in den Saaten?
    In des Himmels Paradiese,
In des grofsen Vaters Garten
Treffen wir uns endlich wieder,
Leben ewig mit einander!

    6. Liedes Lust und Leid. Hier finden wir unter
Anderem, wie der dichtende Naturmensch über seine Dichter-
gabe reflectirt, die er aber nicht übernatürlichen Eingebungen,
sondern den Eindrücken der Natur selber zu verdanken behauptet, doch nachdem sein Gemüth schon in der Wiege die
ersten Keime in sich aufgenommen. *) Beispiel:
    Wo ich lösete die Lieder,
    Sinnend schuf des Sanges Weisen,
    Wort zusammenwand mit Worten,
    Dem Gehirn enthob Gedanken?
    Als mich meine Mutter wiegte,
    An der Schwebestange schaukelnd,
    Lullte sie mit Liedesmunde
    Mich mit schönem Sang in Schlummer.
    Traumeselfen um die Wiege,
    Lullend in des Lagers Ständer,
    Schlummerwacht beim Schwung der Schwebe,
    Kräftigten das Lied der Mutter,
    Dass es durch ins Herz gedrungen,
    Im verborgnen Grund zu keimen.

---

*) Man vergleiche den Eingang der Kalevala, welcher aber in der ersten
   Ausgabe weniger überladen, daher rührender.

Bald zum Hirtenknaben wuchs ich,
Taugte zum Geschäftsbetreiber.
Hüten hiefs man mich die Heerde,
Warten Kühe unter Erlen,
Wahren in der Waldung Kälber.
Vöglein von geschmeidger Zunge
Trugen Lied an Schnabels Spitze:
Singedrossel im Dorngesträuch,
Nistevögel im Nussgesträuch,
Schwälbchen in der Sonne Scheine,
Spatzen unter Daches Schatten.

— — — — — — — — —

Andre Weisen bracht der Windshauch:
Regenguss mir aus den Wolken,
Aus dem Meere Murmelweisen,
Aus den Wogen Schall der Schlachten.
Sturmwind stiefs in die Posaune,
In die Sackpfeif Waldungswipfel.
Solcher Sangesmänner Lieder
Wecketen mich unversehens,
Brachten bald die Saat zum Keimen,
Die so lang im dürren Acker
Ohne Thau geschlummert hatte.
Schnelle schärft ich da den Schnabel,
Liefs des Liedes Klänge schallen.

7. Aus der Natur und dem Alltagsleben. Diesen
entnehmen wir das folgende schöne Frühlingslied:

Jetzt im Lenze hat das Brachfeld
Von der Brust entwöhnt den Winter,
Stattlich steht die Flur als Jungfrau,
Schimmernd in dem Schmuck der Knospen.
Wälder singen, Wälder plaudern,
Singen in des Sommers Brautzug.*)
Gras begrub den Schnee, der einsank,

---

*) Oder: zu des Sommers Hochzeit (suwwi sajal).

26 *

Wärme schmolz des Wassers Decken,
Hiefs die Wellen wieder wogen,
Wellenwirbel sich erheben.
Lockte Sönnelein das Schwälbchen,
Weckte die Lerch umher zu wirbeln.
Regen kündete den Keimen
Das Geheiss des Herrschers Sommer:
Keime sprossten, Triebe schossten
Um die arme Au zu decken.

8. **Liebe und Freierei.** Von den unter dieser Firma
mitgetheilten Liedern scheint mir „Liebeshoffnung" (No.75A.)
das am zartesten empfundene. In demselben sagt die Sängerin ihren niedergeschlagnen Gespielinnen, dass sie selbst grös-
seres Leid fuhle, dennoch nähre sie die Hoffnung mit dem
wiederkehrenden Frühling einen Liebenden zu bekommen:

Junge Mädchen, ihr Vögelchen,
Bohnenschoten, holde Schönen,
Espenknospen harmumhüllte;
Grämet euch, ihr Goldnen, nimmer,
Süfse, lasst den Muth nicht sinken,
Wann ihr höret meine Worte,
Eines Kindes thörge Worte.
Mehr der Zähren weint das Vöglein,
Röther ist des Entchens Wange; *)
Blut schon fliefst aus meinem Auge,
Meine Wange ist verblichen. **)
Doch lass den Winter leise ziehn:
Er verliert in den Lenz sich schon,
Schmilzt in den Sommer schon dahin!
Dürfen Ströme wieder schwellen,

*) d. h. (ich) Vöglein weine noch mehr (als ihr); (ich) Entchen habe
noch röthere Wangen (als ihr), d. h. vom Weinen.
**) Dies scheint dem Vorhingesagten zu widersprechen: die Sängerin
meint aber hier den Verlust der gesunden Wangenröthe, an deren
Stelle das Entzündungsroth von Thränen) getreten.

Brunnen aus der Erde streben:
Blüthen dringen aus der Knospe,
Vögel in dem Wipfel singen.
Dann wohl dringt der Fluss hinüber,
Wo für mich erwächst der Gatte;
Schifft des Bornes Ader über, *)
Wo mein Bräutigam geboren;
Blinkt der Blüten Schein hinuber,
Wo die Heerde hegt mein Holder;
Tönt des Vogels Lied hinüber,
Wo mein Knab den Acker pflüget:
Dann von dort im Herbste schifft er
Mit dem Freierwein **) nach Wierland.

9. Hochzeit, Ehe, Kindesliebe. Eine Rubrik, der
wir zwei Lieder entnehmen wollen; das erste: „der Tochter
Walten":

Nun ist Sommer, warme Zeit nun,
Lerchen(?) zwitschern zu dem Brachpflug!†)
Nun ist Laub am laubgen Baume,
Laub am Baume, Gras am Boden;
Grünen Kräuter auf der Aue,
Schwankt die Föhre††) längs den Fluren,
Wiegt die Birke sich im Bruche,
Leuchten Aepfel an den Aesten,
Leuchten Nüsse in dem Haine,
Hold im Haus des Sanges Maide. †††)

---

*) Die Quellader fliefst dem Orte zu, da hinüber, wo u. s. w.
**) Mit dem Spirituosum, das der Brautwerber zum Besten geben muss.
†) Kässa künni löritelles. Sollte das nicht vielmehr heissen: „der
    Brachpflug (kässa künni) ist in starker Thätigkeit"? löri-
    telles scheint nämlich Locativ von löritella, finnisch lyöry-
    tellä = hyörytellä; siehe Renvalls Wörterbuch.
††) Text: nötkub nömmessa päddakas, schwanket auf der Haid
     die Föhre.
†††) Die Singemädchen, Sängerinnen.

Flieht der Sommer, folgt der Herbst nach:
Sense nimmt der Wiese Kräuter,
Messer von der Haid die Föhre,
Fällt ein Beil die Birke nieder,
Nimmt der Reif vom Ast die Aepfel,
Blitz die Nusse von der Haide,
Und ein Mann dem Haus die Maide.
Weinend harren nun die Matten,
Sehnsuchtsvoll des Waldes Säume,
Wiehernd ihres Vaters Füllen,
Stöhnend ihrer Mutter Kuhe.
Brüllend harrt des Bruders Heerde
Auf die Aetzerin, die treue,
Auf die Tränkerin, die gute,
Auf die Wärterin, die kluge.
Mit dem Morgen war sie munter,
Selber vor der Sonne frühe
Ging sie durch der Heerde Stadeln,
Eilt' sie durch der Kühe Stadeln,
Ohne dass es Mutter wusste,
Ohne dass es Vater wusste,
Hielt das Heu hin mit den Fingern,
Hob den Hafer vor mit Händen,
Wand das Wasser weit im Schatten: *)
Merkte nichts der Mutter Seele,
Nichts des Vaters Sinn ohn Fehle. **)
Das andere: „der Töchter Dank":
Wann lohn ich der Mutter Mühe,
Muttermühe, Liebesmilch ihr,
Treuer Mutter Säugemühe,
Dieses Tragen auf den Händen,
Dies Einlullen an den Lippen?

---

*) Text: warjulda wee weddas, d. h. aus dem Schatten (dunkeln
Brunnen?) Wasser zog sie.
**) Nicht der Vater mit seinem klugen Sinne oder aus seiner Klugheit
heraus (targa melestagi).

Schlaflos lagst du viele Nächte,
Bliebest vielmals ohne Frühtrunk,
Ohne Mahl so manchen Mittag,
Ohne Imbiss oft des Morgens.
Feuer kam nicht aus der Kammer,
Nicht der Funke von dem Lager, *)
Nicht das Rösslein aus den Riemen,
Nicht die Zart' aus ihren Kleidern.
Zaubrer suchte sie dem Kinde,
Thränenhemmer für das Junge,
Angelobt ihr Lamm dem Seher,
Eine Ziege dem Zungenprüfer,
Ihren grauen Gaul dem Zaubrer. **)
Ich doch schluchzte nur zum Scherze,
Krauste meinen Mund ohn Ursach. †)
 Könnt ich mit dem Munde danken,
Wärmsten Dank mit Worten sagen,
Ziemend mit der Zunge flehen:
Gäb ich Gott der Mutter Seele,
Heim in Jesu Schofs ihr Herze,
Ihre Hand Maria's Händen,
Ihre Knie den Au'n des Schöpfers!

 10. Kriegslieder. Unter den Kriegsliedern verdient eigentlich nur „des Kriegers Tod" (s. oben) diesen Namen. In den übrigen spricht sich weder Lust an Krieg und Waffenhandwerk aus, noch Ermuthigung dazu. Sie haben einen erzählenden Character: den meisten poetischen Werth müssen wir No. 92, A. (auf S. 313 ff.) zugestehen. Hier hält man bei eingehender Kriegsbotschaft einen Familienrath und beschliefst

---

 *) Wörtlich: von Bettes Pfosten (sänge samba asta).
 **) Sinn: die zarte junge Frau trieb sich· in mütterlicher Angst immer herum, Lente suchend, die das vermeintliche Uebel des Kindes besprechen und bannen könnten. Lamm, Ziege und Gaul bekamen die Quaksalber als Honorar.
 †) Sinn: schnappte ohne Ursache nach Luft (soota suda maignatnsin, gapste ohne Ursach).

die Tochter zum Heere stofsen zu lassen, damit sie „die
Feindschaft beschwichtige und den blutigen Mord ermüde."
Das Mädchen „schifft die Kriegsbahn hin," aber ein Zufall,
der recht artig erzählt wird, giebt ihr Geschlecht zu erkennen.
Man schickt sie nach Hause und verlangt ihren Bruder; das
Mädchen kehrt weinend zurück, giebt dem Bruder naive Lehren, wie er im Kriege sein Leben sichern soll, und entläfst
ihn.   Nach sieben Jahren kommt er wieder; seine Schwester
allein erkennt ihn, und zwar an dem Kleide das sie selbst
gewoben hat, und stellt ihm einige Fragen, den Krieg betref-
fend. Statt nun als miles gloriosus aufzutreten, sagt er
ihr, das Waffenhandwerk sei rohe Metzelei, und schliefst mit
den Worten:

> Forsche nicht, o Mägdlein, fragend
> Weiter nach des Krieges Weise:
> Was vom Kriege ward geboren
> Taugt nicht für das Ohr der Jungfrau.

11. Hohn-, Spott- und Scherzlieder.   12. Lieder
der Geselligkeit. 13. Kinderlieder.   14. Vermischte
Lieder.   15. Dunkle Lieder. Diese letzten Categorieen
sind die schwächsten, konnten aber zu Vervollständigung des
grofsen Lebensbildes nicht entbehrt werden.

Sch.

Ueber Graf Manteuffels Aiawite pero walgussel. *)

Ein unansehnliches, aber recht erquickliches Büchlein, welches Fabeln und Erzählungen für den ehstnischen Landmann in dessen Muttersprache enthält. Im ächten Volkstone geschrieben, hat dieser „Zeitvertreib" gewiss heilsame Wirkungen auf sein Publicum gehabt.

Die Fabeln machen den Anfang: es sind ihrer sieben; die letzte derselben verdient aber mit viel gröfserem Recht eine Erzählung zu heissen, nur dass die handelnden Wesen Mäuse (genauer Feldmäuse) und keine Menschen sind. Ein wackrer Maus-Jüngling, der sich aufs Freien begiebt, bekommt ein eben so wackeres Mägdlein seines Stammes zur Gattin. Die näheren Umstände der Bewerbung haben viel treuherziges und gesund-menschliches, wenn auch im ächten Costüme der Mäusewelt. Die „Feldmaus" (pöld hiir) macht einen schicklichen Uebergang zum achten Lesestücke, das uns in einen Kreis wirklicher Menschen führt, bis zum Ende des Büchleins reicht, und wohl sechsmal länger ist, als die sieben

---

*) d. i. „Zeitvertreib beim Scheine des Pergels." Unter Pergeln versteht man geschmeidige, lineal-ähnlich dünne Brettchen von Kienholz oder trocknem Birkenholze, die angezündet zur Erleuchtung dienen. Vergl. die Zeitschrift „Inland", Jahrgang 1852, Spalte 463.

ersten Stücke zusammengenommen. Hier lernen wir ein in
Ehren ergrautes bäuerliches Ehepar, einen musterhaften Knecht,
der auch guter Lebensphilosoph ist, ein Hausmädchen mit
einem Anfluge natürlicher (nicht erkunstelter) Romantik, und
andere mehr oder minder anziehende Personen kennen. Der
einzige Sohn des alten Pares, anfänglich der Stimme der Ver-
führung (zum Trunke) etwas nachgebend, schlägt bald in sich,
und wird durch Vermittlung einer gutmüthig-plauderhaften
Schmarotzerin der Bräutigam eines liebenswürdigen Mädchens,
während der Bursche, der ihn zu verfuhren gesucht, dessen
Herz aber auch noch Reue fühlen kann, harte Prufungen bestehen muss. Diese Prüfungen allein machen ihn vielleicht
würdig, die gefühlvolle, ihm trotz seinen Verirrungen zärtlich
zugethane Leno einst zu besitzen. Es folgt die umständliche
Beschreibung einer Hochzeit, und die Erzählung schliefst mit
einer einfach rührenden Schilderung der letzten Augenblicke
der alten Hausfrau, die bald nach jenem fröhlichen Ereignifs
aus dem Leben scheidet. Auch artige Lieder sind hie und
da eingewebt.

Als Probe von dem Stil des Büchleins wollen wir die
dritte der Fabeln und aus dem letzten Lesestücke die Beschreibung der Hochzeit nach unsrer Uebersetzung mittheilen.

Die Feldgrille und die Ameise.

Der Magen der Grille war leer; sie wusste nicht, woher
sie Nahrung nehmen sollte. Da fiel ihr ein, dass die Ameise
immerfort arbeiten gesehen. „Ich will doch gehen und sie
bitten, dass sie mir borge." Die Grille gelangte zum Amei-
senhaufen, als eines dieser Thierchen unter einer schweren
Last, die es trug, keuchend herankam und dann stehen blieb,
um etwas zu ruhen. Jene schritt näher und sagte: „Brüder-
chen, du hast viel Plage." Die Ameise entgegnete: „Was
kann man in dieser Welt ohne Arbeit und Plage haben? wer
sich nicht placken will, der erlebt Kummer und Mangel."

Grille. Du musst wohl schöne Vorräthe besitzen? ich komme, dich zu bitten, dass du mir Speise borgest.

Ameise. Dir sollte ich borgen, Faule! du kannst trügerische Reden führen. Was hast du denn im ganzen Sommer gethan, dass du jetzt schon Mangel leidest?

Grille. Ich hüpfte mit dem Blatt-Hans um die Wette und sang zum Zeitvertreibe.

Ameise. Du hast gesungen, so tanze nun mit dem Blatt-Hans nach Herzenslust.

Grille. Ach es ist schwer, mit leerem Magen zu tanzen!

Ameise. So arbeite, dann wird dein Magen nicht leer bleiben. Ich habe mich nicht geplagt, um dir Speise zu verschaffen. Erwirb dir etwas durch Arbeit, so ersparst du dir die Schande, betteln und listiger Weise borgen zu müssen. Erwirb in Ehren, dass Gott es dir segne. Und nun geh, du raubst mir die Zeit.

Die Grille entfernte sich einige Schritte weit und schlüpfte unter das Laub. Bald war die Sonne untergegangen, die Arbeit gethan, und die Ameisen standen geschart auf ihrem Haufen. Der Abend war sehr schön, der Mond stieg am Himmel empor. Da kam auch die Grille aus ihrem Versteck und sang:

Sieh, der Mond, die goldne Scheibe
Rollet überm Nebelsee.
Sonn ist hinterm Wald versunken,
Gluth dem Schatten zugeflohn.
Nur die Lerche singt noch Lieder,
Preist des Schöpfers Gnad und Huld.

Als die Ameise dieses Lied angehört hatte, holte sie einige Heuhalme und brachte sie der Grille. Diese sagte: „Ich danke dir für die Gabe, noch mehr aber für die Zurechtweisung! Deine Worte sind mir in Herz und Kopf gedrungen: ich will von jetzt ab arbeiten und ehrlich erwerben, damit ich nicht mehr gezwungen werde, die Barmherzigkeit Anderer nachzusuchen."

Lasset uns so klug sein wie die Grille und den empfangenen Lehren gemäfs leben.

———————

...... Jetzt machte man die Zurüstungen zur Hochzeit; die Tenne wurde gereinigt, der Webstuhl abgenommen, Tische und Bänke ausgebessert. Es kam der Tag, an welchem der „Werbe-Branntwein" zu überbringen war: Martin war angekleidet, das Pferd angespannt, man erwartete nur den alten Puseppa Hans, der Issamees, d. i. (erbetener) Brautvater zu sein versprochen hatte. Als dieser ankam, reichte ihm der Wirth die Hand und sagte: „Alter Freund, was dünkt dir von dem Lärmen, den es in meinem Hause geben soll? angenehmer wäre mirs, mit dir gemüthlich zu plaudern und in Frieden eine Pfeife zu schmauchen." Die Wirthin ging in ihre Kammer, wickelte den Brautschmuck in ein reines Tuch, umwand das Bündel mit einem rothen Bande, reichte es dem Alten und sagte: „Empfange hier die Puppe; du weisst schon, wem du sie bringen sollst." Darauf brachte sie ihm auf einem Teller ein Schälchen Branntwein nebst einer Semmel aus der Stadt, und sprach: „Sorget, dass ihr zum Abend wieder daheim seid: wir warten mit dem Essen; man kriegt dann zu hören, wie es gewesen ist."

Martin lenkte den Wagen; er trieb die Pferde mit solchem Eifer an, dass der Alte ihm warnend zurief: „du treibst noch das Fuhrwerk entzwei, und dann sind wir schwerlich zum Abend wieder daheim!"

In Annas Hause hörte man Peitschenknall und Geklirr der eisernen Kette; daran erkannten die Bewohner, dass der Freier kam. Nach gegenseitiger Begrüfsung sprach der Issamees: „Aus unserem Hause hat sich ein Vogel verloren, der uns ein Nest bauen sollte; es war ein weisses Täubchen mit lebhaften und unschuldigen Augen; ich erkenn es auf den ersten Blick. Wir haben vernommen, dass es zu euch gekommen, und wollen es nun wieder abholen."

Die Wirthin sagte: „Ich will euch meine Vögel zeigen, sucht den eurigen heraus." Sie ging und brachte ein altes verlebtes Mütterchen: „Dieses — sprach sie — mag wohl euer Vogel sein." Aber der Issamees rief mit der Miene eines Menschen der sich entsetzt: „Nein, diesen lass nicht auf unseren Wagen bringen, führ ihn nach seinem finsteren Winkel zurück!" Die Wirthin that also und kam mit einem kleinen Mädchen wieder, das als Popanz angethan war. Der Issamees rief: „Was zum Henker! dies ist ja unser Erbsenschreck. *) Nein! unseren Vogel kenn ich an seinen Augen, die fromm und schön sind. Ihr wollt uns nur hintergehen; seid doch endlich so gut und gebt unser Eigenthum heraus." Diesmal kam die Wirthin mit Anna zurück, Martin und der Brautvater riefen ihr entgegen: „Dies ist unser Vöglein!" Der Braut-vater schritt mit dem Bündel auf Anna zu und sagte: „Da bring ich die Puppe und bitte, uns nach einem Jahr mit einer andern Puppe zu vergelten."

Als Anna den Schmuck angelegt hatte, sagte der Issamees: „Trinken wir nun Alle auf des jungen Paares Gesundheit." Martin hatte ein Stoof Branntwein mitgebracht und schenkte jedem ein, der da trinken wollte.

Der Brautvater rief nun Martin und sagte: „Damit aber das Vöglein uns nicht aus der Hand entschlüpfe, mach ich es mit dieser silbernen Kette an dir fest." Man brachte die Ringe, verlobte das Paar, wünschte ihnen viel Glück, and ermahnte sie, wann sie zur „Leseprüfung" gehen würden, **) den Prediger zu bitten, dass er sie von der Kanzel abkündige.

„Und nun Gott befohlen, wir müssen uns auf den Weg machen!" Das Abendessen war eingenommen; Martin brachte den Brautvater zu Pferde nach Hause und dankte ihm für die Mühe der er sich unterzogen.

---

*) Vogelscheuche auf einem Erbsenfelde.

**) In sämmtlichen baltischen Provinzen wird niemand verheirathet, der nicht Gedrucktes zu lesen versteht und seinen Catechismus inne hat. Von beidem überzeugt sich der Prediger, ehe er ein junges Paar verlobt oder abkündigt.

Jetzt hatte die Wirthin für allerlei zu sorgen, damit Alles zur Hochzeit schön und manierlich wäre.

Anna kam ihre neuen Eltern zu begrüfsen und ihnen für den übersandten Schmuck zu danken. Der Schwiegermutter hatte sie ein Paar Strümpfe gestrickt und dem Schwiegervater ein Paar Handschuhe; sie bat, diese kleinen Geschenke aus Barmherzigkeit anzunehmen, da es nicht in ihren, des armen Kindes Kräften stünde, etwas besseres zu bringen. Die alte Mutter sagte: „Das Beste, was wir uns wünschen könnten, bist du selber." Martin rief: „Ja, Mutter, das ist wahr!" Anna schlug die Augen nieder und Röthe überflog ihr Gesicht; sie hatte, so zu sagen, neue Lust ins Haus gebracht, wen sie anblickte, aus dessen Augen leuchtete Wohlgefallen. Die Zeit verging ihnen schnell und die Nacht war nahe, Martin und Leno begleiteten Anna auf dem Heimwege. Martin und Anna hatten einander immer etwas zu sagen; Leno ging schweigend zur Seite. Sie kamen zu dem Heuschlage wo die grofsen Birken stehen und ein Bach fliefst; der Mond spiegelte sich im Wasser. Leno blickte zum Himmel auf, der Mond sah ihr ins Auge. Da öffnete sich Leno's Herz und sie sang:

Höre goldnes Mondchen,
Warst mir Lieb von Kindesbein an.
Dir mein theures Mondchen,
Dir verhehlt ich nichts.
Höre goldnes Mondchen:
Hannus trag ich tief im Herzen!
Sag mir, goldnes Mondchen,
Wo der Theure weilt?
Sahst es, goldnes Mondchen,
Wann er stand an meiner Seite;
Siehst es, goldnes Mondchen,
Einsam steh ich nun.
Höre, goldnes Mondchen,
Schaffe mir den Ring von Silber,
Höre, goldnes Mondchen,
Bald ist Weihnachtszeit!

Fühlst kein Mitleid, Mondchen,
Wenn du auf mich niederblickest?
Fühl es, goldnes Mondchen,
Bald, ach bald für mich!
Theures, theures Mondchen,
Scheine mir am Hochzeitstage!
Bring mir, theures Mondchen,
Ehestandes Glück.

Am Tage der Hochzeit war Alles auf Seite gebracht; der Hof rein gefegt; unter der Riege standen in jedem Winkel junge Fichten, und am Hofthore zwei dergleichen, die so zusammengeknüpft waren, dass sie einen Bogen bildeten. Um die Stube heller zu machen, hatte die Wirthin alle Wände mit weissen Laken bekleiden lassen. Ein Leuchter hing mit vier Lichtern an einem schönen Bande von der Stubendecke herab. Auf dem Hochzeitstische stand für jeden Gast ein Teller mit einem grofsen Stücke Kuchen. Ausserdem war der Tisch mit Schweinefleisch, Gansbraten, Kohl und Kuchen besetzt.

Alles war in Bereitschaft; man erwartete nur die Ankunft der Gäste.

Der hochzeitliche Zug nahte dem Dorfe; mit Windeseile kam der Peiopois herangesprengt,*) um dessen Ankunft zu melden; man gab ihm ein Stoof Bier für das junge Paar. Der Peiopois kehrte jauchzend und das Stoof in der erhobenen Hand haltend, in gestrecktem Galoppe zurück. Jürri ergriff eine geladene Buchse, feuerte sie ab, als man zum Thor hereinfuhr, warf dann die Buchse an die Erde und eilte an die Thür. Das Pferd lief noch weiter; Jürri riss ihm das Krummholz ab und sagte: „Wir lassen ein so kostbares Ding **) nicht los und geben es nicht mehr aus diesem Hause weg." Er unterstützte die junge Frau beim Heruntersteigen.

---

*) Peiopois (Bräutigamsknabe) ist der Hochzeitsmarschall.
**) Es ist hier die junge Frau gemeint.

Sie gab ihm ein Paar blaue Handschuhe mit den Worten:
„Diese, Jürri, habe ich selbst für dich gestrickt."

Alle waren jetzt von dem Bauerwagen abgestiegen; die
weiblichen Gäste hatten ihre Kleider vom Heu gereinigt und
die Schürzen geordnet. Der Peiopois fragte: „Seid ihr fertig?" Man antwortete: „Ja." Er schritt voran, schlug mit
seinem Schwert ein Kreuz gegen die Thür, trat in die Stube,
schlug noch drei Kreuze gegen Morgen, Mittag und Abend,
und rief mit gewaltiger Stimme: „Verschwindet, böse
Geister! Ihr heilige Engel, nehmet unser junges Paar in euern
Schutz, bringt ihnen Glück ins Haus, dass Alles ihnen gut
ausschlage!" Dann fasste er die Braut und führte, sie an der
Hand hinter den Esstisch, worauf sämmtliche Hochzeitsgäste
sich niederliefsen.

Als man abgespeist hatte, brachte die Wirthin das „Kind-
lein," legte es der jungen Frau in den Schofs, und sprach:
„Ich gebe dir, liebe Tochter, das Kind zu warten, dies ist
des Weibes vornehmste Sorge; wenn dir Kinder zugetheilt
sind, so erziehe sie zu Gottes Ehre und des Nächsten Freude;
denn die Eltern sollen für ihre Kinder Sorge tragen, sie müssen dafür, vor Gott Rechenschaft ablegen."

Gegen Abend brachte der Peiopois einen Stuhl, legte ein
Kissen darauf und eine schöne Decke darüber. Der Issamees
setzte der jungen Frau die Haube auf, band ihr eine Schürze
um, und sprach: „Lass die Mädchensitten fahren, halte den
Mann im Herzen und trage Sorge für das Haus. Damit dir
dies im Sinne bleibe, gebe ich dir einen Backenstreich. Er
schlug ihr, als ob er auf sie zürnte, ins Gesicht, und sofort
begannen alle Weiber zu singen. Als der Gesang zu Ende
war, sagten sie: „Jetzt ist die junge Frau eingekleidet." Diese
stand vom Stuhle auf und verneigte sich vor Allen.

Am dritten Tage kam der Peiopois, ein gehäuftes Kül-
met auf dem Kopfe tragend, und rief: „Man bittet zur Hochzeit, Hochzeit, Hochzeit! fahret mit dem Schimmel!"

Die Geschenke waren ausgetheilt: der Issamees forderte
die Gäste auf, dem jungen Paare für seinen Hausstand etwas

zu versprechen: da verhiefs ihnen Einer ein Schaf, der Andere ein Ferkel, ein Dritter eine Katze, ein Vierter ein Huhn. Bei dieser Gelegenheit gab es denn Possen genug zu hören. Am Abend stellte man eine Schüssel mit Kohlsuppe auf den Esstisch, damit andeutend, dass die Hochzeitsfeier zu Ende war. Die Gäste nahmen Abschied.

Des anderen Tages wurden Webstuhl und Spinnrad an ihre alten Plätze gestellt.

Sch.

Reisebilder.

Von

Herrn Kiesewetter *).

Herr Kiesewetter, von Berlin gebürtig, welcher kürzlich nach einer fünfzehnjährigen Reise in verschiednen Welttheilen zurückgekehrt ist, hat in der Tonhalle in Hamburg von den Ergebnissen seiner Wanderungen eine interessante Ausstellung veranstaltet. Diese besteht in einer Auswahl von Genrebildern, Scenen nach dem Leben, welche er während *seines* Aufenthaltes bei den verschiedensten weniger bekannten Völkerschaften entworfen hat, so wie in einer Anzahl von sehr künstlichen, von ihm selbst angefertigten Modellen der Zelte, Hütten, Götzentempel, Wohnungen und Palläste der Völkerschaften, welche die Krim und den Kaukasus bewohnen.

Eine solche Unternehmung war durchaus neu, und das Resultat derselben verdient in vollem Maße die Theilnahme des größeren Publikums, welches besonders in den Darstellungen der kindlichen Sitten und Gebräuche der asiatischen Nomadenbehörden eine belehrende und höchst angenehme Unterhaltung gefunden hat. Die eigenthümliche naive Wahrheit und Treue, womit der vielerfahrne Künstler seine Gegenstände aufgefaßt und behandelt hat, findet sich auch in den folgenden schriftlichen Aufzeichnungen wieder.

---

*) St. Petersburger Zeitung 1853.

Götzentempel bei den Kalmücken.

Die gras- und kräuterreichen Steppen, welche in der Nähe des kaspischen Meeres, auf beiden Seiten der Wolga, sich in die Ferne erstrecken, werden von den patriarchalischen Hirtenvölkern, den Kalmücken bewohnt. Jedes Jahr durchwandern sie den grofsen Kreis der Weideplätze ihrer zahlreichen Heerden, und befinden sich mit ihren leicht beweglichen Zelten und einfachen Hausgeräthen auf fortwährender Wanderung.

Sie gehören zur mongolischen Menschenrace, welche sich durch breite, hervorstehende Backenknochen und schmale, geschlitzte Augen auszeichnet.

Als Buddhaisten oder Anhänger des Dalai Lama, haben sie ihre Religion, eben so wie die Mongolen, ursprünglich von Indien überkommen; ihre Lehrsätze sind im Allgemeinen wenig abweichend, doch verehren sie eine Menge Götter, ohne einem davon eine Allmacht zuzuerkennen.

Ihre herumziehende Lebensweise erlaubt ihnen nicht, ihren Göttern feste Tempel zu bauen; sie verehren dieselben unter Zelten oder Hütten, welche sich von den gewöhnlichen Wohnungen nur durch ihre Gröfse unterscheiden.

Die Geistlichen, welche bei den Kalmücken nicht weniger als ungefähr den siebenten Theil des Volkes ausmachen, weil jeder Familienvater das Recht hat, einen von seinen Söhnen dem geistlichen Stande zu widmen, halten sich für besser als das gemeine Volk und beschäftigen sich nur mit Erlernung der tibetischen Sprache und der lamaischen Theologie.

Ich verweilte längere Zeit bei den Kalmücken der „kleinen Derböten-Horde", um bei ihnen die Sammlung meiner „ethnographischen Reisebilder" zu vervollständigen. Der regierende Fürst hatte mir ein Zelt mit dem nöthigen Hausgeräthe, welches letztere aus einem eisernen Kessel, einem Dreifufs und einem hölzernen Napfe bestand, zum Wohnsitz angewiesen, und mir zu meinem Unterhalt jeden dritten Tag ein fettes Schaf aus der Fürstlichen Heerde ausgesetzt. Nachdem ich ein kleines Modell von dem Wohnzelte des Fürsten für mich angefertigt und seine Gemahlin im Staats-Costüm gemalt hatte, machte ich auch dem Lama einen Besuch. Er war hoch erfreut und fühlte sich geschmeichelt, als er vernahm, daß sein Bildniß ebenfalls der grofsen, ihm unbekannten Welt vorgezeigt werden sollte und arrangirte selbst mit grofser Sorgfalt seine Umgebung. Als er vor mir safs, um gemalt zu werden, verblieben die betenden Lippen in beständiger Bewegung, weil er wünschte, dafs ich ihn betend darstellen möchte.

Ein hohes Alter und der häufige Genufs von Opium hatten tiefe Furchen in sein Gesicht gezeichnet. Er safs mir gegenüber im Hintergrunde des Zeltes mit untergeschlagenen Beinen auf einem seidnen Divan, unter einem mit Gottheiten und anderen himmlischen Gestalten bemalten und reich verzierten Thronhimmel. Ueber einem rothen Mefsgewande mit gelben Aermeln trug er die den Priesterstand auszeichnende seidene Binde, von der rechten Schulter über Brust und Rükken, und sein geschorener Kopf war mit einer Pelzmütze bedeckt, auf welcher sich ein auf Papier geschriebenes Gebet in einem rothen Tuchläppchen eingenäht befand.

An seiner Seite stand ein Altar mit den metallnen Hauptgötzen des Lama, welche reich mit seidnem Zeuge und Goldpapier beklebt waren, und vor denselben befanden sich Opferschaalen mit den verschiedensten Speisen und Getränken gefüllt.

Als ich das Bild des Lama beendet hatte, und den Wunsch äufserte, nun auch ein Bild vom Götzentempel anfertigen zu dürfen, geleitete mich der Lama mit dem Klange einer Glocke und einer kleinen Doppelpauke zur Thür des Zeltes hinaus.

Der Umfang des Götzentempels beträgt etwa siebzig Fufs, bei einer Höhe von ungefähr funfzehn Fufs. Das Gestelle desselben besteht aus mehreren hundert künstlich in einander gefügten hölzernen, roth übermalten Stäben, die sich oben in einen grofsen hölzernen Ring vereinigen, welcher den Schornstein bildet.

Der untere Theil, aus kreuzweise über einander befestigten Stäben bestehend, bildet ein zusammenhängendes rundes Gitterwerk von sechs Fuſs Höhe, welches sich beim Transporte leicht zusammenschieben läſst.. Längere einzelne Stäbe, welche mit ledernen Riemen oben am Gitterwerke befestigt sind, und in einem Loche des hölzernen Ringes enden, bilden das Dach. Dieses Gestelle, welches auf den ersten Anblick einem Vogelbauer nicht unähnlich sieht, ist mit dicken kameelwollenen Decken bekleidet.

Verschiedene Festtage der Kalmücken erfordern auch eine· verschiedenartige Ausschmückung ihres Tempels. Zur Zeit, wo ich denselben besuchte, wurde das groſse Frühlingsfest gefeiert. Schon mit dem Aufgange der Sonne ertönte die lärmende Tempelmusik, und verkündete dem Volke den Anfang der religiösen Ceremonieen. — Die Priester hatten sich auf einem Platze vor ihren Wohnzelten versammelt, und zogen in geordneten Reihen zum Tempel.

Zwei Posaunenträger, mit entblöſsten Häuptern, eröffneten den Zug. Auf ihren Schultern ruhte das dicke Ende der metallenen, versilberten Posaunen, welche eine Länge von sieben Fuſs haben, und deren erschütternde Töne in einem weiten Umkreise auf den endlosen Steppen gehört werden können. Die Posaunenbläser selbst, in rothen Gewändern, folgten in gehöriger Entfernung, am andern Ende der Posaunen, mit dem Mundstücke in den Händen nach, und brachten von Zeit zu Zeit mit groſser Anstrengung einzelne Töne hervor.

Eine Truppe von Schalmeienbläsern, in dem religiösen Zuge schien ihren besonderen Direktor zu haben. Derselbe kümmerte sich nicht darum, zu welcher Zeit die Posaunenbläser hinreichend Athem geschöpft haben würden, um einen neuen Ton hervorbringen zu können, sondern behandelte sein Instrument, welches sechs Löcher hat und sechs Töne angiebt, mit groſser Freiheit, und gab nach Belieben seinen Nachfolgern den Ton an, welchen sie blasen sollten. Dieselben hatten ihre Augen stets auf den Direktor gerichtet, und wenn derselbe von einem Loche seines Instrumentes einen Finger erhob, um einen andern Ton hervorzubringen, machten

sie sogleich dieselbe Bewegung, um dasselbe Resultat zu er-
zielen. —

Einige Pauker, welche ihre Instrumente auf Stäben in die
Luft hielten, bearbeiteten dieselben mit grofsem Fleifse, indem
sie mit Schaafsknochen gegen die Felle schlugen; bisweilen
liefs sich auch eine Muschel-Trompete hören, und endlich füllten chinesische Klangteller alle Pausen, welche noch zufällig
entstanden, so dafs die Luft beständig mit einem musikalischen
Geräusch angefüllt war.

Hinter dem Musikcorps folgte die Geistlichkeit mit ihrem
Lama an der Spitze. Dieselbe besteht aus drei Classen, nämlich aus Gällongen, Gättzüllen und Mandschi, d. h. der hohen
und niederen Geistlichkeit und den Schülern. Die Gällongen
waren gröfstentheils in scharlachrothe Gewänder gekleidet
und einige von ihnen trugen eine Art Krone auf dem Kopfe,
die mit den Bildern verschiedener böser Gottheiten beklebt
waren.

Auf der Spitze jener Krone befand sich ein auf Papier
geschriebenes Gebet; dasselbe war so befestigt, dafs es leicht
vom Winde hin und her bewegt werden konnte, wodurch die
bösen Geister besänftigt werden. Die Gattzüllen waren weniger kostbar gekleidet; einige von ihnen trugen grüne, silber-
gestickte Kragen oder Mäntel und andere waren mit der rothen Priesterbinde umwunden.

Die Schüler gingen gröfstentheils in Schaafpelze gekleidet
einher, doch auf ihren gelben viereckigen Mützen befanden
sich bewegliche Gebete, um den Zorn Gottes von ihren Häuptern abzuleiten.

Einer der Priester hatte mir zu diesem religiösen Feste
einen weifsen, mit breiten blauen Bändern besetzten Schaaf-
pelz und eine rothe, neun Fufs lange Priesterbinde geliehen,
und so durfte ich, mit einem Gebete auf der Mütze und meinem Malkasten unter dem Arme, unbefangen dem Zuge
folgen.

Wir wanderten langsam verschiedene Male um den Tempel herum und hielten sodann durch die niedrige Thür des

Tempels, in gebückter Stellung, unsern feierlichen Einzug. — Die höhere Geistlichkeit setzte sich in der Mitte des Tempels in zwei Reihen, mit untergeschlagenen Beinen, auf den mit Teppichen belegten Fußboden nieder, das Musikcorps aber und die Schüler nahmen rings herum an den Wänden ihre Plätze ein.

Im Hintergrunde des Tempels, der Thür gegenüber, stand der Altar, welcher mit einem weißen seidenen, mit farbigen und goldenen Fäden ,gestickten Tuche bedeckt war. — Auf einem Thronhimmel über demselben zeigte sich das Bild des himmlischen Drachen, welcher Blitz und Donner regiert. Auf dem Altare befanden sich verschiedene metallene Götzenbilder in farbigen hölzernen Nischen. .Jakjaamuni, die höchste Gottheit, wurde durch eine weibliche Figur mit sehr großen Ohren repräsentirt.

Zur Seite stand Erlik-Chan, ein böser Gott; er schien im höchsten Zorn auf einer weiblichen Kalmücken-Seele herumzutanzen, welche ausgestreckt unter seinen Füßen lag. In der rechten Hand hielt er einen Donnerkeil, welchen er auf die Sünderin herabzuschleudern drohte, und eine Glocke in der Linken sollte den Ruf ihrer bösen Thaten verbreiten. — Seine Kopfbedeckung stellte eine Flamme dar, aus welcher rund herum Köpfe herausblickten, und der Leibgurt war von den Köpfen der verschiedensten Missethäter gebildet, die auf einer Schnur dicht an einander gereiht waren. Vor demselben stand eine betende Göttin mit acht Händen und vierundzwanzig Köpfen, welche seinen Zorn besänftigen zu wollen schien.

Die Götzenbilder sind ausgehöhlt und mit den Knochen und der Asche nach ihrem Tode verbrannter Priester gefüllt.

Vor dem Altar stand ein niedriger, mit Schnitzwerk versehener Tisch, auf welchem die silbernen Opferschalen standen; dieselben sind mit den verschiedensten Früchten, Saamen und Wurzeln gefüllt. Zwei silberne Vasen auf diesem Tischchen sind mit Pfauenfedern in Form von Blumensträußen geschmückt.

Auf einem in die Erde gesteckten Stab, vor dem Opfertische, stand die Dätschischaale, worin die täglichen Opfer gebracht werden, und die nach einiger Zeit von den Priestern genossen werden dürfen.

Zwei seidene halbe Ballons, die zu beiden Seiten des Altars auf rothen Gerüsten befestigt waren, dienen dazu, die Götter vor Regen oder Sonnenschein zu bewahren, wenn sie an gewissen Festtagen dem Volke vorgezeigt werden. Der gemeine Mann hat keinen Zutritt zum Tempel, sondern darf sich nur, auf Händen und Fußen kriechend, demselben nahen, wenn er ein Opfer bringt, um damit die Fürsprache der Priester für sein Wohlergehn bei den Göttern in Anspruch zu nehmen.

Die guten Götter sind zum Theil in reichen priesterlichen Gewändern, von Licht und Feuer umgeben, dargestellt, weil sie die Himmelskörper bewohnen. — Nach der Meinung der kalmuckischen Priester besteht die Sonne aus Feuer und Glas, der Mond aber aus Wasser und Glas, in welchen beiden sich ein Gott mit strahlendem Gesichte befindet. Die Sterne sind leuchtende Glaskugeln, von denen die größten dreitausend Ellenbogen im Durchmesser haben.

Die bösen Götter sind immer als furchtbare Ungeheuer dargestellt und werden am meisten verehrt und angebetet; denn die guten Götter können nur unabänderlich das Gute wollen, darum ist es nöthiger, die bösen Götter durch Gebete zu besänftigen.

Zur rechten Seite der Thüre stand eine Maschine; sie besteht aus einer großen und einer kleinen hölzernen Walze, welche in einem zierlich geschnitzten und bunt bemalten Gestelle auf einer senkrechten Spindel befestigt sind und sich vermittelst einer Schnur hin und wieder drehen lassen. Sie wird besonders bei Gewittern oder anderen Naturerscheinungen, welche den Zorn der Götter andeuten, in Bewegung gesetzt.

Vor dem Tempel war an einer rothen Stange eine Flagge befestigt, worauf ein Gebet geschrieben stand.

Nachdem wir unsere Sitze, worauf wir den ganzen Tag
verweilen sollten, so bequem als möglich eingerichtet hatten,
herrschte einige Minuten eine tiefe Stille im Tempel; sodann
nahm der Oberpriester einige von den Fruchtkörnern, welche
ein Gällong ihm darreichte, warf dieselben in die Luft und
gofs etwas Safranwasser in ein Schälchen, welches er den
Göttern zum Opfer brachte.

Die Priester hatten ihre Rosenkränze ergriffen, welche
aus 108 Kugelchen bestehen, und wiederholten schnell hinter
einander das Gebet der Buddhaisten: „om mane padmi hum."
Diese Worte haben wohl eigentlich keine Bedeutung, wenigstens ist den kalmückischen Priestern eine solche nicht bekannt,
allein sie sind im Stande, die Lippen des Betenden in eine so
schnelle Bewegung zu bringen, wie dies bei keinem anderen
Gebete der Fall ist.

Der Rosenkranz hatte dreimal seinen Kreislauf in den
Händen der Priester vollendet und das dreihundert und vier-
zwanzigste „om mani padme hum" angezeigt, als zwei Männer mit einem Fasse voll Kumis oder gesäuerter Pferdemilch
im Tempel erschienen. Von den Anwesenden war jeder mit
einem hölzernen Napfe versehen, welchen sie im Busen oder
in einem Tuche mitgebracht hatten: auch ich hatte den meinigen nicht vergessen, weil ich wufste, dafs ein echter Kal-
möck sich keine hundert Schritte von seinem Zelte entfernt,
ohne seinen Napf mitzunehmen, damit er sogleich an einer
Mahlzeit Theil nehmen könne, wo solche sich ihm zufällig
bietet.

Nachdem man den Göttern ein Speiseopfer dargebracht
und alle sich an der Milch erfrischt hatten, wurden die Näpfe
gesäubert. Die Mandschi vollbrachten dieses Geschäft unmittelbar mit der Zunge, die höhere Geistlichkeit aber strich
wiederholt mit dem Daumen über das Gefäfs und leckte dasselbe ab.

Ich hatte auf meinem Mal-Apparat Platz genommen, weil
ich so das Innere des Tempels bequem übersehen und eine
Skizze davon entwerfen konnte.

Ich hatte bereits einen grofsen Theil des Tempels auf
meiner Leinwand entworfen, als ein grofses Fafs mit Fleisch-
suppe, welches hereingetragen wurde, unsere Arbeit für einige
Zeit unterbrach.   Nach der Suppe wurde Schaaffleisch, welches in Wasser und Salz gekocht,·herumgereicht und mit un-
bewaffneten Fingern verzehrt.

An Brod leiden die Kalmücken gänzlich Mangel, weil ihre
wandernde Lebensweise ihnen den Landbau nicht erlaubt. —
Nur eine Art Kringel, welche sie bisweilen auf den Märkten
von ihren Nachbarvölkern einhandeln, werden hier an Festtagen zum Thee genossen.

Am Abend wurden verschiedene hölzerne Kannen hereingetragen, welche mit der hier so beliebten Theesuppe gefüllt
waren. Dieselbe wird aus feingeschnittnem Tafelthee, Schaaffett, Milch und Salz bereitet.   Nachdem dieselbe verzehrt war,
gebührte den Göttern nur noch ein Dankgebet, worauf wir
entlassen worden wären, hätte sich nicht unglücklicher Weise
ein ziemlich starker Sturm erhoben.   Einige Priester gingen
hinaus, um das Zelt mit Stricken an kurzen Pfählen, welche
in einiger Entfernung in die Erde geschlagen waren, gegen
den Wind zu befestigen.

Wie der Capitain auf seinem von Sturm bedroheten
Fahrzeuge, so theilte auch hier der Lama die nöthigen Befehle
aus.   Es wurden andere Götzenbilder auf den Altar gestellt,
so wie auch ein Mann bei der Maschine angestellt.   Ein jeder
erfüllte seine Pflicht.   Dennoch wurde der Sturm so heftig,
dafs ich fürchtete, der Wind würde den Tempel entführen,
und ich beeilte mich, meinen Malkasten zu schliefsen, so wie
auch meine Skizze die ich im Tempel entworfen hatte, ein-
zupacken, um dieselbe nicht mit dem Originale vernichtet zu
sehen.

Ein heftiger Windstofs drückte zwei von den Dachspar-
ren ein und schien sich einen Weg durch den Tempel bah-
·nen zu wollen; aber in diesem Augenblicke gab der Lama
den Befehl, ein Gemälde über dem Altar zu enthüllen,
worauf es einigen Priestern gelang, die Sparren an ihren

Ort zurück zu bringen und dieselben mit Stricken zu befestigen.

Bald darauf zog das Unwetter an uns vorüber.

Ein Besuch bei der Kalmücken-Fürstin.

In den russischen Provinzen *Saratow* und *Astrachan*, welche einen Theil des mächtigen Tatarenreiches bildeten, auf beiden Seiten des majestätischen Wolgaflusses, welcher hier in unabsehbarer Breite sich langsam dem kaspischen Meere nähert, wohnen noch zahlreiche Nomadenstämme der Kalmükken, welche die Weidenplätze ihrer Heerden stets wechseln, und sich mit ihren transportablen Hütten oder Wohnzelten von rothen, künstlich in einander gefügten Stäben, unter kameelwollenen Decken, auf beständiger Wanderung befinden. Durch solche wandernde Lebensweise bleiben sie fern von aller Civilisation, und ihre patriarchalischen Sitten erhalten sich unverändert.

Sie verehren eine Menge Götter, welche die Himmelskörper bewohnen, deren Symbole, oder Götzen von Metall, sie in den verschiedensten Menschen- und Thiergestalten mit sich herumführen, und ihnen reichliche Trank- und Speiseopfer bringen; das Beten aber überlassen sie den Priestern, welche hier sehr zahlreich sind und eine besondre Kaste bilden. Dieselben sollen den guten Göttern für das Wohl des Volkes danken, aber besonders die bösen Götter durch unablässiges Beten zu besänftigen suchen.

Der Fürst der „kleinen Derbäten-Horde" herrscht über zehn- bis zwölftausend Zelte oder Familien, welche in grösseren oder kleineren Abtheilungen auf der Steppe herumziehen. — Die Abtheilung, in welcher sich das Hauptlager des Fürsten befindet, besteht aus drei Hauptquartieren; dem Wohnzelte des Fürsten zunächst wohnen die Rathsherren oder Richter, so wie der höhere Adel, und etwas entfernter der niedre

Adel und ein Theil des Volkes. In der Entfernung von einer
„Stimmenlänge" — nach Art der Kalmücken den Abstand zu
berechnen, oder ungefähr hundert Klafter — befindet sich das
Lager für die Geistlichen, so wie die Götzentempel. — Die
dritte Abtheilung, drei Stimmenlängen entfernt, ist der Basar
oder die Marktstadt.

Bei meiner Ankunft in dem Höflager befand sich der
Fürst in einer entfernteren Abtheilung seiner Horde, und ich
wendete mich an den Minister oder Oberrichter, welcher in
Abwesenheit des Fürsten das Regiment führte. Ich fand demselben in der Gerichtshütte, welche ihm und seiner Familie
auch zugleich als Wohnung dient. Er saß im Hintergrunde,
der Thür gegenüber, auf einer Erhöhung von übereinander-
gelegten Filzdecken unter einer Art Thron- oder Betthimmel
von rother persischer Seide. An den Wänden zur Seite hin-
gen hölzerne Näpfe, lederne Flaschen mit Milchbranntwein,
Kameelmagen, die mit Käse gefüllt waren und mehrere Stücke
Fleisch von einem frisch geschlachteten Schaafe, mit dessen
Pelz sich der Sohn des Ministers umwunden hatte. Mehrere
Richter, die zur Zeit anwesend waren, saßen auf kleinen
Filzteppichen und bildeten, theils als berathende Gruppen, theils
als tiefsinnig schweigende Individuen einen großen Kranz der
edelsten Kalmücken rund um einen eisernen Kessel mit Theesuppe, die aus kleingeschnittenem Tafelthee, Milch, Schaaffett
und Salz in der Mitte des Zeltes über getrockpetem glühenden Mist und brennenden Reisern bereitet wurde. Rauch und
Wasserdämpfe, welche die innern Räume erfüllten und nicht
zu allen Zeiten eine Durchsicht gestatteten, ließen einzelne
Gruppen vor meinen Blicken erscheinen und wieder verschwinden.

Ein blaues Himmelslicht, welches von dem Gipfel des
Zeltes durch eine kreisförmige Oeffnung drang, bahnte sich
bisweilen einen Weg durch die Dämpfe, und verbreitete über
die Richter einen magischen bläulichen Schein; oft aber wurden die rothen Reflexe des Feuers, welches unter dem Kessel hervorleuchtete, überwiegend, so daß die Anwesenden ab-

wechselnd röthlich und bläulich erschienen, im klaren oder gedämpften Licht, oder auch im sanften Farbenspiel hinter dem Nebel verschwanden.

Der Minister war mit einem weifsen Schaafspelze und blauen, rothgestreiften Beinkleidern bekleidet, und rauchte gemüthlich aus einer kurzen Pfeife. Sein volles blühendes Gesicht wurde von einer zottigen Pelzmütze beschattet. — An seiner Seite auf dem Fufsboden stand ein irdenes Gefäfs mit Streusand und ein hölzernes Tintenfafs neben dem Gesetzbuche.

Die Frau des Ministers, in einem blauen, rothgestickten Gewande und einer gelben Kosakenmütze, so wie die Mutter mit dem jüngsten Kinde hatten sich hinter den Betthimmel zurückgezogen.

Bei meinem Eintritt in das Zelt war ich zwei Schritte nach der linken Seite der Thür gegangen und liefs mich dort schweigend, und ohne zu grüfsen, mit untergeschlagenen Beinen auf dem Fufsboden nieder, weil es so die gute Sitte erfordert. Ein Kalmück mir zur Seite, der hier durch Vermittelung der russischen Sprache als Dollmetscher dienen sollte, weil ich noch nicht fertig kalmückisch sprechen konnte, mufste wie ein Kameel mit zurückgebogenen Fersen auf den Knieen liegen, weil er im Range etwas niedriger war. Es ist nicht Gebrauch, sogleich beim Eintritt in ein Zelt zu sprechen, und nur dem, welcher ein Unglück zu verkünden hat, ist solches erlaubt. Nach längerem Schweigen gab der Minister meinem Dollmetscher ein Zeichen, dafs die Unterhaltung beginnen könne.

Der erste Gebrauch, den ich von der Redefreiheit machte, war der, dafs ich um die Erlaubnifs nachsuchte, mich zuweilen platt auf den Fufsboden niederlegen zu durfen, weil der Rauch in den höheren Regionen mich oft beim Sprechen hindern möchte. Ich erzählte sodann der hohen Versammlung von meiner Pilgerfahrt aus dem Lande der Preufsen, und zwar aus meiner Heimat Berlin; von meinen Wanderungen im Lande der Schweden, die auf blendendweifsen Schnee-

gefilden und in blutrothen Häusern wohnen, und in Norwegen, wo die Bewohner ihre Asyle, wie Vögel ihre Nester,
zwischen hohen Felsparthieen und in Schluchten bauen; —
von meinen Streifereien bei den Lappländern, die hoch oben
auf dem Rücken des riesigen Gebirges, über den tiefen Schnee
auf neun Fufs langen hölzernen Schuhen, in Gesellschaft ihrer
schnellfüfsigen gehörnten Rennthiere herumwandern;. — von
meiner fernern Reise bei den Finnen, die in ihren endlosen
Wäldern mit den Wölfen kämpfen und sich von getrocknetem
Brote und Baumrinde ernähren, so wie auch bei den Bewohnern am nördlichen Ende der Welt, die im Winter, wenn die
Sonne sich verbirgt, von farbigen Nordlichtern umgeben, im
Halbdunkel herumwandeln.

Ich zeigte der hohen Versammlung mehrere Malereien,
die ich bei verschiedenen Völkern angefertigt hatte; unter Anderen tartarische Männer mit rasirten Köpfen und langen Bär-
ten und ihre Frauen mit künstlich roth gefärbten Haaren und
Fingerspitzen; russische Bauern in farbigen Blousen, und über-
müthige Brautjungern, die sich beeilen, den Hochzeitsgast zum
Dank für ein dargebrachtes Brautgeschenk zu küssen; eine
von ihren Brautjungfern umgebene Braut bei den Dalekar-
liern, die, mit bunten Glasperlen behängt dem Publikum öffent-
lich zur Schau ausgestellt ist; und eine tatarische Braut, welche
man, tief verschleiert, geheimnifsvoll nach dem finsteren Gemache des Bräutigams führt.

„Dergleichen Sittengemälde — sagte ich — wünsche ich
auch bei den Kalmücken anzufertigen, wozu ich den Schutz
und Beistand des Ministers und der hohen Versammlung an-
rufe. Nachdem ich meine Arbeiten hier beendet haben werde,
will ich meine Wanderungen zu den übrigen Völkern der
Erde fortsetzen, und endlich die Bilder aller Welt in einer
Sammlung vereinigen. Mannigfach sind die Gebräuche überall;
wo sie kindlich geblieben sind, da tragen sie noch zum Glücke
der Menschen bei; am tollsten findet man sie bei denen, die
sich am klügsten dünken. — In meiner Sammlung sollen die
Völker Gelegenheit haben, sich gegenseitig kennen zu lernen;

haben sie erst mit einander Bekanntschaft gemacht, so lernen
sie sich lieben, und wenn sie einander recht verstehen, dann
lernen, sie sich zu ihrem Heile auch wohl endlich selber
kennen."

Nachdem ich, meine Rede beendet hatte, schlossen die
Rathsherren einen engeren Kreis um den Minister, einige
setzten sich mit untergeschlagenen Beinen nieder, andere,
welche einen geringeren Rang bekleideten, knieeten wie Kameele, und nur die höchsten Herrschaften waren berechtigt,
sich nach Belieben auf den Bauch oder auf den Rücken zu
legen.

Die Gemahlin des Ministers drängte sich ebenfalls heran,
mit der Absicht, wie ich aus ihren zur Zeit mit dem reinsten
Himmelslicht beleuchteten Gesichtszügen schließen konnte,
mein Gesuch zu unterstützen. Der Beschluß der Versammlung fiel jedoch für mich nicht unbedingt günstig aus. Eine
Unternehmung wie die meinige war hier noch nicht vorgekommen und daher im Gesetzbuche nicht vorgesehen. Der
Minister, welcher jetzt wieder seine Beleuchtung vom Flam-
menlicht unter dem Kessel erhielt, wollte die Verantwortlich-
keit nicht übernehmen und faßte den Beschluß, einen Eilboten
an den Fürsten zu entsenden und seine Befehle zu erwarten,
mir aber vorgängig eine Wohnung bei einer Familie in der
Nähe zu gewähren.

Der Bote mit den nöthigen Instructionen wurde entsendet und ich begab mich auf den Weg nach meiner neuen
Wohnung; doch hatte ich dieselbe noch nicht erreicht, als ich
bemerkte, wie die Frau des Ministers nach dem Zelte der
Gemahlin des Fürsten eilte, und bald darauf erhielt ich den
Befehl, einige von meinen Gemälden dorthin zu schaffen. —
Nach Verlauf von einer halben Stunde empfing ich dieselben
wieder zurück und sahe zugleich einen Diener der Fürstin
auf einem edlen Renner aus der fürstlichen Heerde in gestrecktem Galopp über die ausgedehnte Ebene dem von Minister fortgeschickten Boten nacheilen, offenbar in der Absicht,
demselben den Vorsprung abzugewinnen. Mir blieb nun über

das Gelingen meines Unternehmens kein Zweifel mehr übrig,
denn wo man den Beifall der Frauen gewinnt, erreicht man
sicher sein Ziel!

Die Hausfrau der gastfreundlichen Familie, unter deren
Obdach ich die Enthüllung meines nächsten Schicksals erwarten sollte, beeilte sich, ein Lamm aus der Heerde zu holen,
dasselbe im Zelte zu schlachten und zu bereiten; und die
übrigen Personen, grofs und klein, unterwarfen meine Persönlichkeit während der Zeit einer strengen Kritik, um wo
möglich die Eigenschaften zu entdecken, wodurch sich ein
Preufse von einem Kalmücken unterscheidet. — Ihre Studien
wurden jedoch bald durch das Erscheinen eines fürstlichen
Dieners unterbrochen; derselbe kam im Auftrage der Fürstin
Mutter, welche so eben von einem Spazierritte zurückgekehrt
war und die Gemälde zu sehen wünschte, welche den Beifall
ihrer Tochter erworben hatten.

Ich beeilte mich, ihren Wunsch zu erfüllen und hatte
nach einiger Zeit das Vergnügen, ein Zeichen ihrer Gunst zu
empfangen; sie sendete mir nämlich eine lederne Flasche mit
Milchbranntwein — die Flasche jedoch sollte ich, wie der
Ueberbringer bemerkte, wieder zurückschicken, nachdem ich
die darin befindliche Flüssigkeit verzehrt haben würde.

Am folgenden Tage kehrten die beiden Eilboten, bestäubt
und auf schweifsbedeckten Pferden zurück, und ich sahe bald
nachher eine Karavane über die Steppe daher ziehen. — Ein
Mann in einem mit silbernen Tressen besetzten Kaftan führte
ein Kameel, welches mit Bündeln von rothbemalten Stangen,
kameelwollenen Decken, Schnüren und anderen Utensilien,
die zu einem Zelte gehören, belastet war. Auf einem zwei-
räderrigen Karren befand sich das nöthige Hausgeräth, welches in einem eisernen Kessel, einem Dreifufs und einigen
hölzernen Näpfen bestand. Dem Karren folgte ein Mann, von
dessen Beinkleidern die obere Hälfte aus rothem und die untere aus blauem Stoffe bestand, der ein fettes Schaaf mit sich
führte. Die Karavane lagerte sich auf einem Platze zwischen
dem Götzentempel und dem Hoflager, und in wenigen Minuten

erhob sich daselbst ein prächtiges Zelt, welches mir zur Wohnung dienen sollte.

Von dem Minister erhielt ich die Nachricht, dafs der Fürst mein Gesuch genehmige und mir während der Zeit meines Aufenthaltes hierselbst einen eigenen Haushalt bestimmt habe, von welchem ich nunmehr Besitz nehmen könne. Ein Dolmetscher und zwei Diener sollten zu meiner Verfügung stehen und jeden dritten Tag mir zu meinem Unterhalt aus der fürstlichen Heerde ein fettes Schaaf geliefert werden, dessen Fell jedoch Eigenthum der fürstlichen Schatzkammer verblieb.

Mein Hausstand war schon völlig geordnet, als ich von demselben Besitz nahm. In der Mitte des Zeltes brannte ein lebhaftes Feuer unter dem eisernen Kessel und die Dienerschaft war beschäftigt, von dem geschlachteten Schaafe das Fell abzuziehen, um es dem Fürsten aufzubewahren. Während unser Mahl bereitet wurde, fanden sich verschiedene Gäste bei uns ein; es waren gröfstentheils solche, in deren Haushaltung heute nicht gekocht wurde und die sich deshalb nach einem rauchenden nachbarlichen Schornstein umgesehn und den meinigen entdeckt hatten. — Aufserhalb des Zeltes hatten sich die Hunde aus der Umgegend gesammelt, die durch den Wohlgeruch des fürstlichen Geschenks herbeigelockt worden waren und ihre schnüffelnden Nasen unter der Filzbedeckung durch das Gitterwerk des Zeltes steckten. Der Dolmetscher, welcher auch zugleich mein Ceremonienmeister und Haushalter war, theilte ohne Ansehen der Person die Fleischpórtionen unter die Anwesenden aus, so dafs zum andern Tage nur wenig von dem fetten Schaafe zurückblieb und wir bald genöthigt waren, uns selbst nach einem rauchenden Schornstein umzusehn.

Meine erste Arbeit bestand darin, mir aus rothen Zeltstangen und Schnüren eine Staffelei anzufertigen und die Farben in meinem Malkasten zu ordnen, die durch einen mehrtägigen Ritt auf dem Wege hierher wild durch einander

geschüttelt worden waren. Sodann liefs ich die Fürstin er-
suchen, mir eine Audienz zu ertheilen und zur Anfertigung
ihres Bildnisses eine Sitzung zu gewähren. Meine Wünsche
sollten erst nach einigen Tagen in Erfüllung gehen, weil, wie
ein geschwätziges Hoffräulein meinem Abgeordneten als Ge-
heimnifs anvertraute, die Fürstin zuvor das Innere ihrer Wohnung ausschmücken und sich von ihren Hofdamen ein neues
Kleid anfertigen lassen wollte.

Ich hatte einstweilen nichts Besseres zu thun, als mein
Atelier ebenfalls nach den Umständen auf das Beste auszu-
schmücken, indem mein Ceremonienmeister der Meinung war,
dafs ich mich noch nicht mit Malen beschäftigen dürfe, weil
es nicht höflich sei, einen Unterthan zu malen, ehe noch das
Bildnifs der Fürstin beendet sei.

Ueberhaupt, äufserte er, würde ich wohl thun, bei den
Kalmücken eine gewisse Rangordnung bei meinen Arbeiten zu
beobachten und nach dem Porträt der Fürstin zunächst den
Lama und die Priesterschaft, sodann den Minister mit den
Rathsherren, den hohen und den niedern Adel und zuletzt das
Volk zu malen.

Nach dieser Anordnung wäre ich wohl etwas mit Arbeit
überhäuft gewesen und hätte nicht weniger als 100000 Personen zu malen gehabt; um aber niemand zu beleidigen, ent-
warf ich den Plan, die Fürstin im Vordergrunde eines Bildes
an der Spitze ihres wandernden Volkes darzustellen, welches
sich im Hintergrunde in Staub und Nebel verliert. Wer sodann sein Porträt im Bilde vermisse, dem könne ich leicht
begreiflich machen, dafs er sich noch in zu grofser Entfernung
befinde, um jetzt schon sichtbar zu sein.

Noch hatte ich diesen Entwurf nicht beendet, als ein
Mann zu uns hereintrat und den Tod eines Nachbars anzeigte.
Meine Leute beeilten sich, alle auf dem Fufsboden stehenden
Gegenstände an den Wänden aufzuhängen und zu befestigen,
und einer von ihnen ging hinaus um kleine Pfähle, welche in
der Erde steckten und woran das Zelt mit Stricken gegen
den Wind befestigt war, herauszuziehen. Sodann stellten sie

sich an den Wänden im Innern des Zeltes in gleichen Entfernungen von einander auf, hoben das ganze Gebäude einige
Zoll über den Boden empor und trugen es fort. Ich hatte
Staffelei und Malkasten ergriffen und ging mit, ohne die Ursache dieser sonderbaren Wanderung zu kennen und ohne zu
wissen, wo sich das Atelier mit dem Maler niederlassen würde.
Durch die offene Thür bemerkte ich, dafs die Zelte meiner
Nachbarn ebenfalls in Bewegung waren und den Anblick eines
wandernden Dorfes gewährten.

Die Zelthütten der Kalmücken haben eine sehr sinnreiche
Construction; die Gestelle derselben bestehen aus mehreren
hundert fest in einander gefügten Stäben und bilden ein be-
wegliches Ganze, welches nur mit Stricken an kleinen Pfählen
in der Erde gegen den Wind befestigt wird, die aber weder
zur Form noch zum Zusammenhange des Zeltes etwas beitragen, so dafs dasselbe von dem Lagerplatze, auf dem es
steht, vollkommen unabhängig bleibt.

Wir bewegten uns unter unserm Obdache einige hundert
Schritte vorwärts, liefsen uns dann nieder und suchten die
alte Ordnung wieder herzustellen. Unsere Wanderung war
für diesmal keine von den Zügen der ganzen Horden mit den
Heerden, bei welcher Gelegenheit die Zelte gröfstentheils auseinander genommen und durch Kameele transportirt werden;
es war nur unsere Absicht, wie ich später erfuhr, uns von
dem verstorbenen Nachbar zu entfernen, dessen Leiche auf
dem Platze seines Sterbelagers unter einigen Steinen begraben worden war.

Bei Begräbnissen ist gewöhnlich ein Priester gegenwärtig, welcher unter verschiedenen Gebeten und Ceremonien
die Leiche mit verschiedenen Zeichen einsegnet, damit die
Seele nicht, zur Strafe für ein ungesühntes Verbrechen, nach
dem Tode mit dem Körper vereint bleiben möge Zuweilen
wird auch die Haut der Leiche aufgeritzt, in der Absicht, der
Seele den Ausgang zu erleichtern. Wenn man sich überzeugt
hält, dafs die Seele den Körper verlassen hat, wird derselbe
mit Hülfe von einem der fünf mongolischen Elemente, Holz,

Feuer, Erde, Eisen oder Wasser zur Ruhe gebracht und entweder in die Erde vergraben, in's Wasser versenkt, verbrannt
oder auch mit Steinen verdeckt; die Wahl der Begräbnifsart
beruht auf dem Geburtsjahr des Verstorbenen.

Die Jahre der Kalmücken werden nach zwölf Thieren
benannt, als: Maus, Rind, Tiger, Hase, Drache, Schlange, Pferd,
Schaaf, Ochse, Huhn, Hund, Schwein. Diese Benennungen
werden vervielfältiget durch Beifügung eines der genannten
fünf Elemente, so dafs 60 Jahre einen Cyklus bilden, in welchem die Reihefolge noch durch männlich und weiblich ab-
gewechselt wird. Der Cyklus beginnt mit einem männlichen
Holz Mäusejahr; das folgende wird ein weibliches Holz Och-
senjahr, ferner folgen männliches Feuer Tigerjahr, weibliches
Feuer Hasejahr u. s. w. Wenn ich bei den Kalmüken mein
Lebensende gefunden hätte, so würde mein Körper in's Wasser versenkt worden sein, weil das Jahr meiner Geburt ein
männliches Wasser Pferdejahr war.

Von meinem Dolmetscher hatte ich bereits die Regeln
kalmückischer Etiquette erlernt, als ich den Befehl erhielt, vor
der Herrscherin zu erscheinen. Nicht ohne einige Befangenheit, doch aber mit Zuversicht, welche das Bewufstsein die
Protection der Gebieterin gewonnen zu haben, einflöst, begab
ich mich mit meiner Dienerschaft auf den Weg. Der Dolmetscher eröffnete den Zug. — Seine Bekleidung bestand in
einem gelben kameelwollenen Kaftan, mit silbernen Tressen
besetzt und weiten blauen Beinkleidern; auf seiner viereckigen
Mütze war ein rothes seidenes Läppchen befestigt, worin ein
auf Papier geschriebenes Gebet als Talisman eingenäht war.
Sein lederner Leibgurt war rund herum mit silbernen Knöpfen
besetzt, und an demselben hing ein kurzes Messer in einem
ledernen Futteral und ein lederner Tabacksbeutel. In der
linken Hand trug er meine Staffelei und mit der rechten hob
er in regelmäfsigen Zwischenräumen eine kurze Tabackspfeife
zum Munde empor. In einiger Entfernung folgte ich selbst,
in meiner Eigenschaft als Maler, und hinter mir die beiden
Diener mit Pinsel, Pallette und Malkasten. Vor dem Zelte

der Fürstin, welches sich nur durch seine Größe von den Wohnungen der Unterthanen auszeichnet, wehete eine kleine weiße Flagge an einer roth bemalten Stange. Als wir uns bis auf zehn Schritte dem Zelte genähert hatten, entfernten sich meine Diener zu beiden Seiten des Einganges, vor welchem ein Vorhang plötzlich zurückflog, und ich bewegte mich langsam und mit niedergeschlagenen Augen hindurch. — Im inneren Raum, drei Schritte von der linken Seite der Thür, war ein Teppich für mich ausgebreitet, worauf ich mich knieend niederließ.

Bei meinem Eintritte in das Zelt hatte ich nicht unterlassen können, gegen die Etiquette zu sündigen, indem ich es wagte, meine Augen einen Augenblick zu erheben, wobei ich die Bemerkung machte, daß die Fürstin im Kreise ihres Hofstaates mit niedergeschlagenen Augen und unbeweglich saß. Der Dolmetscher war hinter mir hereingetreten und hatte sich in der Mitte des Zeltes hingekauert, woselbst die männliche Dienerschaft beschäftigt war, einen Haufen getrockneten Düngers in Gluth zu erhalten, welcher dazu bestimmt war, die innern Räume des Zeltes zu erwärmen.

Noch längere Zeit herrschte ein tiefes Schweigen. Die feine gesellige Sitte bei den Kalmücken gebietet, daß man schweigend und geräuschlos in einer Gesellschaft erscheine, um dieselbe in einem begonnenen Gespräch oder einer Beschäftigung nicht zu stören; und erst nach längerer Anwesenheit, wenn man den Sinn der Unterhaltung richtig aufgefaßt hat, darf man sich in dieselbe mischen.

Diese, wie so manche in ihrem Ursprung löbliche Sitte der Menschen ist auch hier zu einer belästigenden leeren Ceremonie geworden.

Als die Zeit gekommen war, wo ich, ohne unhöflich zu sein, mich etwas in dem Zimmer umsehen konnte, bemerkte ich, daß die Fürstin ihre Augen schon erhoben hatte. — Sie saß der Thür gegenüber mit untergeschlagenen Beinen auf einem niedrigen Divan unter einem rothen Thronhimmel, der mit farbigen Bändern bunt verziert war. Ueber einem län-

geren Gewande trug sie einen kurzen Kaftan von gelber, mit
Gold- und Silberfäden durchwirkter Seide, welcher von einem
silbernen Leibgurt zusammengehalten wurde. Eine rothe viereckige Kopfbedeckung, mit rothen Vogelfedern geschmückt,
bildete eine Krone, unter welcher zu beiden Seiten des Ge-
sichts ihr glänzend schwarzes Haar, zum Theil in schwarze
Sammthülsen eingehüllt, herabfiel und die nach unten durch
Flechten von Pferdehaar verlängert worden waren. Vor dem
Divan stand der Sohn der Fürstin, ein Knabe von etwa vier
Jahren, mit einem violetten seidenen Kaftan bekleidet, und
zur Seite knieeten zwei Dienerinnen in langen blauen, über
der Brust mit rother Wolle gestickten Gewändern. Zur rechten Seite der Fürstin stand ein Altar mit metallenen Hausgötzen, die mit verschiedenfarbigen Röckchen bekleidet waren
nnd vor demselben befanden sich kleine, mit Schnitzwerk ver-
sierte Tischchen, auf welchen silberne Opferschalen mit Speis-
und Trankopfer standen.

Auf der andern Seite waren Transportkasten übereinander
gestellt und mit persischen Teppichen verkleidet; mit ähnlichen
Tapeten war auch der Fufsboden bedeckt. Die zarte Musik
einer Spieldose tönte zu mir herüber, welche, wie es mir
schien, unter dem Divan der Fürstin verborgen war.

Als die Zeit des höflichen Schweigens und der Ruhe vorüber war, nahm die Fürstin einen Stickrahmen vor sich auf
die Kniee und die Dienerinnen begannen die Wolle zu der
Arbeit der Gebieterin aufzuwickeln. Ich hatte meine Staffelei
vor mir aufgestellt und begann mit einem Entwurf der Figu-
rengruppe im Zelte, wovon ich zuerst das Bildnifs der Fürstin
ausführte.

Während der Arbeit wurde es mir sehr beschwerlich, auf
den Knieen zu liegen, wie es die Etiquette in der Nähe der
Herrscherin gebietet, jedoch auf mein Ansuchen erhielt ich
die Erlaubnifs, meine Beine vor mir auszustrecken. Nach
einiger Zeit wurde in hohen hölzernen Kannen eine Theesuppe
hereingetragen. Ein Diener füllte den Thee in hölzerne
Schälchen, nachdem die Hausgötzen ihren Antheil erhalten

hatten, und präsentirte denselben, auf den Knieen laufend, im Kreise herum.

Die Fürstin hatte mit mir eine Unterhaltung über mein Vaterland und dessen Herrscherfamilie angeknüpft, welche nur sehr langsam von Statten ging, weil der gute Ton es erforderte, zwischen Rede und Antwort eine längere Pause inne zu halten; diese Pause wird znm Nachdenken verwendet, um eine möglichst kluge Antwort zu ersinnen, damit die Unterhaltung nicht zum leeren Geschwätz werde. Der Dolmetscher schwieg einige Minuten, ehe er mir die Rede der Fürstin übersetzte, eben so lange mufste ich meine Antwort zurückhalten, die sodann erst nach einer laugen Pause der Fürstin übersetzt wurde.

Im Laufe unseres bedächtigen Gespräches war die Spieldose abgelaufen, die Töne folgten langsam auf einander und droheten endlich ganz zu verklingen, als ich hörte, wie sie wieder aufgezogen wurde. Ich fragte den Dolmetscher, ob eine Person unter dem Divan der Fürstin, von wo ich das Geräusch vernahm, verborgen sei, und erwartete eine direkte Antwort in russischer Sprache von ihm; er hielt dies jedoch für eine officielle Frage und übersetzte dieselbe mit gewohnter Feierlichkeit in's Kalmückische, wodurch die ernste Etiquette für einige Zeit unterbrochen wurde, indem die Fürstin und die Anwesenden sich vergebens bemühten, ihre Heiterkeit zu unterdrücken.

Die Fürstin hatte die Spieldose von einem armenischen Kaufmann eingetauscht und war der Meinung gewesen, dafs einem preufsischen Manne die Erfindung noch neu sein müsse; als sie sich aber hierin getäuscht sah, so erhielt ein junges Mädchen, die verborgene Virtuosin, Erlaubnifs, mit ihrem Instrumente unter dem Divan hervorzukriechen.

Die Kunst ist bei den Kalmücken nicht ganz unbekannt; ihre Priester malen die Götter, von denen sie mehrere tausend verehren, mit Wasserfarben auf Papier, allein eine Person ähnlich zu malen, war ihnen bisher noch nicht gelungen. Das Porträt der Fürstin, als ich dasselbe beendet hatte erregte

deshalb hier ein allgemeines Erstaunen; die Fürstin äufserte
den Wunsch, dasselbe zu behalten, und dafs ich mir ein zweites malen möge, und die Kalmücken pilgerten aus der Nähe
und Ferne herbei, um das Bildnifs ihrer Gebieterin zu
sehen. —

Der Lama und alle Personen, welche ich später noch
malte, fühlten sich dadurch geehrt und geschmeichelt und
meinten, ich wäre der gröfste Künstler bei den Kalmücken.

Auszug aus einem Bericht über die Fahrt des der russisch-amerikanischen Compagnie gehörigen Schiffes „Knjas Menschikow" nach Japan*).

Der Vorschrift Ew. Excellenz vom 24. Mai d. J. gemäfs, verliefs ich am Bord des mir anvertrauten Schiffes „Knjas Menschikow" den Hafen von Neu-Archangel am 29. Mai und richtete meinen Curs nach Port Simoda, auf der japanischen Insel Nipon. Die Fahrt wurde durch widrige Winde und Stillen sehr verzögert; erst am 26. Juli erreichten wir die Länge von 219° W. von Greenwich und begannen, bei einem frischen Winde aus W.S.W., uns den Küsten Japans zu nähern. Am selben Tage erblickten wir die Insel St. Peter, am Morgen des folgenden zeigte sich uns die Südinsel, dann die Insel Fatsisio, die Felsen Broughton, Vulcan, Broken und Vries. Alle diese Eilande sind auf den Karten ungenau angegeben, was in Verbindung mit den starken Strömungen, deren Richtung nicht bekannt ist, die Fahrt in den hiesigen Gewässern sehr gefährlich macht. Am 28. Juli entdeckten wir im N.W. die hohe Bergkette, welche die Halbinsel Isu bildet, an deren südwestlicher Spitze der Hafen Simoda gelegen ist. Indem wir uns dem hohen, felsigen, von einzeln stehenden Klippen umgebenen Ufern nä-

---

*) An den Gouverneur der russisch-amerikanischen Colonieen abgestattet von dem Schiffer Lindenberg, Commandeur des „Knjas Menschikow" (unterm 17. October. 1852).

herten, bemerkten wir eine kleine Insel, etwa vierzig Fufs
hoch, die sich in einer Entfernung von 5 Meilen gerade vor
der Bai befindet und als sicheres Kennzeichen für die Einfahrt
in den Hafen dient, der sonst schwer aufzufinden wäre. Zwischen dieser Insel und dem südwestlichen Vorgebirge der
Bai liegen noch zwei Eilande oder vielmehr Felskuppen (ke-
kura), durch welche man nicht fahren kann, an deren beiden
Seiten aber der Weg allem Anschein nach frei ist, wie uns
auch die Japanesen versicherten.   Wir liefsen alle diese Inseln zur Rechten und steuerten auf das südwestliche Vorgebirge der Bai zu, da der Wind zur Einfahrt etwas steif
war, segelten dann zwischen diesem Vorgebirge und dem zwei
Kabeltau-Längen davon entfernten Riff (podwodny kamen),
um welches bei niedrigem Wasser die Brandung spielt, hindurch und richteten unseren Curs nach einer kleinen Insel,
die mitten in der Bucht liegt und an deren beiden Seiten sich
Eingänge in den Hafen eröffnen.   Als wir uns der Insel nä-
herten, kamen uns einige Böte entgegen, deren Mannschaft
uns durch Geschrei und Zeichen zu verstehen gab, dafs wir
nicht weiter gehen, sondern dort Anker werfen möchten; ohne
jedoch auf sie Acht zu geben umsegelten wir die Insel und
ankerten hinter derselben in einer Tiefe von 6 *Sajen.*
    Indem ich, ohne mich auf der Rhede aufzuhalten, gera-
deswegs in den Hafen hineinfuhr, wollte ich den Japanesen
dadurch die Möglichkeit benehmen, mir die Einfahrt zu verbieten, was sie unfehlbar gethan hätten, wenn ich auf der
Rhede geblieben wäre.   Letztere ist aufserdem nach dem
Meere ganz offen, und selbst der sogenannte Hafen bietet
keinen sicheren Ankerplatz dar.   Die vorliegende Insel ist zu
klein, um vor dem Wellenschlag zu schützen, und die auf den
Karten angezeigten Buchten sind für den Seefahrer werthlos,
wovon ich mich selbst überzeugte, indem ich in die beste
derselben (die östliche) hineinsegelte, aber, da ich nicht den
mindesten Schutz gegen die von Süden und Süd-Westen wehenden Seewinde fand, nach meiner vorigen Ankerstelle zurückkehren mufste.

Die Simoda-Bai ist von hohen Bergen eingeschlossen, die bis zum Gipfel mit dichtem Grün bedeckt sind; das Land scheint äußerst gut angebaut und ist reich an malerischen Schönheiten. An der Westküste der Bai liegt die Stadt Simoda, an einem kleinen Flüßchen, welches übrigens tief genug ist, um die größten Dschonken aufzunehmen. Die Stadt ist zwar nicht groß, hat aber für den Handel Wichtigkeit, da sie auf dem Wege von Nangasaki und den andern westlichen und südlichen Häfen Japans nach der Hauptstadt Jeddo liegt.

Wir hatten kaum Anker geworfen, als von allen Seiten auch Gäste, mehrere hundert an der Zahl, herbeiströmten, so daß Verdeck und Cajüten bald ganz von ihnen angefüllt waren. Um nur etwas Ordnung zu erhalten und im Stande zu sein, uns mit den Schiffsarbeiten zu beschäftigen, bat ich sie, nicht alle zugleich an Bord zu kommen, sondern der Reihe nach, worauf sie jedoch erwiederten, daß sie eilen müßten, das Schiff zu besichtigen, da mit der Ankunft des Gouverneurs ihnen jede Möglichkeit dazu benommen wäre.

Kurz darauf erschien der Gouverneur der Stadt in Begleitung einer Menge Offiziere und Beamten. Sie fragten unsere sieben Japanesen aus, untersuchten das Schiff und schrieben Alles sorgfältig auf. Ich lud sie in die Cajüte ein und setzte ihnen den Grund unsrer Herreise auseinander, mit dem Bemerken, daß ich ein von Ew. Exc. an den Gouverneur der Stadt gerichtetes Schreiben in Händen habe, welches ich ihm zu übergeben, und seine Antwort darauf zu empfangen wünsche. Der Gouverneur dankte uns im Namen der japanischen Nation für die Rettung seiner schiffbrüchigen Landsleute und für die ihnen während ihres Aufenthalts in Russland erwiesnen Wohlthaten; während er dieses sagte, gab er durch Zeichen zu verstehen, daß das menschenfreundliche Benehmen der Russen ihn bis zu Thränen rühre. Da er aber, fuhr er fort, nicht das Recht habe, ohne Erlaubniß der Regierung in Jeddo mit Ausländern in irgend welche Verbindung zu treten, so könne er weder die von uns mitgebrachten Japanesen, noch das an ihn gerichtete Schreiben annehmen. Nachdem ich ihm lange

zugeredet, bat er mich, ihm das erwähnte Document zu zeigen; als ich ihm dasselbe überreichte, empfing er es mit allen
Zeichen der Ehrfurcht (indem er es auf sein Haupt legte),
öffnete es und erklärte, nachdem er es durchgesehn, dafs obgleich die Buchstaben den ihrigen glichen, er den Inhalt nicht
verstehe, und da er das Schreiben nicht annehmen könne, so
bitte er, eine Copie davon anfertigen und nach Jeddo schicken
zu dürfen, wo man Dolmetsche für die chinesische Sprache
habe, in der es, wie ich ihm sage, abgefafst sei.   Da ich so
bald als möglich den Zweck unserer Expedition zu erreichen
wünschte — nämlich die japanische Regierung von den Forderungen Ew. Exc. in Kenntnifs zu setzen*) und eine Antwort
auf das Schreiben zu erhalten — und da, nach dem Anfang
unserer Verhandlungen mit den Japanesen zu urtheilen, sie
aller Wahrscheinlichkeit nach das Papier nicht annehmen würden, ohne erst den Inhalt zu kennen, so gestattete ich dem
Gouverneur, es zu copiren; als ich ihm meine Einwilligung
zu erkennen gab, nahm er einen Pinsel und Dinte aus dem
Gürtel, bat sich das Schreiben wieder aus und begann, eine
Abschrift davon zu nehmen. Als er damit fertig war, stellte
er mir das Papier zurück und fragte, ob wir nicht irgend etwas bedürften? Ich erwiederte, dafs wir allerdings nach einer
so langes Fahrt frisches Wasser und Lebensmittel, wie Fische
und Fleisch, zu haben wünschten und natürlich für Alles bezahlen würden. Er erklärte sich vollkommen bereit, unsere
Wünsche zu erfüllen, bemerkte aber vor dem Abschiede, dafs
er Wachtböte um das Schiff stellen müsse und nur bitte, Niemanden ans Land zu schicken; wenn ich selbst gehen wolle,
so möchte ich es ihm erst anzeigen, und er werde mich dann
begleiten. Ich hätte sein Anerbieten gern auf der Stelle benutzt; es war jedoch schon finster, und ich fürchtete durch
Verrathung einer zu grofsen Neugier das bekannte Mifstrauen
der Japanesen zu erregen. — Am selben Abend brachte uns

---

*) Worin diese „Forderungen" des russischen Gouverneurs bestanden,
wird nicht angegeben.

der Hafencapitàin etwas Wasser und getrocknete Fische, und
entschuldigte sich, dafs es schon zu spät sei, frische herbeizu-
schaffen. Um das Schiff wurden sechs Wachtböte in einer
Entfernung von 20 bis 30 *Sajen* aufgestellt.

Am folgenden Tage kam der Gouverneur von neuem
mit Gefolge zu uns an Bord und befragte abermals unsere
Japanesen um alle Einzelheiten ihres Schiffbruchs, ihres Aufenthalts bei den Russen, ihres Umgangs mit denselben, über die
Speisen, die man ihnen gab, u. s. w. Alles dieses wurde sorgfältig aufgeschrieben; alsdann untersuchten sie das Schiff und
die Kanonen, liefsen sich die Flinten und Pistolen zeigen,
fragten, ob wir im Schiffsraum noch Kanonen hätten, wie viel
Schiefsgewehr, Pulver, Kanonen- und Flintenkugeln vorräthig
wären, und notirten sich sorgfältig meine Antworten; endlich
erschienen Maler, die von den Böten aus das Schiff zeichne-
ten und dann, auf das Verdeck steigend, die verschiedenen
Theile desselben aufnahmen. Ich liefs den Gouverneur und
seine vornehmsten Beamten in die Cajüte eintreten und zeigte
ihm an, dafs ich ans Land zu gehen wünsche; er sagte aber,
dafs er mir dieses nicht erlauben könne, ehe die Entscheidung
aus Jeddo erfolge. Als ich ihn an sein gestriges Versprechen
erinnerte, schien er verlegen, wiederholte aber statt aller Erklärung, dafs wir unter keiner Bedingung ans Land gehen
könnten.

Unterdessen fuhren die Japanesen fort, das Schiff zu besuchen, obwohl nicht anders als im Gefolge des Gouverneurs
und des Hafencapitains, die nur in amtlichen Angelegenheiten
kamen. Sie zeigten sich den Russen sehr gewogen, waren
höflich und leutselig, besahen Alles mit Aufmerksamkeit und
fanden namentlich an ihren Waffen Gefallen, schlugen aber
alle Geschenke aus und wollten eben so wenig etwas kaufen,
indem sie auf unsere Anerbietungen stets die Antwort gaben,
dafs sie gern Alles in Augenschein nähmen, aber nichts kaufen könnten, indem es nur allein in Nangasaki erlaubt sei, mit
Ausländern zu handeln. Der Gouverneur befragte unsere Japanesen lange Zeit über Kamtschatka, Ochotsk, Sitcha und die

kurilischen Inseln, und es schien, dafs die japanische Regierung
die Nachbarschaft der Russen nicht wenig fürchte.

Mit jedem Tage wuchs die Strenge der Aufsicht, unter
der wir gehalten wurden, und die Zahl der Wachtböte vermehrte sich unablässig; sie waren mit Soldaten besetzt, welche
Niemanden in den Kreis hineinliefsen, der von den Böten um
das Schiff gezogen wurde. Man brachte uns indessen sieb-
zehn Fässer Wasser, einige Hühner, Eier und frische Fische,
entschuldigte sich aber wegen des Fleisches damit, dafs es in
der Umgegend wenig Hornvieh gebe, welches nur zu Feldarbeiten gebraucht werde.

Unterdessen eilten von verschiedenen Punkten Soldaten
nach der Stadt Simoda, bewaffnet mit Musketons, Flinten und
Piken, aufser den Säbeln und Dolchen, die hier allgemein getragen werden; ganze Caravanen mit Packpferden und Büffeln
zogen an unserem Schiffe vorbei längs dem Meeresstrande, an
welchem die von dem Innern des Landes nach Simoda führende Strafse liegt, und obwohl wir wegen der Dunkelheit
nicht unterscheiden konnten, was sie mit sich schleppten, so
schlossen wir doch, dafs es Kanonen seien, da unserm Schiffe
gegenüber, in einer Entfernung von anderthalb Kabeltauen,
zwischen den Bäumen Zelte mit Flaggen hervorzuschimmern
begannen, die verdeckten Batterieen sehr ähnlich sahen.

Der Gouverneur, der Hafencapitain und andere japanische
Beamte, die unser Fahrzeug besuchten, gaben ihren Dank für
die ihren Landsleuten geleistete Hülfe mehr als einmal mit
allen Zeichen der Aufrichtigkeit zu erkennen, und da sie dieses aus eigenem Antriebe, ohne die geringste Veranlassung
von meiner Seite, thaten, so glaubte ich, dafs ihre Aeuserun-
gen mit den Ansichten der Regierung übereinstimmten und
dafs mithin die Sache einen befriedigenden Ausgang nehmen
werde. Ich machte dem Gouverner bemerklich, dafs die Russen schon früher verunglückte Japanesen in ihre Heimath zu-
rückgebracht hätten *), wodurch Russland seine freundschaft-

---

*) Vergl. dieses Archiv Bd. IV. S. 244 ff.

lichen Gesinnungen gegen Japan beweise, und daſs, wenn japanische Schiffe unsere Küsten besuchten, sie ohne Zweifel eine freundliche Aufnahme finden würden.

Am 31. kam der aus der Gouvernementsstadt Odowara angelangte Vice-Gouverneur an Bord, worauf unsere Japanesen von neuem ausgefragt und ihre Antworten aufgeschrieben wurden. Als ich mich erkundigte, wann man uns die Japanesen ab- und das Schreiben Ew. Exc. in Empfang nehmen werde, erwiederte der Vice-Gouverneur, daſs man die Ankunft eines russischen Schiffs nach Jeddo berichtet habe und vor Eingang der von dort erwarteten Verhaltungsbefehle nichts weiter unternehmen könne; ferner ließ er mich wissen, daſs der Gouverneur der Stadt Odowara zugleich mit den Befehlen aus Jeddo hier eintreffen werde. Als ich ihn bat, für die Lebensmittel und das Wasser Bezahlung anzunehmen, weigerte er sich entschieden, mit der Bemerkung, daſs es eine Kleinigkeit sei und daſs, nachdem wir so viel für seine Landsleute gethan hätten, er sich glucklich schätze, uns seine Dankbarkeit in irgend einer Weise zeigen zu können. Ich stellte ihm vergebens vor, daſs es der Würde der russischen Flagge nicht angemessen sei, etwas umsonst zu nehmen, und daſs ich nichts verlangt haben würde, wenn ich gewuſst hätte, daſs ich keine Bezahlung dafur leisten durfte; er blieb bei der Versicherung stehen, daſs er es nicht wage, etwas von mir anzunehmen.

Am Abend des 1. August begannen noch während der Dämmerung Abtheilungen Soldaten zu Fuſs und zu Pferde sich auf der längs dem Meeresufer liegenden Straſse zu zeigen, und als es dunkelte, bedeckte sich bald der ganze Weg mit zahllosen Laternen, die eine volle Stunde lang aus dem Walde hervorkamen und sich an dem Schiffe vorbei in der Richtung nach der Stadt bewegten. Unsre Japanesen erklärten mir auf meine Anfrage, daſs der Gouverneur von Odowara seinen Einmarsch halte, der ein sehr vornehmer Beamter sei und niemals in Begleitung von weniger als 700 Mann Soldaten reise.

Am folgenden Morgen näherte sich der Vice-Gouverneur
von Odowara mit einer Menge grofser Böte unserem Schiff,
stieg von seinem Gefolge umringt zu uns an Bord, liefs die
schiffbrüchigen Japanesen in einem Halbkreis um sich nieder-
knieen und begann ihnen eine lange Rede zu halten, in deren
Verlauf seine Begleiter sich tief verneigten, um ihre Ehrfurcht
vor dem von ihm gesprochenen Worten auszudrücken. Während er redete, zeigte sich allmälig auf den Gesichtern unserer Japanesen Trauer und Niedergeschlagenheit, die endlich in
trostlose Verzweiflung überging; einige von ihnen schluchzten
laut. Auf meine Frage, was dies bedeute, sagte mir der Ja-
panese Tarobe mit kaum unterdrückter Wuth, der Gouverneur
habe ihnen erklart, dafs er sie nicht aufnehmen könne und
dafs sie wieder mit uns zurückkehren müfsten. — Dieser ab-
schlägige Bescheid traf die armen Japanesen um so härter,
als er ihnen ganz unerwartet kam, indem sie nach dem anfänglichen Benehmen ihrer Landsleute gegen uns sich der sicheren Hoffnung auf einen günstigen Ausgang überlassen
hatten. Da ich mich nicht auf dem Verdeck mit dem Vice-
Gouverneur zu unterhalten wünschte, so bat ich ihn in die
Kajüte, wo er mir anzeigte, dafs er nach den aus Jeddo erhaltnen Befehlen weder die Japanesen noch das von mir mitgebrachte Schreiben in Empfang nehmen könne; da der Hafen
von Simoda den Ausländern nicht offen stehe, so habe er
auch nicht das Recht, sich mit uns in irgend welche Verbindungen einzulassen, und nach dieser entschiedenen und unwi-
derruflichen Willensäufserung der japanischen Regierung finde
er, dafs ich hier nichts weiter zu thun habe, weshalb er mich
bitte, unverzüglich wieder in See zu gehen. Vergebens stellte
ich ihm das Unpassende, ja die Grausamkeit dieses Verfahrens
gegen seine eigenen Landsleute vor, so wie die Undankbarkeit
gegen die Russen, die eine so lange und beschwerliche Seereise einzig und allein in der wohlwollenden Absicht unternommen hätten, jene unglücklichen, seit zwei Jahren zu einem
unfreiwilligen Exil verdammten Schiffbrüchigen ihrem Vaterlande und ihren Familien wiederzugeben; ich bemerkte end-

lieb, daſs wenn ich auch die Japanesen mit nach Russland
zurückführte, künftiges Jahr wieder ein Schiff mit ihnen hierher kommen würde, und daſs man sie zuletzt würde aufnehmen müssen. — Er entgegnete, daſs wir auch künftiges Jahr
und für alle Zeitfolge dieselbe Antwort erhalten würden; es
sei dies der Wille der Regierung, und könne er selbst nichts
dabei machen; indessen verriethen seine Mienen sowohl als
die aller Anwesenden deutlich, daſs sie diesen Beschluſs in
ihrem Herzen miſsbilligten, obgleich sie ihm gehorchen muſsten.
Ich äuſserte hierauf den Wunsch, eine persönliche Zusammenkunft mit dem Gouverneur von Odowara zu haben, um von
ihm selbst die Antwort entgegenzunehmen; der Vice-Gouverneur sagte mir jedoch, daſs dies unmöglich sei, daſs man ihn
beauftragt habe, sich auf mein Schiff zu begeben, um mir die
definitive Entscheidung der Behörde anzukündigen, und daſs
er mich daher bitte, den Hafen so schnell als möglich zu verlassen, wozu der Wind jetzt günstig sei. Er gab mir zu bedenken, daſs man in Bezug auf unser Schiff schon eine höchst
wichtige Ausnahme von dem japanischen Gesetz gemacht
habe, welches den Aufenthalt bewaffneter Schiffe in allen Häfen des Reichs schlechterdings verbietet, und daſs bisher alle
fremde Fahrzeuge, welche Japan besuchten, ihre Waffen,
ihre Kriegs-Vorräthe und selbst ihr Steuer-Ruder hätten abgeben müssen. — Er fügte hinzu, daſs ich meine Pflegebefoh-
lenen nach Nangasaki führen und versuchen könne, ob man
sie dort aufnehme; da ich jedoch hierin nur eine Ausflucht
sah und von einem solchen Schritt nicht den mindesten Erfolg hoffte, so entgegnete ich, daſs ich ohne den Befehl meiner Vorgesetzten nicht nach Nangasaki gehen könne, und da
ich beauftragt sei, die Japanesen in Simoda auszusetzen, so
würde ich sie in meine Schaluppe steigen lassen und sie ans
Land schicken. Er glaubte, daſs ich dies im Hafen thun wolle,
schrie, daſs es nicht möglich sei und sprang in furchtbarer
Angst von seinem Stuhl auf, um ans Ufer zu eilen. Ich hielt
ihn zurück und sagte ihm, daſs ich nicht in feindlicher Absicht
hierher gekommen sei, sondern allein um seine Landsleute

nach ihrer Heimath zurückzubringen; dafs, ich daher nicht
wünsche, durch Verletzung ihrer Gebräuche Anlafs zur Unterbrechung der freundschaftlichen Beziehungen zwischen den
Russen und Japanesen zu geben, aber zur Erfüllung des mir
ertheilten Befehls, die Schiffbrüchigen ins Vaterland zurückzuführen, sie unter allen Umständen ans Land setzen müsse,
und wenn man es mir in ihrem eigenen Interesse nicht hier
gestatte, es an einer anderen Stelle thun werde. Er gab mir
hierauf zur Antwort, dafs er nicht wisse, ob ich dies thun
könne, oder nicht, dafs er aber in jedem Fall für meine Handlungen nach Verlassung des Hafens nicht verantwortlich sei;
dort wäre ich mein eigener Herr, jetzt aber bitte er mich in-
ständigst, unter Segel zu gehen und den Hafen zu verlassen.
Da ich es nun für unklug, wenn nicht unmöglich hielt, die
Japanesen hier mit Gewalt ans Land zu setzen, und kein Mittel hatte, den Gouverneur gegen seinen Willen zur Annahme
des von Ew. Exc. an ihn gerichteten Schreibens zu bewegen — da ich auch nach den getroffenen Maísregeln überzeugt war, dafs es, im Fall ich mich hartnäckig zeigte, zu
Feindseligkeiten kommen werde, und die japanischen Kanonen-
schusse zwar nicht für sehr gefährlich achtete, aber doch unsere Flagge einer Beschimpfung nicht aussetzen wollte und
weder von Ew. Exc. ermächtigt war, noch auch die Mittel
besafs, Gewalt mit Gewalt zu vertreiben — so entschlofs ich
mich, es nicht so weit kommen zu lassen und der Nothwendigkeit zu weichen. Ich erklärte daher dem Vice-Gouverneur,
wenn er seine Landsleute nicht annehmen und sich in keine
Verhandlungen mit mir einlassen wolle, so bleibe mir nichts
weiter übrig, als seiner Bitte nachzugeben und in See zu gehen; ich würde jedoch die Japanesen in der Nähe ans Land
setzen. Er befahl hierauf einigen zwanzig um das Schiff befindlichen grofsen Böten, uns ins Schlepptau zu nehmen, verabschiedete sich von uns mit allen Zeichen aufrichtigen Wohlwollens und begab sich mit seinem Gefolge ans Ufer. Als
wir die Insel umfahren hatten, setzten wir Segel bei, schick-
ten die Böte zurück und verliefsen die Bai.

Sobald wir aus dem Hafen hinaus waren, gaben die Japanesen ihren Entschluſs zu erkennen, nicht weiter mit uns zu fahren, und baten uns dringend, sie dort auszusetzen, da sie schlechterdings in ihrem Vaterlande bleiben wollten, wenn auch ein gewisser Tod sie erwarte. Es war mir in der That unmöglich, sie mit nach China zu nehmen, wo ich das ganze Schiff mit Thee beladen muſste und keinen Platz für sie haben würde; ich sah also keinen andern Ausweg, als ihre Bitte zu erfüllen, weshalb ich die Küste entlang segelnd, eine kleine Bucht etwa fünf Meilen vom Hafen auswählte und die Japanesen auf zwei eigens zu diesem Zweck vorräthigen Koloschenböten ans Land schickte. Beim Abschiede dankten sie uns auf den Knieen für die ihnen von den Russen erwiesenen Wohlthaten, sprangen dann mit unverstellten Zeichen der Freude in die Böte und fuhren nach dem Ufer. Als wir sie bei einem groſsen, im Innern der Bucht liegenden Dorfe landen sahen, gingen wir wieder unter Segel und richteten unseren Curs nach der Küste von China.

(Morskoi Sbornik.)

29 *

Die Nijegorod'er Maschinenfabrik.

(Nach einem Russischen Aufsatz.)

Schon seit vielen Jahren werden das baltische, das schwarze, das asowsche und das kaspische Meer von russischen Handelsdampfschiffen befahren, und seit dem letzten Jahrzehent sieht man solche auf mehreren unserer gröſsten Flüsse; allein die meisten dieser Fahrzeuge und ihre Maschinen sind im Auslande gebaut, wenige verdanken ihr Dasein russischen Meistern. — Da traten unternehmende Männer, von dem Nutzen einer regelmäſsigen Dampfschifffahrt auf der Wolga durchdrungen, im Jahre 1849 zusammen und bildeten eine den Namen „Nijegorodsche Maschinenfabrikations-Compagnie" führende, Gesellschaft. Nicht der lockende Gewinn, den sie von ihren zu bauenden Wolgadampfschiffen erwarten durften, war es, der diese Männer zu einer so schwierigen und kostspieligen Unternehmung trieb, sondern einzig und allein der patriotische Wunsch die Maschinenfabrikation in Russland zu befördern *). Die Art und Weise wie sie hierbei zu Werke gingen, beweist dies vollkommen. Ehe sie auf eine Handelsspekulation bedacht waren, legten sie mit groſsen Unkosten die obengenannte Fabrik und neben derselben ein Werft an, um mitten in Russland eine Pflanzschule für den Bau von Dampfmaschinen und Dampfschiffen zu bilden, eine Anstalt die, mehr als ihnen selbst, der vaterländischen

---

*) Daſs diese Art der Entstehung das Unternehmen keineswegs empfiehlt, bedarf keines Commentares.

Industrie einen in jeder Hinsicht reellen Nutzen bringe. —
Dies ist die Nijegorodsche Maschinenfabrik mit ihrem Werft,
auf welchem bis zum März 1853 schon sieben eiserne Dampfschiffe mit ihren Maschinen und zwei Lastbarken, aus russi-
schem Eisen und von russischen Meistern, ohne alle Beihülfe
von Ausländern erbaut worden sind.

Im Juli 1849 wurde, 9 Werst von Nijne-Nowgorod, am
rechten Ufer der Wolga, unweit des Dorfes Sormowo., ein
Stück Land gekauft, auf welchem die Fabrik und das Werft
angelegt werden sollten. Im November desselben Jahrs war
die Fabrik errichtet und schon mit Anfang der Navigation von
1850 sah man auf der Wolga ein Dampfschiff auf- und ab-
fahren, das auf dem neuen Werft erbaut worden war und
seine Maschinen von der eben erst in Gang gesetzten Fabrik
erhalten hatte.

Um sich einen Begriff von der, in der Nijegorodschen Maschinenfabrik herrschenden, Thätigkeit machen zu können, muſs
man das ganze Verzeichniſs ihrer Arbeiten durchsehen. In
der ersten Hälfte des J. 1850 wurde eine Hochdruckmaschine
von 6 Atmosphären und 24 Pferdekraft für eine leichte Fracht-
barke „Lastotschka" gebaut. — 1851 wurden zwei Dampfmaschinen abgeliefert, eine von 120 Pferdekraft und mittlerm
Druck nach Maudsley's System und eine von 60 Pferdekraft
nach Penn's System. — Gegen Ende des Jahrs zwei Gebläse-
Dampfmaschinen, jede von 20 Pfd. Kr., für die Schmelzöfen
der Herren Lasarew. — Zur Navigation des J. 1852 wurden
8 Hochdruckmaschinen von 24 Pferdekraft fertig, eine davon
für die Compagnie und zwei auf Bestellung des Kaufmanns
Jurawlew. — Im Juli desselben Jahrs lieferte die Fabrik, für
das der Gesellschaft gehörende Dampfschiff „Orel", eine Hochdruckmaschine von 80 Pferdekraft und 6 Atmosphären, nach
Penn's System. — Im August desselben Jahrs eine dergleichen von 60 Pferdekraft und 6 Atmosphären nach belgischem
System, für das kaukasische Dampfschiff „Kur". — Im September eine Dampfmaschine von 90 Pferdekraft nach Wolf's
System, mit zwei Cylindern, den einen mit Hochdruck, den

andern mit niederm Druck und noch eine Maschine von 12
Pferdekraft zu einem kleinen eisernen Dampfboot. — Im März
1853 wurden 4 Maschinen beendet und in Dampfschiffen aufgestellt: eine davon mit Hochdruck von 60 Pferdekraft nach
belgischem System, 2 von 24 Pfd. Kr. nach dem Dampfwagen-
system und eine von 50 Pferdekraft mit horizontalen Cylindern auf Bestellung des Kaufmanns Penjnkow.

Somit hat die Fabrik in den 3 Jahren ihres Bestehens,
außer einer Menge Reparaturen und kleiner Arbeiten, 14 Maschinen zu Dampfschiffen und 2 Gebläsemaschinen, zusammen
von 716 Pferdekraft geliefert, und alle diese zeichnen sich
durch solide Arbeit und Tüchtigkeit im Gebrauch aus. Zu
gleicher Zeit ist auf derselben eine bedeutende Anzahl ge-
schickter Arbeiter gebildet worden, von denen viele als Ma-
schinisten auf den Dampfschiffen der Wolga und Kama dienen. Ein solches Resultat giebt Zeugniß von dem Verdienst,
das die Gesellschaft sich um die russische Nationalindustrie
erworben hat.

Das Werft der Compagnie nimmt am Ufer der Wolga
einen Raum von 800 Faden in der Länge ein. — Das Ufer-
wasser ist überall von bedeutender Tiefe, so daß die Dampfschiffe bequem landen und die neugebauten Fahrzeuge, ohne
Ungemach zu befürchten, vom Stapel laufen können. Die
Frühlingsüberschwemmungen setzen zwar den ganzen Werft-
platz unter Wasser, daher hier keine Hauptgebäude errichtet
werden können; dennoch hat das Werft alles was zum Schiffbau und zur ungestörten Verrichtung der Arbeiten nöthig ist:
Magazine, Schmiede, eine Plankammer mit Plattform und seit
1851 zwei gedeckte Hellinge von 30 und 25 Faden Länge und
37 Faden Breite, zum Bau der eisernen Fahrzeuge, und noch
dieses Jahr wird ein Mortonscher Helling für die aufs Trockne
zu bringenden Fahrzeuge erbaut werden.

Die ersten auf diesem Werft gebauten Dampfschiffe waren von Holz; da die Erfahrung aber lehrte, daß diese Art
dem Zweck der Flußschifffahrt nicht entsprach, so beschloß
die Compagnie im Jahr 1851, eiserne Schiffe zu bauen, dabei

aber keinen ausländischen Arbeiter zu Hülfe zu nehmen, da sie ihrem Vorsatz, den russischen Schiffbau zu befördern, treu bleiben wollte.

Sie fand russische Meister, Arbeiter und Material. Den 8. September 1851 wurde der Kiel des ersten eisernen Dampfschiffs, des „Orel", von 80 Pferdekraft, gelegt und am 30. April 1852 vom Stapel gelassen. Im Juni desselben Jahrs machte es seine Probefahrt von Nijegorod nach Rybinsk, mit einer Schnelligkeit von 165 Werst in 24 Stunden, wobei es 3 Lastbarken mit 50000 Pud Waaren im Schlepptau hatte, ein Ergebnifs das noch kein gleich starkes fremdes Dampfschiff auf der Wolga erreicht hatte.

Vom September 1851 bis März 1853 sind auf dem Werft der Compagnie folgende eiserne Dampfschiffe gebaut worden:

„Orel" von 80 Pferdekraft, 155 Fufs lang, 16 Fufs breit, 3 Fufs tiefgehend;

„Tschaika" von 24 Pferdekraft, 90 Fufs lang, 11¼ Fufs breit, 2 Fufs tiefgehend;

„Kur" von 60 Pferdekraft, 100 Fufs lang, 17 Fufs breit, 3 Fufs tiefgehend;

„Wjestnik" von 90 Pferdekraft, 155 Fufs lang, 18 Fufs breit, 2 Fufs 9 Zoll tiefgehend;

„Sokol" von 60 Pferdekraft, 140 Fufs lang, 15 Fufs breit, 3 Fufs tiefgehend;

„Ptschela" von 12 Pferdekraft, 90 Fufs lang, 10 Fufs breit, 1 Fufs 8 Zoll tiefgehend;

„Swesda" von 60 Pferdekraft, 160 Fufs lang, 18 Fufs breit, 3 Fufs tiefgehend.

Das Dampfschiff „Kur" ward für die Dampfschifffahrt aus dem Kur, von der Mündung desselben bis Mengitschaur, bestellt; mit ihm gingen zwei auf dem Werfte gebaute eiserne Barken ab. Für alle oben erwähnte Dampfschiffe sind sowohl die Maschinen, wie alles was zu ihrer Ausrüstung gehört, Anker, Ketten, Kambuse u. s. w. auf der Fabrik und dem Werft der Compagnie gemacht.

Die Compagnie besitzt jetzt 8 eiserne und 5 hölzerne Dampfschiffe, die in 4 Klassen getheilt werden können:

1) leichte Bugsir-Passagier-Dampfschiffe von 60—80 Pferdekraft, welche die Communication zwischen Nijegorod und Perm beständig unterhalten;

2) eigentliche Bugsir-Dampfschiffe von 60—120 Pferdekraft, welche schnell zu befördernde Güter von den untern Gouvernements nach Rybinsk bringen;

3) Kabestan-Dampffahrzeuge von 24—50 Pferdekraft, welche auf Schleppbarken voluminöse-schwere Ladungen von Astrachan, Saratow, Balakow nach Rybinsk und Nijegorod bringen. Ein solches Dampffahrzeug von 50 Pferdekraft, das 40 bis 50 Werst in 24 Stunden zurücklegt, schleppt 300000 bis 350000 Pud, oft auf 10 Barken;

4) Schleppdampffahrzeuge, welche dazu dienen die Anker der Kabestanfahrzeuge auszuwerfen.

Die Fabrik und das Werft der Compagnie haben nun schon einen solchen Grad der Ausbildung erreicht, dafs ihre Dampfschiffe mit den besten concurriren können und weit billiger sind.

---

*) Zum Ersatz der bisher auf der Wolga gebräuchlichen Schleppschiffe, welche von Pferden oder Ochsen, mittelst eines auf dem Verdeck befindlichen Göpels, zu den voraufgeführten Werpankern gezogen werden.   E.

Trappenjagd der asowschen Kosaken.

Mitgetheilt

von

Max Cambecq*).

Der Begriff jeder menschlichen Gesellschaft ist höchste Sitt-
lichkeit. Aus ihr entspringen alle Bedingungen friedlichen Bei-
sammenseins. In ihr sprechen sich die Dogmen der Religion
aus, sie stützt die auf sie bedingten Gesetze und wandelt ein
jedes sociale Verhältnifs in ein magisches Band, das die Geister
enger verbindet, Einen für alle streben lehrt und Alle erhält
durch den Schutz, der dem Einzelnen wird. Jeder Staat ma-
nifestirt diesen Begriff in seiner geistigen und sittlichen Entwickelung.

Jeder gebildete Staat ist ein geistiger Focus, dessen Strahlen weit hin dringen und selbst wo Nacht und Finsternifs
brütet, facht das sanfte Licht der Religion bald ein erwärmen-
des Feuer an und rufet wach in den rohesten Gemüthern ein
Streben nach Veredelung.

Waltet nun auch noch Rohheit und Gesetzlosigkeit unter
den Barbaren der alten Welt, ist auch noch hier und dort
das sociale Band auf dem Continent ein lockres — so schreitet dennoch die Bildung vorwärts nach dem ewigen Gesetze

---

*) St. Petersburger Zeitung 1853. No. 182.

der Bewegung, denn das sich Entwickelnde läfst keinen Still-
stand zu.

Ein hiezu passendes Beispiel giebt uns die Jetztzeit, wenn
wir auf die Colonieen der asowschen Kosaken blicken.

In ihnen ist gezeigt worden was das Vernünftig-Sittliche,
was Gesetz und Ordnung über dieses an den Ufern der
Donau verwilderte Reitervolk vermochten.

Die Zeit ist noch kaum verflossen, wo die wilde Unge-
zügeltheit dieser verwegenen Reiter die ruhigen Nachbarn in
Furcht und Schrecken versetzte, wo jede Gemeinschaft der
neuen Ankömmlinge geflohen wurde, und selbst der Reisende
froh war, wenn er die Colonieen hinter sich hatte.

Die Geschichte nennt uns die Saporojer die ersten Ko-
seken Russlands. Zu der Zeit als Kleinrussland, jener denk-
würdige Schauplatz russischer Grofsthaten, unter Polens Zwing-
herrschaft schmachtete, als Gewaltthätigkeiten und Religions-
verfolgungen*) die Ukraine niederdrückten, erwachte in den
Herzen der Kleinrussen der Muth ihrer Vorfahren und mit
männlicher Energie schüttelten sie von sich ab das eiserne
Joch, das ihnen jener lithausche Fürst im Anfange des vierzehnten Jahrhunderts auferlegt hatte. Viele von ihnen verliefsen heimische Hütte und Heerd und vergafsen an den Ufern
des Dniepr ihr Vaterland, wo ihr Glaube, ihre Freiheit und
selbst ihr Leben oft auf dem Spiele standen.

Hier lebten sie nach den Gesetzen ihrer Väter und er-
nährten sich von Jagd und Fischfang. Die verheiratheten Kosaken bauten sich zwischen dem Dniepr und Bug an, während
dem die unverheiratheten die Insel Chortizki einnahmen, die
hinter den Wasserfällen des Dniepr's liegt, und deshalb Sa-
porojie genannt wurden.

Diese verwegenen Helden waren bald der Schrecken der
krimschen Tataren und Polen fand es für rathsamer, den
Flüchtlingen Freundschaft anzubieten, anstatt diesen Akt der

---

*) Die Einwirkung der Union, deren Bekenner 1595 in Lithauen und
Polen Eingang fanden, war damals hauptsächlich fühlbar. A. d. V.

Selbständigkeit zu rügen. Wir kennen Sigismund I. Verdienste um die Kosaken und den Nutzen, den Polen in der Freundschaft jener gefürchteten Nachbarn der krimschen Tataren fand.

Das Schicksal der Kosaken und ihrer Hetmane ist eben so interessant, als von dieser Zeit an eng verbunden mit der Geschichte Russlands.

Die Namen der Hetman Roman Rojinskji und *Sagai-daschni* erinnern uns an jene wichtigen kriegerischen Unternehmungen der Saporojer zur Zeit der Usurpatoren und der Belagerung von Moskau durch den königlichen Prinzen Wladislaw.

In Bogdan Ohmel'nizkji sehen wir endlich den Mann, der, durchdrungen von dem Ruhm seines Vaterlandes, die Vereinigung mit Russland als einziges Mittel zur Erhaltung der Selbständigkeit (?) seines Volks betrachtete und selbige schon im Jahre 1654 in Ausführung brachte.

Dem Zaren Alexei Michailowitsch ward die Schutzherrschaft über die Kosaken angetragen.

Wir übergehen Kasimirs Politik und das Bündnifs, das dem krimschen Chan angetragen wurde und kommen endlich auf Mazeppa und seine verrätherischen Pläne gegen Peter den Grofsen.

Aber Mazeppa hatte sich in dem Charakter der Kosaken getäuscht und wir wissen, dafs es diesem Verräther nur gelang, einige tausend Mann dem Schwedenhelden zuzuführen.

Der Zufall, der schon zu verschiednen Zeiten Abtheilungen der Saporojer an die Ufer der Donau geführt hatte, brachte nun auch Mazeppa's Krieger in diese Lande, die nun auch unter türkische Botmäfsigkeit zu stehen kamen. Der Glaube ihrer Väter, den sie sich allein noch treu erhielten, liefs sie sich nicht gänzlich dem alten Vaterlande entfremden. Daher gelang es denn auch 1828, zur Zeit des türkischen Feldzüges, dem· damaligen Hetmann oder Schirrmeister (Koschewoi) Gladki seine Kosaken zu den Fahnen Russlands zurückzuführen. — Durch diese freiwillige Aeufserung der Gesinnung gegen Russland haben die *Saporojer* das Vergehen

der Vorfahren beschönigt und den Fleck ausgelöscht, der
ihre Geschichte verdunkelte.

Wir wissen nun, dafs der nunmehrige General-Major
Gladki die Erlaubnifs erhielt, seine Kosaken an dem Ufer des
asowschen Meeres anzusiedeln und dafs diesen Auswanderern
der Donau-Ufer der Name der „asowschen Kosaken" beigelegt wurde.

Der wilde Sohn der Steppe stand in seiner vollen Kraft
und Uebermuth dem civilisirten Europäer gradeüber. Mit einer
gewissen Scheu blickte mancher auf die Zukunft. Aber dieser rohe Naturstein, an dem Bildung und Ordnung zu zer-
schellen drohte, ging bald geglättet und eben aus dem Kampfe
hervor, und fügte sich nützend in den grofsen Bau des Staats.

Wenn wir jetzt die Strafse *), die nach Mariupol führt,
einschlagen, schauen wir links und rechts auf wogende Korn-
felder, — freundliche Meiereien und Häuser laden uns gast-
lich ein und die einst öde Steppe sehen wir in ein Bild der
Betriebsamkeit und des Wohlstandes gewandelt.

In dem grofsen reinlichen Gehöfte steht der Nachkomme
der verwegenen Saporojer mit dem Spaten in der Hand und
schaut nach Knechte und Mägde aus, die mit emsigen Fleifs
schaffen und arbeiten **).

Die Sitten und Gebräuche dieses Völkchens haben viel
Interessantes an sich und ihre Sagen und Lieder, die oft von
so hohem poetischen Werth sind, nehmen einen rühmlichen
Platz in der russischen Volksliteratur ein.

Als Seitenstück zu den Taucherkosaken am Uralflufs, will
ich hier die Trappenjagd der asowschen Kosaken mittheilen.

*) Tschumazkaja daroga.
**) Die Kosaken zerfallen in Dienende und Nichtdienende. Drei Jahr
entfernt der Dienst den Kosaken vom Hause, worauf er heimkehrt
und wieder Landbauer wird, da er ebenfalls drei Jahre dienstfreie
Zeit hat. Die Kosaken pflügen mit Ochsen, und die Zahl der Joche
zeigt ihren Reichthum an. — Ihre Landwirthschaft steht im Ganzen
selbst der der deutschen Colonie Bergthal nicht nach.

Diese Jagd ist in ihren verschiedensten Nüancirungen auch im südlichen Russland bekannt, aber nirgends sah ich einen geschickteren Jäger auf der Trappenjagd als den asowschen Kosaken.

Von der pokrowskischen Colonie aus, die ohngefähr zwanzig Werst von Mariupol liegt, begaben wir uns an einem heiteren Oktobermorgen auf die Trappenjagd. Wie wir so mit den Kosaken hinritten, hätte man uns kaum für Jäger halten können, denn keiner von uns hatte eine Flinte und die Kosaken waren nur mit einer kurzen Nagaika bewaffnet, die ihnen am Gurt hing.

In den Steppen Russlands unterscheidet man zwei Trappenarten, Otis tarda, die Trappe und Otis tetrax, der Trappenzwerg *). Die Trappe gehört zum Geschlechte der hühnerartigen Vögel.

Die Trappe ist der gröſste Landvogel der alten Welt und wird gegen zwei Ellen hoch. Kopf und Hals sind aschfarbig, der Leib weiſs, der Rücken graubraun, mit schwarzen Querstreifen. Das Männchen hat zu den Seiten und unterhalb des Unterkiefers weiſse Federbüschelchen. Der Trappenzwerg hat einen schwarzen braungestreiften Kopf; Hals und Schläfen sind mehr roth, schwarz und weiſs gefleckt **). Die Trappe ist ein äuſserst scheuer, furchtsamer Vogel und flieht von weitem schon den Menschen.

Das Geruch- und das Gesichts-Organ dieses Vogels sind von einer unglaublichen Feinheit. Die Spürkraft dieser Thiere setzt oft den geschicktesten Jäger in Erstaunen. Im Fluge ist die Trappe etwas schwerfällig, desto unermüdlicher im Laufen. Ein nicht gut eingehetzter Jagdhund ist selten im Stande, einen alten Trappvogel einzuholen.

---

*) Drachwa, dudak.

**) Der Trappenzwerg erreicht etwa die Gröſse eines Fasans. Sein Fleisch ist schmackhafter und weicher als das der gewöhnlichen Trappe. Früher reihte man die Trappe den Sumpfvögeln an — wahrscheinlich der nackten Stelzen halber.

Die Trappe vertraut daher in Gefahr mehr ihren Beinen als den Flügeln.

Sie leben heerdenweise, nähern sich von Korn, Jungsaat, Kohl, Regenwürmern und Insecten *). In Kleinrussland ist der Trappenzwerg seines wohlschmeckenden Fleisches halber gesuchter und die Jagd gegen ihn wird oft auf gar seltsame Art betrieben **).

Im Sommer betreiben die Kosaken die Trappenjad seltener, der Vogel wird dann geschossen, im Spätherbst aber beginnen die Treibjagden.

Wenn es zwei bis drei Tage hindurch geregnet hat und dann plötzlich Frost eintritt, begiebt sich der Kosak zu Pferde in die Steppe und sucht die Trappen auf. Diesen sind die vom Regen durchnäßten Flügel nun vom Frost steif geworden und sie sind allein auf ihre Füße angewiesen. Mit seiner Nagaika bewaffnet, an deren Ende eine Kugel befestigt ist, jagt der Kosak die Trappe. Hat er einige Trappen überrascht, so beginnt das Wettrennen, dem die weite Steppe ein unabsehbares Feld bietet. Der geschickte Jäger schlägt nun mit der Nagaika dem Vogel, sobald er ihn erreicht hat, den

---

*) Das Weibchen legt zwei bis vier Eier in die Erde. Einen Monat werden die Eier bebrütet. — Die Paarung geschieht im März und April.

**) Um sich den furchtsamen Vögeln auf Schußweite nahen zu können, bedienen sich die Jäger besonderer Karren, auf die frische Birkenreiser gesteckt werden, welche den zweiräderigen Wagen in einen Busch verwandeln, hinter dem sich der Jäger verstecken kann. Die Flinte legt er auf eine auf dem Karren angebrachte Gabel und nähert sich nun, obschon auch jetzt, mit der größten Vorsicht der Heerde. Den Landbauer fürchten die Trappen weniger und oft sieht man ingeniöse Jäger, die sich von einem Bauer unter Heu versteckt zu den Vögeln so nahe als möglich heranfahren lassen, sich dann mit dem Heubündel vom Wagen werfen und nun die Trappen erwarten die, sobald der Bauer weiter fährt, ängstlich neugierig näher und näher das herabgefallene Heu umgehen. Manche Edelleute haben zu dieser Jagd eigens verfertigte Flinten, deren Lauf oft über zwei Arschin mißt.

Schädel ein. Selten fehlt der Jäger. Ein Schlag auf Flügel oder Rücken ist gegen ihr Jagdgesetz und wird durch beissenden Witz gerügt.

Pokrowsk war weit hinter uns zurückgeblieben und wir nahten uns bereits dem ersten See *), an welchem man vor einigen Tagen eine zahlreiche Heerde Trappen gesehn hatte.

Die Steppe lag an einigen Stellen wie ein glatter Spiegel vor uns, der in den verschiedensten Farben schimmerte und über dem ein grauer durchsichtiger Nebel hinschwankte, vergoldet von der rothen strahlenlosen Herbstsonne, die nun langsam am Horizont aufstieg.

Um uns herrschte tiefe Stille, die nur von den eiligen Hufschlägen unserer Pferde unterbrochen wurde. Plötzlich gab unser Führer ein Zeichen und mit einem lauten Hurrah! stürmten die Kosaken mit Blitzesschnelle dahin. Mann und Pferd schienen eins. Mit vorgebeugten Oberkörper fliegt der Kosak einher, halb liegend auf dem Halse seines Pferdes. — Jede Bewegung des klugen Thieres macht er, sich eng anschmiegend, mit und durch die ruhige Unerschrockenheit und Geistesgegenwart, die er in diesem Dahinrasen beibehält, thut es der Kosak dem gelehrtesten Equilibristen zuvor. Bald bekamen wir sechs Trappen zu Gesichte, die in unglaublicher Schnelle vor uns auf dem glatten Spiegel der Steppe dahinjagten. Näher und näher kamen wir den langbeinigen Verfolgten — sausend flog die Nagaika durch die Luft und schwer getroffen fiel der erste Vogel. Alle sechs waren in einer halben Stunde erlegt und sowohl wir als unsere Pferde bedurf-

---

*) Jeder See, dessen Ufer nicht mit Schilfrohr bewachsen sind, heißt im Lande der asowschen Kosaken Liman. Am Schwarzen Meer, wo dieses Wort auch gebraucht wird, bezeichnet man damit überhaupt alle Meerbusen. Eigentlich heißt dort indessen Liman ein jeder See, der durch Verbindung mit dem Meere salziges Wasser hat. — Diese Seen entstehen oft durch Landanschwemmung an den Flußmündungen. Diese natürlichen Dämme haben das Ausbreiten des Flußbettes zur Folge und dadurch die Bildung des Liman. Liman heißt indessen dort auch jede größere Flußmündung.

ten . der Erholung. Nach Starodubowskaja hatten wir es nicht
mehr weit und beschlossen dort zu Mittag zu speisen. Auf
dem Wege dorthin hielt sich einer unserer Kosaken stets etwas entfernt von uns und schien· aufmerksam das Ufer eines
Liman zu beobachten. Plötzlich, es war ein eigener Anblick,
thất das Pferd einen gewaltigen Sprung und flog wie ein Pfeil
vor uns hin, war aber auch in demselben Augenblick im dichter gewordenen Nebel verschwunden. Wahrscheinlich hatte er
eine Trappe entdeckt, die sich am Ufer verborgen gehalten
hatte. Nach einer Viertelstunde vergebenen Wartens brachen
wir auf, um so mehr uns die anderen Kosaken versicherten,
dafs unser verschwundener Jäger nicht so bald zurückkehren
würde, .denn vor ihm läge die Steppe, die Trappe habe einen
grofsen Vorsprung gehabt und er sei ein Kosak. — Das hiefs
nun wohl mit anderen Worten, dafs der Jäger nicht gut ohne
den Vogel zurückkehren darf, so lang sein Pferd laufen und
er sich im Sattel halten kann.

Ueber eine merkwürdige Gebirgsart im mittleren Russland.

Von

Professor K. Klaus in Dorpat*).

Im vorigen Jahre (1851) erhielt, ich von Herrn Gutzeit in
Kursk, einige Proben von Steinen aus der dortigen Kreidefor-
mation, mit der Bitte sie zu untersuchen und ihm die Resultate
zur Ergänzung seiner geognostischen Untersuchungen mitzutheilen. Er empfahl meiner Aufmerksamkeit vorzüglich einen
braun geschichteten Sandstein, der unter mergligem Kalk mit
Versteinerungen und mit Stücken eines eigenthümlichen Eisenerzes vorkomme. In einer Abhandlung. des Ingenieur-Capitain
W. Kuprianow (über die geognostische Beschaffenheit der Gegend zwischen Orel und Kursk) welche zuerst in der Kursker
Gouvernementszeitung (1850 No. 6—11) erschienen ist, wird
auch dieses Gestein als ein eisenschüssiger Sandstein ausführlich beschrieben. Man gebraucht ihn daselbst zu den Funda-
menten der Häuser und zum Pflastern, und kennt ihn unter
dem Namen samorod (d. h. etwa soviel als Feldstein; wört-

---

*) Nach dem Russischen des Gorny-Jurnal 1853. No. 2. Von Hrn. K's.
   ursprünglich Deutsch geschriebnem Aufsatz ist uns nur diese Uebersetzung zugekommen und die Angabe dafs derselbe ausserdem in
   einem Journal für praktische Chemie 1853 No. 13 erschienen ist.

lich selbst- oder wildwachsender) und schwarzer Stein
(Russ. tscherny kamen). Er bildet eine Schicht deren Mächtigkeit von einigen Zollen bis zu 1,5 Fufs variirt.

Seine obere Ablosungsfläche ist glatt mit mehr oder weniger Trauben- oder Nierförmigen Eindrücken, auch ist sie an
einigen Stücken von einem sehr dünnen Ueberzuge einer festen unauflöslichen Substanz gebildet, welche Regenbogenfarben
und Perlmutterglanz besitzt, während die untere Fläche des
Gesteines unregelmäfsiger ist und weit weniger glatt. Man überzeugt sich auf den ersten Blick, dafs sich dasselbe Stalaktiten-
artig aus einer Auflösung niedergeschlagen hat. Seine Farbe
wechselt zwischen grau, bläulichgrau und dunkelbraun. Es
ist ziemlich hart und von muschlichem Bruch, und zeigt beim
Reiben einen eigenthümlichen Naphtageruch, der weit stärker
fühlbar wird, wenn man es in Säuren auflöst. Durch Zerrei-
bung wird dasselbe zu einem hellgelblich grauen Pulver, welches durch Erhitzung in verschlossenen Gefäfsen schwarz
wird; beim Glühen unter Luftzutritt aber weifs. Eine Bei-
mengung organischer Substanzen ist nicht zu bemerken.

Mehrere Analysen dieses Minerales gaben im Mittel folgende Zusammensetzung desselben:

Unauflöslicher Rückstand bestehend aus Kieselerde,
1 Procent organischer Substanz und Spuren von phosphorsaurem Kalk 0,5000
und in dem auflöslichen Theile:

---

*) In dem Russischen Aufsatze steht hier noch folgender offenbar ent-
stellter und nicht von dem Verfasser herrührender Satz: „um eine
richtige Vorstellung von der Zusammensetzung dieses Minerals zu
erhalten, mufs man es in Stüken und nicht gepulvert analysiren" (!).

Es ist wahrscheinlich gemeint, dafs man nicht ein Pulver untersuchen müsse ohne sicher zu sein dafs es von dem fraglichen Gesteine herrühre und das ist nicht zu leugnen.

Kohlensäure 0,0345
Phosphorsäure 0,1360
Kieselsäure 0,0065
Chlor . . . . Spuren
Fluor 0,0240
Kalk 0,2100
Calcium (in Verbindung mit Fluor) 0,0258
Talkerde 0,0065
Eisenoxyd 0,0220
Kali und Natron 0,0165

Nach meiner Zerlegung besteht daher das Gestein aus:

Sand und Organischen Substanzen 0,5000
Phosphorsauren Kalk 0,2960
Kohlensauren Kalk 0,0787
Schwefelsauren Kalk 0,0137
Fluorcalcium 0,0501
Kieselsäure 0,0065
Talkerde 0,0065
Eisenoxyd 0,0220
Kali und Natron 0,0175

Zusammen 0,9911
Verlust . . 0,0089

Diese ungewöhnliche Zusammensetzung veranlaßte mich
sogleich zur Zerlegung eines fossilen Knochen, der mir zugleich mit den Proben jenes Gesteines geschickt worden war.
Dieser löste sich vollständig in Chlorwasserstoffsäure unter
starker Entwickelung von Kohlensäure und hinterließ nur ein
Procent eines rothbraunen Rückstandes, der aus Sand und
einem organischen Körper bestand. Auch in der Auflösung
befanden sich geringe Antheile organischer Substanzen. Sie
war völlig klar, etwas gelblich und zeigte genau dieselben
Reaktionen wie der auflösliche Theil des erwähnten Minerals.
Das Vorhandensein einer organischen Substanz in dem Auf-
gelösten wurde dadurch bewiesen, daß dasselbe, nachdem es
zur Trockne abgedampft worden war, sich durch Erwärmung

30 *

schwärzte und daſs ein andres Stück des Knochen durch Auflösung in Salpetersäure eine trübe und undurchsichtige Flüssigkeit gab, aus der sich eine ziemlich beträchtliche Menge
eines flockigen, dunkelgelben Niederschlags absetzte, der ohne
Zweifel das Zersetzungs-Produkt einer in Chlorwasserstoffsäure löslichen Substanz war.

Für die Zusammensetzung der Gewichtseinheit des Knochen ergab die Analyse:

Kieselerde und organische Substanz	0,0100
Kohlensäure	0,0580
Phosphorsäure	0,2825
Schwefelsäure	0,0120
Fluor	0,0599
Chlor	Spuren
Kalk	0,4170
Calcium (in Verbindung mit Fluor)	0,0637
Eisenoxyd	0,0343
Talkerde	0,0129
Natron	0,0175
Zusammen	0,9670
Verlust an Wasser und orga-	
nischer Substanzen . .	0,0330

Es ergeben sich hieraus folgende nähere Bestandtheile:

Kieselerde und organische Substanz	0,0100
Phosphorsaurer Kalk	0,7155
Kohlensaurer Kalk	0,1355
Schwefelsaurer Kalk	0,0205
Fluorcalcium	0,1236
Eisenoxyd	0,0343
Talkerde	0,0121
Natron	0,0515
Chlor	Spuren
Verlust (Wasser?)	0,0330

Der auflösliche Theil des genannten Gesteines enthielt
dagegen in der Gewichtseinheit:

Kieselerde 0,0130
Phosphorsaure Kalkerde 0,5920
Kohlensaure Kalkerde . 0,1574
Schwefelsaure Kalkerde 0,0276
Fluor Calcium 0,1002
Talkerde 0,0130
Eisenoxyd 0,0440
Natron und Kali . . . 0,0350
Chlor . . . . Spuren.

Vergleicht man nun die Zusammensetzung des fossilen
Knochen mit der der auflöslichen Theile des Gesteines, so
zeigen sie sich weniger verschieden, wie (manche?) gute Analysen ein und desselben Minerales. Es ist daher fast nicht zu
bezweifeln, daſs sich jenes Gestein aus fossilen Knochen gebildet hat, von denen sich auch jetzt noch viele Ueberreste
in seiner Nachbarschaft finden.   Auch kann man mit vieler
Wahrscheinlichkeit annehmen, daſs eine Auflösung der Kno-
chenerde in kohlensaurem Wasser zwischen den Sand gedrungen ist und durch Verdampfung ein Bindemittel gebildet hat,
welches den Sand in Stein verwandelte. Diese Voraussetzung
bestätigt sich durch das Verhalten des Gesteines gegen Säuren. — Es ist sehr bemerkenswerth daſs dasselbe nicht etwa
nur vereinzelt vorkommt, sondern wie wir weiter unten zu
erwähnen ˙haben auf einer Strecke von 800 Werst (nahe
115 Deutsche Meilen).

Als ich meine Untersuchungen über diesen Gegenstand
bereits beendigt hatte, ersuchte mich Herr Gutzeit schriftlich,
die mehr erwähnte Gebirgsart besonders zu beachten, weil
dieselbe durch eine Schrift des Gr. Keiserling noch intres-
sänter geworden sei. — Es ist nämlich in dieser Schrift von
einer Gebirgsart die Rede, die in dem Gouvernement von
Woronej an den Ufern des Flusses Woduga vorkommt und
welche mit der in den östlichen und nördlichen Theilen des
Kurker Gouvernements gefundenen die gröſste Aehnlichkeit
und vielleicht auch einen gleichen Ursprung hat. —

Das Woronejer Gestein ist von Herrn Chodnew in

Charkow analysirt worden und es haben sich in der Gewichtseinheit desselben gezeigt:

Unauflöslicher Sand . .	0,4098
Schwefel	0,0112
Kohlensaurer Kalk . .	0,2398
Phosphorsaurer Kalk,	
Thonerde und Eisenoxyd	0,3110
Verlust	0,0282

„So bildet also — sagt Hr. v. Keiserling — die phosphorsaure Kalkerde den gröfsten Theil dieser Gebirgsart. Es
können daher Knochen das Material zu ihrer Entstehung geliefert haben, aber es findet sich dabei noch der merkwürdige
Umstand dafs längs des nördlichen Russischen Kreidebeckens,
an der Gränze des Grünen Sandsteins (Greensand), auf einer
Strecke von 800 Werst eine einige Zoll dicke Schicht vorkommt, die vorzugsweise aus phosphorsaurem Kalk besteht!" —

Obgleich Hrn. Chodnews und meine Analyse beträchtlich von einander abweichen, so glaube ich dennoch, dafs die
von ihm untersuchte Gebirgsart, wenn nicht von gleichzeitiger,
doch wenigstens von ganz gleichartiger Entstehung mit derjenigen ist welche ich analysirt habe. In der That kann die
geringe Menge Schwefel welche sich in keinem der von mir
zerlegten Stücke gefunden hat, von der Zersetzung einiges
zufällig beigemengten Schwefelkieses herrühren. Chodnew
giebt auch von phosphorsaurer Thonerde, die in dem Kursker
Gesteine gänzlich fehlt, nur Spuren an — und es können
dagegen die Anwesenheit des Fluorcalcium und der Alkalien
leicht von ihm übersehen worden seien, denn er hat von der
angewandten Methode der Zerlegung nur das Allgemeinste
bekannt gemacht.

Es wäre daher sehr zu wünschen, dafs Herr Chodnew
sein Gestein noch einmal auf die von mir gefundnen Bestandtheile untersuchte, denn man kann erwarten dafs dasselbe,
wenn es wirklich überall auf gleiche Weise gebildet ist, auch
überall gleiche (Haupt-) Bestandtheile zeigen werde. Gewisse

Unterschiede in der Zusammensetzung kamen wohl auch zwischen den von mir untersuchten Stücken vor. Das Verhältniss des Sandes zu dem Auflöslichen variirten von 0,02 bis 0,04. Aber das Auflösliche zeigte nicht bloſs immer dieselben Bestandtheilen sondern auch in sehr constanten Verhältnissen zu einander.

Von der in Rede stehenden Gebirgsart verdient übrigens ausser der ungewöhnlichen Zusammensetzung und der bewundernswerthen Entstehung auch noch eine andere Eigenthümlichkeit Beachtung. Der Ueberfluss an den phosphorsauren Salzen, welche in dem Pflanzenreiche eine so wichtige Rolle spielen, darf nicht übersehen werden. Er macht das Gestein zu einem vortrefflichen Düngungsmittel und obgleich dessen Anwendung für jetzt im mittleren Russland überflüssig wäre, weil daselbst der Boden noch reichhaltig genug ist, so muss doch einmal eine Zeit der Erschöpfung für denselben eintreten, und unser Knochenähnliche Gestein wird dann ein unschätzbares Kapital sein.

Die übrigen mir von Herrn Gutzeit übersandten Proben waren groſsentheils Abänderungen desselben Gesteines ohne besonderes chemisches Interesse. Ich erwähne daher hier nur noch das Ergebniss der Zerlegung eines weissen Kalkmergel, der unsere Gebirgsart bedeckt und eines mit ihr vorkommenden Eisenerzes.

Von dem Mergel enthielt die Gewichtseinheit:

in Chlorwasserstoffsäure unauflösbar:

Sand und gelben Thoneisenstein . 0,6025

und in Chlorwasserstoffsäure lösbar:

Kohlensaure Kalkerde 0,3028
Schwefelsaure Kalkerde 0,0460
Kohlensaure Talkerde 0,0153
Eisenoxyd und Thonerde . . . 0,0120
Alkalien 0,0160
Chlor und Kieselerde . . . . . Spuren
Zusammen nachgewiesen 0,9966

In der Gewichtseinheit des Eisenerzes das einer künstlichen Eisenschlacke ähnlicher ist als einem der bekannten Erze und eine dunkelbraune Färbung zeigt, fanden sich:

in Säuren unlöslicher Sand . . . . : 0,0700
und in Säuren löslich:
Kieselerde 0,2885
Eisenoxyd und Oxydul 0,6375
Thonerde, Kalk und Phosphorsäure . Spuren

Zusammen . 0,9960

Das Auftreten des Eisenoxydul kann übrigens der Einwirkung der sauren Auflösung auf das Blausaure Eisen-Kali zugeschrieben werden, wenn auch noch dadurch bestätigt wird, dafs diese Auflösung bei der Erwärmung mit Salpetersäure stark brauste und nicht die reingelbe Farbe zeigte, die der Eisenoxydauflösung eigenthümlich ist, sondern vielmehr eine ins Grünliche übergehende dunklere Färbung.

Abchasische Verlobungs-Ceremonien.

Bei den Abchasen, wie bei allen kaukasischen Bergvölkern, erlaubt es die Gewohnheit oder die Sittsamkeit den jungen Leuten nicht, ihren Aeltern oder Verwandten mitzutheilen, daſs sie sich zu verheirathen gedenken, und noch weniger, sich eine Braut zu suchen und unmittelbar mit ihr in Verbindung zu treten. Ein naher Verwandter des jungen Menschen muſs vorläufig durch einen seiner Altersgenossen bei ihm anfragen, ob er nicht geneigt sei, eine Frau zu nehmen, und wenn jener einwilligt, so bemüht er sich, eine Braut für ihn ausfindig zu machen. Ist diese mit dem jungen Manne aus einem Dorf, so hat er Gelegenheit, bei den Volksfesten oder Hochzeiten ihre Bekanntschaft zu machen, und läſst die Aeltern durch seinen Freund wissen, ob ihm das Mädchen gefällt; ist sie aus einem anderen Dorfe, so macht er dort einen Besuch und erscheint zur Abendzeit in dem Hause ihres Vaters, wo man ihn nach den im Kaukasus herrschenden Gesetzen der Gastfreundschaft aufnehmen muſs, ohne ihn zu fragen, woher und in welcher Absicht er gekommen. Die jungen Abchasinnen vertreten bei ihren Aeltern die Stelle der Dienerschaft, und der Heirathscandidat hat daher keine Schwierigkeit, der von seinem Verwandten auserkorenen Schönen ansichtig zu werden.

Erklärt der Jüngling sich mit der ihm zugedachten Braut
zufrieden, so schreiten die beiderseitigen Aeltern alsbald zur
Verlobung, da man es nicht für nöthig hält, die Einwilligung
des armen Mädchens einzuholen. Nachdem man den Tag der
Verlobung festgesetzt, wählt der junge Mann einen seiner
Freunde zum Brautführer und macht sich mit grofsem Gefolge
und mit Geschenken für seine Zukünftige und deren Aeltern
auf den Weg nach ihrem Hause.

Es wird nicht überflüssig sein, hier einige Worte über
die Wohnungen der Abchasen einzuschalten. Ein Abchasen-
haus besteht gewöhnlich aus zwei Gebäuden, einem grofsen
und einem kleineren. Ersteres ist drei bis vier *Sajen* lang
und zwei bis drei *Sajen* breit, mit einer Freitreppe und zwei
Thüren, wovon die eine oder sogenannte höhere auf die Treppe
hinausgeht, die andere, untere, aber in der Hinterwand angebracht ist. Dieses Gebäude ist zuweilen aus Balken, zuweilen aus überstrichenem Flechtwerk gebildet und mit
Stroh oder Latten bedeckt. Im Inneren wird die eine Seite
der Mauer oder wenigstens die Hälfte derselben von einer
Pritsche, die entgegengesetzte aber von einer langen Bank
eingenommen. Ringsum sind mannshohe Pfähle zum Aufhängen der Waffen, Sättel, Burken und Baschlyks eingeschlagen;
in der Mitte wird das Feuer angemacht, über welchem sich
in einer Höhe von drei bis vier Arschin ein bretterner Ver-
schlag befindet, damit die Funken nicht das Dach in
Brand stecken. Dieses Gebäude heifst A*sasaira* oder Gastzimmer; einige *Sajen* davon, der unteren Thür gegenüber,
steht ein zweites, aus überstrichenem Flechtwerk, von runder Form mit conischem Dach, nach Art einer Kalmücken-
Kibitke, welches einen Raum von vier bis sechs Quadrat-*Sajen*
einnimmt. Im Inneren befindet sich, wie in dem ersten, auf
der einen Seite eine Pritsche, auf der anderen eine Bank; die
Pritsche ist mit einem Teppich oder einem anderen Zeug, je
nach den Vermögens-Umständen des Hausherren, bedeckt,
auf welches eine Menge Kissen aufgethürmt sind; über der
Pritsche hängt ein Vorhang aus irgend einem durchsichtigen

Stoff und von solcher Länge, daß er den auf der Pritsche Sitzenden bis zu den Knieen herabfällt. Dieser Vorhang wird nur dann aufgehängt, wenn man einen Bräutigam erwartet, vor dem sich das junge Mädchen in das soeben beschriebene, Amchora genannte Gebäude zurückzieht.

Aus diesen beiden Gemächern besteht die ganze Wohnung des Abchasen. — Doch ist zu bemerken, daß eine ärmliche Sakla und schlichte Kleidung in Abchasien nicht immer Zeichen der Dürftigkeit sind.

Aber es nähern sich jetzt Gäste: der Bräutigam mit seinem Gefolge. Der Hausherr und seine Diener empfangen sie an der Treppe, helfen ihnen vom Pferde steigen, nehmen ihnen die Waffen ab, die sie im Gastzimmer an den Pfählen aufhängen, und lassen hier die Gäste dem Range oder vielmehr dem Alter nach Platz nehmen, während der Bräutigam mit seinem Führer sich in die finsterste Ecke nicht weit von der untern Thüre setzen muß. — Der Hausherr hat bereits eine große Festlichkeit veranstaltet, wozu der Aelteste aus jeder Familie im Dorfe eingeladen wird; die Jünglinge und Mädchen kommen indeß uneingeladen, um zu tanzen und sich zu vergnügen, was bei solchen Gelegenheiten nicht für unschicklich gilt.

Sobald das Abendessen fertig ist, werden lange Tische hingestellt, an welche sich die Gäste nach hergebrachter Ordnung setzen, das Gefolge des Bräutigams auf der einen und die von dem Vater Eingeladenen auf der anderen Seite. — Man reicht ihnen Waschwasser und trägt die aus Gomi, gekochtem und gebratenem Fleisch, Jachmy, Dolma, Kaimu, Pilau etc. bestehenden Speisen auf. Ehe das Fest beginnt, wird einem der bejahrtesten Gäste ein Becher Wein und ein Messer gereicht, an dessen Spitze ein ganzes Ochsenherz steckt. Der Greis steht auf, entblößt sein graues Haupt, nimmt den Becher Wein in die rechte, das Messer in die linke Hand und spricht mit lauter Stimme folgendes Gebet:

„Großer Gott! segne den jungen Bräutigam und seine Braut, auf daß sie glücklich seien, einander lieb haben bis zu Ende ihres Lebens und ein hohes Alter erreichen; schenke

ihnen Kinder und laſs die Kinder glücklich sein und lange
leben. Herr, gieb den jungen Gatten Reichthum, damit die
Thür ihres Gastzimmers weit sein möge, sich nie schlieſse und
der müde Reisende stets bei ihnen Speise und ein Nachtlager
finde. Laſs, o Gott, das Feuer ewig auf ihrem Heerde bren-
nen und nimmer verlöschen. (Sein Feuer ist erloschen
bedeutet im Abchasischen so viel als „sein Geschlecht ist aus-
gestorben"). Wer aber dem jungen Paare Böses wünscht,
dessen Herz möge von einer Lanze oder einem Pfeil durchbohrt werden, wie dieses Herz von dem Messer!"

Nach Beendigung des Gebetes sagen alle Anwesende
„Amen!" Der Greis leert seinen Becher Wein, kehrt ihn um
und stellt ihn auf den Tisch mit den Worten: „Groſser Gott!
stürze so die Anschläge der Räuber, Diebe, Wegelagerer und
aller jener um, die sich unseres Eigenthums bemächtigen, unsere Ruhe und Frieden stören und uns hindern wollen, unseren häuslichen Beschäftigungen nachzugehen;" auf welches
Anathema die Anwesenden gleichfalls mit „Amen!" antworten.
Alsdann setzt sich der Greis wieder auf seinen Platz, der
Schmaus beginnt und die Gläser gehen von Hand zu Hand.
Der Bräutigam aber bleibt mit seinem Freunde in der dunkelen Ecke sitzen, und man setzt ihnen auf einem Tische Speisen vor; auch dürfen sie während der Zeit sich nur leise zusammen unterhalten.

Einer der Angesehensten aus dem Gefolge des Bräutigams
steht jetzt auf, nähert sich dem Vater der Braut, kniet vor
ihm nieder und reicht ihm einen Becher Wein, den der Vater
bis zum Boden austrinkt, worauf Jener ihm die von dem
Bräutigam verehrten Geschenke übergiebt. Während dieser
Ceremonie stehen der Bräutigam und Brautführer in achtungs-
voller Haltung, und derselbe Gast, der dem Vater die Geschenke überreicht hat, begiebt sich in das Frauengemach, um
auch die Mutter der Braut zu beschenken, kehrt dann zurück
und setzt sich auf seinen früheren Platz. Unterdessen trinkt
die Gesellschaft so viel ihr beliebt, und wenn die Lust am
höchsten und Alles im lärmenden Gespräch begriffen ist, be-

nutzt der Bräutigam den Tumult, um aufzustehen und sich
mit seinem Begleiter durch die untere Thüre zur Braut zu
schleichen, zu der ihm einer von den Hausleuten den Weg
zeigt. Sobald der Wirth seine Flucht bemerkt, befiehlt er
den Dienern, die Thür zu verriegeln, holt grofse, aus Rhodo-
dendronholz geschnitzte Trinkgefäfse hervor und vertheilt sie
an die Gäste. Während die zur einen Seite des Tisches Stehenden einen Chor anstimmen, schreien die ihnen gegenüber
Befindlichen Ho! ho! ho! — ein Ruf, der übrigens seit dem
Erscheinen der Russen durch Hurrah ersetzt worden ist. Der
Schmaus dauert bis Tagesanbruch, vor welcher Zeit Niemand,
mit Ausnahme des Gesindes, den Festsaal verlassen darf; den
Sieger im Trinkgelage aber erwartet Ehre und Ruhm.

Mittlerweile ist der Bräutigam in das Frauengemach eingetreten und nimmt auf den Kissen unter dem Vorhang Platz,
der jedoch aufgezogen bleibt. Der Brautführer setzt sich zur
rechten Hand des Bräutigams, und die Braut steht unter ihren
Gespielinnen, das Antlitz von einem durchsichtigen Schleier
bedeckt. Der Brautführer wendet sich nun zu den Frauen
mit der Frage, ob es nicht Zeit sei, das junge Paar mit einander bekannt zu machen. Eine von ihnen nimmt hierauf die
Braut bei der Hand und läfst sie zur linken Seite des Bräutigams niedersitzen, während eine andere an der Schnur zieht,
die den Vorhang befestigt. Wie letzterer herabfällt, stimmen
die Anwesenden unisono ein Hochzeitslied an. Unter der
schützenden Hülle des Vorhangs wirft der Bräutigam mit einer
leichten Handbewegung den Schleier der Braut zurück,
schlingt den Arm um ihren Leib und drückt einen feurigen
Kufs auf ihre Rosenlippen. In dieser Stellung verharren die
jugendlichen Verlobten eine bis zwei Minuten und fahren dann
plötzlich aus einander, die Braut läfst rasch ihren Schleier
uber das Gesicht fallen, kommt aus dem Versteck hervor und
setzt sich erröthend und zitternd, als habe sie ein Verbrechen
begangen, wieder zu ihren Freundinnen.

Bei geringen Leuten wird statt des Vorhanges oft eine
Burka gebraucht, in die der Bräutigam sich hüllt. Dieser be-

gnügt sich aber mitunter nicht mit einem einzigen Kuss, sondern wiederholt ihm unzählige Male und setzt diese angenehme
Beschäftigung bis zum Tagesanbruch fort.

Die von uns geschilderte Sitte hat, außer der unzweifel-
haften Befriedigung, die sie dem Bräutigam gewährt, noch den
Vortheil, daß sie die bösen Zungen entwaffnet, falls die Heirath nicht zu Stande kommt. — Die Verleumdung kann sich
dann nicht gegen das Mädchen wenden, welches nur vor Zeugen eine Zusammenkunft mit dem Bräutigam hatte und von
ihm einen oder ein paar reine Küsse unter dem Schutz eines
kurzen Vorhangs oder einer einfachen Burka empfing. Erlaubte
man dagegen dem jungen Paar, sich unter vier Augen zu
sehen, so könnten leicht für die Ehre des Mädchens nachtheilige Gerüchte entstehen und Familienfehden hervorgerufen
werden, die nur durch die im Kaukasus allgemein herrschende
Blutrache gesühnt werden können.

Einwürfe gegen die bestehende Theorie der Bewegung der Elektricität im Innern der Leiter.

Nach dem Russischen

von

A. Popow, Professor in Kasan.

Die Geschichte der experimentellen Untersuchungen über die in Bewegung befindliche Elektricität, zeigt uns vor allem einen Kampf verschiedener Meinungen über die Entstehung des elektrischen Stromes. Es ist dieser einer der wichtigsten in der Wissenschaft und an scharfsinnigen Erfindungen eben so fruchtbar, wie an tiefen Einsichten in die Natur. Bekanntlich hat Volta (den man in Pavia noch jetzt mit gerechtem Stolze il nostro Volta zu nennen pflegt) die einfache Theorie begründet, nach der die Berührung zweier verschiedenartiger Körper, als eine ausreichende Ursach zur Zerlegung der mit einander verbundenen positiven und negativen Elektricitäten betrachtet wird. Es wurde durch diese Hypothese Galvanis Lehre von der thierischen Elektricität verdrängt, auch ist sie anfangs von allen Physikern ohne Widerrede aufgenommen worden. Die glückliche Anwendung der Voltaschen Säule auf die chemische Zerlegung der Körper, veranlaßte aber nach und nach zu dem Schlusse, daß dergleichen Wirkung von dem Voltaischen oder elektrischen Strome unzertrennlich sei — und so fing man an die chemische Zerlegung als die Ursach der

Trennung der Elektricitäten zu betrachten. Man erklärte nun
die Berührung der Körper für eine zur Hervorbringung physi-
kalischer Erscheinungen, allzu (rein) geometrische Ursache *). Faraday versuchte demgemäfs die genannte elektrodynamische Lehre neu zu gestalten. Er gelangte zu der
Vorstellung dafs der sogenannte elektrische Strom nur eine
„Kraftaxe" oder eine Richtung sei, nach welcher sich die
chemische Zerlegung derjenigen Flüssigkeit fortpflanze welche
den aus heterogenen Metallen bestehenden Bogen fortpflanzt,
dafs aber jene Metalle selbst nur als „Wege" dienten, auf denen
die „chemische Kraft" in diese Flüssigkeit gelange.

Die Anhänger der Voltaschen Theorie verfehlten nicht
Fälle anzuführen, in denen der elektrische Strom ohne merkliche chemische Zersetzung vor sich geht. Sie bewiesen dafs
eine Elektricitätserregung auch durch die Berührung von
Flüssigkeiten unter sich erfolge, wenn auch bei weitem
schwächer als durch die Berührung von Flüssigkeiten mit
Metallen — und sie gelangten zu dem wichtigen Schluss, dafs
die Erregung der Elektricität durch die Berührung erfolgt, der
Strom derselben aber unter Mithülfe der Zerlegung der Flüssigkeiten fortdauert. —

Endlich lag auch in der Entdeckung der Thermoelektricität **)
und in der ausführlichen Kenntniss ihrer Phänomene eine neue
Nöthigung zur Wiederaufnahme der ursprünglichen Voltaischen
Theorie. Der algebraische Ausdruck, durch den Ohm die
Stärke des Stromes in einer Galvanischen Kette bestimmte,

---

*) Im Russischen steht sogar blofs: „für eine allzu geometrische
Ursache". — Dieser Ausdruck aber ist unpassend, da ja
1) der Unterschied der Körper welche durch ihre Berührung Elektricität erzeugen, auch nach dem Voltaschen Sprachgebrauch fast
immer ein chemischer genannt wird, und da
2) jeder chemische Unterschied, wenn er verstanden werden soll,
als ein von Gestalt und Entfernung der Mollekeln abhängiger,
d. h. als ein geometrischer aufzufassen ist.   D. Uebers.
**) D. i. der elektrischen Ströme in Ringen aus durchweg festen
Leitern.   D. Uebers.

wurde aus mehr oder weniger streng theoretischen Betrachtungen geschlossen, die auf der Voltaschen Voraussetzung ba-
sirt sind [*]).   So sprach Alles zum Besten der Voltaschen
Hypothesen und es entstand endlich auch eine analytische Behandlung derselben.

Die Erfinder und die Anhänger dieser mathematischen
Theorie der galvanischen Ströme glauben dafs es ihnen gelungen sei, durch allgemein gültige Gleichungen mit partiellen
Differentialen die Bewegung der elektrischen Flüssigkeit darzustellen, welche während des Durchganges eines Stromes
durch Leiter von gegebener Gestalt, sowohl innerhalb derselben als an ihrer Oberfläche stattfindet. — Wir wollen diese
neue Theorie etwas näher betrachten.

Die Gleichungen in denen das Wesen der mathematisch-
physikalischen Theorie irgend einer Klasse von physikalischen
Erscheinungen besteht, müssen jeden dahin gehörigen besondren
Fall in sich enthalten. Als Grundlagen einer solchen Theorie
können daher nicht irgend welche besondere Erfahrungs-
resultate dienen, sondern es müssen in dieselbe abstrakte Vorstellungen eingehen oder sogenannte Hypothesen, die dann
nur in ihren Folgerungen geprüft werden können. So beruht
z. B. die mathematische Theorie der Wärme auf der Voraussetzung, dafs die Menge von Wärmestoff, welche den Gewinn
oder Verlust ausmacht, der beim Wärmeaustausch zwischen
zweien kleinen, wenn auch aus vielen Atomen bestehenden,
Molleküln eines Körpers vorkommt, darstellbar sei als eine

---

[*]) Es ist auffallend dafs der Verfasser die Ohm'sche Abhandlung als
eine vor der Erfindung der Theorie des galvanischen Stromes ge-
schriebene erwähnt, und sie eine „mehr oder weniger theoretische"
nennt — da doch in derselben gerade von der hier besprochenen
Theorie Gebrauch gemacht wird. — Man sollte fast glauben, dafs
Herr Popow jene Abhandlung nicht gelesen hat, indem in derselben
auch schon die wesentlicheren Einwürfe die er gegen die Theorie
der Bewegung der Elektricität in den Leitern vorbringt, erwähnt und
bis auf weiteres beseitigt sind.

D. Uebers.

continuirliche Function von der Entfernung der wärmebesitzen-
den Theile und von der Zeit, während welcher sie aufeinander
wirken. — Die neuere elektrodynamische Theorie wünscht
man nun auf einer der ebengenannten vollkommen ähnlichen
Grundlage zu basiren.

Man setzt voraus daſs die Anhäufung der elektrischen
Materie, die nach Verlauf einer gewissen Zeit t, in einem
durch seine rechtwinklichen Coordinaten x y z gegebenen
Punkte des Leiters stattfindet, darstellbar sei als eine continuirliche Funktion der Veränderlichen x y z und t. Bezeichnen
wir diese Funktion mit u. Die Anhäufung der Elektricität
in einem von diesem erstern sehr wenig entfernten und durch
die Coordinaten $x+\varDelta x$, $y+\varDelta y$, $z+\varDelta z$ gegebenen Punkte
wird gleich:

$$u + \frac{du}{dx} \cdot \varDelta x + \frac{du}{dy} \cdot \varDelta y + \frac{du}{dz} \cdot \varDelta z \cdot$$

vorausgesetzt. — Man misst sodann den innerhalb eines bestimmten Stückes v des Körpers stattfindenden Zuwachs der
Elektricität durch:

$$dt \cdot \int \frac{du}{dt} \cdot dv$$

und bildet mittelst der bekannten Analyse von Fourier,
eine partielle Differential-Gleichung, welche der Gleichung
für die Bewegung der Wärme durchaus ähnlich ist. — Diese
Gleichung ist den mathematischen Physikern so bekannt,
daſs sie hier übergangen werden kann.

Wir wollen nun soweit als es nöthig ist, auf die Begründung dieser Theorie eingehen. — Da man das was zwischen
den Mollekeln der Körper vorgeht, nicht unmittelbar beobach-

------

*) Der Verfasser meint die Beziehung die nach der obigen Bezeich-
nung heissen würde:

$$\frac{du}{dt} = k \left(\frac{d^2u}{dx^2} + \frac{d^2u}{dy^2} + \frac{d^2u}{dz^2} \right)$$

wenn k das Leitungsvermögen des betrachteten Körpers bezeichnet.
D. Uebers.

ten kann, so sucht man sich dasselbe dadurch zu veranschau-
lichen, daſs man es den zwischen Körpern von endlichen
Dimensionen sichtbaren Erscheinungen durchaus ähnlich*)
und nur nach kleinerem Maſsstabe stattfindend annimmt.
Diese Methode dürfte wohl nicht die einzig mögliche sein,
sie ist aber in allen begründeten mathematisch-physikalischen
Theorien mit Erfolg benutzt worden. So erfolgt z. B. die
gegenseitige Anziehung der Weltkörper im umgekehrten Verhältniss der ins Quadrat erhobenen Abstände ihrer Schwer-
punkte. Das Stattfinden dieses Gesetzes wird durch unmittelbare astronomische Beobachtungen bestätigt. Obgleich aber
nun die Massen und die Volumina der Planeten ungeheuer
grofs sind, so schreibt man doch jenem Theilchen wägbarer
Materie deswegen eine nach demselben Gesetze ausgeübte Anziehung zu, weil man die Planeten, in Folge ihrer ungeheuren
Abstände, dennoch als Punkte betrachten darf. — Berechnet
man darauf durch Integration die Summe aller elementaren
Anziehungen einer homogenen Kugel (auf einen gegebenen
Punkt), so findet man sie wieder dem Quadrate der Entfernung ihres Schwerpunkts von diesem angezogenen Punkte umgekehrt proportional — und nachdem das Gesetz der Elemen-
taranziehung auf diese Weise durch das was sphärische Körper zeigen, bestätigt worden ist, benutzt man auch für Körper
von beliebigen anderen Gestalten, die Resultate der Rechnung. —

Ein zweites Beispiel: direkte Messungen haben gelehrt,
daſs die Länge einer Saite proportional mit dem Zuwachse
der an ihren Enden angebrachten (spannenden) Kraft zunimmt.
Die Mathematiker haben aber darauf dieses selbe Gesetz auf
die Mollekeln der elastischen Körper übertragen, d. h. sie setzen
voraus daſs die Veränderung der mollekulären Kraft der un-

---

*) Anstatt „durchaus ähnlich" und „nach kleinerem Maſsstabe" müsste
es hier doch höchstens heissen: entsprechend und in so weit modifi-
zirt, wie es gegen ihre Abstände verschwindende Dimensionen der
aufeinander wirkenden Körpertheile verlangen.

D. Uebers.

endlich kleinen gegenseitigen Verrückungen eines jeden Paares von Theilchen proportional sei. — Darauf bestimmen sie durch eine Integration oder Summirung die Resultante der auf jeden Punkt wirkenden Kräfte, und gelangen so zu den Bedingungen des Gleichgewichts der, im Innern eines elastischen Körpers, wirkenden Kräfte. Ein drittes Beispiel liefern uns die magnetischen Phänomene. Es scheint auf den ersten Blick, als ob in den Enden einer Magnetnadel zwei unwägbare Flüssigkeiten wären, die mit einer gegenseitigen Anziehungskraft begabt, aber durch irgend eine andere Kraft von der Mitte der Nadel entfernt, und an ihren Enden festgehalten wären. Sobald man aber gezeigt hatte, daß ein Bruchstück von einem Ende einer solchen Nadel wiederum dieselben Erscheinungen zeigt wie die ganze, musste jene ursprüngliche Vorstellung verbessert und jeder Magnet vielmehr als aus einer unendlichen Zahl unendlich kleiner Magnetnadeln bestehend, betrachtet werden. Indem man dann durch Integration die Wirkung aller magnetischen Elemente zusammenlegte, wurde die magnetische Kraft der ganzen Erde berechnet *).

Der Gang dieser Untersuchungen bestand also darin, daß man den Mollekeln die Eigenschaften der ganzen Körper beilegte **) — und dann aus den Mollekeln die Körper construirte und deren Eigenschaften ableitete. Gehen wir jetzt zu unserm

---

*) Bekanntlich bleibt doch aber gerade jene Art der Vertheilung, die Herr P. als Grundlage der Rechnung über magnetische Anziehungen anführt, bei derselben ganz unbestimmt und es werden vielmehr diese Rechnungen nur darauf begründet daß

   1) die Summe der Intensitäten der sogenannten nordmagnetischen Elemente in jedem Körper, der Summe der Intensitäten der südmagnetischen gleich ist; und daß

   2) die Wirkung jedes Elementes das Gesetz der Quadr. der Entfernung befolgt.

Keine von diesen beiden Hypothesen ergiebt sich aber durch eine so unmittelbare Anschauung, wie sie der Verfasser für allgemein erklärt.
                              D. Uebers.

**) Vergl. aber die vorige Anmerkung.

                              D. Uebers.

Fall über, so muss man zur Begründung einer Theorie der elektrischen Ströme, die Art des Ueberganges der Elektrizität zwischen Leitern von gröfseren Dimensionen genau ermitteln, darauf die Dimensionen dieser Leiter bis zur Kleinheit der Mollekeln herabgesetzt annehmen und durch Rechnung der alsdann stattfindenden Austausch der Elektricität zwischen einem beliebigen Punkt des Körpers und allen anderen Punkten desselben bestimmen. Die neue Theorie nimmt an dafs sich die Elektricität, während des Durchganges eines Stromes, auf ganz ähnliche Weise zwischen den Theilchen eines Leiters verbreite, wie die strahlende Wärme *) und dafs nur der Leitungscoëffizient im ersteren Falle unvergleichlich gröfser sei als im letzteren.

Wie dem aber auch sei, so könnte doch die Uebereinstimmung der allgemeinen Gleichungen fur die Bewegung der Elektricität und für die Bewegung der Wärme nicht zufällig sein. Sie wurden vielmehr eine gröfse Aehnlichkeit zwischen der Art des Ueberganges beider Agentien voraussetzen. — Wir wollen daher sehen ob eine solche Aehnlichkeit wahrscheinlich ist. Die Anzahl von Wärmestralen welche ein Körpertheilchen A ausstöfst, welches aus einer grofsen Zahl von Atomen zusammengesetzt ist, hängt nur von der Anhäufung des Wärmefluidum in A ab oder, was ganz dasselbe sagt, von der absoluten Temperatur welche während des betrachteten Augenblicks in A herrscht. Diese Zahl von Stralen hängt dagegen nicht ab von der Dichtigkeit des umgebenden Mittels und von der Temperatur desselben. Die Zahl der Stralen welche A gleichzeitig von den übrigen Theilen empfängt, hängt von der Natur **) dieser Theile ab.

---

*) Weshalb der Verfasser hier und im Folgenden immer von strahlender Wärme spricht, ist nicht wohl einzusehen — da man doch die Stralung und die Leitung der Wärme nicht ohne Grund unterschieden und den Durchgang der Elektricität durch die Leiter mit der letzteren verglichen hat.   D. Uebers.

**) Was hiermit gemeint ist hätte doch aber gesagt werden müssen.
                                              D. Uebers.

Diese Eigenschaft des Wärmeaustausches ist darin von so grofsem Nutzen für die Theorie, dafs sie die Anhäufung der Temperatur mit der Uebereinanderlegung der Wellen zu vergleichen erlaubt. Bei der Mittheilung der Elektricität geschieht aber, wie es mir scheint, das Entgegengesetzte. Die Anzahl von Funken*) die das Theilchen *A* von sich giebt, hängt nothwendig ebensowohl von der elektrischen Spannung wie von dem Ansehen und der Lage der übrigen Theilchen ab, gegen welche der Austausch geschieht. Der Weg des Blitzes oder Funkens ist vor dessen Erscheinung schon bezeichnet und man kann diese Bezeichnung nicht anders aufheben, als wenn man den Leiter selbst mit einer, die Geschwindigkeit des Blitzes übertreffenden Schnelligkeit, bewegt. Nach dem Uebertritt des ersten Blitzes kann das System der Leiter eine ganz andere Lage erhalten, so dafs der Weg des zweiten von den Folgen abhängt, welche der erste zurückgelassen hat. Man muss daher vor allem irgend ein allgemeines Gesetz erkannt haben, nach welchem die Leitung der Elektricität zwischen vielen Leitern erfolgt ehe man die Theorie der Bewegung der Elektricität als begründet betrachten darf.

Selbst wenn wir voraussetzen, dafs jedes Theilchen des Leiters nach dem Durchgange eines Funken, durch die innere Elasticität jedesmal wieder an seine frühere Stelle zurückgeführt wird, so erfolgt doch solche Rückkehr nie ohne viele Schwingungen der Theilchen. Der zweite Funken trifft daher die Theilchen an neuen Stellen und seine Entladung erfolgt nach einem neuen Gesetze. Endlich kann auch diese Erscheinung eine periodische sein, d. h. so dafs z. B. nach je 1000 Funken die Theilchen des Leiters wieder ihre ursprüngliche Anordnung besitzen. In diesem Falle muss man anstatt des

---

*) So steht in dem Russischen Aufsatze, obgleich doch etwas dem elektrischen Funken ähnliches im Innern der Leiter durch nichts bewiesen ist.

D. Uebers.

elektrischen Stromes, eine Wellenbewegung der Theilchen des Leiters, der Rechnung unterwerfen, und daher eine periodische Aenderung des Stromes selbst. Es scheint mir nach diesen Betrachtungen, als sei die Metaphysik der neuen Lehre noch dunkel und ohne gehörige Begründung.

Eine andere ebenso erhebliche Schwierigkeit liegt in Folgendem. Aller Wahrscheinlichkeit nach nimmt die Anziehung der wägbaren Materie gegen den Wärmestoff (mit wachsender Entfernung) sehr schnell ab und wird vollständig unmerklich, ehe noch die Entfernung eine mikroskopisch erkennbare Größe erreicht hat. Eben deshalb kann der Wärmestrahl viele Reihen von Theilchen durchdringen, ehe er durch die Anziehung eines solchen Theilchens, welches seiner Trajectorie nahe genug tritt, aufgehalten wird. Auf diese Weise können z. B. von 1000 Stralen die nach einerlei Richtung ausgesandt werden, in den ersten Reihen 300 ausgelöscht werden in ebenso vielen folgenden aber nur 200 u. s. w., so daß die Extinction der Wärmestralen regelmäßig erfolgt und zur Anwendung der Differentialrechnung Gelegenheit giebt. Der elektrische Funken ist dagegen der mit den Quadraten der Entfernung umgekehrt proportionalen Anziehung weit gehorsamer und wirft sich deshalb vorzugsweise auf die nächstgelegnen. Die Rückkehr eines Wärmestrales ist unmöglich, während die Rückkehr eines elektrischen Funken zu den gewöhnlichsten Ereignissen zu gehören scheint. Dieser Funke kann wie ein Planet eine geschlossene Bahn um das Körpertheilchen beschreiben, und ist nicht grade dieses ein Corollar der so gerühmten Ampereschen Theorie? — Eine solche Bemerkung zeigt aber, daß es noch tiefer Untersuchungen bedarf, ehe man wirklich berechtigt ist die Spannung im Innern eines elektrischen Stromes durch eine continuirliche Funktion darzustellen und den Zufluss des elektrischen Fluidum durch eine Integration zu bestimmen.

Um nun auch (aus dem Erfolge) zu zeigen, wie wenig die allgemeine Gleichung der Wärmebewegung zur Darstellung des elektrischen Stromes geeignet ist, wollen wir annehmen, daß aus einer Galvanischen Kette ein Leiter B heraus-

genommen werde, der sich zwischen zweien andern gleichfalls
in dem Wege des Stromes gelegnen befunden hat. Im ersten
Augenblick wird die Anhäufung der elektrischen Materie an
verschiedenen Punkten dieses Körpers nach Art einer, von
den Mathematikern sogenannten arbiträren Funktion, gegeben
sein. Der folgende Zustand des Körpers wird aber durch
Integration derjenigen Gleichung bestimmt, welche die in einer
unendlich kleinen Zeit erfolgende Bewegung der Elektricität
ausdrückt. Wenn nun aber diese Gleichung in Nichts von
der für die Wärmebewegung gültigen verschieden ist, so
müssten wir doch auch erwarten, dafs die Gesetze der Verbreitung der Elektricität durch das Innere dieses Körpers,
vollständig mit den Gesetzen der Wärmeverbreitung übereinstimmen werden. Dieser Schluss ist ein mathematisch stren-
ger, weil dem Systeme linearer Gleichungen welche die Bewegung der Wärme darstellen, nur eine Lösung entspricht.
Dennoch ist aber das Gefolgerte in offenbarstem Widerspruche
mit der Erfahrung. In der That geht die freie Elektricität
auf die Oberfläche des Körpers in einer verschwindenden Zeit
oder augenblicklich auf die Oberfläche des Körpers über, so
dafs wenn die Abkühlung des erwähnten Körpers ebenso erfolgte, die Gleichung der Wärmebewegung durchaus nutzlos
wäre, weil sie einen allmähligen Gang der Erscheinung voraussetzt.

Frägt man ferner, in welchem Theile eines Körpers das
stabilste Gleichgewicht der Temperatur vorkömmt, so haben
wir ohne Zweifel im Mittelpunkte oder Kerne desselben zu
antworten. Für das elektrische Fluidum findet aber wiederum
das Gegentheil statt, d. h. ein stabiles Gleichgewicht desselben
ist nur an der Oberfläche möglich. — Bei diathermischen
Körpern verliert die Gleichung für die Bewegung der Wärme
ihre Anwendbarkeit — und es könnte also wohl zweckmäfsig
scheinen, die Electricitätsleiter mit dergleichen diathermischen
Körpern zu vergleichen.

Indessen muss man sich auch dann die dielektrischen, d. h.

für die Elektricität durchgängigen, Körper ganz anders vorstellen als die diathermischen. In den letzteren oder den für
die Wärme durchgängigen, bezeichnen die wägbaren Mollekeln,
die Stellen der Schatten oder des Wärmemangels, und die
Poren entsprechen den Durchsichten, d. h. sie lassen die
Wärmestralen ungehindert. In den dielektrischen Körpern oder
Elektricitätsleitern, bilden dagegen die dichten Ketten von Mollekeln (!), die Wege für die Elektricität, während es die Poren
sind, welche der Elektricitäts-Bewegung hindernd entgegen-
treten.

Daß Einwürfe wie die vorstehenden von Herrn Popow, der Theorie
gegen welche er sie richtet, nicht sehr gefährlich sind, bedarf kaum der Erwähnung. Es zeigt sich aber noch ganz besonders durch den letzten Aus-
spruch, nach welchem es gegen die Theorie sein soll daß sich (unter gewissen Bedingungen) das Elektrische Fluidum an der Oberfläche, die
Wärme dagegen gegen die Mitte eines Körpers, der Zeit nach unveränder-
licher zeigt. Herr P. hätte sich selbst erinnern sollen, daß es die bei der
Wärme fast völlig ungehinderte und bei der Elektricität kaum merkliche
Stralung durch die Luft ist, welche diesen Unterschied wohl überall wo
er ihn wahrgenommen haben könnte, erklärt! —

Erman.

Geognostische Beschreibung der Gegend zwischen den Flüssen Alasan und Jura.

Die Flüsse Alasan und Jura welche auf den Höhen des Tuschino-Pschawo-Chewsurischen Kreises entspringen, durchschneiden in ihrem ferneren Laufe fast senkrecht stehende Schichten von schwarzen Schiefern, die wahrscheinlich durch einen Melaphyr gehoben worden sind, von welchen man Bruchstücke an den Quellen jener Flüsse findet. Diese gehn darauf durch einen schmalen Streifen von Kalkschichten welche mit Thonschiefern und Sandsteinen wechsellagern, fliefsen um die Höhen des Telawer und Signacher Kreises, vereinigen sich in dem Kreise von Jelisawetopol und fallen dann in den Kur. Der Alasan entspringt bekanntlich in der Pankiner Schlucht und durchströmt ein Thal, welches den Telawer und Signacher Kreis von dem Djarobjelokaner Kreise abgränzt. Dieses Thal trennt den Hauptrücken des Lesgischen Gebirges von dem bergigen Lande zwischen dem Alasan und dem Jura. Es ist breit und (auf seiner Sohle) überall mit Geröllen von metamorphischem Schiefer und von verwitterten Granit bedeckt. Von den Bergen die ihren West-Abhang gegen das Alasan-Thal kehren, besteht derselbe fast durchgehends aus Schiefern, und eben diese findet man auch beinah überall in den Schluch-

ten um Bjelokan, Lagodjech, Katrubani, Bejanjua in der Mur-
sisaliner Schlucht und der von Bans-ubnjus-chewa, an dem
Flusse Katrubanara, in dem Thale Areschis-chewa, und in
dem Distrikte Sardseris Kura in Kwareli. Nirgends zeigen sich
aber, weder frische noch auch nur abgerundete, Bruchstücke
von Sandsteinen und Schiefer- (Thonen?), die auf eine in der
Nähe befindliche Kohlenformation schliefsen liefsen. Ja man
findet nicht einmal Uebergänge zwischen vollständig metamorphische Schiefern und andren die ganz unverändert vorliegen.
Bei Sakatal liegt auf diesen Schiefern eine dünne Schicht
desselben Kalkes, der bei Zarskie Kolodzy selbständige Berge
bildet. — Diese Berge sind überall mit Konglomeraten aus
Schiefer- und Kalktrümmern die, durch ein kalkig-thoniges
Bindemittel verbunden sind, umgeben. Dergleichen Konglo-
merate bilden die beträchtlichen Höhen des Signjacher Kreises, und in dem Signacher Distrikt selbst sind sie stellenweise
mit Töpferthon bedeckt, und von nahe bei dem Dorfe Sarta-
tschas liegen sie auf dem in der Nähe des Dorfes Martkobi
anstehenden Sandstein. — Diese grauen und kleinkörnigen
Sandsteine wechseln bei dem Dorfe Gambar mit Schichten
des grauen Mergels, der längs des Baches Grjasnaja, eines
bei Chaschna zu der Jura tretenden Zuflusses, sehr verbreitet ist.

Gegen den Ursprung dieses Baches kommen Braunkohlen
vor — die Mergel, welche mit dem genannten Sandsteine
übereinstimmend gelagert sind, finden sich auch mit ihm zugleich zu einem fast seigeren Fallen aufgerichtet. Sie haben
durch atmosphärische Einflüsse ihre Schichtung eingebüfst und
bilden nun bis zu 1000 Fufs hohe Hügel, die in verschiedenen
Richtungen von den Bächen gefurcht sind, welche sich während des Schneeschmelzens und der reichhaltigen Regen
bilden.

Die Wasser welche in alle Spalten dieser Berge eindringen, haben auf ihnen, sogar in Höhen von einigen Hundert
Fufsen, Sümpfe gebildet; auch werden jetzt bei heftigen Regengüssen oft bedeutende Theile dieser Berge losgerissen und die

angeschwemmten Bäche führen dann iu ihrer reifsenden Strömung Schlamm, Erde und Steine, unter denen viele Trümmer
von verwittertem Sandstein vorkommen.

Die Braunkohlenflötze sind daselbst, als die am wenigstens
widerstandsfähigen, am meisten zerstört und sie haben dergleichen Einwirkung schon während einiger Jahrzehnte *) erfahren. Nach der Aussage der Einheimischen waren diese Oertlichkeiten früher zugänglich. — Vor zwei Jahren richteten aber
heftige Regen eine solche Verwüstung der betreffenden Gegend an, dafs die Gärten die sich in derselben befanden, fort-
rückten. Die Schlucht in welche die Grjusnaja rjetschka
(d. h. der Schlammbach) fliefst, erhielt eine durchaus veränderte
Gestalt. Ihre steilen Wände wurden uberschüttet und erhielten eine sanftere Neigung und ihre Sohle stieg durch eine
Schlamm-Decke um ein Beträchtliches — auch wurde das
nestartige Braunkohlenvorkommen zertrümmert und 15 Sajen
hoch (!!) mit schlammigen Anschwemmungen bedeckt.

Bis zu jener Zeit fand man an der Jura abgerissene
Kohlenstücke von einigen Pud an Gewicht, welche durch
Wasserspülung aus der Schlucht der Grjasnaja rjeka dahin
gelangt waren und von der Bauwürdigkeit eines Vorkommen
Zeugnifs ablegten, von dem jetzt kaum noch schwache Spu-
ren zu bemerken sind.

Die Mergelschiefer, welche diese Braunkohlen enthalten,
stimmen in ihren petrographischen Charakteren mit denen von
Suplis, westlich von Achalzych. Sie scheinen mit diesen zu
einerlei Becken zu gehören, welches bei Tiflis, bei Goria und
Aschur von vulkanischen Gesteinen durchbrochen, sich nach
Kachetien in die Umgegend des Kuraflusses bis Mzcheta erstreckt, wo es von mächtigen Molasseschichten bedeckt ist.
Diese reichen bis in den Bezirk Muchrawani, in welchem wieder dünne Braunkohlenschmitze an dem Wege von Muchran

---

*) Weshalb nicht schon ungleich länger — müsste doch gesagt werden.
                                                                D. Uebers.

in den Kreis von Gori und längs des Flusses Rakuai vorkommen.

Es ist nicht wohl zu entscheiden, zu welcher Formation
diese Gesteine gehören. Die Schiefer gränzen an einem der-
ben, grauen Sandstein ohne Versteinerungen und in der Nähe
dieses Sandsteines findet man bei der Kolonie Marienfeld einen
Kalk der Infusorienreiche Lager (?) enthält und Reste von
Mollusken, welche eher für die Kreidegruppe als für die ter-
tiäre charakteristisch scheinen.

Besonders häufig findet sich Nucula pectinata, die dem
Grünsand der Kreide eigenthümlich zu sein pflegt. — Bruchstücke von einer Planorbis in den Thonen, die an diese Kalke
gränzen, scheinen auf einen Uebergang in die Mejocenische
oder mittlere Tertiär-Gruppe zu deuten, welche dann hier an
die Stelle der fehlenden oberen Glieder der Kreide und der
älteren Tertiärschichten getreten wäre.

Ueber den Schiefern welche die Braunkohlen enthalten,
sieht man hier Nichts von den Molasse-Sandsteinen mit
Mitrascabra, welche in den oberen Schichten der Schiefer von
Suplis vorkommen. Die hiesigen Schiefer sind weniger derb
und die Braunkohlen scheinen nicht unter denselben Bedingungen wie die von Achalzych gebildet.

Die hiesige Braunkohle besitzt vielmehr noch die schich-
tige Textur der Bäume aus denen sie entstanden ist — und
es scheint dafs, sowohl das derbere Gefüge der Schiefer in
jener anderen Gegend (bei Suplis und Achalzych), als auch
die vollständigere Verkohlung der Pflanzen, von der Nähe der
plutonischen Gebirgsarten herrührt.

Finnische Mährchen.

Herausgegeben

von

Salmelainen. *)

Nachdem wir, Dank den Bemühungen der finnischen gelehrten Gesellschaft in Helsingfors, von dem alten Lieder-
schatze der Suomalaiset und ihren epischen Dichtungen so
reichhaltige und schöne Sammlungen erhalten, wird uns in
dem vorliegenden Buche ein Theil dessen geboten, was sich
in ungebundener Rede unter diesem Volke fortgepflanzt hat.
Von den hier nacherzählten Mährchen sind zwar nur wenige
als Autochthonen, d. h. als vollkommen selbständige Erzeugnisse der finnischen Phantasie zu betrachten — die meisten
zeigen eine gewisse Verwandtschaft mit dem Mährchenkreise
nicht-verwandter Völker, besonders des germanischen Stammes — aber jedes ohne Ausnahme ist mit solcher Freiheit
bearbeitet, so ganz von national-finnischem Lebenshauch durchdrungen, dass an blosse Nachahmung nirgends zu denken ist.

Der verdienstvolle Lönnrot hatte in der Zeitschrift Me-
hiläinen, d. i. die Biene (Jahrgang 1836) zuerst auf den
Werth solch einer Sammlung hingewiesen, aber zugleich bemerkt, dass es eine langwierige Arbeit sein würde, indem fast
eine Unzahl von Mährchen durchs ganze Land verbreitet sei
und häufigst jeder Ort seine besonderen habe. Er selbst war

----

*) Suomen kansan satuja ja tarinoita. 1. Theil. Helsingfors
1852.

in obgenannter Zeitschrift mit einigen Proben vorangegangen. Seitdem machten sich verschiedne Freunde finnischer Sprache und Litteratur mit Eifer an das Geschäft des Sammelns: der Academiker Kainonen erbeutete viel im sogenannten Russischen Karelien; die Herren Europaeus, Oksanen, Polén und Reinholm hatten ähnliche Erfolge im Finnischen Karelien; Rothman, Nylander, Salmelainen in Tavastland, Andere wieder anderswo. Herr Salmelainen übernahm die Redaction des Ganzen und so besitzen wir einstweilen eine erste Lieferung oder einen ersten Theil. Er enthält 26 Stücke, die in 15 Abtheilungen enthalten sind, da die nahe Verwandtschaft welche mehrere Mährchen öfter mit einander haben, den Verfasser oft bestimmen musste, ihrer zwei oder drei unter allgemeine Ueberschriften zu bringen. Das Inhaltsverzeichniss ist folgendes: 1. Freiwerbung des Schmiedes Ilmarinen. [*] 2. Lippo und der Waldgott (Tapio). 3. Der Sohn des Waldes (zwei Mährchen). 4. Das Schiff des Hiisi (Waldteufels). 5. Tuhkamo. [**] 6. Die drei Brüder (zwei Mährchen: „Tuhkimo", und „die Königstochter im dritten Stock des Schlosses"). 7. Tuhkimus-Tähkimys hinterm Ofen (drei Mährchen: die „Wunder-Birke", die „Wunder-Eiche", die „drei Schwestern"). 8. Das aus dem Meere steigende Mädchen. 9. Das Weib mit acht Söhnen (drei Mährchen: „die ihre Brüder suchenden und als Schwäne fliegenden", „die auf der Insel lebenden", „der in einer Tonne erwachsene Knabe"). 10. Das Mädchen ohne Hände (zwei Mährchen: „das Mägdlein in des Königs Garten", „das Mägdlein auf dem Erbsenfelde"). 11. Das seine Brüder suchende Mädchen. 12. Die Flüchtlinge (drei Mährchen: „die

---

[*] Uebersetzt von Herren Schiefner in der Dorpater Wochenschrift „Inland", Jahrgang 1852, No. 15.

[**] Dieser Name (von tuhka, Asche) entspricht dem deutschen Aschmann oder Aschenbrödel. Siehe die Zeitschrift „Inland" im selben Jahrgange, No. 22, in dem Artikel „vier lappische Riesenmährchen." Vergl. auch das Wörterbuch der Brüder Grimm unter den angeführten deutschen Namen. — Tuhkimo und Tuhkimus-Tähkimys sagen dasselbe was Tuhkamo.

dem Wassergott versprochenen Kinder", „die aus des Ochsen
Ohren entstandenen Hunde", „der in einen Hengst verwandelte
Knabe"). 13. Der Kasten ohne Schlüssel. 14. Die Befreiung
aus dem Berge (zwei Mährchen: „der Wunder-Stab", „die
Wunder-Pfeife"). 15. Die Gaben des Hiisi (zwei Mährchen:
„vom bösen Geist geschenkte musicalische Instrumente", „Gold-
Hengst, Gold-Netz, Badequaste und Pfeife").

Nach jeder allgemeinen Ueberschrift macht der Herausgeber auf analoge Mährchen anderer Völker aufmerksam und
beurkundet dabei eine ausgebreitete Belesenheit. Wir unseren Theils wollen einige Stücke der Sammlung hier übersetzt
folgen lassen: die Ermittelung des Analogen sei unseren Lesern ganz anheimgestellt.

Die vom Bösen geschenkten Instrumente.

Es war eine Ansiedlung in irgend einem Walde; da
wohnte ein Mann der einen Sohn hatte. Bei der Ansiedlung
stand ein Dickicht großer Birken, auf welchen gewöhnlich
ganze Schaaren Birkhühner saßen. Der Knabe bat seinen
Vater oft um die Erlaubniß, nach ihnen zu schießen; aber der
Vater verbot es ihm allemal mit Strenge. Endlich konnte der
Sohn dem Verbote nicht länger gehorsamen; er nahm heimlich des Vaters Bogen und schoss eines der Birkhühner; allein
er traf nicht die rechte Lebensstelle, weshalb das Birkhuhn
davonflog und erst nach einiger Zeit an die Erde fiel. Der
Knabe ging um es aufzunehmen; als er aber dem Birkhuhn
nahe kam, flog es wieder auf und veranlasste so den Knaben
immer nachzurennen bis er sich eine Meile weit von Haus
entfernt hatte. So gerieth er auf seiner Verfolgung in einen
finstern Wald und es war schon spät am Abend; das Birkhuhn
aber verschwand in diesem Walde, dass nichts mehr von ihm
zu sehen und zu hören war.

Jetzt wollte der Knabe den Heimweg suchen, wusste
aber nicht wohin er sich wenden sollte; er irrte in die Kreuz
und Quer, ohne irgendwo eine Menschenwohnung zu ent-

decken. Die Nacht fiel schon ein und der Knabe gedachte sie im Walde zuzubringen, als er plötzlich den Bösen *) an sich vorüber laufen sah; dieser floh vor Wölfen die ihm in die Fersen bissen. Sogleich ergriff der Knabe seinen Bogen und schoss nach den Wölfen dass einer todt blieb und die Uebrigen vor Schreck entflohen. Da wurde der Böse guter Laune, weil er aus der Gefahr befreit war; er trat zu dem Knaben hin, dankte ihm für diese Wohlthat und verhiefs ihm noch ansehnlichen Lohn, wenn er ihm in sein Haus folgte. Der Knabe antwortete: „Das wäre freilich gut, wenn ich ein Nachtlager bekäme, ich bin hier im Walde herumgeirrt ohne den Heimweg zu finden." Der Böse führte ihn also in seine Wohnung. Sobald der Knabe da angekommen war, legte er sich, vom vielen Laufen ermüdet, zur Ruhe. Der Herr des Hauses ging aber, Lebensmittel aus dem Walde zu holen, mit denen er seinen Retter beköstigen wollte. Unterdessen bemühte sich die Köchin den Knaben zu wecken, sagte ihm, dafs er an einem gefahrvollen Orte sei, und ermahnte ihn zur Flucht; allein der Knabe öffnete nur zuweilen die Augen ein wenig und schlief dann gleich wieder ein. Bald kam der Herr aus dem Walde heim und hiefs die Köchin schnell eine Mahlzeit zurechtmachen. Die Mahlzeit war bald fertig, und der Knabe wurde aufgefordert zu essen, allein man konnte ihn nicht wach kriegen; der Wirth musste Alles selbst verspeisen. Nun ging er wieder in den Wald und brachte neue Lebensmittel. Allein der Knabe stand auch diesmal nicht zum Essen auf, und der Alte ging zum dritten Mal in den Wald.

Endlich erhob sich der Knabe von seinem Lager und begann mit der Magd zu plaudern. Da diese schon erfahren hatte, dass er dem Hausherren Gutes gethan, wofür er einen schönen Lohn bekommen sollte, ermahnte sie ihn nicht mehr

---

*) im Texte steht immer Pabolainen, was Renvall durch „malitiosus, malignus, inde diabolus" wiedergiebt. Es ist von paha (schlecht, böse) abgeleitet und ein Eigenname des „Gott sei bei uns", der, wie aus diesem Mährchen erhellt, unter Umständen ein dankbarer und fast liebenswürdiger Gesell ist.

zur Flucht, sondern begann zu überlegen, was er als Lohn
fordern könnte, und sagte ihm, er möge den Bösen um dasjenige Pferd bitten, welches im dritten Gehege rechter Hand
in seinem Pferdestalle stände. — Der Alte kam heim, sah den
Knaben wach, ließ ihm gute Speise bereiten und beköstigte
ihn zur Genüge. Als der Knabe mit Essen fertig war, fragte
er ihn: „Was für eine Belohnung willst du denn, mein
Sohn?" — „Ich will sonst nichts", antwortete dieser, „wenn
ich nur das Pferd bekomme, das im dritten Gehege zur Rechten in deinem Stalle steht; denn ich habe weit nach Hause,
und wäre nicht im Stande zu Fuße zu wandern." — „Oweh
mein Sohn!" sagte der Böse, „du verlangst eine große Belohnung, denn das ist meine allerbeste Stute; nimm sonst
was dir gefällt; diese kann ich dir durchaus nicht geben."
Der junge Gast aber entgegnete, um anderen Lohn kümmere
er sich nicht, und so musste ihm der Böse endlich das verlangte Pferd geben. Ausserdem aber schenkte er ihm noch
eine Cither, eine Geige und eine Pfeife, und sagte: „Wenn du
irgendwo in Gefahr geräthst, so spiele auf dieser Cither; kommt
dann noch keine Hülfe, so spiele auf der Geige; und bleibt
auch dann die Hülfe aus, so nimm die Pfeife und blase ein
wenig: dann ist dir die Hülfe gewiss." — Der Knabe bedankte
sich für die Gaben, nahm sie an sich, und ritt auf seiner Stute
davon. Als er eine kurze Strecke geritten war, redete das
Pferd ihn an und sprach: „Du musst jetzt nicht heimkehren,
sonst wird dein Vater dich als einen Taugenichts abprügeln;
lass uns zusammen in jene Stadt gehen, da wird man uns
beide gut empfangen."

Der Knabe überlegte die Sache, fand den Rath seines
Pferdes gut, und ritt auf die Stadt los. Dort angekommen,
ward er um seines schönen Pferdes willen bei allen Einwohnern bald bekannt. Selbst der König erschien um das Pferd
in Augenschein zu nehmen, und versprach dem Knaben jeden
Preis, wenn er ihm dasselbe verkaufen wollte. Aber die Stute
sprach zu ihrem jungen Herren: „Verkaufe mich nicht, sondern verlange von dem Könige, dass er dich als Stallknecht
annehme und auch mir Futter gebe; dann werden alle seine

Pferde eben so schön werden wie ich selber bin." — Der
Knabe sagte dies dem Könige, und dieser nahm ihn und sein
Pferd in seinen eignen Stall; seinem alten Stallknecht aber
gab er den Abschied. Dieser suchte den Knaben auf alle
Weise beim Könige anzuschwärzen, aber der König schenkte
ihm kein Gehör. Endlich log er dem Könige vor, sein neuer
Stallknecht habe gesagt, er könne Seiner Majestät das berühmte
Kriegsross wieder verschaffen, welches vor mehreren Jahren
im Walde sich verloren hatte. Da erwachte im Könige die
Sehnsucht nach jenem vortrefflichen Kriegsrosse und er ließ
den Knaben zu sich kommen und sagte ihm: „In drei Tagen
verschaffst du mir dieses Ross, oder es wird dir schlecht ergehen!"

In dieser Nacht ging der Knabe zu seiner Stute und
fragte um ihren Rath. „Dabei ist keine Gefahr", sagte die
Stute, „geh und verlange zuerst einen Ochsen vom Könige
und lass den Ochsen in viele Stücke zerhauen. Dann machen
wir uns mit den Stücken Fleisch auf die Reise und wenn
wir zu einer gewissen Quelle kommen, so wird ein Pferd
herausspringen, aber dieses nimm nicht; dann ein zweites,
auch das zweite lass in Ruhe; erst wenn das dritte Pferd
herausspringt, versichere dich seiner und leg ihm meinen Zaum
an." Die Stute sagte weiter: „Wenn wir nun von hier auf-
brechen, so werden die Raben des Bösen uns fressen wollen; du aber nimm die Stücken Fleisch, wirf sie auf den Weg,
und eile dich, so entrinnen wir noch den Krallen der Raben."
Der Knabe befolgte diesen Rath und es gelang ihm, dem Könige das verlorne Pferd zu bringen.

Noch aber ließ der alte Stallknecht nicht ab, den Knaben
beim Könige zu verläumden. Jetzt sagte er ihm, der Bursche
habe sich gerühmt, dem Könige seine Gemahlin zurückbrin-
gen zu können, die schon lange Zeit verloren war. Der König befahl dem Knaben, dies zu thun, und setzte hinzu, er
würde ihn hinrichten lassen, wenn es ihm nicht gelänge. —
Der Knabe ging wieder in den Stall zu seiner Stute, klagte
ihr sein Unglück und verlangte ihren Rath. — „Das Weib
kann noch beschafft werden", sagte die Stute, „schwing dich

nur auf meinen Rücken und reite nach derselben Quelle, aus
welcher auch das Pferd gekommen ist; dann wirf mich in
die Quelle und sogleich werd ich mich in einen Menschen
verwandeln; denn ich selbst bin die Gemahlin des Königs die
jetzt gesucht wird, obwol ich dem Bösen als Pferd habe dienen müssen." — Was hatte der Knabe nun zu befahren da
ihm solche Kunde ward? Er ritt nach der Quelle und warf
die Stute hinein: diese verwandelte sich gleich in ein Weib,
wurde so schön, wie sie anfänglich gewesen, und ging mit
dem Knaben in die Stadt zurück. Dem Könige ward es angenehm zu Muthe, als er sein schönes Weib wieder hatte; er
lobte den Knaben vor den Ohren aller Stadtbewohner und
gab ihm schöne Belohnung. — Allein der Knabe kam noch
nicht zur Ruhe: der alte Knecht log dem Könige vor, dass
Jener die Absicht geäufsert habe, seinen hohen Gebieter zu
verderben und sich selbst auf den Thron zu schwingen.

Da warf der König eine blinde Wuth auf den Knaben
und gab den Befehl zu seiner sofortigen Hinrichtung. Man
schleppte ihn zum Galgen an dem er sterben sollte. Der
Knabe bat den König um die Gnade noch ein wenig auf seiner Cither spielen zu dürfen ehe er sterben müsse, und als
ihm dies verstattet ward, begann er zu spielen so gut er
konnte. Kaum aber erklang die Cither, als sämmtliche Henker zu tanzen begannen. Der Knabe spielte diesen ganzen
Tag und machte die Henker so müde, dass es ihnen unmöglich war sich von der Stelle zu rühren, und so musste die
Hinrichtung auf morgen verschoben werden. Am anderen
Morgen versammelte sich das Volk wieder auf dem Richt-
platze; aber der Knabe verlangte nun seine Geige spielen zu
dürfen eh' er für immer von dieser Welt schiede, und der
König gewährte ihm auch diese Bitte. Kaum begann er die
Saiten zu streichen, als der König und alles Volk tanzten; so
liefs der Knabe sie den ganzen Tag tanzen dass es wieder
nicht zur Hinrichtung kam. Am dritten Tage schickte man
sich wieder an, den Knaben aufzuknüpfen, und jetzt bat er
um Erlaubnifs seine Pfeife blasen zu dürfen; aber der König
schüttelte diesmal den Kopf und sprach: „Du hast mich schon

zwei Tage zum Tanzen gezwungen, und gebe ich dir wieder
Erlaubniſs, so tanze ich mich zu Tode — nein, jetzt ist keine
Zeit mehr zum Spielen, legt ihm den Strick um den Hals!" —
Der Knabe bat unterthänigst, und auch die anderen Herren
sagten zu Seiner Majestät: „Lassen wir den armen Kerl
noch ein wenig musiciren, da er so jung das Leben verlassen
muss." Der König gab noch einmal seine Einwilligung dazu,
ließ sich aber an eine große Fichte fest binden, weil er sonst
wieder tanzen zu müssen befürchtete. — Sobald der König
angebunden war, begann der Knabe auf seiner Pfeife zu blasen so gut er konnte, und gleich musste Alles wieder tanzen.
Der König allein, der am Baume festgebunden war, rutschte
an demselben aufwärts und abwärts, dass ihm die Kleider zerrissen und die Haut vom Rücken sich ablöste. — Da kam
der alte Böse selber dem Knaben zu Hülfe und frug: „In was
für einer Gefahr bist du, mein Sohn, da du jetzt so dich ge-
behrdest?" — „Hier will man mich aufknüpfen," sagte der
Knabe, „und hier ist der Galgen an den sie mich knüpfen
möchten." — „Das sollen sie wol bleiben lassen!" sprach
der Böse, riss den Galgen, der ein großer noch wurzelnder
Tannenstumpf war, aus der Erde und schleuderte ihn so hoch
in die Luft, dass man ihn kaum noch sehen konnte. Darauf
frug er den Knaben: „Wer ist derjenige, der dich hängen
will?" — Der Knabe deutete auf den König, welcher noch
an der Fichte befestigt war; und gleich riss der Alte auch
die Fichte aus und schleuderte sie mit solcher Kraft empor,
dass sie mit allem was daran saß in den Wolken verschwand.
Und so ward der Knabe gerettet und das Volk machte ihn
an der Stelle seines vorigen Herren zum Könige.

Das Mädchen im dritten Stockwerke der Hofburg.

Es waren drei Brüder; zwei von ihnen waren Kaufleute,
der dritte und jüngste, welcher Tuhkimo (Aschenbrödel) hieß,
that nichts und verbrachte seine Zeit nur am Ofen. Es starb
ihr Vater und sagte im Sterben: „Wann ich todt bin, so sollt
ihr um die Reihe eine Nacht auf meinem Grabe zubringen!" —

Als nun der Vater schon im Schofse der Erde ruhte, ging
Tuhkimo zuerst an das Grab, um da zu übernachten. Er
weinte hier und betete lange; da begann der Vater aus dem
Grabe heraus zu sprechen und fragte: „Wer betet hier?" —
„Wer anders, Vater, als dein jüngster Sohn." — „Der Aelteste
von euch hätte zuerst kommen sollen," sagte der Vater, „weil
du aber gekommen bist, so geb ich dir deinen Antheil." Er
erhob sich aus dem Grabe, reichte dem Tuhkimo einen rothen
Stab, deutete auf einen Felsen, und sagte: „Wenn du mit
dem Stabe auf jenen Felsen schlägst, so öffnet er sich; in ihm
findest du ein rothes Pferd mit einer Sternblässe [*]) und alle
Güter deren du je bedürfen könntest." — Am Morgen kam
Tuhkimo nach Hause; die Brüder frugen ihn, was der Vater
gesagt habe. — „Er hatte Hunger," antwortete Tuhkimo, „er
holt sich das Essen aus dem Hause, wenn ihr nicht geht und
am Grabe schlafet." — Die Brüder fürchteten sich, und der
mittlere versprach dem Tuhkimo dreihundert Geldstücke, wenn
er die nächste Nacht statt seiner am Grabe zubringen wolle.
Tuhkimo ging. „An einem Menschen wie ich," sagte er, „ist
nicht viel verloren; wenn er mich verzehren will, so mag er
es thun!" — Er kam zum Grabe. Wieder frug der Vater:
„Warum ist dein Bruder nicht gekommen?" — „Es hat ihm
der Muth dazu gefehlt." — „Wolan, so empfange auch seinen Antheil." Und er gab dem Tuhkimo einen grauen Stab
und sagte: „An diesem und jenem Orte ist ein Felsen, schlag
mit diesem Stabe daran, so öffnet er sich; darinnen ist ein
graues Pferd mit einer Mondblässe und zweimal so viel Gut
als in deinem eignen Felsen." — Die Nacht verstrich, der
Morgen kam, und Tuhkimo ging nach Hause. Da wurde wieder gefragt was der Vater gesagt habe. „Er hatte Hunger,"
sprach Tuhkimo," er war noch zorniger als in der vorigen
Nacht, und drohte, er wolle sich Speisen aus dem Hause holen, wenn du nicht kämest." — Da bot ihm der Aelteste einen
guten Lohn, wenn er statt seiner hinginge. — „Wenn du mir

---

[*]) d. h. mit einem sternähnlichen weissen Flecken auf der Stirne. Nun
versteht man schon was Mondblässe und Sonnenblässe heissen soll.

sechshundert Geldstücke giebst, so geh ich," sagte Tuhkimo.
Der Andere zählte ihm sechshundert in die Hand und Tuhkimo ging, um in der dritten Nacht 'am Grabe zu schlafen.
Da erhob sich der Alte aus seinem Grabe und sprach: „Warum
ist dein ältester Bruder nicht gekommen? da er nicht gekommen ist, so sollst du auch seinen Theil haben." Er gab ihm
einen schwarzen Stab und sagte: „Schlage mit ihm dort an
den schwarzen Felsen, so öffnet er sich, und du findest ein
schwarzes Pferd mit einer Sonnenblässe, dazu soviel Gut, dass
Kindeskinder davon zehren können." Wieder kam Tuhkimo
des Morgens vom Grabe heim, und als seine Brüder ihn wieder frugen was der Vater gesagt, gab er ihnen die Antwort:
„Er war zornig und wollte durchaus essen; mit Mühe entkam
ich ihm durch die Flucht."

Es verging einige Zeit. Die zwei älteren Brüder trieben
ihren Handel, Tuhkimo aber verweilte am Ofen, denn dies
war sein Geschäft. Nun war in der benachbarten Stadt ein
König der nur eine Tochter hatte. Er brachte sie ins
dritte Stockwerk des Palastes und sagte: „Nur derjenige soll
meine Tochter haben, der sein Pferd bis ans dritte Stockwerk
springen lassen und ihr einen Kuss geben kann." Er richtete
ein grofses Gastmal an und lud viele Gäste. Das Schicksal
der Königstochter kam auch dem Tuhkimo zu Ohren und er
kriegte Lust dahin zu gehen. Die älteren Brüder begaben
sich mit den Uebrigen nach dem Palaste, ihre Pferde zu erpro-
ben. Tuhkimo sagte: „Ich will mitgehen." — „Wie, einen
Menschen von deiner Figur sollten wir mitnehmen! Giebt es
dort nicht für bessere Leute was zu thun? bleibe du nur hinterm Ofen liegen und rühre dich nicht, Taugenichts!" so sagten die Brüder und ritten ab. Als die Beiden fort waren,
sagte Tuhkimo zu den Weibern seiner Brüder: „gebet mir
einen Wassergaul, *) auch ich will nach der Burg reiten." —
Er bekam eine alte Mähre von ihnen und ritt mit dieser zu-
vörderst nach seinem eignen Felsen, den der Vater ihm bezeichnet hatte. Hier liefs er den Wassergaul den Raben und.

---

*) Ein Pferd das nur noch zum Wasserholen taugt.

Krähen zum Fraſse, öffnete mit seinem rothen Stabe den Felsen, holte das rothe, sternblässige Pferd heraus, zog kostbare
Gewänder an, und ritt nach der Hofburg. Als dort die Reihe
an ihn kam, sein Pferd springen zu lassen, kam er auf demselben bis zum ersten Stockwerk, musste aber dann umwenden und zurückreiten. Kein Mensch erkannte ihn auf einem
solchen Pferde und in so prächtiger Kleidung. Tuhkimo
brachte sein Thier und seine Prachtgewänder in den Felsen
zurück, und war vor den andern Brüdern zu Hause. Darauf
kamen auch diese von der Burg heim, und Tuhkimo fragte
sie: „Ist Einer dort bis zur Tochter des Königs gekommen?"
Sie sagten: „Keiner; es war da ein Mensch auf einem stern-
blässigen Fuchse, der bis zum ersten Stocke gelangte und
dann wieder abzog, niemand kannte ihn." — „Bin ich es vielleicht gewesen?" — „Ja, es war dein Ebenbild," sagten die
Brüder mit spöttischer Miene.

    Es kam der andere Tag. Der König versammelte wie-
der Gäste zum Mahle, und Tuhkimo's Brüder gingen auch
dahin. Tuhkimo äuſserte wieder Lust, mitzugehen. — „Einen
Menschen wie dich sollten wir mitnehmen? da giebt es doch
bessere Leute," antworteten die Brüder. Als sie fort waren,
verlangte Tuhkimo von ihren Weibern einen zweiten Wassergaul und ritt auf demselben zum Felsen seines mittleren
Bruders. Er lieſs die Mähre den Vögeln des Himmels zum
Fraſse, nahm aus dem Felsen das graue mondblässige Pferd,
legte Prachtkleider an, und sprengte nach dem Orte des Gast-
mals, vor die Königsburg. Hier erprobten seine Brüder und
Herren von jedem Rang ihre Pferde, erreichten aber gar nichts.
Auch Tuhkimo spornte das seinige und dieses kam schon bis
zum zweiten Stockwerk; dann sprengte er wieder fort — niemand kannte ihn — legte seine Kleider im Felsen wieder ab,
und ging an den Ofen zurück. Als die Brüder heim kamen,
fragte er: „Nun was habt ihr dort gesehen?" — Sie sagten:
„Wir sahen einen Menschen auf mondblässigem Pferde; doch
kam er nicht bis zur Tochter des Königs." — „Nun das bin
ich gewesen," sagte Tuhkimo. — „Schweige du und bleib am
Ofen liegen!" sagten die Brüder und verhöhnten ihn. Tuh-

kimo sprach nichts weiter, sondern erwartete den folgenden
Tag. — Auch am dritten Tage wurde in der Königsburg nach
voriger Weise ein Mahl bereitet. Die älteren Brüder schick-
ten sich wieder an, dahin zu gehen, und Tuhkimo bat wieder,
dass sie ihn mitnehmen möchten. — „Ja du würdest ein Gegenstand allgemeiner Bewunderung sein!" sagten Jene und
verboten ihm den Ofen zu verlassen. Auch blieb er daselbst,
bis die Brüder fort waren, und sagte dann wieder zu den
Weibern: „Gebt mir den dritten Wassergaul, dass auch ich
nach der Hofburg komme." — „Wie sollen wir denn Wasser
bekommen?" entgegneten die Weiber und schlugen ihm diesmal sein Gesuch ab. — „Hiisi mag es euch bringen," antwortete Tuhkimo, nahm ihnen auch den letzten Gaul, und ritt
zum dritten Felsen; daselbst liefs er die Kracke den Vögeln
zur Speise, nahm aus dem Felsen das von seinem Vater ihm
geschenkte sonnenblässige Pferd, zog den prächtigsten Schmuck
an, und ritt nach der Hofburg. Wieder erprobten alle die
Springkraft ihrer Pferde, aber keinem wollte etwas gelingen.
Endlich kam Tuhkimo an die Reihe; sein Pferd schwang sich
bis zum dritten Stockwerk, wo die Königstochter ihn empfing:
er raubte ihr einen Kuss und warb dann um sie. Darauf
drückte sie ihm, ohne dass er es merkte, mit ihrem Finger-
ring ein Zeichen auf die Stirn und dachte: „Dies schützt ihn
vielleicht davor, in Anderer Hände zu kommen." — Allein
Tuhkimo wendete sein Pferd und ritt nach Hause. Zu ihrer
Zeit kamen auch die anderen Brüder, und Tuhkimo, der schon
wieder am Ofen lag, frug sie, was sie diesmal für Kunde
brächten. Die Brüder waren in sehr übler Laune und sagten
klagend: „Irgend ein Geck den kein Mensch kannte, kam auf
sonnenblässigem Pferde, liefs es bis zum dritten Stockwerk
springen, und gab daselbst der Königstochter einen Kuss." —
„Der könnte ich wol gewesen sein," sagte Tuhkimo. —
„Schweig, Taugenichts," riefen die Anderen, „oder wir sagen
es dem Könige und der wird dir für solche Reden den Kopf
abschlagen lassen." — Tuhkimo blieb hinter dem Ofen und
sprach von der ganzen Sache nicht mehr.

Unterdess erwartete man in der Hofburg den Bräutigam: von diesem wurde aber nichts gehört und nichts gesehen. Der König liefs im ganzen Lande ausrufen, dass derjenige der um seine Tochter geworben, nun zur Hochzeit sich einfinden solle. Die Sache kam auch Tuhkimo zu Ohren, allein er rührte sich nicht von seiner Stelle. Endlich sagte die Tochter zum Könige: „Ich würde jenen Mann wiedererkennen, wenn ich ihn zu sehen kriegte." Da liefs der König durchs ganze Land den Befehl ergehen, dass Alle kommen und durch seine Pforte gehen sollten, wer aber nicht käme, der sollte am Leben gestraft werden. Da kam das Volk von allen Seiten zum Schlosse, nur Tuhkimo rührte sich nicht. Der König safs mit seiner Tochter an der Pforte. Jeder von den Herren die hindurchgingen sagte: „Ich bins;" allein das Mädchen sah ihnen in die Augen, stiefs sie von sich und sprach: „nein du bists nicht!" — Sechs Wochen vergingen über dem Durchzug des Volkes; die Königstochter strich Jedem das Stirnhaar zurück, um zu sehen ob ihr Ring auf der Stirn abgedrückt sei; allein es war nichts zu finden. — Als Tuhkimo hörte, dass bald niemand mehr nachblieb, hielt er es für gerathen, nun selber nach der Burg zu gehen. Er steckte sich in rufsige, zerlumpte Kleider, nahm einen hinkenden Gang an, und kam so zur Pforte. Die Königstochter stand noch da. Sie blickte Tuhkimo in die Augen, sah das Merkmal auf seiner Stirn, und flog ihm gleich an den Hals: „Hier dieser ist der meinige!" — „Dieser da?" frug der König. — „Ja gewiss." — „Wie! irrst du dich nicht? doch an wen du auch gerathen seist, meine Tochter, nimm ihn gut auf!" — Es blieb nun nichts übrig, als die Hochzeit zu feiern; der König rüstete ein Gelage und lud vieles Volk dazu. Tuhkimo sagte: „Es wäre doch unverschämt in dieser Kleidung zu heirathen; erlaube dass auch ich meine Hochzeitskleider anlege." Er ging nach dem schwarzen Felsen, legte die besten Gewänder an, und kehrte zum Orte der Hochzeit zurück. Als der König seinen Schwiegersohn in dem prächtigen Aufzuge sah, verwunderte er sich und sagte: „Nun das nenn ich mir einen Schwiegersohn! der ist kein Taugenichts, da er solchen Putz trägt." — Er gab dem Tuhkimo seine Tochter und sein halbes Reich; die Hochzeit ward gefeiert, man aß, trank und lebte vergnügt, wie man jetzt noch leben mag.

Lippo und der Tapio (Waldgott).

Lippo ein listiger Mann, ein Jäger, zog einst mit zwei Kameraden aus, um Rennthiere zu jagen. Den ganzen Tag trieben sie sich im Walde umher, und als die Nacht kam, fanden sie in einer Waldhütte Obdach. Als es Morgen ward, machten sie sich wieder auf; Lippo aber schüttelte seine Schneeschuhe und sagte: „Heute soll Beute kommen zum einen Schneeschuh, Beute zum anderen und Beute zum Stabe." Kaum hatten sie ihren Lauf angetreten, als sie drei Rennthierspuren bemerkten; sie verfolgten diese Spuren und trafen drei Rennthiere, von denen das eine entfernter war. Da sagte Lippo zu den Anderen: „Fangt ihr diese beiden, sie sind für euch bestimmt; ich werde dem dritten nachsetzen." — Er ging, jagte, lief diesen Tag bis zum Abend und konnte sich des Rennthiers doch nicht bemeistern, obschon er ein listiger Jäger war. Endlich kam er vor ein Gehöft im Walde. Das Rennthier lief in den eingezäunten Hof und Lippo eilte hinterher. Im Hofe aber stand der Wirth, ein alter Greis mit Bart und Kopfhaar aus Fichtenflechten. „Hoho," sprach er, „was für ein Schelm hat meinen Hengst in Schweiß getrieben?" Lippo trat hinzu, grüßte den Alten und sagte: „Ich habe ihn gejagt und doch nicht eingeholt, er ist da in den Hof entkommen." Der Greis, welcher Tapio selbst war, sprach weiter: „Nun, da du meinen Hengst bis zum späten Abend gejagt, so komme für die Nacht in meine Stube." Lippo folgte der Einladung und sah sich um; da gab es Rennthiere und Hirsche, Bären, Füchse, Wölfe und alles Wild was nur zu bekommen war. Der Tapio bewirthete ihn zum Abend und nahm ihn gut auf. Am anderen Morgen wollte Lippo wieder gehen, fand aber seine Schneeschuhe nicht. Er verlangte sie vom Tapio; der aber sagte: „Möchtest du nicht als mein Eidam hier bleiben, ich habe nur eine Tochter?" Lippo entgegnete: „Ich bliebe recht gern, allein ich bin nur ein

armer Mann." — „O deshalb mach dir keine Sorge," sagte
der Tapio, „Armuth ist kein Laster; du erhältst von uns was
dir gelüstet." Da gab er ihm seine Tochter zur Ehe, und
Lippo der listige Mann, der Waldgänger, blieb als Tapios
Eidam.

Drei Jahre darauf bekam des Tapio Tochter einen Sohn.
Jetzt sehnte sich Lippo nach seinem Hause zurück und ersuchte seinen Schwiegervater ihn dahin zu führen. Tapio
sagte: „Wenn du mir Schneeschuhe nach meinem Sinne anfertigen kannst, so lass ich dich ziehen." Lippo ging sogleich
in den Wald und machte sich ans Werk. Da saſs eine Meise
auf einem Zweige und rief ihm zu: „Setze Aeste an die Kerben." Aber Lippo verachtete diese Mahnung; er fertigte die
Schneeschuhe so gut er konnte und brachte sie dem Tapio.
Allein dieser sagte: „Die passen mir nicht." Lippo ging des
anderen Tages, um andere Schneeschuhe zu machen; derselbe
Vogel rief von neuem: „Setze Aeste an die Kerben;" allein
Lippo that wieder nicht also; er fertigte gewöhnliche Schneeschuhe, und als er sie seinem Schwiegervater reichte, bekannte
sich dieser wieder nicht zufrieden. Als er nun am dritten
Tage in den Wald ging und das Vöglein dieselben Worte wiederholte, da beschloss Lippo zu thun wie es ihm anrieth; er
befestigte einen tüchtigen gabelförmigen Ast an der Kerbe jedes Schuhs und brachte sein Werk dem Tapio. „So, diese
sind meine Schneeschuhe," sagte der Tapio; „jetzt kannst du
nach Hause kommen." Er schickte sich an den Lippo zu begleiten und sprach: „Wenn ich nun voranlaufe, so folge meinen Spuren und übernachte immer da, wo du einen runden
Platz erblickst; aber bau die Nachthütte so dicht, dass die
Sterne nicht hineinscheinen." Als nun der Tapio voranlief,
da ließen die Aeste unten an seinen Schneeschuhen Spuren
zurück, und in diese Spuren tretend lief Lippo von Weib und
Kind begleitet, hinterher. Gegen Abend kamen sie auf den
ersten runden Platz und da lag schon ein zum Abendessen
gebratener Hirsch. Sie bauten eine Hütte aus Reisern, auf
deren Dach sie besonderen Fleiss verwendeten, und stellten
den kleinen Schlitten, in welchem das Kind lag, hinein. Hier

ruhten sie die Nacht; am anderen Morgen setzten sie ihre
Wanderung fort und nahmen vom Fleische des Hirsches mit
auf den Weg. Am Abend erreichten sie wieder einen runden
Platz, und auf diesem lag ein gebratenes Rennthier. Wieder
bauten sie mit vieler Sorgfalt eine Hütte aus Reisern und
brachten den Schlitten mit dem Kinde hinein. Nachdem sie
hier übernachtet, gingen sie am Morgen wieder fürbass, und
kamen des Abends zu einem dritten runden Platz, wo sie einen
zur Abendkost gebratenen Auerhahn vorfanden. — „Jetzt kann
unsere Wohnung nicht mehr fern sein, da nur ein Auerhahn
gebraten ist," sagte Lippo. Sie bauten die Hütte diesesmal
nur undicht, und als der Himmel in der Nacht sich aufklärte,
fiel das Licht der Sterne auf die Schlafenden. Lippo erhob
sich des Morgens, da war sein Weib verschwunden; er ging
hinaus und sah auch keine Spuren der Schneeschuhe mehr.
Jetzt wusste er nicht, wohin er sich wenden sollte; er stand
mit seinem Kinde vor der Hütte, da lief ein Hirsch an ihnen
vorüber. Es kam der Abend heran und Lippo musste wieder die Nacht hierbleiben. Am Morgen lag abermals ein gebratener Auerhahn da, und ein Hirsch lief abermals vorüber,
Lippo lebte nun viele Jahre mit seinem Sohn in der Reiser-
hütte; an jedem Morgen fanden sie einen gebratenen Auerhahn, und ein Hirsch lief alle Tage vorüber. Der Knabe
wuchs unterdess heran und wurde sehr klug. Eines Tages
hiefs er seinen Vater ein Sehrohr anfertigen, mit dessen Hülfe
sie ermitteln könnten, ob ihre Wohnung noch fern sei. Lippo
machte seinem Sohne mit Vergnügen ein solches Rohr, und
als dieser durch das Rohr gesehen, sagte er: „Wir mögen
wol nicht weit von Hause sein, jedenfalls sind wir an der
Zaun-Seite eines Ackers." Nun brachen sie auf und kamen
wirklich nach Hause. Von diesem Sohne Lippo's, den er mit
der Tochter des Tapio's erzeugt, sollen die Lappen abstammen.

Ueber die Vollendung der Gradmessung zwischen der Donau und dem Eismeere.

Unter diesem Titel enthält eine besondere Beilage zu der Petersburger Zeitung (December 20, 1853) einen officiellen Bericht, in welchem zwar von eigentlichen Resultaten des genannten Russischen Unternehmens, d. h. von Aufschlüssen über die Gestalt eines bestimmten Stückes der Erdoberfläche, noch Nichts zu finden ist, dagegen aber wieder einmal eine historische Abhandlung über Gradmessungen überhaupt, aus der wir die folgenden auf die Russische bezüglichen Notizen entnehmen:

Die ersten Vorschläge einer Gradmessung in den westlichen Provinzen von Russland, machte der damalige Astronom der Petersburger Akademie De l'Isle, bereits im Jahre 1737, in einem Vortrage, der unter dem Titel: „projet de la mesure de la terre en Russie, St. Pétersbourg 1737," auch besonders gedruckt wurde.

Nachdem der Plan von der Regierung genehmigt worden war, maß er noch in demselben Jahre eine Basis auf dem Eise zwischen Kronstadt und Peterhof und verband auch dieselbe bis 1739, durch Dreiecke mit einigen benachbarten Punkten. Man soll von diesen Anfängen einer so interessanten Arbeit, erst vor einigen Jahren Nachricht erhalten haben, als De l'Isles in Paris und in Petersburg hinterlassene Papiere, zu einem andern, nicht näher bezeichneten, Zwecke —

untersucht wurden. Jede Fortsetzung jener ersten Gradmessung ist aber, aus Gründen die noch unbekannt sein sollen, unterblieben.

Daß dann um 1817 bis 1820 der General Tenner und Herr Struve sowohl unabhängig von De l'Isles Vorschlag, als auch unabhängig von einander auf die Idee einer Gradmessung in Russland gekommen seien, scheint uns keineswegs so merkwürdig, wie dem Verfasser des Russischen Berichtes — denn da es unzählige Mal ausgesprochen war, daß man den Zweck der Gradmessungen nur durch deren Wiederholung in den verschiedensten Gegenden erreichen könne, so hatten jene neuen Pläne vielmehr durchaus nichts wunderbares. — Sie wurden von der Regierung unterstützt und Herr Tenner, der damals mit einer Triangulation des Gouv. Wilna beschäftigt war, begann darauf seine Gradmessungsarbeiten schon 1817 — während Herr Struve, der zuvor noch die nöthigen Instrumente im Auslande zu besorgen hatte, im Jahre 1821 die seinigen anfing.

Die Geschichte der nun vollendeten Gradmessung zwischen der Donau und dem Eismeere wird in drei mit den Jahren 1831, 1844 und 1853 endende Perioden getheilt. In der ersten derselben wurden von Herrn Struve und Tenner zwischen 52° und 60° Br. gelegene Meridianbogen gemessen. In der zweiten erfolgten die nördl. Fortsetzung dieser Messung bis Torneo und die Vorarbeiten zu einer südl. bis zum Dnjester, während in der dritten Periode, von Norwegischen und Schwedischen Astronomen, ein von Torneo bis zum Eismeer reichender Bogen und von Russischen ein bis zur Donau reichender gemessen, so wie auch vergleichbare Bestimmungen der Polhöhen an mehreren Punkten des ganzen Bogens ausgeführt worden sind.

In der ersten Periode folgte aus den Arbeiten von Herrn Tenner die Länge eines zwischen den Parallelen von Bristen in Kurland und Bjelin im Gouvernement Grodno gelegenen Meridianbogen von $4\frac{1}{2}$ Graden, aus denen von Herrn Struve und Wrangel, die eines anderen von $3\frac{1}{4}$ Graden zwischen den Parallelkreisen von Jacobstadt an der Düna und der Insel Hochland. In den Jahren 1828 bis 1830 bewirkte man, durch die nöthigen geodätischen und astronomischen Operationen, die Verbindung dieser beiden Messungen zu einer dadurch über 8° 2′ Breite ausgedehnten.

Im Jahre ·1830 wurden Hrn. S t r u v e von der Regierung die Mittel zur Fortsetzung der Gradmessung durch Finnland bis zur Nordgränze des Russischen Reiches bewilligt, und darauf die geodätischen Operationen zu dieser Messung von Herrn O b e r g und M e l a n schon 1832 begonnen, in Folge bedeutender Terrainschwierigkeiten aber erst 13 Jahre später, im J. 1845 gröfstentheils durch Hrn. W o l d s t e d t zu Ende geführt. Sie schlossen sich bei Torneo an den südlichen Endpunkt der sogenannten M a u p e r t u i s'schen Gradmessung. In derselben Zeit wurden auch durch General T e n n e r die durch Wolhynien und Podolien bis zum Dnjester reichenden Dreiecke mit der für die Gradmessung gesuchten Genauigkeit gemessen und die zu demselben Zwecke erforderten astronomischen Beobachtungen gemacht.

Am Schlusse der zweiten Periode war demnächst ein zwischen Bjeln und Torneo gelegner Meridianbogen bekannt geworden *), und es wurden in der dritten von Russischer Seite noch Dreiecke hinzugefügt, die vom Dnjester durch Bessarabien bis an die Donau reichten. — Auch dieser Theil der Triangulation wurde vom General T e n n e r geleitet und im Jahre 1850 vollendet. Einen an den Gränzen gegen Preussen und Oestreich ebenfalls durch Herrn T e n n e r erfolgten Anschlufs der Russischen Dreiecke an die zusammenhängenden West-Europäischen, erwähnt auch der vorliegende Bericht wieder mit der Hoffnung, dafs er dereinst einen für sich bestehenden Beitrag zur K e n n t n i s s der E r d g e s t a l t liefern werde.

---

*) Wie viele Polhöhenbestimmungen auf demselben gemacht waren, läfst der Bericht unerwähnt. Vergl. in diesem Archive Bd. I. S. 18; Bd. VII. 332.

Die nördliche Fortsetzung der Meridanmessung ist durch Norwegische und Schwedische Geometer unter der Leitung von Professor Hansteen und Selander, von 1845 bis 1852 ausgeführt und hat bei einer Ausdehnung von 4° 49′ Br. ihren nördl. Endpunkt in 70° 40′ auf der nicht weit von Fuglenaes, im Eismeer gelegnen Insel Kwal-Öe. Sie bildet eine für sich bestehende Gradmessung, ist aber mit der Russischen namentlich dadurch in Verbindung gebracht, daß ihre Grundlinien mit denselben Apparaten gemessen worden sind, die man bei den meisten Russischen Basismessungen angewendet hatte.

Die Endpunkte des nunmehr über 25° 20′ der Breite ausgedehnten Meridianbogens, sind in allem durch 259 Dreiecke verbunden, von denen 225 auf den Russischen und 34 auf den Skandinavischen Antheil kommen. — Es sind auf ihm Polhöhe und Asimut an 13 Punkten gemessen und es ist derselbe dadurch in 12 einander ziemlich gleiche Bogen mit astronomisch bestimmten Endpunkten zerfällt worden. — Daß die einzelnen Theile des gesammten Dreiecksnetzes auf 10 verschiednen Basismessungen beruhen, hebt der Russische Bericht gleichfalls als ein Mittel hervor, um die Genauigkeit der Endresultate zu erhöhen — es ist aber klar, daß durch das ungleiche Gewicht jener Grundlinien diesen Umstand auch die noch übrige Ableitung der wahrscheinlichsten Werthe der Resultate aus den Beobachtungen, erschwert wird. Dieser letzte aber auch wichtigste Theil der Arbeit, soll jetzt theils von Herrn Selander in Stockholm, theils von den in Pulkowa angestellten Astronomen ausgeführt werden.

Zu den Basismessungen sind seit 1844 theils eine zum Normalmaß gewählte Eisenstange von zwei Toisen Länge *) theils genaue Copien derselben gebraucht worden. Vor 1844 hatte man andre (wohl ebenfalls eiserne?) Messstangen ange-

---

*) Soll wohl heißen: „von nahe an zwei Toisen" — denn daß man diese Stange bei der stillschweigend gemeinten Normaltemperatur für absolut fehlerfrei erklärt habe, ist nicht wohl anzunehmen.

E.

wendet — die aber durch Herrn Struves Vergleichungen auf jene zuerst genannten genugsam reduzirbar geworden sein sollen und dadurch auch auf die aus Paris, aus London, aus Berlin, aus Altona und aus Wien erhaltnen Copien von Etalons, die bei anderen Gradmessungen gedient hatten und welche in Pulkowa mit jenem Russischen Grundmafs theils schon verglichen worden sind, theils noch verglichen werden sollen.

Der uns vorliegende Bericht schliefst mit der Ankündigung, dafs man die Berechnung der gesammten Gradmessung zu derselben Zeit wie jene letzteren Mafsvergleichungen vollenden wird, dafs aber früher und schon in den nächsten Monaten (nach December 1853) der Druck einer von Herrn Struve verfafsten „Beschreibung der Russisch-Skandinavischen Gradmessung" beginne. Der Ausdruck eben dieses Berichtes: die Wissenschaft werde durch diese Beschreibung die vollständigen Früchte der vieljährigen Bemühungen ärndten, ist uns indessen nicht verständlich, weil ja diese Früchte nicht zu trennen sind von dem wirklichem Abschlusse der Rechnung, zu dem unter andern die Ausgleichung des gesammten Dreiecksnetzes gehört.

Der südliche Endpunkt des gemessenen Meridianbogens, der an der Donau bei 45° 20′ 2″,8 Breite liegt, soll durch eine gusseiserne Säule kenntlich gemacht werden, die man mit einer Russischen und einer Lateinischen Inschrift versehen will und ebenso auch der bei Fuglenaes gelegene nördliche Endpunkt.

Einige Resultate aus meteorologischen Beobachtungen in Transkaukasien während der Jahre 1848 und 1849.

Wir entnehmen diese interessanten Resultate aus einem Russischen Artikel der Zeitschrift Kawkas. Sie scheinen aber, ihrer gesammten Anordnung nach, zu dem Systeme zu gehören welches unter der Leitung des Petersburger sogenannten centralen physikalischen Observatorium gewonnen wird, über dessen Wirkung während der letzten Jahre wir uns einen Bericht in einem der nächsten Hefte vorbehalten. Es ist hier unter Sättigungsquotient, der Quotient der wirklich vorgekommenen Dampfelasticität durch diejenige bezeichnet, welche bei der daneben stehenden Temperatur dem gesättigten Wasserdampfe zukommt. Die Elasticitäten sind wahrscheinlich in Engl. Linien ausgedrückt, obgleich der vorliegende Aufsatz nichts davon sagt.

Tiflis 41° 42' Br. 1300 Par. Fufs über dem Meere.

| | Lufttemperatur Réaumur | | Dampfelasticität | | | | Regen und Schnee-Wasser in Engl. Linien*) | |
| | | | wirkliche | | Sättigungs-Quotient | | | |
	1848	1849	1848	1849	1848	1849	1848	1849
Januar	−0,93	1,21	1,34	1,47	0,80	0,71	0,800	0,000
Februar	0,78	2,50	1,43	1,61	0,78	0,74	0,000	0,000
März	6,41	4,71	2,09	1,75	0,68	0,65	3,523	2,242
April	10,01	10,38	2,52	2,55	0,59	0,60	0,567	0,379
Mai	14,19	14,31	3,77	3,38	0,66	0,58	3,646	1,048
Juni	17,48	16,91	4,63	4,21	0,60	0,59	2,692	2,644
Juli	20,88	19,07	4,85	5,35	0,52	0,64	0,925	4,863
August	19,97	19,15	4,46	5,29	0,51	0,65	0,588	1,210
September	15,28	16,13	3,76	3,84	0,60	0,65	1,200	2,286
October	11,40	11,50	3,23	3,30	0,68	0,70	1,073	0,689
November	8,19	6,25	2,80	2,15	0,29	0,69	0,200	0,680
December	0,05	3,72	1,44	1,96	0,80	0,79	0,000	1,751
Winter	−0,06	2,47	1,40	1,89	0,79	0,74	8,000	0,000**)
Frühjahr	10,24	9,76	2,79	2,56	0,64	0,61	7,736	3,669
Sommer	19,41	18,37	4,64	4,95	0,58	0,62	4,205	8,717
Herbst	11,60	11,42	3,16	3,13	0,69	0,68	3,605	3,605
Jahr	10,23	10,52	3,02	3,13	0,67	0,66	14,216	15,991

*) Es ist hier noch eine Spalte ausgelassen welche zugleich die Richtung und Intensität des Mittleren Windes angeben zu sollen scheint, aber die erste in so unbegreiflich roher Weise, dafs dabei nur ganze Octanten genannt und daher 22°,5 als ein erlaubter Fehler betrachtet werden.   **) So steht in dem R. Aufsatz, obgleich offenbar irrthümlich.

Redut Kale 42° 16′ Br. 19 Par. Fuſs über dem Meere.

| | Lufttemperatur Réaumur | | Dampfelasticität | | | | Regen, und Schnee-Wasser in Engl. Linien | |
| | | | wirkliche | | Sättigungs-Quotient | | | |
	1848	1849	1848	1849	1848	1849	1848	1849
Januar	3,89	3,95	1,16	1,91	0,71	0,76	—	3,312
Februar	5,23	4,17	1,81	1,97	0,63	0,78	—	5,250
März	6,90	5,53	2,52	2,33	0,77	0,78	—	5,365
April	10,38	10,89	3,13	3,34	0,73	0,73	3,446	0,548
Mai	12,37	13,47	4,31	4,38	0,85	0,77	6,627	2,846
Juni	17,15	15,85	5,85	5,41	0,80	0,84	1,148	5,313
Juli	18,96	18,03	6,49	6,48	0,80	0,83	7,813	13,426
August	19,14	18,80	6,84	6,56	0,83	0,79	3,012	2,775
September	15,50	14,66	4,93	4,84	0,77	0,79	0,755	11,137
October	12,91	13,63	4,06	4,68	0,79	0,72	4,260	1,705
November	10,22	10,17	3,33	2,52	0,80	0,58		1,213
December	2,93	7,78	1,32	2,48	0,50	0,70	8,496	3,197
Winter	4,01	5,30	1,43	2,12	0,61	0,73	—	12,259
Frühjahr	9,95	9,91	3,32	3,35	0,78	0,76	—	8,773
Sommer	18,41	17,56	6,39	6,15	0,81	0,81	15,568	21,514
Herbst	12,87	12,82	4,40	3,81	0,78	0,69	11,087	14,055
Jahr	11,21	11,41	3,81	3,85	0,74	0,74		56,601

Lenkoran 38° 44′ Br. 17 Par. Fufs über dem Meere.

| | Lufttemperatur Réaumur | | Dampfelasticität | | | | Regen, und Schnee-Wasser in Engl. Linien | |
| | | | wirkliche | | Sättigungs-Quotient | | | |
	1848	1849	1848	1849	1848	1849	1848	1849
Januar	0,31	2,31	1,62	1,82	0,88	0,81	5,412	2,608
Februar	1,62	5,18	1,38	2,45	0,90	0,81	1,093	0,745
März	6,47	6,50	2,85	2,40	0,92	0,80	6,356	2,587
April	9,89	9,23	3,62	3,39	0,88	0,85	0,197	9,103
Mai	15,15	14,91	5,31	5,09	0,79	0,81	2,501	0,678
Juni	18,16	17,66	6,19	5,50	0,79	0,70	2,601	0,541
Juli	21,28	21,05	6,87	7,04	0,72	0,71	0,019	0,090
August	20,41	20,23	6,49	6,82	0,72	0,74	3,615	0,478
September	16,65	15,40	5,73	0,82(?)	0,83	0,57 (?)	6,584	4,881
October	13,61	12,80	4,76	4,54	0,87	0,86	0,070	4,165
November	10,01	7,84	3,42	3,53	0,82	0,87	9,930	4,228
December	1,02	5,81	1,58	2,59	0,98	0,86	3,144	5,165
Winter	1,05	4,43	1,82	2,38	0,88	0,82	16,652	8,518
Frühjahr	10,50	10,24	3,92	3,62	0,86	0,82	8,954	12,368
Sommer	19,96	19,65	6,51	6,45	0,71	0,71	6,210	1,109
Herbst	13,41	12,01	4,63	4,54	0,84	0,85	21,584	17,267
Jahr	11,24	11,58	4,23	4,24	0,83	0,80	52,406	59,269

Baku 40° 21′ 20″ Br. 31 Par. Fuß über dem Meere.

| | Lufttemperatur Réaumur | | Dampfelasticität | | | | Regen, und Schnee-Wasser in Engl. Linien | |
| | | | wirkliche | | Sättigungs-Quotient | | | |
	1848	1849	1848	1849	1848	1849	1848	1849
Januar	0,44	2,81	1,73	1,96	0,94	0,84	0,315	0,095
Februar	2,60	4,44	1,91	2,12	0,86	0,79	0,330	0,505
März	5,50	4,95	2,54	2,13	0,89	0,78	0,360	0,240
April	9,98	9,17	3,26	3,04	0,78	0,76	0,055	0,450
Mai	14,42	13,92	4,36	4,66	0,70	0,77	0,225	0,200
Juni	19,06	17,74	5,68	5,64	0,75	0,69	0,600	0,000
Juli	20,91	21,52	7,98	7,38	0,83	0,76	0,025	0.184
August	21,37	21,2′	8,32	7,47	0,84	0,78	0,025	0,230
September	17,68	17,13	6,10	5,32	0,82	0,72	0,035	0,985
October	14,16	14,89	4,64	4,74	0,76	0,80	0,215	0,895
November	10,39	9,03	3,48	3,21	0,80	0,81	0,200	1,635
December	3,12	5,47	2,04	2,44	0,85	0,84	0,160	1,200
Winter	1,87	4,24	1,85	2,17	0,88	0,82	0,605	1,800
Frühjahr	9,96	9,34	3,38	3,27	0,74	0,77	0,640	1,890
Sommer	20,44	20,18	7,32	6,73	0,80	0,74	0,656	0,475
Herbst	14,01	13,68	4,64	4,42	0,79	0,77	3,450	4,515
Jahr	11,57	11,83	4,30	4,14	0,82	0,77	11,545	7,680

Kutais 42° 13′ Br. 446,5 Par. Fufs über dem Meere.

| | Lufttemperatur Réaumur | | Dampfelasticität | | | | Regen, Schnee und Wasser in Engl. Linien | |
| | | | wirkliche | | Sättigungs-Quotient | | | |
	1848	1849	1848	1849	1848	1849	1848	1849
Januar	3,06	3,11	—	—	—	—	6,580	6,580
Februar	3,83	4,19	—	—	—	—	4,817	5,472
März	7,44	5,44	—	3,10	—	0,64	4,965	5,433
April	12,13	11,62	—	3,50	—	0,73	1,960	1,365
Mai	13,25	14,46	—	6,01	—	0,85	4,310	3,785
Juni	18,23	16,34	—	6,58	—	0,80	2,294	4,533
Juli	19,51	18,43	—	7,42	—	0,82	2,165	8,800
August	19,82	19,56	—	5,07	—	0,80	5,705	4,399
September	15,66	15,52	—	4,03	—	0,71	3,755	4,540
October	12,41	13,33	—	3,08	—	0,73	7,020	2,300
November	10,52	9,80	—	2,97	—	0,87	3,380	3,255
December	2,12	7,17	—	—	—	—	11,475	2,221
Winter	3,33	4,82	—	—	—	—	22,872	16,273
Frühjahr	11,14	10,50	—	4,06	—	0,74	11,412	28,305
Sommer	19,05	18,11	—	6,67	—	0,82	12,164	17,731
Herbst	12,88	12,88	—	—	—	—	14,355	10,095
Jahr	11,60	11,58	—	—	—	—	60,123	70,405

Schemacha 40° 37' Br. 2245 Par. Fufs über dem Meere.

| | Lufttemperatur Réaumur | | Dampfelasticität | | | | Regen, und Schnee-Wasser in Engl. Linien | |
| | | | wirkliche | | Sättigungs-Quotient | | | |
	1848	1849	1848	1849	1848	1849	1848	1849
Januar	2,61	—	—	—	—	—	1,53	—
Februar	2,65	—	—	—	—	—	0,30	—
März	5,32	—	—	—	—	—	2,16	—
April	10,01	—	—	—	—	—	1,66	—
Mai	3,81	—	—	—	—	—	1,39	—
Juni	16,69	—	—	—	—	—	1,58	—
Juli	19,64	—	—	—	—	—	0,93	—
August	18,83	—	—	—	—	—	0,69	—
September	14,53	—	—	—	—	—	0,53	—
October	10,41	—	—	—	—	—	0,91	—
November	6,18	—	—	—	—	—	2,22	—
December	1,51	—	—	—	—	—	0,62	—
Winter	2,25	—	—	—	—	—	2,45	—
Frühjahr	9,71	—	—	—	—	—	5,65	—
Sommer	18,38	—	—	—	—	—	3,24	—
Herbst	10,37	—	—	—	—	—	3,66	—
Jahr	9,05	—	—	—	—	—	14,96	—

Schuscha ? Br. 3628 Par. Fuſs über dem Meere.

| | Lufttemperatur Réaumur | | Dampfelasticität | | | | Regen, Schnee und Wasser in Engl. Linien | |
| | | | wirkliche | | Sättigungs-Quotient | | | |
	1848	1849	1848	1849	1848	1849	1848	1849
Januar	—	0,66	—	—	—	—	—	—
Februar	—	0,92	—	—	—	—	—	—
März	—	1,9)	—	—	—	—	—	0,880
April	—	5,59	—	—	—	—	—	0,795
Mai	—	10,52	—	—	—	—	—	3,496
Juni	—	13,80	—	—	—	—	—	4,515
Juli	—	14,95	—	—	—	—	—	3,740
August	—	15,10	—	—	—	—	—	1,120
September	—	10,50	—	—	—	—	—	3,580
October	—	7,88	—	—	—	—	—	0,035
November	—	3,19	—	—	—	—	—	0,275
December	—	1,38	—	—	—	—	—	0,715
Winter	—	0,98	—	—	—	—	—	—
Frühjahr	—	6,00	—	—	—	—	—	5,171
Sommer	—	14,61	—	—	—	—	—	9,375
Herbst	—	7,19	—	—	—	—	—	3,890
Jahr	—	7,19	—	—	—	—	—	—

Aleksandropol 40° 47′ Br. 4521 Par. Fuß über dem Meere.

| | Lufttemperatur Réaumur | | Dampfelasticität | | | | Regen, und Schnee-Wasser in Engl. Linien | |
| | | | wirkliche | | Sättigungs-Quotient | | | |
	1848	1849	1848	1839	1848	1849	1848	1849
Januar	—	−7,69	—	0,85	—	0,86	—	0,915
Februar	—	−6,75	—	0,92	—	0,86	—	0,726
März	—	−1,91	—	1,33	—	0,87	—	0,755
April	—	6,24	—	2,07	—	0,67	—	0,945
Mai	—	10,13	—	2,82	—	0,66	—	2,375
Juni	—	12,94	—	3,08	—	0,60	—	2,239
Juli	—	15,74	—	3,88	—	0,62	—	3,197
August	—	16,61	—	3,57	—	0,53	—	0,475
September	—	11,06	—	2,81	—	0,63	—	2,622
October	—	7,90	—	2,53	—	0,71	—	0,402
November	—	1,55	—	1,36	—	0,84	—	0,350
December	—	−1,37	—	1,40	—	0,87	—	0,575
Winter	—	−5,21	—	1,39	—	0,86	—	2,237
Frühjahr	—	4,82	—	2,08	—	0,73	—	5,762
Sommer	—	15,09	—	3,51	—	0,58	—	5,822
Herbst	—	6,76	—	2,23	—	0,72	—	3,334
Jahr	—	5,33	—	2,22	—	0,72	—	17,576

Aralych 39° 42′ Br. 2438 Par. Fufs über dem Meere.

	Lufttemperatur Réaumur		Dampfelasticität wirkliche		Dampfelasticität Sättigungs-Quotient		Regen, Schnee und Wasser in Engl. Linien	
	1848	1849	1848	1849	1848	1849	1848	1849
Januar	—	2,04	—	—	—	—	—	—
Februar	—	0,19	—	—	—	—	—	0,345
März	—	4,69	—	—	—	—	—	0,043
April	—	10,90	—	—	—	—	—	0,560
Mai	—	14,51	—	—	—	—	—	1,105
Juni	—	17,69	—	—	—	—	—	0,090
Juli	—	20,83	—	—	—	—	—	0,675
August	—	21,51	—	—	—	—	—	0,130
September	—	14,95	—	—	—	—	—	0,000
October	—	9,78	—	—	—	—	—	0,535
November	—	3,19	—	—	—	—	—	—
December	—	1,12	—	—	—	—	—	—
Winter	—	0,24	—	—	—	—	—	—
Frühjahr	—	9,96	—	—	—	—	—	1,745
Sommer	—	20,01	—	—	—	—	—	0,405
Herbst	—	9,34	—	—	—	—	—	—
Jahr	—	9,70	—	—	—	—	—	—

Derbent 42° 3′ 40″ Br.

	Lufttemperatur Réaumur		Dampfelasticität				Regen, und Schnee-Wasser in Engl. Linien	
			wirkliche		Sättigungs-Quotient			
	1848	1849	1848	1849	1848	1849	1848	1849
Januar	—	1,08	—	1,92	—	0,78	—	0,125
Februar	—	2,58	—	1,91	—	0,83	—	0,448
März	—	2,30	—	2,00	—	0,81	—	0,350
April	—	7,73	—	2,84	—	0,80	—	0,371
Mai	—	13,32	—	4,28	—	0,77	—	0,755
Juni	—	17,24	—	5,45	—	0,67	—	0,618
Juli	—	21,03	—	6,66	—	0,68	—	0,995
August	—	20,53	—	6,73	—	0,73	—	0,852
September	—	15,56	—	5,12	—	0,78	—	3,604
October	—	13,12	—	4,33	—	0,84	—	5,440
November	—	6,79	—	2,91	—	0,82	—	0,680
December	—	3,59	—	2,24	—	0,88	—	4,980
Winter	—	2,41	—	2,03	—	0,83	—	5,550
Frühjahr	—	8,11	—	3,04	—	0,81	—	1,471
Sommer	—	19,60	—	6,28	—	0,69	—	2,465
Herbst	—	11,82	—	4,21	—	0,81	—	10,124
Jahr	—	10,23	—	3,89	—	0,78	—	19,610

Zur Vergleichung fügt der Russische Bericht folgende
(angenäherte) Angaben für Orte in unbeträchtlicher Höhe*) über
dem Meere hinzu:

Ort	Breite	Mittlere	Niedrigste
		Temperatur:	
Florenz	43°46′	12°,2	— 6°,8
Pisa	43 43	—	— 5,0
Nizza	43 41	12°,5	— 7,7
Toulon	43 7	12,1	— 8,0
Rom	41 54	12,3,	— 4,7
Neapel	40 51	13,4	— 2,3
Lissabon	38 41	13,1	—21,6
Tiflis	41 42	11,01	—13,1
Redut-Kale	42 16	11,21	— 6,6
Lenkoran	38 44	11,24	— 9,1
Kutais	42 13	11,60	— 7,3
Baku	40 21	11,57	— 4,2
Derbent	42 4	10,23	—11,8
Buchara	39 46	—	—18,6

*) Die von Tiflis beträgt jedoch 1469 Par. Fuſs. — Vergl. in diesem
Bande S. 280.

Ueber Goldvorkommen in Transkaukasien.

Nach dem Russischen

von

Herrn Iwanizkji *).

Herr Astaschew, einer der reichsten und erfahrensten Besitzer von Goldwäschen in Sibirien, hatte von dem Statthalter
von Transkaukasien die Erlaubniſs nachgesucht und erhalten,
seine Unternehmungen auch in diesem Lande fortzusetzen.
Er übertrug demnächst dem obengenannten Bergbeamten die
technische Leitung derselben.

Herr Iwanizkji begann seine Untersuchung der Transkaukasischen Gebirge im Juli 1851, und zwar mit einer vorläufigen Besichtigung der Berge, welche von den Flüssen
Akstafa und Miskaula durchschnitten werden. Er fand in diesen eine als Goldführend bekannte Formation und schritt
darauf zu Waschversuchen in den Flussbetten und anderen
Zuflüssen. — An dem Miskaula fanden sich nur Spuren von
Gold — an dem Akstafa wurde dagegen oberhalb der Deli-
janer Station ein Trümmerlager entdeckt, welches $\frac{1}{110000}$
bis $\frac{1}{100000}$ seines Gewichtes Gold zu enthalten schien. Das

---

*) Gorny Jurnal 1853. No. 4.

Ermans Russ. Archiv. Bd. XIII. H. 4.

Herannahen des Herbstes zwang aber die Schurfarbeiten aufzugeben, ehe man entscheidende Resultate erlangt hatte.

Im Jahre 1852 wurde deshalb von zwei Arbeiterabthei-
lungen eine ausführlichere Untersuchung jener Akstafaer Seife
und des Ursprunges der Bäche ausgeführt, welche zwischen
Kamenka und Tester in das rechte Ufer des Kur münden.

Untersuchung der Akstafaer Seife.

Dieses Seifenlager befindet sich in dem Thale der Akstafa,
welche in das rechte Ufer des Kur mündet, und hat eine
Ausdehnung von 5 Werst zwischen dem Dorfe Bolschaja
Delijana und dem in das linke Ufer der Akstafa mündenden
Bache Boldana. — Die Untersuchung dieses Lagers geschah
durch 5 Schurfgräben, von denen zwei nach der Länge und
drei nach der Breite des Lagers liefen und durch 30 Schurf-
örter. Es zeigte sich überall, dafs das Goldführende Lager
unter einem jüngern Ausgehenden liegt [*]), dessen Mächtigkeit
im Durchschnitt 1 *Sajen* (7 Engl. Fufs) beträgt, und welches
aus einer von 1,2 bis 3,5 Engl. Fufs starken Schicht von
grauem Letten und einer Ablagerung von Geröllen aus *Grünstein*, Grünsteinporphyr, Sienit und metamorphischen Schiefern
besteht, die durch eben jenen grauen Letten ziemlich lose
unter einander verbunden sind.

Das Goldführende Lager besteht ebenfalls aus Geschieben von bisweilen 100 Pud an Gewicht und aus kleineren
Geröllen von Grünstein, Grünsteinporphyr, Granito-Sienit, Sienit und metamorphischen Schiefern, so wie auch, wiewohl seltener, von gelblich weissem Kalk, weissem Quarz und Brauneisenstein, die durch einen gelblich rothen, Eisenschüssigen
Thon verbunden sind.

Die Mächtigkeit dieses Lagers wechselt von 0,6 bis 3,5

---

[*]) Der Verfasser nennt dieses: „ein Torflager", — womit aber dessen
darauf folgende Beschreibung keineswegs übereinstimmt.

D. Uebers.

Engl. Fuſs und seine Breite beträgt gegen 42 Engl. Fuſs (6 Sajen). Es liegt auf metamorphischen Thonschiefern von grün- lichgrauer und dunkelgrauer Farbe und auf zersetztem Sienit. Der Goldgehalt des Lagers besteht theils nur in Spuren, theils beträgt er dem Gewicht nach $\frac{1}{250000}$, $\frac{1}{100000}$ und an vielen Stellen sogar $\frac{1}{50000}$. Das Gold findet sich in dem- selben als dünne, völlig platte Blättchen. — Bei der Aus- waschung desselben zeigten sich mit ihm einige Stückchen Blei *) in Gestalt von unregelmäſsigen Körnern und eckigen Plättchen; ferner drei Stücke Silber. Diese gehören zu den groſsen Seltenheiten, indem man bisher gediegenes Silber nur einmal in einer Ost-Sibirischen Goldseife gefunden hat. Auch fanden sich in dem in Rede stehenden Lager zwei Pferde- zähne und ein Schenkelknochen eines Habicht.

Auſser diesen Gegenständen lieferte die Auswaschung auch ein plattes Stück Gold, welches offenbar bearbeitet und na- mentlich in der Mitte durchbohrt war, ferner ein plattes und ein drathförmiges Silberstück, die beide ganz offenbar Bruch- stücke von Filagran-Arbeit waren, und eine gut erhaltne Sil- berne Münze, die von Hrn. Guljelm in Tiflis, für eine Drachme des Parthischen Königs Orodes I. (Arsàk XIV.) erkannt wurde, welcher von 54 bis 37 v. Chr. regiert hat — endlich einige fast durchweg in Kupfergrün veränderte Stücke Kupfererath. — Auch fanden sich auf der Sohle der Versuchsarbeiten noch Schlacken und Holzstücke: zum Beweise, daſs die Akstafische Seifen schon einmal ausgebeutet worden ist und daſs die reichhaltigsten Stellen derselben solche sind, welche die alten Arbeiter nicht in Angriff nehmen konnten oder wollten. Auſser den erwähnten Kunstprodukten, deren Vorkommen im Innern der Trümmerschicht nur durch diese Annahme erklärlich wird, sprechen für dieselbe auch das Ansehen und die Zusammen- setzung der Seife. An den Stellen, wo deren Goldgehalt bis

---

*) Wahrscheinlich wieder gediegenes, wie schon oft behauptet wor- den (vergl. in d. Arch. Bd. VII. S. 333.

zu $\frac{1}{300000}$ oder mehr beträgt, sind unter den Trümmern viele grofse Geschiebe und das Ganze ist mit einem gelblich rothen ziemlich stark bindendem Thone verbunden. An den ärmeren Stellen besteht dagegen die Seife entweder nur aus den kleinen Kieseln oder nur aus groben Geschieben, die bald ganz lose neben einander liegen, bald zwischen eine ganz lockeren graugelben Letten. An diesen Stellen ist das Lager meistens den Halden der Sibirischen Waschwerke sehr ähnlich.

Der Verfasser erinnert bei dieser Gelegenheit daran, dafs man auch in einigen Sibirischen Seifen und namentlich in denen der Kirgisischen Steppe, Kunstprodukte gefunden hat und bemerkt mit Recht, wie bedauerlich es sei, dafs man dieselben verzettelt habe, anstatt dafür zu sorgen, dafs sie in einer öffentlichen Sammlung allgemein zugänglich würden. Die Untersuchung der Akstafaer Seife lieferte im Jahre 1851:

0,03125 Russ. Pfund

und im Jahre 1852:

0,21875 Russ. Pfund

zusammen also 0,25 Russ. Pfund Gold.

Diese Seife scheint überhaupt nicht sehr reichhaltig, aber ihre Auffindung war wichtig als erster Beweiss des Goldvorkommens in Transkaukasien.

Die Untersuchungen von 1852 haben aufserdem gezeigt, dafs der Transkaukasische Goldschutt meistens unter einer dünnen thonigen Sandschicht liegt, so wie auch dafs daselbst die Dammerde im Allgemeinen nur wenig thonhaltig ist und daher den Tage- und Flusswassern einen leichten und starken Zutritt zu den Schürfen gestattet. Man kann daher die dortigen Flussthäler und Schluchten nur mit Hülfe guter Pumpen einer gründlichen Untersuchung unterwerfen.

Dem Verfasser wurden zwar von der Uralischen Bergwerksverwaltung sowohl Pumpen als auch Waschmaschinen aus der Jekatrinburger Maschinenbauanstalt bewilligt — aber dieselben gingen während des Transportes von dem Ural zum Kaukasus, auf der Kama (durch Schiffbruch!) zu Grunde.

Die definitiven Schurfarbeiten in den Thälern des Transkaukasischen Gebirges mussten daher aufgeschoben werden, während man sich mit einer Uebersicht der geognostischen Verhältnisse und mit vorläufigen Waschversuchen begnügte.

Die in dieser Weise untersuchte Strecke des Transkaukasischen Gebirges hat in der Richtung von NNW. nach SSO. eine Ausdehnung von 200 Werst.

An dem ONO.-Abhange jenes Gebirgs entspringen die Flüsse: Kamenka, Bombak, Akstafa, Gasan-su, Achidja, Dsesam, Schamchor, Kuschkara-Tschai, Hanja-Tschai, Terter und viele andere von geringerer Bedeutung. Sie münden alle in das rechte Ufer des Kur.

Von diesen wurden auf Goldgehalt untersucht: der Bach Gergerka, der in das rechte Ufer der Kamenka mündet. Es zeigten sich in demselben nur schwache Spuren von Gold; der Bombak und dessen Zuflüsse; der Terter mit dem in ihn mündenden Bach Lew und zweien anderen Bächen; zwei Bäche die in den Schamchor münden. In diesem allen fanden sich sehr gute Anzeigen. Ferner der Bach Tar-Tschai der 16 Werst unter der Akstafaer Wäsche, von der Rechten in die Akstafa fällt; in diesem fanden sich keine Spuren von Gold. Ausser denen am Tar-Tschai wurde aber kein Schurf bis auf die Sohle des Trümmerlagers geführt, weil man, wie gesagt, keine ordentlichen Pumpen hatte und so sind denn alle die bisherigen Resultate noch keineswegs entscheidend.

In der untersuchten Strecke des Transkaukasischen Gebirges waren die vorherrschenden Gesteine: Granit-Sienit, Sienit, Diabas, Grünstein, Grünsteinporphyr, Eurit-Porphyr, Serpentin, Kalk und metamorphische Schiefer: namentlich Glimmerschiefer, Thonschiefer und Kieselschiefer.

Der Verfasser will der von Herrn Abich erwarteten geognostischen Beschreibung der Transkaukasischen Berge nicht vorgreifen, bemerkt aber dafs auch in diesen eben so wie in Sibirien die Goldführende Formation aus einer Gruppe von Kalken und Schiefern bestehen, die durch Sienit gehoben und durch einen ungeheuern Erguss von Grünsteinen und

Grünsteinporphyren metamorphosirt sei. Die Goldführende
Formation sei überall in der von ihm untersuchten Gegend
vorherrschend. Erst weiter gegen NO. treten an ihre Stelle
Schichten, die nach Dubois zur Lias- und Kreidegruppe gehören. Diese beginnen nach dem Laufe der obengenannten
Flüsse etwa in der Mitte ihrer Thäler. Gegen SW. gränzen
dagegen Trachyt, Doleritische Laven und Vulkanische Tuffe
an die Goldführende Formation.

So sind also der geognostische Bau die Zusammensetzung
und die Lagerungsverhältnisse der Transkaukasischen Berge
mit den reichsten Golddistrikten Sibiriens, ganz übereinstimmend. Das höchst günstige Vorurtheil, welches hierdurch für
Transkaukasien entsteht, wird aber fast zur Gewißheit durch
die Entdeckung reichlicher Anzeigen von Gold in Karabach,
an dem Flusse Bombak und besonders durch die Seife an der
Akstafa. — Die glänzendsten Aussichten bieten bis jetzt das
Thal des Terter und die Bäche und Quellen die mit diesem
Flusse einerlei Ursprung haben.

Ausflug nach dem persischen Kurdistan.

Von

Herrn N. Chanykow[*]).

. . . . **A**m 26. März (1852) reiste ich von Tiflis nach T a u r i s, wo ich mich zwei Wochen aufzuhalten dachte. In der That wandte ich mich am 17. April von neuem der russischen Gränze zu, und zwar auf der geraden Strafse nach Ordubad, welche Gegend mir noch unbekannt war. Der steile Uebergang über den Bergrücken, der sich von Sawalan nach dem nordwestlichen Ende des Urmia-See's zieht, war noch mit Schnee bedeckt, und nachdem ich seine Höhe bestimmt hatte, stieg ich in das malerische Thal des Araxes hinab, die um diese Jahreszeit schon in frischem Grün und im herrlichsten Blumenschmuck prangte. Ich verbrachte drei Tage in Ordubad, das sich durch seine schöne Lage auszeichnet. Beim Anblick dieses freundlichen Städtchens, das, mitten unter amphitheatralisch emporsteigenden Gärten erbaut, von malerischen Bergen eingeschlossen ist, an deren südlichem Rande ein glänzender Streifen hervorschimmert, der den Lauf des Araxes andeutet, begriff ich die Vorliebe der mongolischen Eroberer Persiens für diesen Ort, in dessen Umgegend sie einige Denkmäler ihrer Anwesenheit zurückgelassen haben. Am 23. April nahm ich die Minarete in Augenschein, die in

---

[*]) No. 22 und 23 des Kawkas vom J. 1853.

der ersten Zeit des Islam beim Dorfe Asy, am linken Ufer
des Araxes, errichtet wurden; besuchte am 24. die Ruinen
des alten Djulfa, welche durch den Reichthum und die Mannigfaltigkeit ihrer Grabmäler in so trauriger Weise an die
frühere Blüthe der Stadt erinnern, und erreichte an demselben Tage Nachitschewan, wo ich Briefe und Papiere antraf,
die mich abermals nach Persien riefen.

Ich muß hier bemerken, daß ein Hauptzweck meiner
ersten Reise nach Persien in dem Wunsche bestand, unterwegs die Möglichkeit der Anwendung des Aneroïd-Barometers
auf Höhenmessungen zu prüfen. Ich versah mich zu diesem
Behuf mit zwei Instrumenten: das eine von Pariser Arbeit,
mit einer über den ganzen Kreis gehenden Theilung, das andere von Petersburger nur über den halben Kreis getheilt und
mit gekrümmtem Thermometer, mit deren Hülfe ich an allen
Stationen von Tiflis nach Tauris, so wie auf dem Rückwege
über Ordubad nach Nachitschewan Beobachtungen anstellte*).
Indem ich die Höhe dieser Punkte, von denen viele schon
früher geodätisch oder vermittelst des gewöhnlichen Barome-
ters bestimmt waren, annähernd berechnete, überzeugte ich
mich, daß dieses schöne Instrument, das durch die *Leichtigkeit* seines Transports so grofse Vortheile darbietet, wenig-

---

*) Ich halte es hier für meine Pflicht, die Aufmerksamkeit der Verfer-
tiger von Aneroïd-Barometern auf die völlig unpraktische Art und
Weise zu lenken, in der sie die Thermometer daran befestigen. —
Das Thermometer ist nothwendig zur Correction der Angaben des
Instruments oder richtiger, um seine Angaben auf eine constante
Temperatur zurückzuführen, indem Herr Schumacher den Einfluss der
Temperatur auf diese Angaben gezeigt hat; allein dieses Thermome-
ter, wie sorgfältig man es auch construiren mag, hat seine eigene
Correction, die man nicht bestimmen kann, ohne das ganze Instru-
ment auseinander zu nehmen; aufserdem befindet sich das Gefäfs dieses
Thermometers unter dem Zifferblatt, der übrige Theil desselben aber
auswendig, was ohne Zweifel einen schädlichen Einflufs auf seine
Angaben ausübt. — Ich halte es daher für weit zweckmäfsiger, das
Thermometer beweglich (wydwijny) zu machen, indem man ihm die
Länge vom Diameter des Aneroïd-Barometers giebt; es würde dann
leicht sein, es bei Beobachtungen immer so weit auszuschieben, um
seine Angaben ablesen zu können *).   Anm. d. Verf.
*) Diese haben aber grade dann mit der Temperatur des Metalles, welche man
kennen muss, so wenig zu thun, dass es aussieht als habe der Verf. das Instrument welches er verbessern will, nicht verstanden.   E.

stens in den Gränzen, innerhalb deren ich es gebrauchte, d. h.
von 700 bis 11000 engl. Fufs, auch ebenso genügende Resultate liefert, als das Barometer, und es daher vollständig
ersetzen kann *).

Ich benutzte den Aufenthalt in Nachitschewan, um am
28. April einen Abstecher nach den Ruinen von Gilän zu
machen, die beim Dorfe Unter-Asy liegen. — Es ist dies die
siebente untergegangene Stadt, die sich im Umkreise Transkaukasiens befindet; die ersten sechs sind bekanntlich Ani,
Wagarschapat, Berda, Biläkan, Djulfa und Kabala. Allein
diese Ruinen sind völlig stumm; unter der ungeheuren Masse
der hier und dort zerstreuten Steine entdeckte ich mit grofser
Mühe eine einzige Inschrift auf einer unbehauenen Sandstein-
platte, demselben Material, aus welchem sämmtliche Gebäude
dieser Stadt erbaut waren. Sie lautete: „Alischa, Sohn des
Dilkusch, betete und schied von dannen im Jahr 712 der
Hedjra." Wenn man bedenkt, dafs vor dem Einfall der Mongolen in Persien, d. h. vor dem Jahr 652 der Hedjra, eine
starke Auswanderung von Gilän nach Aderbeidjan stattfand,
wo es noch jetzt in der Nähe von Maranda Dörfer giebt, deren Einwohner eine Mundart des Giläner Talysch reden, so
läfst sich annehmen, dafs die von mir besuchten Ruinen eine
der Hauptwohnstätten dieser ausgewanderten Bevölkerung gewesen sind. Jedenfalls kann man mit Sicherheit behaupten,
dafs die Stadt im Jahre 712 der Hedjra schon nicht mehr
existirte, indem die oben citirte Inschrift offenbar von irgend
einem wallfahrenden Derwisch auf einem unter den Trümmern
gefundenen Stein eingekritzelt (wyzarapana) wurde, und da
die Einfälle der Mongolen in diese Regionen mit dem achten
Jahrhunderte der Hedjra begannen, so kann man sie mit ziemlicher Wahrscheinlichkeit als die Hauptursache der Zerstörung
jener Stadt betrachten.

---

*) Vergl. in d. Arch. Bd. VII. S. 333, wo auf einen Mangel des in Rede
stehenden Instruments aufmerksam gemacht ist, dem nothwendig ab-
geholfen werden muss, ehe man das ihm hier so freigebig ertheilte
Lob für begründet erklären kann.   B.

Am 6. Mai reiste ich neuerdings nach Tauris ab, wo ich
auf der gewöhnlichen, über die Quarantaine von Djulfa füh-
renden Strafse eintraf. Die Vorbereitungen zur längern Reise
hielten mich dort bis zum 26. zurück, an welchem Tage ich
endlich nach Urmia aufbrach. Der Weg nach dieser alten
Heimath Zoroaster's zieht sich längs dem nördlichen Ufer des
See's von Urmia bis zum nordwestlichen Ende desselben und
macht dann plötzlich eine Schwenkung nach Süden, indem er
dem westlichen Ufer des See's folgt. — Die Gegend ist hier
anfangs ziemlich einförmig und nicht sehr anziehend. Der Boden ist thonig und streckt sich in einer glatten Fläche von
dem Fuße des steilen Sawalan-Gebirges aus, im Süden von
den blauen Fluthen des See's begränzt. Der Zugang zu dem
letzteren ist hier äußerst schwierig, und zwar wegen des
morastigen Grundes, der den Beweis liefert, dafs diese Spauta
des Strabo einst einen viel gröfseren Umfang hatte. — Nur
stellenweise wird der monotone Anblick der dürren Ebene
durch Oasen von herrlichen Bäumen mit prächtigen, schatti-
gen Gärten unterbrochen, deren schöne Rosensträucher eben
in voller Blüthe standen. Am 30. Mai erreichte ich die kleine
bergige Halbinsel am westlichen Rande des See's und besuchte
das berühmte Gugertschinkale. So nennt man die Trümmer
einer Festung, die auf einem 250 Fufs hohen, senkrechten
Felsen erbaut und durch einen schmalen sandigen Damm mit
dem Ufer verbunden ist. Dieser Felsen ist wahrscheinlich aus
versteinernden Quellen entstanden, über welche ich mich
später ausführlicher aussprechen werde und die, wie es mir
scheint, die merkwürdigste Naturerscheinung des südlichen
Aderbeidjan und des südlichen Kurdistan bilden. Die Ueberlieferung sagt, dafs Hulagu seine Reichthümer in dieser Veste
aufbewahrt habe. Zu ihrem Eingang führt ein in den Stein
gehauener, enger Pfad, der an zwei Stellen durchbrochen und
hier durch Brücken verbunden ist, die unter mir furchtbar
schwankten und zitterten, als ich in die tiefen Gewässer des
See's hinabblickte. In der Festung fand ich nur eine einzige
Inschrift, ohne Jahreszahl, obwohl sich nach den Zügen an-

nehmen liefs, dafs sie in die Zeit der ersten Huloguiden gehört. Sie ist höchst einfach und enthält nur folgende Worte:
„Der Herrscher Abu Naser Hussein Bahadur-Chan." Wer
dieser Abu Naser gewesen ist, kann ich bis jetzt noch nicht
angeben; doch zweifle ich nicht, dafs ich noch auf seine Spuren kommen werde.

.Am 1. Juni kam ich endlich in Urmia an, wo ich, Dank
den dort anwesenden amerikanischen Missionären, mich wieder in gebildeter Gesellschaft und unter civilisirten Zuständen
befand — d. h. ich schrieb und afs nicht mehr auf dem Fufsboden, sondern am Tisch, und hörte nicht die geistlosen Phrasen der Perser, sondern das interessante Gespräch von Leuten, deren Berufsgeschäfte auch die Wissenschaften in sich
schliefsen. Ihre Bestrebungen verdienen in der That warmes
Lob und sind hauptsächlich darauf gerichtet, einige Bildung
unter den Nestorianern zu verbreiten. Ohne besondre Unterstützung haben diese Männer bereits 74 Schulen angelegt, geben eine Zeitung in syrischer Sprache heraus und thun unendlich viel Gutes, indem sie den Armen helfen, den Gesunden
Arbeit und den Kranken unentgeltliche Heilung zu Theil werden lassen. Jede Missionär-Familie erhält, wenn ich nicht irre,
zweihundert Ducaten jährlich; trotz dieser bescheidenen Einnahme leben sie jedoch alle ganz behaglich und geben den
Nestorianern das Beispiel eines tugendhaften und fleckenlosen
Lebens. Den 3. und 4. Juni verbrachte ich in ihrer unweit
der Stadt im nestorianischen Dorfe Seïr gelegenen Station,
und werde nie den tiefen und freudigen Eindruck vergessen,
den das Bild ihres friedlichen Familienlebens, welches im Innern Asiens eine so unerwartete Erscheinung bildet, auf mich
hervorbrachte. Nach Urmia zurückgekehrt blieb ich dort bis
zum 8. Juni um die Denkmäler der Stadt und Umgegend zu
untersuchen. Von ersteren ist durch sein Alter merkwürdig
ein Thurm, genannt Segumbäd, d. i. drei Gewölbe; doch ist
von diesen drei Gewölben nur noch ein einziges, das unterste,
vorhanden, dessen Thürrahmen von einer kufischen Inschrift
umgeben ist, die uns belehrt, dafs das Gebäude im Jahr 580

der Hedjra auf Veranstaltung Abu-Mansur's, Sohns des Musa, errichtet wurde. Erwähnung verdient auch die Hauptmoschee der Stadt, auf dessen Michrab eine mit prächtigen Arabesken verzierte Inschrift besagt, dafs es im Monat Räbbi el Achir des Jahres 676 vollendet und das Werk des Abd-el-Mumin, Sohns von Schirif-Schach, eines Malers aus Tauris war. — Diese letztere Inschrift ist nicht in kufischen Charakteren, obwohl sie offenbar aus einer Zeit herrührt, wo der Kufismus noch in Gebrauch war, da man ringsum dieselbe kufische Cursivschrift sieht, welche gewöhnlich die Denkmäler und Münzen der Hulaguiden ziert.

Am 9. Juni gelangte ich nach Uschnu und befand mich jetzt in dem eigentlichen Kurdistan, dessen Bevölkerung von aller türkischen Beimischung frei ist. — Der Weg in diesen ersten „Gau" Kurdistans führt durch das Thal des Flusses Tasch-tebil, das sich an ein weites Plateau von bedeutender Höhe schliefst, dessen Oberfläche bereits von saftigem, aromatischem Grase bedeckt war. Der Pfad, der von demselben hinab führt, ist steil und felsig, aber alle Beschwerden des Weges werden belohnt durch die Reize des Thals von Uschnu, das im Westen von den Schneegipfeln des Kandilan begränzt ist. Hier hat das Schiitenthum ein Ende; alle Einwohner sind Sunniten, und zwar sehr eifrige Sunniten; sie sind fast alle Müriden des unter ihnen berühmten Scheich Tahaeddin, der von Noutsche, einem unzugänglichen Theil des türkischen Kurdistan, aus, den Tarigat predigt und seine Chalifen über das ganze nördliche Kurdistan aussendet [*]). Man wird umsonst eine richtige Darstellung dieses Thals auf irgend einer Karte von Persien suchen; sowohl bei Ritter als bei Monteith ist seine Lage ganz falsch angegeben.

In Begleitung aller anwesenden Glieder des fürstlichen Hauses von Uschnu machte ich mich am 11. Juni auf den Weg, um das berühmte Denkmal Kellä-Schin oder der blaue

_____

[*]) Also ein Glaubensgenosse und vielleicht Verbündeter von Schamil.

                                      D. Uebers.

Stein in Augenschein zu nehmen. Es besteht aus einem Block
von Granit (nicht von Marmor, wie Rawlinson schreibt)
66,5 engl. Zoll hoch, 30,7 Zoll breit und etwas über 4 Zoll
dick. Dieser Block ist oben und unten abgerundet und steckt
mit seinem zur Form eines stumpfen Kegels behauenen Ende
in einer runden Oeffnung, ausgehöhlt in dem ebenfalls aus
Granit bestehenden Fundament, einem acht Zoll über die Erde
hervorragenden Parallelopipedon, dessen obere Fläche 47,7 Z.
im Quadrat hat. Beide Seiten des Blocks, sowohl die der
Strafse zunächst gelegene, als die entgegengesetzte, sind mit
dicht zusammengedrängter Keilschrift bedeckt; die Inschrift
auf der ersten Seite hat sich etwas besser erhalten, doch sind
viele Stellen durch die Hand der Zeit verwischt, so dafs es
mir trotz aller Mühe nicht gelang, einen Abdruck davon nach
der von Millin erfundenen Methode zu machen. Ich unter-
streiche das Wort beide deshalb, weil mein einziger Vorgänger bei diesem Denkmal, Rawlinson, wegeu der kurzen
Zeit, die er der Besichtigung desselben widmen konnte, nur
die auf der westlichen, der Strafse zunächst liegenden Seite
befindliche Inschrift bemerkte. Nachdem ich die Höhe dieses
Punktes, der noch von Schnee bedeckt war, bestimmt und bei
den Kurden von Rowandus übernachtet hatte, kehrte ich am
folgenden Tage nach Uschnu zurück, indem ich noch unterwegs die verfallne Kirche, Scheich-Ibrahim besuchte, die nach
der unter den Nestorianern verbreiteten Tradition 376 Jahre
vor Mohammed erbaut wurde.

  Am 16. Juni reiste ich von Suldus ab. Dieser Bezirk ist
in Persien durch seinen blühenden Ackerbau und seine üppige
Vegetation berühmt: in ersterer Beziehung mit Recht, indem
man das enge Thal, das sich längs dem nördlichen Fufs der
Bergkette von Lahidjan zieht, überall fleifsig bebaut hat, doch
besitzt es bei weitem nicht die duftreiche Frische, durch welche
sich die Gefilde von Uschnu auszeichnen.

  Nachdem ich Tschiana und Nagodech, die beiden Haupt-
örter von Suldus, besucht und auf meiner Route eine grofse
Anzahl Dörfer verzeichnet hatte, die von Monteith nicht er-

wähnt werden, erreichte ich am 17. Suuk-Bulak, den Hauptort der Kurden vom Geschlechte Mikri. Da ich hier erfuhr,
dafs die von der russischen und englischen Regierung zur
Schlichtung der Gränzstreitigkeiten zwischen der Türkei und
Persien ernannten Commissäre in Lahidjan erwartet würden,
so begab ich mich am 20. Juni ebenfalls dahin. Die Strafse
geht anfangs eine kurze Strecke weit die Ebene des Suuk-
Bulak-Flusses hinauf, dann etwas länger durch das Thal das
sich links in ihn ergiefsenden Baches Schiran-Awa und endlich durch den Thalweg des Flusses Kachriman zum Gipfel
des Bergpasses (perewal) zwischen dem Suuk-Bulak und Lahidjan, der als Wasserscheide der Flüsse, die in den Tigris
und Euphrat, und der Bäche, die in den See von Urmja strömen, eine wichtige geographische Bedeutung hat. Auf seiner
westlichen, lahidjanischen Abdachung befinden sich die Haupt-
quellen des kleinen Sab. Die Forschungen Rawlinson's
haben zuerst einiges Licht auf diesen dunklen Theil der Hy-
drographie des westlichen Persiens geworfen und die Angabe
der arabischen Geographen bestätigt, dafs der kleine Sab in
Lahidjan entspringt; da er jedoch diesen Gegenstand nur im
Vorbeigehen berührt hat, so erlaube ich mir einige *Details*
hinzuzufügen. Der kleine Sab oder Saab wird durch den Zusammenflufs dreier Bäche gebildet, die in drei verschiedenen
Theilen Lahidjan's ihre Quellen haben: des Chodjatrow, der
unmittelbar unter dem eben erwähnten Bergpafs hervorströmt,
des Gelutschai, der in den Bergen des südsüdöstlichen Lahidjan entspringt, und sich beim Dorfe Legwin mit den Chodjatrow vereinigt, und des Lawen, dessen Quellen sich im südöstlichen Theile des Kelläschin-Gebirges, im Distrikt Dulemei-
dan, befinden. Dieser letztere Bach vereinigt sich mit dem
Gelutschai etwa vierzehn Werst von dem Zusammenflufs desselben mit dem Chodjatrow, und erst hier nimmt er, durch
Serdascht fliefsend, den Namen des kleinen Sab an.

   Nachdem ich die Höhe des Bergpasses bestimmt hatte,
stieg ich längs dem Bache Chodjatrow in das Dorf Legwin
hinab, wo man mir, der gröfseren Bequemlichkeit halber, ein

Quartier in der Moschee einräumte. An demselben Abend besuchte ich ein Denkmal muselmännischer Frömmigkeit, welches sich zwei Werst von Legwin das Thal des Gelutschai hinauf befindet. Auf einem senkrechten Felsen von 180 bis 200 engl. Fuß Höhe ist 15 Fuß 2 Zoll von der Erde eine flache Stelle in den Granit ausgehöhlt, die zwei *Sajen* in der Länge, 1¼ Arschin in der Höhe hat und mit einem Rahmen umgeben ist. Auf dieser Fläche sind die Worte: Allahu ekber (Gott ist groß!) eingegraben, aber die nicht sehr tiefen Buchstaben sind dergestalt mit Lichen und Moos überwuchert, daß ich sie kaum unterscheiden konnte. Am 21. Juni erstieg ich den Berg Churindj, der, wie schon aus Ritter (Bd. 9, S. 1034) bekannt, mit Felsen von der mannigfaltigsten und seltsamsten Gestalt bedeckt ist, die sich von weitem in der That wie die Ruinen einer ungeheuren Stadt ausnehmen. — Diese werden jedoch keinesweges, wie man Rawlinson sagte, von den Kurden für versteinerte Menschen und Thiere gehalten; es geht bei ihnen vielmehr die Sage, daß einst ein Steinregen gefallen sei, und in der That muß es diesen Natursöhnen schwer sein, die Zahl und Mannigfaltigkeit der hier zerstreuten Fragmente von grauem grobkörnigem Sandstein, die auf einer Unterlage von Triebsand (?) ruhn, in einer andern Weise zu erklären. Von dem Berge herabsteigend, besichtigte ich das gleichfalls zum erstenmal von Rawlinson beschriebene, Keli-sipan genannte Denkmal. Es besteht aus einem 11,7 F. hohen Block von weißlichem Granit, auf welchem man an zwei Stellen Zeichen in der Gestalt von Hufeisen bemerkt. Ich halte es für einen einfachen Markstein, der die Felder des einen Zweiges des Geschlechts Mamysch von denen des anderen scheidet, indem sich in mehreren Theilen Lahidjans dergleichen Blöcke finden, welche diese Bestimmung haben.

In Pasowa, dem Hauptort von Lahidjan, angelangt, blieb ich dort bis zum 25. Juni in der Gesellschaft des berühmten kurdischen Räubers Pirut-Aga, dessen Erzählungen alle mit den Worten beginnen: „als ich auf einen nächtlichen Ueberfall (tschapaul) ausging", oder „als ich von einem nächtlichen

Ueberfall zurückkehrte." Nachdem ich noch zwei Tage mit
den Commissären verlebt, die einen reichen Vorrath von Beobachtungen aus Arabistan mitbrachten, wendete ich mich wieder nach *Suuk-Bulak*, entschlossen, den noch von keinem
europäischen Reisenden betretenen Weg nach *Sakkys* einzu-
schlagen, um nach *Sinna* zu kommen. — Die vorzüglichste
Merkwürdigkeit von *Suuk-Bulak* sind seine eisenhaltigen Kalkquellen, die eine versteinernde Eigenschaft haben. Sie quillen
sämmtlich aus kegelförmigen Kalkhügeln hervor, an deren
Seiten sich Rinnen gebildet haben, die der Quelle zum Canal
dienen. Die Ausströmungen aus der Hauptöffnung (*jerlo*),
welche an diesen Rinnen vorbeifließen, vermehren unaufhörlich die Dicke der sie bedeckenden Kalkrinde, während zugleich der abgelagerte Kalk (*osanki iswesti*) die Oeffnung selbst
immer mehr einengt, so daß sie mit der Zeit ganz versperrt
wird. Die in Thätigkeit befindlichen Quellen sind gewöhnlich
von steinigen Hügeln umgeben und mit einer Steinmasse überzogen, unter der, wie unter einer Eisrinde, in größerer oder
geringerer Entfernung von der Oberfläche, die Quelle sich
verbirgt, welche nicht die Kraft hat, durch die Kalkkruste zu
dringen, sondern an irgend einer Stelle (*gdje nibud*) *durch die
Erde siekert*. Es sind diese Quellen, welche in ganz Aderbeidjan jene bedeutenden Anschwemmungen (*naplawy*) von
Kalkstein bilden, an dessen Mittelpunkten, bei *Maragi*, zwischen
Choi und *Eriwan* und bei *Bidjar*, sich die Gruben von schönem albâtre oriental oder durchsichtigem Marmor befinden, dessen Masse desto reiner und schöner ist, je näher sie
dem Wasser liegt, das hier von dicken Schichten Kalkstein
bedeckt ist. Einige von den Quellen (nicht die um *Suuk-Bulak*) sind heiß, wie z. B. die in der Nähe von *Tochti-Suliman*,
und einige sondern schwefelhaltige Gase ab, was mir ihren
vulkanischen Ursprung außer Zweifel zu stellen scheint. Als
die nördliche Gränze dieser Aeußerung vulkanischer Kraft
kann man eine Linie betrachten, die unweit des Araxes, *Djulfa*
gegenüber, in der Schlucht *Djus-Dere* beginnt; von hier zieht
sich dieses Gebiet in einen schmalen Strich bis zum nordöst-

lichen Ende des Sees von Urmia, indem es das *Sehend*-Ge-
birge mit seinen weitläufigen Abzweigungen in sich schliefst,
während der westliche Theil Kaflenka mit Tachti-Belkis und
Tachti-*Suleiman* umfafst, sich von dort nach Kürdasin oder
Gerus bis Bidjar zieht, wo er, eine nordwestliche Richtung
annehmend, dicht im Süden von *Suuk*-Bulak vorbeigeht und
sich westlich von Urmia nach dem Dorfe Gäwlan streckend,
von neuem dem nordwestlichen Ende des See's von Urmia
nahe kommt, dann aber in einem schmalen Strich nach Choi
und Eriwan ausläuft, in einer Richtung, die ich jedoch nicht
genauer bestimmen kann, da ich sie nicht selbst untersucht
habe. Sonst bietet *Suuk*-Bulak, auch *Suudj*-Bulak genannt,
nicht viel Merkwürdiges dar. Im letzten Garten der Stadt
von der südwestlichen Seite zeigte man mir die Stelle, wo
im Jahr 1851 noch ein ungeheuerer Ahornbaum stand, der
durch Unvorsichtigkeit verbrannte; die vom Feuer geschwärzte
Grube, die von dem unteren Theile des Stammes eingenommen wurde, hat dreifsig Schritt im Umfang. Am südlichen
Ende der Stadt zeigte man mir das Mausoleum Pir-Sultan's,
des berühmtesten aller Mikrier, der vor 150 Jahren gestorben
sein soll. In der Stadt selbst befindet sich eine Moschee, unter der Regierung Schach *Suleiman* des *Sefewiden* im Jahr
1083 der Hedjra (das drei ist nicht ganz deutlich) erbaut.

Am 30. Juni verliefs ich *Suuk*-Bulak und hielt das erste
Nachtlager in dem ansehnlichen Dorfe Bolgabili, neun Farsangen von *Suuk*-Bulak; am folgenden Tage legten wir noch
vier Farsangen zurück und überschritten die Gränze von Aderbeidjan und dem südlichen Kurdistan 1¼ Farsangen von *Sak*-
kys. Die Strafse von dort nach *Sinna*, wo meine Reiseroute
mit der des Doctor Cormick nahe zusammentrifft, durch-
schneidet eine hohe, von Hügeln unterbrochne (ischolmlennoi)
Ebene, die den Kurden als Sommer-Lagerplatz (kotschewje)
dient, und zwar sowohl den dem Wali unterworfenen, als
auch den türkischen, die sich des Winters in der Umgegend
von *Suleimanich* aufhalten. Sie ist daher in dieser Jahreszeit
keinesweges ganz sicher. Das Terrain erhebt sich hier all-

mälig' bis zum Dorfe Kotschian, im Distrikt Kiläku, worauf es
weit langsamer bis Sinna abfällt, wo ich am 5. Juli eintraf,
nachdem ich unterweges die Höhen des Dorfes Sahib, des
Distrikts Kotschian, des Distrikts Kiläkan, des Dorfes Diwan-
Dere, wo meine Route mit der Macdonald Kinneir's zusammentraf, des Flusses Kysyl-Usen, sechs Farsangen vor seiner
Quelle, und des Dorfes Achmed-Abad bestimmt hatte. Sinna
ist eine neue Stadt, welche meine Vorgänger Rich und Macdonald ziemlich umständlich beschrieben haben. Allerdings ist
seitdem der Palast des Wali, sowohl als die von ihm errichteten Moscheen und Medressen, in grofsen Verfall gerathen;
die Vergoldung ist schwarz geworden, die Fontainen haben
aufgehört zu springen und Spinngewebe und Rauch machen
die Arabesken unkenntlich; allein in den Hauptzügen ist die
Stadt dieselbe geblieben, und in dem Palast des Wali ist der
Saal noch unversehrt, wo an der einen Seite sich das Bild
eines Mannes in einem dreieckigen Hut und ein Gewehr in
der Hand befindet, mit der Inschrift: „Der König der Könige,
der grofse Monarch, der berühmte Napalian, König des
Reiches Frans;" ihm gegenüber aber, an der rechten Seite
des Saals, in einer der Wahrheit näher kommenden Uniform,
der Kaiser Alexander, mit der Inschrift: „Alexander, berühm-
ter Herrscher des Reiches Russland," und zwischen ihnen die
Portraits des „berühmten Königs vom deutschen Reich," des
Königssohns des grofsen Reichs England (der damalige Prinz-
Regent, nachherige König Georg IV.) und des General-Gouverneurs von Indien.   Dieser Saal, der noch heute das Ent-
zücken und die Bewunderung der Einwohner von Sinna erregt,
heilst „der herzunterjochende" (dilkuscha). — Sinna ist von
hohen, kahlen, felsigen Bergen umgeben, woher, trotsdem dafs
es im Norden den ganzen hohen Theil des südlichen Kurdistan
vor sich hat und im Süden von hohen Bergzügen geschützt
wird, die es von den brennenden Ebnen Mesopotamiens trennen, so wie trotsdem dafs es in einer gröfseren Höhe über
dem Meere liegt als Tauris, die Hitze hier im Sommer eine
aufserordentliche Intensität erreicht und um so schädlicher

wirkt, weil sie mit Sonnenuntergang schnell abnimmt. — Am
6. Juli alten Styls z. B., einem Tage, den die hiesigen Einwohner nicht sehr heifs fanden, war die höchste Temperatur
28° Réaum.; eine halbe Stunde vor Sonnenuntergang zeigte
das Thermometer 23°,7 R. und fiel gleich nach Sonnenuntergang auf 22°,1. Diesem raschen Uebergang von der Tages-
hitze zur verhältnifsmäfsigen Kühle der Nacht mufs man die
Ungesundheit des Klima's und namentlich die Fieber zuschreiben, an welchen die Einwohner leiden. Erkältungen werden
auch dadurch herbeigeführt, dafs im Sommer Alles auf den
Dächern schläft, während des Nachts immer ein starker Nord-
wind weht, der am meisten zum raschen Sinken der Temperatur beiträgt.

Ehe ich einige Worte uber meine feinere Reise sage,
mufs ich bemerken, dafs die Kürze, mit der ich den Weg von
Suuk-Bulak nach Sinna beschrieben habe, wo, wie schon er-
wähnt, meine Route an drei Punkten mit der Cormick's (in
Sakkys), Macdonald Kinneir's (in Diwan-Dere) und Rich's (in
Kileku) zusammentraf, keinesweges von einer vollständigen
Uebereinstimmung mit den topographischen Notizen meiner
Vorgänger herruhrt, im Gegentheil hoffe ich das von ihnen
Mitgetheilte in manchen Beziehungen vervollständigen zu können. Die Ursache ist leicht erklärlich: Cormick und Mac-
donald begnügten sich mit kurzen Anmerkungen, und Rich,
dessen Beobachtungen sich durch ihre Treue auszeichnen, litt
auf dieser ganzen Tour von Fieberanfällen, die ihn natürlich
oft in seinen Unternehmunge stören mufsten. Ich verliefs
Sinna am 15. Juli, ging nach einem dreiviertelstündigen Ritt
bei dem von Tänzerinnen und Musikanten bewohnten Dorfe
Kyschlak über den Flufs Tschema-Kyschlak, der weiter hinauf Tirgeran heifst, und begann alsdann den Salawat, einen
Bergrücken von ansehnlicher Höhe zu ersteigen, auf welchem
das Wasser, bei 20°,0 R. äufserer Temperatur, seinen Kochpunkt mit 74°,4 R. erreichte, während in Sinna am 6. Juli bei
27°,0 R. der Kochpunkt des Wassers 76°,1 R. war (allgemeine
Correction der beiden Thermometer +0°,3 R.). Von hieraus

35 *

zieht sich die Strafse lange Zeit längs einer flachen Hochebene hin, im Süden begränzt von einer mit der Strafse parallel laufenden, ununterbrochenen Bergkette. Der niedrigste
Punkt dieser Hochebene war neben den versteinernden Schwe-
felquellen Baba-gur-gur, gleichnamig mit denjenigen, welche
Ker Porter bei Kerkuk besuchte (vergl. Ritter Bd. 9 S. 554).
An diesen Quellen war der Kochpunkt 75°,6 R. bei 25°,8 R.
äufsere Temperatur. Nachdem ich endlich beim Dorfe Ak-
Bulak einen nicht sehr hohen Bergpafs erstiegen, der das südliche Kurdistan von der Provinz Hamadan scheidet, sah ich
vor mir den Alwend, mit einem Schneestreifen unter seinem
spitzigen Gipfel und der blühenden Ebene von Hamadan zu
seinen Füfsen. Ich habe schon oben angedeutet, dafs sich der
Ueberflufs an versteinernden Quellen, der eine so bemerkenswerthe Eigenthümlichkeit Aderbeidjan's bildet, im südlichen
Kurdistan wiederholt; doch kann ich es hier nicht über mich
nehmen, den Umfang ihrer Thätigkeit durch eine fortlaufende
Linie zu bezeichnen, da ich mit Sicherheit nur einen Punkt
ihrer nördlichen und einen ihrer östlichen Gränze feststellen
kann. Es ist indefs unzweifelhaft, dafs der Mittelpunkt dieses
Terrains in der Nähe der schwefelhaltigen Kalkquellen *Baba-
gur-gur* und der umliegenden schönen und reichen Gruben
von durchsichtigem Marmor zu suchen ist, der von den Per-
sern Balgami genannt wird und den besten, zu Weramin, bei
Maragi, gefundenen Arten in Nichts nachgiebt. Diese Mar-
morbrüche sind beim Flecken Hoslan oder, wie Einige ihn
nennen, Kostron gelegen — einem Flecken, der sich durch
einen ungewöhnlich hohen Erdhügel (nasypny cholm) auszeichnet.

Am 18. Juli, mit Sonnenuntergang, erreichte ich Hamadan, das sich in einem langen Streifen auf einer ziemlich steil
aufsteigenden Anhöhe ausdehnt, aber keineswegs, wie Morier
schreibt, auf mehreren Hügeln erbaut ist. In der Stadt selbst
ist nur ein einziger Hügel, auf dem sich das armenische Viertel befindet; ein anderer Hügel, der von der Festung oder
vielmehr von deren Ruinen eingenommen wird, liegt aufser-

halb der Stadt. Offenbar hat sich daher der in allen andern Fällen aufserordentlich zuverlässige Verfasser des „Hajji Baba" durch das Verlangen, die Bauart Hamadan's von der der übrigen persischen Städte zu unterscheiden, hinreifsen lassen, von der Wirklichkeit etwas abzuweichen. Er wollte hierdurch der wichtigen Entdeckung von der Identität Hamadan's mit Ecbatana noch gröfsere Wahrscheinlichkeit verleihen, obwohl die anderen zur Motivirung derselben angeführten Beweise so stark sind, dafs sie keineswegs einer solchen Bestätigung bedürfen.

Am 19. Juli untersuchte ich' nur ein meiner Wohnung zunächst liegendes Denkmal, Gumbedi-Alawian, am Platze Mir-Agil. Seine Aehnlichkeit mit dem Thurm der Atabeken in Nachitschewan und die kufischen Inschriften auf seinen Mauern liefsen mich vermuthen, dafs es zu den Monumenten der Seldjuken-Herrschaft in Persien gehöre; als ich jedoch das Innere betrat, überzeugte ich mich, dafs dieses in architectonischer wie in künstlerischer Hinsicht sehr merkwürdige Denkmal aus der mongolischen Epoche stamme. Ich fand, dafs die kufischen Inschriften hier mit Inschriften in den Rukha-Charakteren gemischt sind, die in Persien bis zur Regierung Abu-Said's einschliefslich im Gebrauche waren. Sowohl die kufischen als die nicht-kufischen Inschriften, die ich copirte und entzifferte, bestehen alle aus Versen des Koran's, sind jedoch in paläographischer Beziehung von Interesse *).

Der 20. Juli war für mich ein mühsamer Tag, indem ich von Morgen bis Abend auf den Beinen war, um die Merkwürdigkeiten Hamadan's zu besichtigen, ohne damit zu. Ende

---

*) In einer Anmerkung zu dieser Stelle sagt Herr Chanykow, er habe in der von Choademir geschriebenen Geschichte der Wesire gefunden, dafs Sarai-Alawian schon zu Lebzeiten Scheich-Abu-Ali-Sina's (Avicenna's), d. h. im 5. Jahrhunderte der Hedjra oder mehr als 100 Jahre vor,der mongolischen Epoche existirt habe. Wenn es daher dasselbe Gebäude ist, so wäre sein erster Kindruck der richtige gewesen.

zu kommen. Nachdem ich dem Gouverneur von Hamadan, dem Prinzen Seif-Ulu-Mirza, einen Besuch abgestattet, begab ich mich nach dem Stadtviertel Djawalan, dessen Moschee ich in Augenschein nehmen wollte, und obwohl der Zudrang des Volkes mir nicht erlaubte, sie genau zu untersuchen, so überzeugte ich mich doch später, dafs sie im Jahr 1252 der Hedjra (1836 nach unserer Zeitrechnung) restaurirt wurde und nichts enthält, was älter als dieses Jahr ist. Alsdann besuchten wir das Grabmal des Imam-Sade-Schach-Sade-Hussein, dessen erste Errichtung, wie aus der Inschrift eines rechts vom Haupteingang eingekitteten buntfarbigen Glasfensters hervorgeht, in das 738. Jahr der Hedjra (1337 nach Christi) fällt; indessen ist es kürzlich, nämlich im Jahr 1213 der Hedjra (1798 n. Chr.) restaurirt oder vielmehr ganz umgebaut worden. Unsere nächste Wanderung war nach dem in demselben Stadttheil befindlichen, sogenannten Grabe Alexander's des Grofsen, am Ufer des Hauptflusses von Hamadans. Es ist dies nichts mehr und nichts weniger als eine in dem cylinderförmigen Vorsprung (wystup) eines Hauses angebrachte, dreieckige Oeffnung. Aus welcher Zeit sie herrührt, kann man nicht bestimmt angeben; die Seiten dieser Oeffnung sind jedoch von zwei Grabsteinen unterstützt. Auf dem rechten ist das Jahr 1129 der Hedjra (1716 n. Chr.), auf dem linken 1120 (1708 n. Chr.) sichtbar; folglich ist das Grab weit später als das Jahr 1716 wieder umgebaut worden, da man sicher nicht gleich nach Aufstellung der Steine daran gearbeitet haben wird (?). Im Inneren dieser Oeffnung sind einige Fragmente von marmornen Grabverzierungen zerstreut, wie man deren viele auf allen Hamadaner Monumenten sieht. Ohne Zweifel ist dies nicht das Grab Alexander's, nicht unmöglich ist es aber, dafs die Sage auf den Ort hinweist, wo Hephästion begraben wurde, der dem Herzen des macedonischen Eroberers so nahe stand, dafs sie im Munde des Volkes sich recht gut in eine Person verschmelzen konnten.

Von hieraus begab ich mich nach dem Stadtviertel Had-

jïan, wo man mir einen von dem Todtengewölbe der Atabeken dorthin versetzten Grabstein zeigte, auf welchem mit
Ruhka-Schrift das Jahr 563 der Hedjra (1167 n. Chr.) eingegraben ist. Es ist dies der älteste Grabstein mit Angabe des
Jahrs, der mir in Hamadan zu Gesichte gekommen. Auf dem
Wege zu dem berühmten steinernen Löwen, der einst Hamadan vor einem Ungewitter rettete, bemerkte ich einen seltsamen Stein, mit einer kufischen Inschrift und einer in Ruhka-
Charakteren verzierten, welche die Worte: „Ich ging vorüber
und starb, war Staub und verwandelte mich in Staub", enthalten. Letztere ist in die Mauer einer Kapelle eingekittet,
welche das Grab des Hadji-Hafis genannt wird. — Wir verliefsen hierauf die Stadt durch ein Thor, welches von Alters
her Derwasei-Schir, d. i. Thor des Löwen, heifst, und erreichten nach einem Ritt von sechs Minuten im schnellen Schritt
auf der Teheraner Strafse einen kleinen, vier bis fünf Fufs
hohen Erdhügel, auf dem der verehrte steinerne Löwe ruht.
Der Schwanz und die Vorder- und Hintertatzen fehlen,
aber der Rumpf, der Kopf und die sehr gut ausgehauene
Mähne sind von der Zeit so ziemlich verschont geblieben.
Seine Länge von dem Anfang des Schwanzes bis zum Ende
der Schnauze beträgt 12 Fufs 1,3 Zoll, seine Breite auf der
breitesten Stelle von dem Kreuz bis zum Unterleib 4 Fufs
2,4 Zoll; er ist mit ähnlichen Fragmenten umgeben, wie das
Grabmal Alexander's. Dieser steinerne Löwe liegt auf einer
so in die Augen fallenden Stelle und ist in Hamadan so bekannt, dafs ich nicht begreife, warum keiner von meinen Vor-
gängern ihn beschrieben hat. Der Fürst A. Gagarin, der
im Jahr 1851 in Hamadan war, hatte mich schon mündlich
von der Existenz dieses Denkmals benachrichtigt. — In Mu-
salla, wo ich die Ruinen der Festung untersuchte und einen
Plan davon aufnahm, konnte ich trotz aller Mühe die weifse
steinerne Ringmauer (obschiwka) Tachti-Ardeschiv nicht auffinden, die von Morier gesehen wurde und ihn an die sassa-
nidischen Bauten erinnerte. Auf einer zwischen der jetzigen
Stadt und der Festung gelegenen Esplanade befindet sich ein

grofser Friedhof, der für den ältesten der Stadt gilt; so viele
Steine ich aber auch besah, fand ich doch nicht einen, der
älter war als das zwölfte Jahrhundert der Hedjira, und von
kufischen Inschriften ist naturlich keine Spur. Um den Friedhof sind drei oder vier Imam-Sade's erbaut; ich besuchte sie
alle, ohne etwas Bemerkenswerthes zu entdecken. Nachdem
ich diese Umschau beendigt, wandte ich mich nach Burdji-
Kurban oder dem Thurm der Opfer, einem seltsamen Gebäude,
bestehend aus einem Thurm von der Form eines achteckigen
Prisma's, von einem pyramidenartigen Dache gekrönt, dessen
Spitze eingefallen ist. Der Besitzer, der sein Heu und seine
Gerste hier aufspeichert, sagte mir, dafs er weder von seinem
Vater noch von seinem Grofsvater irgend eine Ueberlieferung
in Betreff der Zeit und der Bestimmung des Baues gehört
habe, und dafs man nicht die geringsten Spuren von Inschriften oder Sculpturen bemerke. — Von hier führte man mich
zum Grabmal des berühmten Abu-Ali-Sina oder Avcenna im
Stadtviertel Durd-Abad. Die Kapelle, in der sich der Sarcophag befindet, so wie der Sarcophag selbst sind in einem
äulserst verfallenen Zustande, der es mir kaum gestattete, die
Grabschrift zu entziffern; wie grofs aber war mein Erstaunen,
als ich, nach den pomphaften Titeln Abu-Ali-Ben-Sina's, das
Datum „15. Ramasan des Jahrs 734" las. Da ich nun wufste,
dafs Abu-Ali im Jahr 428 der Hedjra (1036 n. Chr.) am Hofe
des Ulla-Uddoule-Abu-Djafar gestorben ist, so überzeugte ich
mich, dafs man auch dieses Monument, wie fast alle Denkmäler in Hamadan, erneuert hat. Und in der That, als ich
die Basis des Sarcophags von der sie bedeckenden Erde be-
freite — zum Schrecken aller Anwesenden, die den Verdacht
fafsten, dafs ich das hundertfunfzig Pud schwere Monument
wegtragen und die Ruhe des unter ihm liegenden Todten
stören wolle — bemerkte ich noch kaum die leserlichen Worte:
„liefs erneüern . . . gelehrter . . . grofser . . ."
     Durch das Muchtaran-Viertel ritten wir wieder zur Stadt
hinaus, um den beruhmten Sängibad oder Stein des Windes
zu sehen, an dessen Kraft die Hamadaner so fest glauben,

wie an Ali. Dieser Talisman besteht aus zwei Blöcken (glyba) von grauem Granit, die entweder das Wasser oder eine Erderschütterung hierher geschleudert hat. Sie liegen einer auf dem anderen, und wenn zur Zeit des Getreideworfelns eine Windstille herrscht, so zweifeln die Hamadaner nicht, .daß man nur den oberen Stein hinabzuwerfen habe, um einen furchtbaren Sturm zu erzeugen, der so lange dauert, bis man den Stein wieder auf seine Stelle bringt. — Es versammelte sich um die wunderbaren Granitblöcke ein großer Volkshaufe, und Alle versicherten mir, daß es sich wirklich so verhalte; als ich jedoch fragte, ob Einer von ihnen es je mit eigenen Augen gesehen habe, konnte Niemand dies bejahen, sondern Jeder hatte es nur von sehr zuverlässigen Leuten gehört.

Kurz nach Sonnenuntergang kehrte ich endlich in das Stadtviertel Muchtaran zurück, um die Tschischmei käft pistan oder Quelle der sieben Zitzen zu besuchen. Es ist dies eine massive, längliche Platte von dunkelem Granit, längs welchem sieben Zitzen en relief ausgeschnitten, unter demselben aber Oeffnungen in den Stein geschlagen sind; aus diesen Oeffnungen läuft das Wasser in ein in die Erde gegrabenes Bassin, zu welchem mehrere steinerne Stufen hinabführen. — Die Bewohner von Hamadan sind überzeugt, daß wenn einer Frau die Milch ausgeht, sie nur nöthig hat, eine von diesen Zitzen mit der Brust zu berühren, um von dem Gebrechen geheilt zu werden. Nach dem abgeriebenen Zustande (obtertost) des Granites zu schließen, muß der Stein schon lange hier liegen, und ich glaubte einen Augenblick, daß er zu den Ueberresten jenes Aquäducts gehören könne, durch welchen Semiramis die Stadt Ecbatana mit Wasser versah; als ich jedoch die Quelle bis zu ihrem Ursprung im Alwend verfolgte, fand ich, daß die Reihe von Brunnen, durch welche das Wasser von dort geleitet wird, Aquäduct des Abd-ul-Asis heißt und beim Dorfe Färch-Abad beginnt; folglich(?) ist dies Alles eine Schöpfung der muselmännischen Epoche.

Am 21. Juli machte ich einen vergeblichen Ausflug nach

der Murad-Bek genannten Schlucht des Alwend, um einen
grofsen Stein mit kufischer Inschrift zu untersuchen, der sich
dort befinden soll; mein Führer verirrte sich und wir konnten unsern Zweck nicht erreichen. In der Folge gelang es
mir, den Stein aufzufinden und einen Abdruck à la Millin von
seiner schönen kufischen Inschrift zu machen: es ist das Grabmal eines gewissen Abu-Bekr, Sohnes von Nasir, Sohn von
Djouse, der zu Ende des Monates Silkade im Jahr 582 der
Hedjra (1187 n. Chr.) starb, d. i. fast gleichzeitig mit dem
Stammvater der Atabeken von Aderbeidjan, Atabek Ildigis.
Für die Erfolglosigkeit meiner ersten Expedition wurde ich
zum Theil durch den Besuch einer Höhle des nahe liegenden
Berges Chorsiu entschädigt. Diese Höhle, in welche man
durch eine schmale Oeffnung hineinkriechen mufs, endet in
einem ziemlich ausgedehnten, augenscheinlich durch die Hand
des Menschen bearbeiteten Raum; auf dem Boden der Höhle
ist eine Cisterne in den Stein gehauen und mit Wasser gefüllt, das durch den porösen Sandstein des Berges durchsie-
kert. — Wie die Sage berichtet, pflegten die Regenten über
Hamadan ihre Schätze hieher zu retten, wenn die Stadt von
einer Gefahr bedroht wurde; doch sind weder Inschriften noch
Verzierungen auf den Wänden zu sehen.

Am 22. Juli erstieg ich glücklich den Gipfel des Ala-
wend. Nachdem ich mein Zelt mit einigen Lebensmitteln
nach dem Fufs des Berges vorausgeschickt, auf welchen
Darius und Xerxes eine ungeheure Keilinschrift eingegraben
haben, die unter dem Namen Gendjnameh bekannt ist, ritt
ich mit meinen Führern um 6 Uhr 40 Minuten aus Hamadan
und nahm den Weg nach der Schlucht von Abbas-Abad, die
eine halbe Stunde von der Stadt beginnt. Bald liefsen wir
jedoch diese Schlucht, nebst der Strafse, durch welche sie
nach dem Gendjnameh und dem Bergpafs Schechri-sana führt,
der sich gegen die Städte Tu, Sirkan und Nechowend hin
zieht, zur Linken und erklommen auf einem schmalen, halb-
wegs in den Berg gebahnten Pfade die erste, ziemlich um-
fangreiche Terrasse des Alwend. Wir ruhten hier 37 Minuten

unter dem Schatten einer Weide, die in der Mitte der Terrasse
wächst, und gingen um 8 Uhr 22 Minuten weiter, einen ziemlich steilen Pfad hinauf, der uns um 8 Uhr 35 Minuten zur
Gränze des Roggenbaus führte. Hier nimmt der Weg, statt
der bisherigen südwestlichen, eine westsüdwestliche Richtung
und zieht sich über einen engen, felsigen Damm (pere-
mytschka), welcher zwei Bergklüfte scheidet, von denen die
erste, zur Rechten, geradesweges in die Ebene von Hamadan
ausläuft, die zur Linken aber fast senkrecht in die Schlucht
von Abbas-Abad, dicht am Felsen Gendj-Nameh fällt. — Um
8 Uhr 50 Minuten mußten wir abermals auf kurze Zeit rasten
setzten uns jedoch um 9 Uhr 10 Minuten wieder in Marsch
und erreichten bald die zweite, schmale, aber etwas längliche
Terrasse des Alwend, in nordwestlicher Richtung, die wir
schnell durchritten und dann den steilen und mit ungeheuren
Blöcken von grauem Granit überschütteten Thalweg des Al-
wend-Baches hinaufstiegen, welcher sich in die Schlucht von
Abbas-Abad ergießt. Dieser Weg ist zwar nicht lang, aber
sehr ermüdend, so daß, als wir ihn hinter uns gelassen hatten, wir uns mit wahrem Genuß unter dem Schatten der
Felsen bei einer Cisterne lagerten, die in den Stein gehauen
und mit kaltem, durchsichtigem Wasser gefüllt ist. Sie heißt
Chousi-Nadiri, da sie auf Befehl Nadir-Schach's gegraben
wurde, als er von einem Feldzuge gegen die Türken über
Hamadan zurückkehrte. Um 10 Uhr 5 Minuten ging es weiter, und indem wir die Richtung nach Westen auf einem
ziemlich abschüssigen und verhältnißmäßig bequemen Pfade
einschlugen, gelangten wir endlich zur höchsten Terrasse des
Alwend, deren frisches und sogar nasses Grün den klaren
Beweis lieferte, daß der Schnee noch nicht lange hier ge-
schmolzen war. Diese Terrasse ist eine schmale, ovale Plattform, von sechs Felsenspitzen umgeben, welche den eigentlichen Gipfel des Alwend bilden. Uns zwischen zerbröckelte
Steinmassen (rossypi) durchwindend, erreichten wir um 10 Uhr
30 Minuten Chousi-Nebi, eine ziemlich große Cisterne, mit
Quellwasser gefüllt, welches eine Temperatur von nur $+3^{\circ},3$ R.

zeigte.   Hier stiegen wir von den Pferden ab und begannen
die Felsen der höchsten Kuppe des Alwend hinaufzuklettern.
Indem wir ein kleines Schneefeld umgingen, welches sich noch
zwischen den Felsen erhalten hatte, kamen wir zu einem
schmalen steinigen Plan, 1½ Arschin lang und ein Arschin
breit, unmittelbar unter einem ungeheuren grauen Granitblock,
der sechzig Fuſs an Höhe den Gipfel des Berges bildet. Hier
entschloſs ich mich, meine Instrumente zurückzulassen, da ich
keine Möglichkeit sah, die Lampe des barometrischen Thermometers vor dem auf dieser Höhe wehenden starken Winde
zu schützen.   Ich selbst stieg über einen schmalen Haufen
Steinfragmente, die sich schraubenartig um den Hauptfelsen
ziehen, etwas höher hinauf, bis zum Grabmal des Propheten
Alwend, eines angeblichen Sohns von Noah, welches ich um
11 Uhr erreichte. — Von dort zurückkehrend, stellte ich um
11 Uhr 25 Minuten eine Beobachtung an, welche 71°,87 als
Kochpunkt bei der äuſseren Temperatur von 19°,0 ergab.
Nahe dem Hauptgipfel des Alwend befinden sich noch zwei
Merkwürdigkeiten, die gewöhnlich von den Pilgern besucht
werden: die erste ist ein Stein, der mit einer Wiege Aehnlichkeit hat und Gächworei Mariam heiſst, und eine Quelle,
die aus einem Felsen hervorsprudelt und Paradieswasser, Abi-
Bechschit, genannt wird; aber von dem Ersteigen des Berges
ermüdet, hielt ich es nicht für nöthig, sie näher zu betrachten,
und begnügte mich mit einem Blick aus der Ferne (!).   Alsdann stiegen wir denselben Pfad bis zur Gränze des Roggenbaus hinab, wo ich anhielt, um die Höhe dieses Punktes zu
bestimmen.   Wir lieſsen hierauf unseren vorigen Weg links,
führten unsre Pferde am Zügel und kamen über einen schroffen Abhang in den Grund einer Schlucht, wo mein Zelt bereits einige Schritt vom Gendj-nameh aufgeschlagen war. —
Nachdem ich den Felsen und die Inschriften desselben untersucht, gewann ich die Ueberzeugung: 1) daſs Morier unrecht hatte, als er über der obersten Inschrift die Spuren von
anderen Inschriften zu sehen glaubte, die gewiſs nicht vorhanden sind; über ihn befindet sich eine Spalte, die von weitem

der Einfassung einer Inschrift ähnlich sieht, aber die man bei
genauerer Untersuchung wirklich für eine Spalte erkennt;
2) daſs Ker Porter im Irrthum war, als er behauptete, der
Gendj-nameh sei auf einem rothen Granitfelsen eingegraben:
der ganze Alwend hat keinen Granit von dieser Farbe und
der des Gendj-nameh ist vollkommen grau, ohne die geringste
röthliche Nüance, wie alle Felsen des nordöstlichen, östlichen
und südöstlichen Alwend.   Dieser Granit ist grobkörnig; von
den Regengüssen abgespült, bildet er auf der Ebene von Hamadan jene breiten Striche von starkem, grauen Sand, die
man auf der Strafse nach Hamadan vom Westen her so häufig
antrifft. — Den ganzen Morgen des 23. Juli beschäftigte ich
mich damit, Abdrucke der Inschriften auf Papier und Cattun
(letztere gingen besser von statten) herzustellen, und in dieser Weise wurde die Inschrift des Darius sowohl als die des
Xerxes vollständig copirt.   Die Abdrücke waren sehr gelungen, und ich schickte sie nach Bagdad zu Herrn Rawlinson um mit denjenigen verglichen zu werden, welche dieser
berühmte Archäolog selbst angefertigt hat.   Wieder nach Hamadan zurückgekehrt, besichtigte ich noch einige Denkmäler,
sammelte mehrere interessante kufische Inschriften, welche
jedoch keineswegs so zahlreich sind, wie man nach den Angaben Keppel's und Dupré's vermuthen würde, erhielt
durch Vermittlung des Hamadaner Rabbi eine Copie von den
Inschriften der Gräber Mardochai's und Esther's, durch welche
das Jahr der Errichtung dieser merkwürdigen Denkmäler endlich festgesetzt wird, und reiste sodann am 26. Juli nach Nechowend ab, welches von allen europäischen Reisenden, so
viel ich weiſs, bisher nur zwei besucht haben: Tavernier
(vergl. „Les six voyages de J. B. Tavernier," éd. 1732. Vol. 3.
p. 257) und Flandin, dessen Album eine sehr treue Ansicht
des Schlosses von Nechowend enthält. — Die Strafse dahin
führt anfangs durch die Schlucht von Abbas-Abad, dicht an
den Inschriften des Darius und Xerxes vorbei, und erhebt
sich über einen Ausläufer des Alwend zu einem hohen Bergpaſs, wo der Kochpunkt des Wassers, bei einer äuſsern Tem-

peratur 25°,3 R., auf 73°,2 R. betrug. — Er heißt Schechri-
sana, nach dem Namen eines elenden Dorfes, das unter dem
Bergpaß liegt und einst eine bedeutende Stadt war. Etwa
fünf Farsangen von diesem Dorfe befindet sich die Stadt Sirkan, einen halben Farsang von dieser aber die Stadt Tu,
welche zusammen den zu Malair gehörigen Distrikt Tusirkan
bilden.

Den 27. Juli verbrachte ich in Sirkan und traf am 28. in
Nechowend ein. Einige Werst westlich von Tu ist ein Thurm
ohne Inschrift zu sehen, der, man weiß nicht weshalb, Thurm
des Ibniamin (Benjamin) genannt wird. Man erkennt in ihm
den muselmännischen Baustyl des vierzehnten oder funfzehnten Jahrhunderts, und er ist hauptsächlich dadurch merkwürdig, daß er, der Sage zufolge, mitten in der einst blühenden
Stadt Rudsabar stand, dessen Bewohner, wenn man dem Za-
charias von Kasbin trauen darf, mit Erfolg den Safranbau
betrieben, der hier jetzt völlig unbekannt ist. Ich muß gestehen, daß ich an der Richtigkeit dieser Angabe zweifele, aus
der einfachen Ursache, weil der ganze Distrikt Tusirkan so
hoch liegt, daß er als Jeiläk oder Sommerlager für die Nomadenstämme (ljetnoje kotschewje) benutzt wird. Der Schnee
fällt hier zu Anfang Oktobers und bleibt bis zum April liegen.
Ich bemerke noch, daß das Wasser in Sirkan am 27. Juli um
10 Uhr Morgens bei 75°,1 und einer äußern Temperatur von
24°,5 R. kochte, und daß bei uns am Kaukasus der Safran
nur in den heißesten Theilen des Landes gedeiht, die unter
dem Meeresniveau am Ufer des Kaspischen Meeres liegen.

Ehe ich dieses Schreiben, in welchem einige Hauptresul-
tate der ersten Hälfe meiner Reise fragmentarisch vorliegen,
schließe, muß ich noch hinzufügen, daß ich mich durch
eigene Anschauung des ganzen Landstriches zwischen Hamadan und Nechowend überzeugt habe, daß die alte Straße von
Babylon nach Ecbatana diese selbe Richtung und nicht die
auf Asad-Abad nahm, und daß in der engen Schlucht Sche-
chrisana der unglückliche Firusan (Pheroses) umkam, von
den Arabern verfolgt, die ihn bei Nechowend geschlagen hat-

ten. Ersteres wird, meiner Ansicht nach, dadurch bewiesen,
daſs auf dieser Route der Gendjnameh sich befindet, indem
weder Darius noch Xerxes ihre Inschriften auf einer wenig
besuchten Straſse eingegraben hätten, und für Letzteres giebt
das Grab Abul-Machdjan's Zeugniſs, des berühmten Kampf-
genossen *Sa'ada-ibn-Abdul-Wakkas'* in der Schlacht von
Kadesia, der, wie die Sage erzählt, bei Nechowend schwer
verwundet, dem fliehenden Firusan nachsetzte, aber unterwegs
erschöpft anhalten muſste und neben einer Quelle starb, wo
jetzt über seiner Asche eine Kapelle erbaut ist. Wenn nun
der geschlagene Firusan nach *Sirkan* floh, so gab es für ihn
keinen Pferdweg nach Hamadan, als über den Bergpaſs Schechri-sana *).

---

*) Ein von Herrn Chanykow versprochenes zweites Schreiben, welches
die Fortsetzung seiner Reise enthalten soll, haben wir in den uns
vorliegenden Nummern des Kawkas noch nicht gefunden.

Uwarowskji's Jakutische Memoiren.

Wir haben oft und schon längst darauf aufmerksam gemacht, dafs sich die Petersburger Akademie ein bedeutendes Verdienst um die vergleichende Sprachenkunde erwerben würde, wenn sie sich neben ihren West-Europäischen Mitgliedern, auch Asiatische Individuen aggregirte welche — je nach dem Theile von Sibirien in denen, sie geboren sind, die Tartarische, Ostjakische, Mongolische, Tungusische oder Kamtschadalische Sprache neben der Russischen und eben so vollständig wie diese, besitzen *). Einen ersten Schritt der jetzt in diesem Sinne geschehn zu sein scheint, dürfen wir schon desshalb nicht unerwähnt lassen. Herr Böhtlingk dessen Arbeiten über das Jakutische schon früher besprochen wurden **), hat sich nämlich einen derartigen Gehülfen zugesellt, der sich nun in Petersburg niedergelassen und als Probe seiner zweiten Muttersprache die folgenden Denkwürdigkeiten aus seinem Leben, in derselben geschrieben hat. Wir geben sie für jetzt nur in einer von der Petersburger Zeitung mit-

---

*) Vergl. u. a. Erman Reise um die Erde Abthl. I. Bd. 1. S. 518, 665; Bd. 2. S. 80, 256; Bd. 3. S. 184 u. a. — und in diesem Arch. Bd. 1. Ankündigung und Bd. 10. S. 572.
**) In diesem Arch. Bd. 3. S. 312, 333 u. a.

getheilten Bearbeitung, von welcher versichert wird, dafs sie durch genaues Anschliefsen an den Wortsinn des Textes, den vollen Eindruck der Gemüthlichkeit desselben wiedergeben.

Uwarowskji's Erinnerungen.

Glück und Unglück gehen in einer Reihe mit dem Menschen.
Korn wird Mehl, wenn es gemahlen wird.
Sprüchwort.

Am linken Ufer des berühmten grofsen Flusses (der Lena), hundert Kös von der Stadt Jakuzk, nahe am Eismeer, war eine Stadt mit Namen Jigansk. — Es ist schon lange her, dafs sie verfiel und verlassen wurde. In dieser Stadt, meinem Geburtsort, war mein Vater Kreishauptmann.

Als jene Stadt aufgehoben wurde, kehrte mein Vater nach Jakuzk zurück: ich war damals vier oder fünf Jahre alt. — In diesem Alter erinnert sich das Kind weniger Dinge. Dessen ungeachtet ist mir in meinem Gedächtnifs geblieben, wie mein Vater acht bis neun Monate im Jahre auf weiten Reisen zubrachte, und ein hübsches Theil Mühen auf seine Schultern nahm; wie ich mit meiner Mutter weinte, mich langweilte und ihn nicht erwarten konnte; wie ich zweimal beinahe gestorben wäre: einmal, als ich längs eines Baumes über einen Flufs ging und ins Wasser stürzte; das andere Mal, als ich im Hause eines Jakuten in einen Kessel fiel, in dem man Futter für die Hunde kochte.

Endlich erinnere ich mich der folgenden Begebenheit. Als ich eines Tages im Sommer früh am Morgen aufgestanden war, erschrack ich mich zu Tode vor einem furchtbaren Räuber von wildem Aussehen, der am Eingange des Hauses, mit einem geladenen Gewehre stand. Später erfuhr ich, dafs er als Wache hingestellt worden, damit seine Gefährten nicht aus Versehen unser Gut raubten.

Er war der Genosse von vierzehn bis funfzehn entlaufenen Spitzbuben. Sie alle waren aus dem Orte in Ochozk, wo das Salz gekocht wird, entlaufen*), hatten unterweges das

---

*) Ueber diese Salzsiederei und über ähnliche, neuere Unternehmungen der Arbeiter bei denselben vergl. Erman Reise etc. Abt. I. B. 3. S. 52, 105.

Gepäck vieler Kaufleute geraubt, sich längs des Aldan in die
Lena hinabgelassen und waren so zu Schiffe nach Jigansk
gekommen. Als sie hier in der Nacht anlangend, die Soldaten und Kosaken schlafend antrafen, banden sie ihnen Hände
und Füfse, steckten sie ins Arrestantenhaus und schlofsen sie
dort ein. Sie selbst theilten sich in mehrere Partieen und
raubten die Güter der ganzen Stadt.

Denselben Tag, ungefähr zu der Zeit, wenn die Tages-
melkung der Kühe (zwischen neun und zehn Uhr) vor sich
geht, versammelten sie sich alle, nachdem sie den Raub voll-
bracht hatten, in unserm Hause.

Ich erinnere mich, wie eines gestrigen Ereignisses, wie
diese thierähnlichen, furchtbaren Leute *), eben zu der Zeit,
als ihr zorniges, schwarzes Blut vor Feuer kochte, und das
Blut der von ihnen getödteten Menschen dampfte, meinen Vater und meine Mutter umstanden, in einem Augenblicke aus
ihrem Schrecken erregenden Wesen in die Art und Weise
gutgesinnter Menschen übergingen und aus dem Innern ihres
Herzens ihren Dank dafür abstatteten, dafs jene hülfreich waren gegen arme Leute. Dieses Ereignifs hatte nicht seines
Gleichen im Lande der Jakuten.

Ich erinnere mich, als wenn es gestern geschehen wäre,
wie ihr Anführer, seiner Nation nach ein Georgier, ein Mann
von überaus grofser Statur, der sich allerlei Waffen angehängt
hatte, und mit rothen, längs der Naht mit Silber besetzten
Beinkleidern geschmückt war, mich auf seinem Schoofse hielt,
und während er mich beständig mit Süfsigkeiten bewirthete,
selbst weinend da safs.

Es hatte den Anschein, als wenn er sich irgend einer
Vergangenheit erinnerte.

Mein Vater und meine Mutter konnten von ihrer Seite
an diesem Tage, der unerwartetes Unglück gebracht hatte,
nicht anders als von Dank erfüllt sein: wenn der schwarze
Gedanke des Raubes in die Köpfe dieser Leute gekommen
wäre, dann ohne Zweifel würden sie gänzlich zu Grunde gerichtet sein.

---

*) Es waren gebrandmarkte Verbrecher.   Anm. d. Verf.

Hierauf wurden die Räuber mit einem Frühstück gespeist, worauf sie um Mittagszeit, ihre reiche Beute mit sich nahmen, und auf der Lena fortschifften.

Es ist unmöglich die Trauer, die Thränen aller Familien der Stadt, deren über dreißig waren, zu schildern. Als sie erst am Abend aus dem Walde, in den sie sich geflüchtet hatten, zurückkehrten, fanden sie ihre Häuser rein ausgeleert und das unterste zu oberst gekehrt.

Denselben Sommer, ich erinnere mich nicht nach Verlauf wie vieler Monate, holten von Irkuzk gekommene Soldaten und Kosaken die Räuber in einer Entfernung von 70 Kös von Jigansk ein, diese ergaben sich nicht in Güte, sondern vertheidigten sich, in Folge dessen tödteten die Soldaten die größte Hälfte, die am Leben gebliebenen brachten sie nach Jakuzk.

Von dem geraubten Gute kam nur sehr weniges zum Vorschein: das Uebrige hatten sie verfaulen lassen und auf diese und jene Weise verschleudert.

Die Gegend von Jigansk entbehrt für den Blick des Menschen jeglicher Schönheit und Mannigfaltigkeit. Die Physiognomie und der Charakter des Landes sind folgender Art: eine zwischen zwei Bergen befindliche Enge, und herum dichtes Gehölz, in dem die Schnauze eines Hundes nicht Raum findet; sobald du ungefähr zehn Schritte in dieses Gehölz machst, mußt du bis an die Knie, in kothigem, weichen Grunde versinken.

. Von Beeren finden sich nur Preiselbeeren, schwarze Rauschbeeren (Empetrum), rothe Johannisbeeren, Steinbeeren und Hagebutten.

Die Zeit in der der Winter wüthet, währt 8 Monate; in diesen fällt die warme Kleidung nicht von den Schultern des Menschen. — Zwei Monate vertheilen sich auf Frühjahr und Herbst, für den armen Sommer bleiben vom runden Jahr mit genauer Noth nur zwei Monate übrig. Der Schnee fällt mehr als haushoch; der Wind bläst so stark, daß man sich nicht auf den Füßen zu erhalten vermag; die Kälte benimmt den

Athem, die Sonne zeigt sich während der zwei Wintermonate niemals dem Auge des Menschen. Das ist alles. Um die Wahrheit unverholen zu sagen: wenn man es meinem Willen anheim gestellt hätte, würde ich für nichts Jigansk gewählt haben, um es zu meinem Geburtsort zu machen.

Die Bewohner von Jigansk sind Tungusen, an Zahl vier bis fünfhundert. Diese Leute gehen der Jagd nach, indem sie auf einem Umkreise von mehr als zweihundert Kös das Schneemeer durchwaten. Das Wild, das sie jagen, ist das wilde Rennthier, der Schwarzfuchs, der Zobel, der Fuchs mit dunkelfarbiger Kehle, der Rothfuchs, der Eisfuchs, das Eichhörnchen, das Hermelin, der schwarze Bär, der weiße Bär (Eisbär) und das theure Thierhorn, aus dem Kämme gemacht werden (Mammuthszähne).

Ein Land, es sei welches es wolle, pflegt nicht alles Schönen zu entbehren, während der zwei Sommermonate ungefähr geht die Sonne nicht unter; ein Mensch der nicht daran gewöhnt ist, findet nicht die Zeit da er sich schlafen legen könnte.

Die ganze Gegend von Jigansk hat ihres gleichen nicht, was Flufsfische betrifft sowohl in Bezug auf Menge als auch auf Vorzüglichkeit: Salmo nelma, Wallfisch *), Stör, Sterled, Tschir, Muksum, Omul, Salmo lavaretus und andere kleine Fische mit mannigfachen Namen werden in unzähliger Menge gefangen.

· Diese schönen Fische gehen scheinbar ohne Nutzen verloren und zwar aus zwei Umständen: aus Mangel an Salz, und dann, weil sich das Volk so daran gewöhnt hat. — Der Tunguse gräbt an der Stelle, wo er den Fisch fängt, eine Grube, ungefähr einen Faden tief. Die Wände und den Boden dieser Grube bedeckt er mit Rinde. Nachdem er die Eingeweide und Knochen entfernt hat, legt er diese Grube gedrängt voll mit den gefangenen Fischen. Hier fault dieser

*) Hier begeht offenbar der Russ. Bearb. d. Jakut. Textes eine höchst lächerliche Verwechselung, indem er Wallfische in die Lena aufsteigen läfst! Höchst wahrscheinlich durch Verwechselung des Tung. Namen Keta welcher d. Salmo bezeichnet (Erman Reise Abthl. I. Bd. 3. S. 255) mit dem Russischen Kit, der Wallfisch.

überaus schöne Fisch so lange, bis er blau und grützartig wird und bildet so eine Lieblingsspeise der Tungusen. Ich gestehe, dafs ich in meiner Kindheit so zubereiteten Fisch im Geheim und offen aufserordentlich gern gegessen habe, und, wenn er da wäre, würde ich ihn auch jetzt noch essen.

In der Mitte des verflossenen Jahrhunderts lebte in Jigansk eine Russin, mit Namen Agrippina. Meine Grofsmutter kannte sie von Angesicht. Diese Frau wurde für eine grofse Zauberin gehalten. Derjenige, den sie liebte, galt für glücklich; derjenige, dem sie zürnte, glaubte sich überaus unglücklich. Ein Wort das sie sprach, wurde so angehört, als wenn es aus der Welt Gottes gesprochen würde. Nachdem sie auf diese Weise das Zutrauen der Menschen gewonnen hatte, baute sie sich in ihrem Alter, in einer Entfernung von vier Kös oberhalb Jigansk, zwischen Felsen ein Häuschen und wohnte daselbst. Niemand pflegte vorüberzugehen, ohne bei ihr anzusprechen und ohne ihr irgend etwas zum Geschenk zu bringen.

Diejenigen Leute, die vorbeiwanderten, ohne so zu thun, brachte sie in grofses Elend, indem sie sich in einen schwarzen Raben verwandelte, sie mit einem heftigen Wirbelwind erreichte und ihnen verschiedene Sachen ins Wasser fallen liefs, beraubte sie des Verstandes und machte · sie verrückt. Auch nach ihrem Tode, bis jetzt, geht man an diesem Orte nicht vorüber, ohne Geschenke aufzuhängen. Diese alte Frau kennen aufser den Bewohnern von Jigansk auch alle Jakuten der Umgegend von Jakuzk. Von einer recht verrückten Frau sagt man, dafs die Agrippina von Jigansk sie ergriffen habe.

Man erzählt, dafs diese alte Frau bis zum 80. Jahre gelebt, dafs sie klein von Wuchs, aber dick, ihr Gesicht von Blattern buntgefurcht, ihr Auge wie der Morgenstern so scharf gewesen sei, und dafs ihre Stimme so laut geklungen habe, wie wenn man an Eisen schlägt. Ihr Name ist bis jetzt im nördlichen Lande noch nicht verschwunden. Am Tage meiner Abreise aus Jigansk nahm ich nach der Sitte der damaligen Zeit eine Blase mit Erde aus meinem Geburtsorte, um am Tage des Heimwehs dieselbe in Wasser zu mischen und dieses zu trinken.

Zum Glücke habe ich niemals Heimweh empfunden und daher keinmal meinen Magen mit schwarzer Erde angefüllt.

Nach dieser Zeit habe ich Jigansk nie wiedergesehen. Gott weifs es, ob ich mein Geburtsland jemals wieder erblik-ken werde.

Zwei und ein halb Kös auf der Nordseite der Stadt Ja-kusk ist eine Gegend, die Killäm heifst. Hier hatten mein Vater und meine Mutter, ehe sie nach Jigansk zogen, sich ein hübsches russisches Haus gebaut und darin gewohnt. — Dicht an ihrem Hause wohnten in einem besonderen Hause der Vater und die Mutter meiner Mutter, die ein hohes Alter erreichten.

Ich hatte noch niemals weder in Jigansk noch unter-wegs ein weites Feld oder eine offene Gegend geschaut. Ich hatte nur die strahlende, blaue Wasserfläche des Flusses ge-sehen, von einer so grofsen Ausdehnung, dafs sie das Auge des Menschen nicht erreichen kann, oder längs den beiden Seiten dieses Wassers ununterbrochen fortlaufende Stein- oder Erdberge, die dasselbe verdeckten, die immer von oben bis unten mit den Bäumen eines undurchdringlichen Gehölzes be-wachsen, das eines Menschen Auge nicht zu durchdringen vermag. Mein Ohr hatte niemals den Gesang der Lerche oder die Stimme eines Singvogels vernommen; ich hatte nur die Stimme des schwarzen Raben und der Kräbe gehört, oder das Gezwitscher des Dompfaffen.

Von Gräsern hatte ich nur das geruchlose Riedgras ge-sehen.

Hiernach ermesset selbst, wie grofs meine Verwunderung war, als ich die Killäm genannte Gegend betreten hatte. — Vor meinen Augen eröffnete sich eine mehr als ein Kös breite und mehrere Kös offene lange Wiese, über der die Luft mit grünlichem Scheine zitterte, und die eben so wie eine Wasserfläche war.

. Die mannigfaltigsten Blumen ohne Zahl hatten das Ansehen, als wenn man ein grünes oder gelbes Gewebe ausgebreitet hätte. Hier und da standen dichte Lärchen- oder Birkenwäldchen, als wenn man sie mit Künstlerhand hingesetzt hätte. Mitten durch die Wiese strich, dem Sande eines mit schwarzen, jähen Ufern besetzten breiten Flusses entlang, ein reines, stark fliefsendes Wasser. hin.

Die gegenüberliegende Seite dieses Flusses war. mit·dichtem, nahrhaften Mähgras bewachsen.

Auf diesen Plätzen blitzten die grasmähenden Sensen von hunderten von Menschen in den Strahlen der Sonne wie Silber. — Auf der weiten Fläche der Wiese weideten zahllose Pferde und Rinder, die sich vor nichts fürchteten und nach Lust umherwandelten.

Die auf dieser Wiese immer zu fünf oder zehn stehenden, mit Lehm übertünchten Jakutenhäuser oder glänzend weifsen, grofsen, kegelförmigen Sommerjurten nahmen sich wie gemalt aus.

Die Fenster der Jurten aus Marienglas oder Glas, blitzten in den Sonnenstrahlen aus der Ferne wie Edelsteine. — Am Ende auf einer bedeutenden Erhöhung dieses Feldes, erhob sich unser Haus wie ein hoher Hügel.

Alles dieses zusammengenommen, erschien meinen Augen unaussprechlich schön und unendlich ausgedehnt, wie es sich mein Kindergehirn vorher nicht hatte vorstellen können. Es schien mir nur diese Gegend unter der Sonne mafslos ausgedehnt, und bei dem Gedanken konnte meine grofse Freude nicht in Worten ausgedrückt werden.

Kaum waren wir in diese Gegend gekommen, so traf ein Unglück unser Haus. Mein Vater, der bis zu seinem 72. Jahre niemals krank gewesen, fiel eines Tages nach dem Mittagsessen besinnungslos auf die Wandbank und übergab hierauf, ehe noch eine Stunde verflossen, Gott seinen·Geist.

Das Weinen und Trauern meiner Mutter über dieses unerwartete Unglück war ohne Mafs. Es konnte nicht anders sein, da sie ihres Alten verlustig ging, mit dem sie über 40 Jahre im besten Einverständnifs gelebt hatte.

Nachdem meine Mutter den Gatten begraben, sah sie um sich herum nur beengte Verhältnisse. Es waren acht bis neunhundert Rubel Schulden zurückgeblieben; damals galt dies für eine grofse Summe.

Nachdem man neun Jahre in *Jigansk* gelebt, · fand man von dem in Killäm zurückgebliebenen Vieh nur eine sehr geringe Anzahl vor; alles Uebrige war durch fremde Hände auf verschiedene Weise verloren gegangen. Das Killämsche Haus war bis zur Verwüstung ausgeleert worden.

Es nahte gerade die Zeit, wo ich in die Lehre gegeben werden mufste; um aber zu diesem Endzweck in der Stadt zu wohnen, fehlte uns dort ein Haus.

Alles dies zusammengenommen, betrübte meine Mutter aufserordentlich.

Dessenungeachtet liefs sie nicht ab vom Wege des Handelns. Unterdessen rechnet es mir nicht zur Schuld an, wenn ich etwas über sie sage.

Nachdem meine Mutter 12 Kinder, die sie geboren, und ihren geliebten Alten begraben hatte, lebte sie nur für mich und durch mich. Grade als ich auf diese Weise sie erfreute, zu einer Zeit, wo sie hätte ausruhen sollen, wurde sie von einer tödtlichen Krankheit ergriffen.

· Diese, ihre Krankheit, die von Tage zu Tage zunahm, zwang sie, zwei ganze Jahre im Bette zu liegen. Während dieser ganzen Zeit vertraute ich auch nicht eine Nacht irgend einem anderen die Aufsicht und Sorge um sie: das Reichen der Arznei, das Speisen, das Umwenden im Bette, alles pflegte ich mit eigener Hand zu thun; an ihrer Seite sitzend schlief ich und nachdem ich die meiste Zeit schlaflos zugebracht, ging ich in die Kanzelei. Endlich begannen ihre Kräfte merklich zu schwinden. Neun Tage und neun Nächte vor ihrem Tode pflegte ich sie, ohne von ihr zu weichen oder zu schlafen.

Der letzten Vermächtnifsworte, die sie in diesen neun

Tagen sprach, waren viele, sehr viele. Die Nacht vor ihrem
Todestage sagte sie:

„Bleibe nicht in der Stadt Jakuzk,' diese Stadt ist voll
neidischer Menschen. Die Jakuten haben dich geliebt und
werden dich ferner lieben; du wirst beneidet werden, und
der Neid dir Gefahr bringen; er wird deine Unabhängigkeit
fesseln und dich ins Elend bringen. Verkaufe dein Haus und
deine Habe, du selbst aber gehe nach Russland; dort wirst
du den Sonnenkaiser sehen, dies wird dein Glück werden.
Du bleibst jetzt allein zurück unter der Sonne, die Art und
Weise meines Denkens kennst du vollständig; entferne dich
nicht von meiner Art und Weise zu sein. Diese wird dein
Herz, wenn dich auch noch so viel Unglück heimsucht, erfreuen. Vergiß nicht, gegen die Menschen hülfreich zu sein
mit deiner Habe, mit deinem Rathe, mit deiner Arbeit: der
Art muß der Mensch sein. Morgen werde ich sterben, bei
Sonnenaufgang schicke nach dem Geistlichen und rufe alle
meine Verwandten und Bekannten herbei."

Am frühen, herbstlichen Tage, bei Anbruch der Morgendämmerung kam der Geistliche; meine Mutter beichtete ihre
Sünden, empfing das Abendmahl und nahm Abschied von allen Personen, die auf den Ruf sich versammelt hatten. Hierauf umarmte sie mich.

Meine Schulter fühlte die Kälte des Athems der Sterbenden; nach einem Augenblicke sagten alle Dastehenden mit
einer Stimme: „sie ist gestorben."

Meine Mutter war nicht mehr.

In der Art und Weise wie sie lag, war auch nicht ein
Ausdruck sterbender Menschen: auf ihrem Gesichte hatte sich
kein Zug verändert, ihr Tod unterschied sich nicht vom tiefen Schlummer eines Ermüdeten. Auf diese Weise hatte sie
von gegen 40 zusammengekommenen Menschen keinen Erwachsenen, kein Kind erschreckt. — Die Leute betrachteten,
ohne sich im Geringsten zu fürchten, ihr Antlitz, auf dem ein
Lächeln der Freude schwebte, gleich als wenn die Mutter
sich freute über den Anblick eines Sitzes, der in der Licht-

region der hohen Gotteswelt bereitet wird, wenn die Seele
eines sündenlosen Menschen heraustritt aus dem der Krankheit und dem Tode unterworfenen Körper.

So war ihr Tod.

Gute Mutter! Du hast unter dieser Sonne keinen Tag
ohne Noth gesehen, du hast kein glückliches Leben gelebt:
dein Glück bestand einzig und allein in guten Werken. Für
diese deine Werke wirst du selig sein in der Lichtregion
jener hohen Welt, wohin der schaffende Gott den sündenlosen Menschen, den er auserwählet, zu endloser Freude
hinsetzt.

Während deiner Lebenszeit habe ich deinen Willen nicht
übertreten, auch erinnere ich mich nicht, daß ich dein gutes
Herz erzürnt hätte. Du erscheinst beständig in meinen Träumen, und in diesen zerstreust du meine Trauergedanken und
richtest mich auf. — Das ist das einzige Gut, durch das ich
lebe und glücklich bin. Unvergeßliche Mutter! Bete für mich,
wenn deine Kraft hinreicht, zu den Füßen des hellen Sitzes
des hohen schaffenden Gottes!

Mit meiner Mutter begrub ich alles, was mich auf dieser
Erde erfreute. Da ich weder Bruder noch Schwester habe
und da ich unverheirathet geblieben bin, so ist von eben dem
Tage bis zum heutigen niemand da, der mich in dunkelen
Tagen bedauerte oder an hellen Tagen sich mit mir freuete:
ich bin allen Menschen ein Fremdling, an jedem Orte, wohin
ich komme, erscheine ich als Gast.

Demnach war mir in Jakuzk nichts mehr übrig geblieben, was mich erfreut hätte: das ganze Land, alle Dinge, die
mir früher schön erschienen, wurden mir später zum größten
Ueberdruß. Dann kamen aber auch die dortigen Jakuten von
Jahr zu Jahr immer mehr in ihren Verhältnissen zurück.
Das alles zusammengenommen, änderte meine Absicht, an jenem Orte zu leben.

Während der Umstände, die ich erzähle, liebte mich der
dortlebende Gouverneur wie seinen Sohn. — Ich verwaltete
seine Kanzelei: weit entfernt, mich in eine andere Stadt zie-

hen zu lassen, pflegte er mich kaum auf eine Stunde von sich
zu entfernen. Er starb zu Jakusk. Sobald er verschieden,
ging ich nach Irkuzk, nachdem ich zuvor mein Haus und
meine Habe verkauft und die von früherer Zeit angelaufene
Schuld abgetragen.

Hier wurde ich in einer Kanzelei angestellt und brachte
anderthalb Jahre in Ruhe zu, indem ich 80 Rubel im Monat
Gehalt erhielt und aufser dem leichten Dienst keine andere
Sorge hatte.

Zu der Zeit, als ich gerade im Begriff war die Stadt zu
verlassen, kam nach Irkusk ein Herr M., der zum Gouverneur in Jakusk ernannt worden. Als dieser Herr hörte, dafs
ich die Sprache und Lebensart der Jakuten kenne, bat er
sich meine Person aus. Wenn ich auch zum Gehen noch so
wenig Lust gehabt hätte, so kehrte ich schon blos deshalb,
weil ich an das Wohl der Jakuten dachte, dann aber auch,
weil ich den guten und scharfen Verstand dieses neuen Beamten bemerkte, mit ihm nach Jakusk zurück.

Er selbst von Natur gesund, schonte während der sechs
bis sieben Jahre, die er dort zubrachte, weder Kraft noch
Mühe, bis zur Entkräftung sogar, um eine Lebenszukunft für
die Jakuten zu bereiten. Die Dauer seines Daseins hielt der
Jakute für ein Glück und jetzt, nach fünfzehn Jahren seines
Scheidens lebt sein Name bis zum heutigen Tage noch lebendig in dem Gedächtnisse der Jakuten.

Südöstlich von der Stadt Jakusk, in einer weit gröfsern
Entfernung als 100 Kös, ist eine Gegend mit Namen Udskoi,
die berühmt ist wegen ihrer mannigfaltigen Jagd. Der Umfang dieser Gegend beträgt ungefähr 500 Kös. Die Grenze
derselben stöfst von einer Seite an das Meer von Ochosk, von
der andern an das Land der Chinesen, von der dritten, vierten und fünften an die Gebiete von Nertschinsk, Olekminsk
und der Changangy.

Diese Gegend galt, weil Jakutzk ein über alle Mafsen
weites Gebiet ist, für die wüste Winkelgegend. In ihrer ganzen Ausdehnung wurden kaum 400 bis 500 nomadisirende

Tungusen gezählt; übrigens verdient sie wegen ihres Reichthums und ihrer eigenthümlichen Verhältnisse durchaus nicht,
für eine nichtssagende Gegend gehalten zu werden.

Hier pflegten eine Menge Jakuten und Russen den jagen-
den Tungusen nachzugehen und die ganze von ihnen erjagte
Beute zu einem billigen Preise einzusammeln, ihre eigenen
Waaren aber theuer jenen zu überlassen. Hieraus entstanden
verwickelte Angelegenheiten, die zur Nothwendigkeit führten,
einen Beamten nach Udskoi abzuschicken und ich wurde zu
dieser Sendung bestimmt.

Zwei Monate vor meiner Abreise wurden mir viele Schrei-
bereien übergeben. Diese Arbeit und die Vorbereitungen zur
Reise waren der Anfang jener Mühen, die mich anderthalb
Jahre lang auf der mir vorgeschriebenen, weiten Reise erwarteten.

Zu meiner Zurüstung gehörten Winterkleider, dreimal zu
wechseln, Sommerkleider, viermal zu wechseln, Thee, Zucker,
getrocknete russische Mehlspeise (Zwieback), Fleischkügelchen,
Pulver, Blei, Gewehre, ein wenig Rum und Spiritus, Fleisch,
jakutische und russische Butter. Alles dieses wurde besonders in Ledersäcke, in die 2½ Pud hineingehen, in Holzkasten
oder in Kasten von Birkenrinde gepackt und nachdem es so
bedeckt war, daſs kein Wasser eindringen konnte, mit starken,
ledernen Riemen umbunden, so daſs die Last, die man einem
Pferde auflegte, auf keine Weise schwerer als 6 Pud war.

Es war Februar, dessenungeachtet hatte die Kälte noch
nicht im geringsten nachgelassen; sie überstieg nach dem
Dinge, womit die Russen die Kälte messen, die Zahl 30, als
ich aus der Stadt Jakuzk mit den mir beigegebenen Kosaken
aufbrach.

Bis Amga, das 20 Kös entfernt ist, gelangte ich auf Schlitten, die von Pferden gezogen wurden. In Amga luden wir
unser Gepäck auf sieben bereitstehende Pferde, bestiegen
selbst drei Pferde und machten uns mit zwei Führern auf
den Weg.

Die Pferde waren alle fett und übermüthig und warfen

fortwährend ihre Last ab. Aus diesem Grunde und um dieselben nicht vom ersten Tage an zu erhitzen, machten wir, nachdem wir nur drei Kös Weges zurückgelegt, an einem Orte, wo wir zu übernachten gedachten, Halt.

Hier nahmen die Führer vor allem den Pferden die Last vollständig ab; schaufelten, bis sie auf Erde stiefsen, den Schnee fort und suchten trockenes Holz zusammen. Sobald sie Feuer angemacht hatten, füllten sie den Theekessel und ein anderes grofses Gefäfs mit Schnee und brachten das Wasser zum Kochen.

Als die Wärme des Thees unser Blut in rascheren Umlauf gebracht hatte, machten sie eine Schlafstelle zurecht. — Zuerst breiteten sie die Zweige kleiner Bäume hoch aufeinander aus, über diese die Satteldecken, und über diese ein Bett von Bärenfell. Nachdem wir die unterdessen zubereitete Abendmahlzeit verzehrt hatten, kleideten wir uns recht schnell aus und legten uns schlafen. — Die Stiefeln, Strümpfe und Handschuhe, die wir angehabt und die gänzlich durchnäfst waren, vergruben wir in tiefen Schnee, damit die Feuchtigkeit herauszöge.

Nachdem wir etwa eine Stunde gelegen, so dafs unsere Betten und die Decken, mit denen wir uns umhüllt hatten, warm geworden, schliefen wir ein. Am Morgen, beim Anbruch der Dämmerung, zogen wir in gröfster Eile unsere Kleider an, die unter dem Schnee vortrefflich ausgetrocknet waren, wuschen uns zitternd mit Schnee, tranken Thee und machten uns wieder auf den Weg. — Auf diese Weise setzten wir unsere Reise bis zum Schmelzen des Schnees fort. —

Hier mufs ich bemerken, dafs es zu den unerträglichsten Beschwerden einer Winterreise gehört, sich mitten in der schneidenden Kälte auszukleiden und zu Bett zu legen; aber noch viel unerträglicher ist es, am Morgen aufzustehen, die mannigfaltigen Kleidungsstücke anzulegen und sich mit Schnee zu waschen. Um alles dieses ohne Schaden für die Gesundheit zu ertragen, mufs man einen eisenfesten Körper haben.

Ich trinke keine starken, berauschenden Getränke und die
Erquickung ist mir demnach unbekannt, die sie den Menschen
gewähren können. Dagegen bin ich der Meinung, dafs der
Mensch auf einer solchen Reise ohne Thee nicht am Leben
bleiben würde.

Von den Jakuten und Tungusen spreche ich hier natürlich nicht. Auf dem Schnee geboren und erzogen, verbringen
sie auf ihren Reisen oft drei Tage, ohne inzwischen Nahrung
zu sich zu nehmen.

Nachdem wir drei bis vier Tage unterweges gewesen,
langten wir am Ufer des grofsen Flusses an, gegenüber der
Stelle, wo sich der Utschur von der rechten Seite in den
Aldan ergiefst. In einer Tungusenjurte hielten wir hier Rast
und hörten, dafs vom Ausflufs des Utschur, in der Richtung
unseres Weges, auf einer Ausdehnung von 10 Kös, der Schnee
7 Spannen hoch gefallen sei, und dafs es unmöglich durch-
zudringen und unsere Reise fortzusetzen.

Diese Nachricht brachte uns in grofse Verlegenheit; wir
hatten keine Vorschrift umzukehren und der Schnee konnte
nur an einer Stelle umgangen werden. Dieser Umweg betrug 20 Kös, um jedoch auf diese Weise unsere Reise fortzusetzen, mufsten wir aus Mangel an Futter den·Pferdevor-
spann aufgeben und uns der Rennthiere bedienen. Für diese
mufste unser Gepäck leichter gemacht werden;· wir hatten
aber weder Taschen noch Behälter, in die wir unsere Sachen
hätten einpacken können.

Da wir uns in Folge dessen entschlossen, den Utschur
entlang zu gehen, so bereiteten wir uns während der zwei
Tage, die wir in der Jurte zubrachten, Schneeschuhe, liefsen
die beiden unbeladenen Pferde zwei ganze Tage ohne Futter
angebunden stehen und setzten am dritten über den Aldan.
Kaum hatten wir das Eis des Utschur betreten, so begann
der tiefe Schnee den Schritt des Pferdes zu hemmen.

Ein Fuhrer mit Schneeschuhen ging voran und führte
die beiden unbeladenen Pferde; diese bewegten sich derartig
vorwärts, dafs sie sich abwechselnd auf die Hinterfüfse stell-

ten und den mit einer harten Rinde versehnen Schnee durch-
brachen.

Hinter diesen folgten wir mit allen übrigen zusammen-
gekoppelten Pferden einzeln hinter einander, ohne von den
Fufstapfen der Vorangehenden zu weichen.

Auf diese Weise hatten wir von früh Morgens bis zum
Abend mit genauer Noth einen Kös zurückgelegt und kamen
nach einer Reise von zehn Tagen über den 10 Kös sich er-
streckenden, tiefen Schnee. Während der ganzen Zeit bestiegen wir höchst selten unsere Pferde. Bei den heftigen Bewegungen, die das Pferd in dem mit einer harten Rinde bedeckten Schnee macht, hält man sich mit Mühe im Sattel und
wird bald von unerträglicher Müdigkeit übermannt; aus diesem
Grunde legten wir mehrentheils unsere Schneeschuhe an und
gingen, die Wahrheit zu sagen, im Schweifse unseres Angesichts, zu Fufs.

Die beiden Ufer des Flusses Utschur sind senkrechte
Felsen. Am Fufse dieser Felsen steht hier und da ein schmaler Saum mit einem hohen, bröckligen, schwarzen Absturz in
Verbindung, auf welchen ein bepacktes Pferd unmöglich hin-
aufgelangen kann; aus diesem Grunde pflegten wir, angekommen vor dem Orte, wo wir zu übernachten beabsichtigten,
all unser Gepäck auf dem Schnee des Utschur-Eises abzu-
werfen, ein Pferd nach dem andern auf den Absturz hinauf-
zuziehen und sie hier loszulassen, damit sie sich ihr Futter
aus dem Schnee hervorscharrten.

Wenn das letztere in Folge des tiefen Schnees im Walde
unmöglich war, frafsen sie die Spitzen von Birken- oder
Weidenreisig.

Kaum waren wir mit genauer Noth über den unsere
Reise behindernden Schnee hinweggekommen, so zeigte sich
ein neues Leiden, eine neue Schwierigkeit. Durch die Heftigkeit der Kälte war aus den Felsen am Utschur Wasser
gedrängt worden; dieses hatte sich in den Fluss ergossen,
das zwölf bis dreizehn Spannen dicke Flusseis gehoben und
zum Bersten gebracht und strömte nun längs der Oberfläche

des Eises. Häufig wateten die Pferde bis an die Knie in diesem Ueberwasser; an einigen Stellen war es zum zweiten Mal gefroren und unser Weg war glatt wie ein Spiegel, so dafs ein unbeschlagenes Pferd oder Rennthier keinen festen Fufs zu fassen vermochte.

Zwei Männer schlugen nun mit Beilen und Messern Kerben in das Eis und wir gingen beständig zu Fufs hinter ihnen her. — An anderen Orten, wo sich nahestehende, bröcklige, schwarze Abstürze befanden, füllten wir trockene Erde oder Sand in leere Behälter und streueten dieses auf dem Eise aus. Wenn aus Versehen irgendwo das Eis nicht eingekerbt oder mit Sand bestreut war, glitten unsere 16 bis 17 Pferde aus, und stürzten sammt und sonders zu Boden, wobei denn all unser Gepäck mit Sattelgurten und Packsätteln hinunterglitt, zerrifs und zerbrach.

Mit der Wiederherstellung des Schadens verging gewöhnlich ein grofser Theil des Tages. Im Verlauf unseres Wegs kamen wir bei wunderbaren Felsen vorbei: durch die Heftigkeit der winterlichen Kälte wurde aus der Spitze des Berges Wasser hervorgedrängt, das im Hinunterfliefsen den hohen Berg von oben bis unten mit blitzendem Eise bedeckte. Wenn die Sonne sich zum Untergange neigte, spiegelten sich die Strahlen an dem Felsen wieder, der wie ein buntfarbiger Regenbogen oder wie mit feurigen Edelsteinen bedeckt erschien. Am Fufse eines solchen Felsens flofs das Wasser beständig, ohne zu gefrieren.

Es giebt einen Fluss mit Namen Amga, der von der linken Seite in den Utschur fällt; die Reisenden schlagen gewöhnlich den geraden Weg ein und gehen diesem Flusse entlang.

Es war im April, als wir die Amga erreichten, da zeigte sich plötzlich in der Ferne am Ufer des Flusses eine schwarze bewegliche Gestalt. Zuerst glaubten wir, es wäre ein Thier, als wir aber näher kamen, erblickten wir einen Tungusen, der da safs und weinte. Nachdem er nach seiner Sitte aufgestanden und gegrüfst hatte, erzählte er auf unsere Frage,

warum er weine, folgendes: „Als ich gestern im Walde ging,
fand ich an einer Stelle viele Spuren von wilden Rennthieren.
Ich freute mich aufserordentlich über diesen Fund und kehrte
augenblicklich zu meiner Familie zurück. Nachdem ich hier
Waffen und Geräthe in die gehörige Ordnung gebracht und
selbst ausgeruht hatte, kam ich um die gestrige Mitternacht
zu den Rennthierspuren zurück, als eben die Oberfläche des
Schnees, der am Tage weich geworden, wieder gefroren war,
mit Schneeschuhen an den Füfsen, meinen Hund an der Hand
führend.

„Hier wartete ich, Tabak rauchend, zwei Stunden auf den
Anbruch des Tags und liefs, sobald in der Morgendämmerung
die Rennthierspur sich zeigte, meinen Hund los, indem ich
selbst auf Schneeschuhen hinter ihm herlief. Eine Strecke
von mehr als einem Kös legte ich zurück, indem ich von
Felsen zu Felsen, von Fluss zu Fluss mich herabliefs. Auf
dem frisch gefrorenen Schnee zeigten sich Blutspuren von
den Füfsen der Rennthiere, deutlich erkannte man, dafs sie
müde geworden, die Sätze meines Hundes wurden seltener,
endlich hörte ich sein Gebell. Ich war gewifs die Rennthiere
zu erreichen, da erklang plötzlich die Stimme meines Hundes,
wie die Stimme eines Sterbenden. Ich erschrak, als wenn
mein Herz entzwei gesprungen wäre. Ich verdoppelte meinen
Lauf und erblickte in der Entfernung von ungefähr zwei
Flintenschüssen zwei kleine, blutige, schwarze Stücke am
Boden.

„In dem Augenblicke, als mein Hund eine grofse Renn-
thierheerde erreicht, sie in einen klaren Bach getrieben hatte
und um sie herumlief, um sie nicht fortzulassen, waren zwei
heifshungrige Wölfe vom Abhange des Berges gestürzt, hatten
meinen Hund am Kopf und an der Ruthe ergriffen, und ihn
in einem Augenblicke zerrissen. Die Rennthiere hatten sich
hierhin und dorthin zerstreut.

„Es war der siebente Schnee meines Hundes. Als halb-
jähriger Welp ging er schon auf den Fang und hat während
sechs Jahren mich keinen hungrigen Tag sehen lassen. Das

Elenn, das wilde Rennthier, der Zobel und viele andere
Thiere entgingen mir nicht, sobald nur ihre Spur sich gezeigt hatte.

„Man wollte ihn für fünf Reitrennthiere von mir erstehn,
ich gab ihn sogar für zehn nicht fort. Mit ihm war ich reich,
jetzt bin ich der ärmste Mensch. Ich weifs nicht, wie ich mich
meiner Familie zeigen soll: Frau und Kinder erwarten ihn, um
ihn zu küssen, jetzt wird ihr Weinen mein Herz mit einem
stumpfen Messer sägen."

Es stand nicht in meiner Macht, diesem Tungusen irgend
wie Hülfe zu leisten; ich richtete ihn demnach mit Worten auf,
dafs das Vergangene nicht wiederkehre, das Ausgeflossene sich
nicht wieder fülle und die Hoffnung auf Gott fester als alles
sei, dann setzte ich meine Reise weiter fort. — . . . .

Die Strenge der Kälte ist in Jakuzk sehr bedeutend; *ich
glaube nicht, dafs sich innerhalb des Landes Sibirien eine
solche Kälte erzeugt*. Nach dem Instrument, womit die Russen die Kälte messen, erreicht die Zahl dieser Kälte in den
vier Wintermonaten das Mafs von 40 bis 49. Dessenungeachtet zieht diese Kälte dem Menschen aufser Husten und
Schnupfen keine besondere grofse Krankheit zu. *Die Leute
werden vom Ausgehen und Reisen nicht zurückgehalten.* —
Das Mafs der sommerlichen Hitze steht an den Orten, welche
die Sonnenstrahlen in grader Richtung berühren, dem Mafse
der Kälte nicht nach. Diese Hitze raubt die Kraft, sich zu
bewegen, sie erlaubt nicht dafs man mit blofsen Füfsen auf
einen sandigen Boden tritt. Sie ist dem Menschen bisweilen
nachtheiliger, als die Kälte und bewirkt blutige Durchfälle,
welche Krankheit bei den Jakuten, da sich diese im Sommer
von Milch nähren, in einigen Jahren eine grofse Sterblichkeit
verursacht.

Die unermefsliche Ausdehnung des jakutischen Landes
verbreitet diese Kälte und Wärme nicht nach allen Gebieten.
In Gegenden, die sogar nur 20 Kös von Jakuzk entfernt sind,
ist die Wärme und Kälte aufserordentlich verschieden. Von
Jakuzk nach Amga sind 20 Kös, nach Olekminsk 60 Kös:

an diesen Orten gedeiht das Korn immer gut, blos deswegen
dafs der Reif später fällt; in Jigansk dagegen thauet die
Erde nicht auf zwei Spannen auf, der Winterschnee fällt schon
im August.

Die Zahl der Leute die den Namen Jakuten führen, beläuft sich auf mehr als 100000; wenn man die Weiber mit-
zählt, auf das Doppelte. Sie sind alle russisch getauft, zwei-
bis dreihundert mögen vielleicht nicht getauft sein. Die Verordnungen der Kirche achten sie beständig nach Kräften;
alljährlich beichten sie. Am Morgen beginnen sie nichts, bevor sie zu Gott gebetet haben; am Abend legen sie sich nicht
schlafen, bevor sie zu Gott gebetet haben. Wenn ihnen Glück
zustöfst, preisen sie Gott, stöfst ihnen Unglück zu, so halten
sie dieses für eine Strafe Gottes in Folge ihrer Sünden:
ohne dabei zu wanken, erwarten sie muthig das bessere
Geschick.

· Obgleich sie diese lobenswerthen Gesinnungen hegen, so
geben sie doch ihre alte Sitte, an die Schamanen zu glauben,
nicht ganz auf. Bei langwierigen Krankheiten und bei Vieh-
seuchen, lassen sie den Schamanen noch immer zaubern: auf
sein Geheifs bringen sie ein Stück Vieh von irgend einem besonderen Haare zum Opfer.

Die Jakuten sind, was die Höhe ihrer Knochen anbetrifft,
von mittlerer Gröfse; nichts destoweniger müssen sie ein stäm-
miges Volk genannt werden. Die Form ihres Gesichtes ist
etwas flach, ihre Nase von verhältnifsmäfsiger Gröfse, ihre
Augen braun oder schwarz, ihre Haare schwarz, schlicht und
dicht; der Bart wächst niemals, die Farbe ihres Fleisches
kann man weder schwarz noch weifs nennen; ihr Aussehen
verändert sich drei bis viermal im Jahre. Im Frühjahr wirst
du, in Folge des Einflusses der Luft, im Sommer des der Sonnenhitze, im Winter des der Kälte und der Feuerflammen, die
Gesichtsfarbe des Jakuten nicht benennen können. — Sogar
einen Bekannten wirst du nicht erkennen im Frühjahr oder am
Ende des Sommers, wenn er aus Mangel an Nahrung, oder
durch die Mäharbeit abgemagert; im Sommer, bevor er auf

die Heuerndte geht, oder am Ende des Herbstes, wenn er durch den Ueberflufs an Milch, Sahne, Kumys und Fleisch fett wird.

Da sie mit niemand Krieg führen, in Folge ihrer friedlichen Lebensweise, so können sie nicht Helden genannt werden; nichtsdestoweniger müssen sie wegen ihrer gewandten und raschen Bewegungen, ihrer leutseligen Rede und Gesinnung, den Nachkommen eines guten Geschlechtes auf dieser Erde beigesellt werden.

Um desto mehr trifft sie dieses Lob, als alle Jakuten überaus verständige Leute sind. Wenn sie sich mit jemand nur eben unterhalten haben, kennen sie sogleich die Gesinnung, den Charakter und den Verstand der Person, mit der sie geredet haben; den Sinn einer hohen Rede begreifen sie ohne Mühe; aus dem Beginn einer Rede errathen sie im voraus die zu erzählenden Umstände.

Speise und Trank ohne Bezahlung findet sich nur beim Jakuten. Hier zeigt sich das gute Herz des Jakuten ohne Schatten. Tritt in die Jurte eines Jakuten: mit allem, was er an Speise hat, wird er dich bewirthen; verweile auch zehn Tage, verweile auch einen Monat: du wirst immer satt werden, du selbst sowohl, als auch dein Pferd. Dafür irgend etwas als Bezahlung zu fordern, hält er nicht nur für Schande, sondern auch für Sünde. Er sagt:

„Speise und Trank giebt Gott, damit alle Menschen essen; ich bin damit versehen, er nicht, ich mufs mich also in das was Gott gegeben hat, mit ihm theilen."

Werde krank in der Jurte eines Jakuten: die ganze Familie wird abwechselnd um dich herum sein, wird alle deine Bedürfnisse nach Kräften erfullen.

Ihre bejahrten Greise halten sie sehr in Ehren; sie weichen nicht von ihrem Rath und halten es für ein Unrecht und eine Sünde, dieselben zu beleidigen und zu erzürnen. Wenn ein Vater mehrere Kinder hat, so verheirathet er sie allmälig, giebt ihnen einen abgesonderten Wohnsitz, indem er ihnen eine Jurte an seiner Seite baut, und theilt mit ihnen nach

Verhältniſs seines Vermögens in Vieh und Sachen. — Diese getrennten Söhne weichen in keiner Weise vom Willen ihres Vaters.

Wenn ein Vater nur einen Sohn hat, so trennt er diesen nicht von sich; er wird ihn nur dann von sich trennen, wenn er nach dem Tode der Mutter dieses Sohnes ein anderes Weib nimmt, und wenn von diesem Weibe neue Kinder zur Welt kommen.

Der Jakute schätzt seinen Reichthum nach der Menge seines Viehes, aus diesem Grunde ist die Vermehrung des Viehes sein erster Gedanke, sein erstes Verlangen. Hat er diesen Gedanken glücklich erreicht, so häuft er andere Dinge und Geld.

Sie sind sehr begierig nach Branntwein und Tabak: gieb ihnen nicht zu essen, aber gieb ihnen nur dieses beides. — Kehre, mit noch so viel Branntwein reisend, bei einem reichen Jakuten ein, und du wirst mit leerem Gefäſse aus seiner Jurte abziehen. Hier wird dich nur eine List befreien: sobald du zu einem reichen Jakuten gekommen bist, so gieb ihm Branntwein in einem besondern ⅛ Eimer haltenden Gefäſs; er wird durch diesen Branntwein mit seiner ganzen Familie und mit zehn fremden Kameraden vollkommen angetrunken erscheinen und wird sich für vollkommen bewirthet halten. — Wirst du ihn dagegen zu einem Weinglase bewirthen, dann Adieu deinem Branntwein! am andern Morgen wirst du nur dein trokken gewordnes Geschirr erblicken: die Redensart, die da sagt: „er hat es rein ausgesogen", offenbart sich hier ohne alle Aenderung.

Des Jakuten muthiges Ertragen der Noth sucht seines Gleichen: beschwerliche Arbeit zu verrichten und dabei zwei bis drei Tage nicht zu essen, will bei ihm nichts sagen; wenn er während drei Monaten nur vom Genuſs von Wasser und Fichtenrinde lebt, so ist er der Meinung, daſs es so sein müsse.

Wenn sich ihnen alsdann gute Speise darbietet, so halten einige Russen sie für gefräſig wegen ihres vielen Essens. —

Ich glaube, dafs niemand, der wie sie, mehrere Tage und
Monate hindurch gehungert hat und dann schmackhafte Speise
zu Gesicht bekommt, solche nicht mit Heifshunger verzehren sollte.

Die Rache ist ein Gefühl, das jedes Volk kennt.   Der
Art ist auch der Jakute, nichtsdestoweniger vergifst der Jakute leichter, als irgend ein anderer, den Gedanken dieser
Rache, wenn nur der Beleidiger sein Unrecht eingesteht und
sich für schuldig erklärt.

Der Jakute hat Laster. Ich stelle diese Laster nicht auf
Rechnung des ihm angeborenen Charakters.   Der Jakute ifst
gestohlenes Vieh.   In diese Handlungsweise verfällt aber nur
der arme Mann; er nimmt von dem gestohlenen Vieh nur
für zwei oder dreimal zu essen, das übrige läfst er liegen.
Hieraus wird einzig und allein ein Verlangen, den Hunger zu
stillen, ersichtlich, indem dieser Hunger, der ihm nie etwas
schmackhaftes zeigt, ihn nach Monaten und Jahren rechnend,
beständig verfolgt.

Dann strafen aber auch die jakutischen Fürsten den Dieb
sobald sie seiner habhaft werden, nach einer alten *Sitte*, inmitten der Versammlung mit Ruthen. Dieser mit Ruthen ge-
strichene Mensch verliert bis zu seinem Tode nicht den Namen
eines lasterhaften Menschen: man nimmt ihn nicht als Zeugen
an; in den Versammlungen, wo das Volk berathschlagt, läfst
man sein Wort nicht gelten, man wählt ihn weder zum Fürsten, noch zum Aeltesten.   Dieser Brauch der Jakuten zeigt
gleichfalls, dafs der Diebstahl kein Gewerbe bei ihnen gewesen ist. Der Dieb wird nicht nur bestraft, sondern auch bis
zu seinem Tode nicht mit dem Namen eines ehrlichen Mannes belegt.

Wenn ein Jakute nur den Willen hat, irgend ein Meister
zu werden, so entgeht nichts seiner Hand: er ist zu gleicher
Zeit Silberarbeiter, Kupferschmied, Grobschmied und Zimmer-
mann. Er wird auch eine Flinte wieder in Stand setzen und
aus Knochen schneiden; wenn er nur will, wird er nach Betrachtung einer hübschen, kostbaren Sache, wenn er sich nur

ein wenig einübt, eine eben solche verfertigen. Es ist sehr
schade, dafs in Jakuzk Leute von höherer Kunst fehlen: von
ihnen würde er etwas lernen und ungewöhnliche, bewunderns-
werthe Sachen verfertigen.

Der Jakute ist ein Meister im Schiefsen mit der Flinte.
Keine Kälte und kein Regenwetter hemmt seine Verfolgung
eines Vogels oder eines vierfufsigen Thiers; den Jakuten hält
weder der Hunger noch die Müdigkeit, die er leidet, von solchem Verlangen zurück. Er wird hinter einem Fuchs, hinter
einem Hasen zwei bis drei Tage jagen, ohne auf die Müdigkeit, ohne auf den Tod seines Pferdes zu achten.

Er hat viel Geschick zum Handel und auch grofse Lust
daran. Er wird irgend einen unbedeutenden Zobel oder Fuchs,
indem er seine Form und seine Farbe zustutzt, auf irgend
eine Weise zu einem hohen Preise verkaufen.

Wenn der Jakute Flintenkolben macht und Haarkämme
durchbricht und verziert, so übersteigt dies die Höhe der
Kunst. Es mufs bemerkt werden, dafs die aus Ochsenhäuten
verfertigten Gefäfse nicht wissen, was faulen heifst, wenn sie
auch zehn Jahre hindurch mit nassen Speisen angefüllt stehn.
Die Stiefel, die sie aus der Haut am Ende des Rückens beim
Pferde nähen, und die Sary heifsen, werden nicht nur kein
Wasser einsaugen, sondern auch nicht im geringsten deinen
Fufs feucht werden lassen, wenn du sogar vier bis fünf Tage
hindurch im Wasser herumgehen solltest. Das Messer, das
sie aus Eisen verfertigen, läfst sich bis zum Hefte biegen.
Damit höhlen sie Löffel und Tassen aus. Obgleich ein sol-
ches Messer weich ist, schneidet es ungeglühtes Eisen wie
Zinn, ohne im geringsten die Schneide stumpf zu machen oder
zu verbiegen.

Man kann die Jakuten in den Kleidern, die sie anlegen,
nicht sauber nennen; nichtsdestoweniger nehmen sie sich in
Acht die Pelze zu beschmutzen. — Die Kleidungsstücke, die
sie anziehen, und ihre Hemden werden sie, von dem Tage
an, wo sie dieselben anlegen, bis dieselben von den Schultern

gleiten, vielleicht zwei oder dreimal waschen, vielleicht aber
auch nicht.

Die Krankheiten der Pferde und des Rindviehes zu heilen, ist dem Jakuten eine Kleinigkeit. Die Lustseuche heilen
sie so, dafs sie nicht wiederkehrt, desgleichen innere Krankheiten, verschiedne Wunden, Hautkrankheiten und Augenübel.
Die Art und Weise, wie sie Knochenbrüche jeder beliebigen
Stelle heilen, und zwar so, dafs man es nachdem nicht bemerkt, sucht ihres Gleichen.

Unter den jakutischen Weibern sind viele mit hübschen
Gesichtern. Sie sind sauberer als die Männer. Staat und
Putzsachen lieben sie nach Art aller Frauen in hohem Grade.
Das Geschick hat auch sie nicht um die Eigenschaft, den
Mann zu reizen, gebracht. Wenn sie diese ihre Eigenschaft
auch noch so sehr zu verbergen suchen, so wird der zu ihnen
tretende Mann sie doch sogleich bemerken. Ihre Gefühle der
Zuneigung zu einem andern, als ihrem Manne, verbergen sie
gut: einen guten Ruf und einen soliden Namen zu bewahren
rechnen sie für eine Ehre. Demnach darf man sie nicht zum
Geschlecht der schlechten, unsittlichen und leichtsinnigen
Frauen gesellen.

Den Vater, die Mutter und die bejahrten Verwandten des
Mannes verehren sie tief: sie lassen sie nicht ihren Kopf un-
bedeckt und ihre Füfse blofs sehen; sie gehen nicht auf der
rechten Seite beim Kaminfeuer vorbei*) und nennen einen
Verwandten ihres Mannes nicht bei seinem jakutischen Namen. Eine Frau, deren Art und Weise von der so eben beschriebenen verschieden ist, erscheint als eine Art wildes
Thier; ihr Mann wird für überaus unglücklich gehalten.

Ein Weib von solidem Charakter und scharfem Verstande
ist mit einem Wort das Haupt ihres Mannes. Ihr Mann übergiebt ihr die ganze Herrschaft über sein Vieh, seine Habe
und seine Knechte. Sie hat die Verwaltung des ganzen Hau-

---

*) Hier schlafen nämlich die Schwiegereltern der Frau. Dieselben Rück-
sichten nimmt die Schwiegertochter bei den sibirischen Tataren.

ses, ihr Mann besorgt die Arbeit aufser dem Hause, die Heuernte, das Einsammeln des Holzes und die Pferde, oder er
geht auf die Jagd oder treibt Handel. — Auf diese Weise
macht eine kluge Frau mit Hülfe von 20 bis 30 Stück Vieh
aus ihrem Hause eine volle Tasse *). Hunger, Nothdurft und
Mangel suchen sie nie heim, aufser in einem unglücklichen
Jahre, wenn das Vieh in Folge einer Seuche oder aus Mangel an Gras fällt. Der Art ist die bei weitem gröfsere Hälfte
der jakutischen Frauen.

Der Jakute hat zwei Jurten: in der einen von ihnen
wohnt er im Winter, in der anderen im Sommer. — In der
Winterjurte wohnt er vom September bis zum April, die übrigen Monate wohnt er in der Sommerjurte. Einige reiche
Jakuten haben aufserdem noch zwei Jurten: sie wohnen darin
im Herbst und im Frühjahr. Solcher sind wenige.

Die Winterjurte hat der Jakute inmitten des Platzes, wo
er sein Heu macht; hier hat er im Winter nicht die Mühe,
Holz aufzuladen. Im Frühjahr, wenn das Mähgras zu wachsen beginnt, läfst er dasselbe nicht vom Vieh bestampfen,
sondern siedelt sich in die Sommerjurte über, die vom Orte,
wo er sein Heu macht, drei bis vier Werst, bisweilen aber
auch ein bis zwei Kös entfernt ist.

Die Sommerjurte baut er da, wo er einen freien, trockenen, ebenen Platz ausfindig macht. Hier setzt er, wenn es
angeht, neben seiner Jurte eine kegelförmige Jurte aus Birkenrinde hin; in dieser Jurte aus Birkenrinde wohnt der
Hausherr selbst mit seiner Familie, in der andern Jurte wohnen die Knechte.

Die Form ihrer Jurten ist unveränderlich eine und dieselbe. An den vier Ecken stellt man vier dicke Pfähle auf,
auf die man vier starke Querbalken legt und an diese wird
rund herum glatt beschnittenes, gespaltenes Holz ein wenig
geneigt angelehnt. Der Name dieser Wände ist Cholloghos.

---

*) Eine aus dem russischen entlehnte Ausdrucksweise, die ungefähr
besagt, dafs immer alles vollauf sei.

Oben breitet man wiederum in die Höhe gehende Bretter
aus, indem man die beiden Seiten abschüssig macht, damit
das Regenwasser ablaufe, alsdann wird Asche und Erde dick
darüber ausgebreitet, die Wände der Winterjurte bestreichen
sie über eine Spanne dick mit Kuhmist, ihre Sommerjurte
dünn mit weißem Lehm. — In die Mitte wird der jakutische
Kamin gestellt, mit einem Heerde versehen und das aufrecht
stehende Holz, das den Kamin bildet, dick mit Lehm bestri-
chen. In die vier bis fünf Fenster setzen sie im Winter Eis,
im Sommer Marienglas, Fensterglas oder Papier. Der Umfang einer Jurte pflegt von einer Wand zur andern vier bis
acht gestreckte Faden zu enthalten. Die Sauberkeit der Arbeit und der Umfang der Jurte hängen von der Geschicklichkeit und dem Reichthum des Bauherrn ab.

Ein mittelmäßig reicher oder ein armer Jakute baut den
Winterstall dicht an die eine Wand der Jurte und läßt dort
das Rindvieh die Nacht zubringen. Neben der Jurte befinden
sich eine Menge Vorrathshäuser, Keller, kalte Ställe, in denen
das Vieh steht und eingehegte Plätze. Alles dies bauen sie
hübsch, nützlich und stark. Hier muß bemerkt werden, daß
der Eingang der Jurten immer nach Osten gerichtet ist, damit, wenn die Jakuten am Morgen früh aufstehen und hinaus
treten, es ihnen bequem wird, die Sonne zu sehen und sich
vor ihr zu verbeugen. — Diese Sitte läßt erkennen, daß sie
vor Zeiten, ehe sie getauft wurden, Sonnenverehrer waren.

Ihre Geschirre sind Kessel aus Eisen und Kupfer, Töpfe
und Schalen aus Thon; Tassen, kleinere und größere
Kumys-Becher und Löffel aus Holz, Löffel aus Horn,
Geschirre von verschiedener Größe mit verschiednen Namen,
aus Birkenrinde, Schläuche aus Ochsenhaut, Gefäße aus besonders zubereiteter Ochsenhaut und Gefäße aus Holz. Jetzt
hat der Jakute außerdem noch eine Menge russischer Geschirre: die Theemaschine mit vollständigem Zubehör zum
Theetrinken, und einige Dinge, die zum Eßgeschirr gehören,
wie silberne Löffel und Gabeln.

Ihre Nahrung besteht in Pferdefleisch, Rindfleisch, Vögeln,

Fischen, Kumys von Stutenmilch und endlich Kuhmilch; aus letzterer bereiten sie süfsen und-sauren Schmand, russische (geschmolzene) und jakutische Butter, Haut, mit Asche zugerichteten Schaum, saure Milch, gekäste Milch, gesäuerte, gekochte Milch, Wasser mit süfser und saurer Milch vermischt und Kumys. Im Sommer ziehen sie Kumys aus Stutenmilch jeder andern˚Speise vor. — Gegen Ende des Winters bleibt ihnen nur gekochte, gesäuerte Milch und die Milch, die sie von den Kühen melken; zu beiden mischen sie Mehl aus Fichtenrinde und einer besondern Wurzel, selten ordentliches Mehl und halten sich für gesättigt. Geht ihnen dieses zu Ende, so führt Wasser und geschabte Fichtenrinde sie zum Hunger.

Jetzt können die Jakuten ohne Thee nicht mehr bestehen: sie verkaufen ·alle überflüssigen Dinge und tauschen dafür Thee und Zucker ein; hierdurch richten sie sich zu Grunde.

Der Name ihrer Kleidung ist *Son* (Pelz). Sein Schnitt kommt mit dem eines Tscherkessenpelzes überein, nur ist er kürzer, so dafs er kaum über die Knie geht, er hat eine Taille und wird vorn mit vier Knöpfen zugeknöpft. — Diese Pelze werden je nach dem Wohlstande des Jakuten aus Rind-, Pferde-, Füllen- oder Kälberfellen genäht, aus gegerbten Rennthier- oder Elennfellen, aus kostbarem oder grobem Tuche. Der Saum des Pelzes wird mit einem mehr als fingerbreiten baumwollenen Zeuge oder mit rothem Tuche eingefafst. Der Schnitt des Weiberpelzes ist von dem der Männerpelze nicht verschieden, nur ist er etwas länger. Die Kleidung einer geputzten Frau ist folgender Art.

Ihr Pelz ist von karmoisinrothem Tuche, ringsherum mit einem handbreiten Biberbesatz versehen,- mit welchem gleichlaufend ein kostbarer Besatz von Goldstoff angebracht ist; zwischen diesem und dem Biberbesatz geht in derselben Richtung eine ungefähr zwei Finger breite Verzierung von flach gehämmertem Silber. — Der Pelz wird mit einem Gürtel an der Seite zusammengehalten, darüber umgürten sie sich mit einem drei Finger breiten silbernen Gürtel. Innen ist der Pelz

mit Eichhörnchen gefuttert. An dem Halse und auf der Brust
tragen die Frauen silberne Ringe, an den Armen breite, silberne Armbänder, an den Fingern acht bis neun silberne Ringe.
Von der Hinterseite der Brustringe fallen vier fingerbreite
Jlin - Käbisär (Vorderwurf) genannte, silberne Verzierungen
über beide Schultern bis über den Gürtel hinab; von ihrem
Nacken hängt bis zum Ende des Rückens eine handbreite Kä-
lin-Käbisär (Hinterwurf) genannte Verzierung; in jedem Ohr
tragen sie drei bis vier grofse, silberne Ohrgehänge. Ihre
Mütze ist mit Gold gestickt, hat vorn einen Besatz von Viel-
frafsfell, hinten einen breitern von Biber, ist mit Eichhörnchen
gefuttert und vorn mit einem grofsen, runden Silberblech verziert. — Ueber den Son wird im Winter ein Pelz mit nach
aufsen gekehrtem Felle von Luchs, Murmelthier oder weifsem
Rennthierkalbe getragen. Das Hemd nähen sie aus rothem
chinesischen Seidenstoff. Der Knopf vorn und hinten am
Sattel ihrer Pferde ist ganz mit Silber bedeckt, die Schabracke,
die zu beiden Seiten des Sattels herabhängenden Pferdedecken,
die Gebisse und Halfter sind dicht mit silbernen Verzierungen
geschmückt. Der Werth der Kleidung und des Schmuckes
einer auf diese Weise gekleideten Frau übersteigt 3000 Rubel.

Wenn ein Jakute zu heirathen beabsichtigt, wählt er sich
ein Mädchen in der Gemeinde eines andern Stammes. Aus
seiner eigenen Gemeinde eine Frau zu nehmen, hat er nicht
das Recht, ausgenommen in dem Falle, wenn der Vater des
Mädchens ein Jakute aus einem andern Stamme ist, der sich
seiner jetzigen Gemeinde erst angeschlossen hat. Sobald das
Mädchen gewählt ist, schickt der Jakute einen Brautwerber
ab. Diesem bestimmt der Vater des Mädchens den Kaufpreis
desselben, der nach dem Verhältnifs seines Reichthums von
fünf bis über siebzig Stück Vieh beträgt, die lebenden und geschlachteten zusammen gerechnet.

Hierauf nennt der Vater des Mädchens die ganze Aus-
steuer desselben an Kleidern, Schmucksachen und Vieh. Der
Brautwerber berichtet, wenn er zurückkehrt, jedes Wort das
er vernommen, ohne irgend etwas mit Stillschweigen zu über-

gehen. Der·Bräutigam versammelt wenn er den Betrag des
für das Mädchen zu erlegenden Kaufpreises genehmigt, seine
ausgewählten Verwandten und Nächsten, versteht sich mit
einem Geschenk von Branntwein und geht in das Haus des
Mädchens, indem er ein Drittel oder Viertel des bestimmten
Kaufpreises mitnimmt. Hier tritt er von dem Augenblicke an,
wo er angekommen ist, in die Rechte des Mannes, und weilt
und kommt auf diese Weise, bis er den Kaufpreis vollständig
erlegt hat und das Mädchen in sein Haus abführt.

Die Besuche, die der Bräutigam der Braut macht, ziehen
sich bisweilen ein, zwei, sogar drei Jahre hin. Wenn indessen beim Mädchen ein schlechter Charakter zu Tage kommt,
oder der Bräutigam nicht von Herzen liebt, so stellt dieser
seine Besuche ein und das Mädchen hat alsdann das Recht,
einen andern Mann zu heirathen. Der Bräutigam verfällt für
dieses Aufgeben des Verhältnisses in keine Schuld und keine
Verantwortung, nur erleidet er den Verlust dessen, was er
vom Kaufpreise und an kleinen Geschenken während seiner
Besuche dem Vater des Mädchens gegeben hat. Hiervon
darf er nichts zurückfordern und es verbleibt dem Mädchen
als Ersatz für den Verlust ihres guten Namens, der unaus-
bleiblichen Folge einer solchen Lösung des Verlöbnisses. —
Wenn man sie einem zweiten Manne zur Ehe giebt, vermindert sich ihr Kaufpreis bis auf die Hälfte. Der Vater, wenn
auch sein gutes Verhältniß mit dem davongegangenen Schwiegersohn einen Bruch erlitten hat, rächt sich nicht an diesem:
er ergiebt sich in die Fügung eines höhern Geschicks.

Die zwei Monate vom April, wo man die Sommerjurten
bezieht, bis zur Heuernte, bilden die freie Zeit. Sobald die
Kräfte der im Winter abgemagerten Pferde im Verhältniß,
wie das Gras üppiger wird, zunehmen, fängt der Jakute die
Füllen ein, damit sie nicht zu viel saugen, und der Kumys
wird gesammelt. Diesen, so wie Milch und sauren Schmand
zu genießen, geht einer zum andern zu Gaste; die bejahrten
Alten sitzen mit untergeschlagenen Beinen, oder liegen auf
einen Arm gestützt, auf der Seite, draußen vor ihren Häu-

sern im blumenreichen Grase, wechseln mit einander verständige Reden und gedenken gemeinschaftlich der verflossenen
Tage des Ueberflusses.

Hierauf gesellen sie sich zu den Spielen der Knaben und
erheben ein schallendes Gelächter darüber, dafs die Kraft
ihrer weifsen Köpfe und ihrer morschen Knochen nicht mehr
ausreicht; dann treten sie unter die Mädchen, verwirren sie,
unterbrechen ihre Spiele und Tänze und erregen von neuem
Lachen und Lärm.

Sobald das Gras recht üppig geworden ist und sobald
man angefangen hat, die Stuten neunmal des Tages zu melken, sammelt der reiche Jakute etwa zehn Tage hindurch
Kumys. Dann macht er etwa zwei bis drei Tage vorher
bekannt, wann er das Sommerfest zu veranstalten gedenkt;
unterdessen läfst er die Umgebungen seines Hauses reinigen
und schmückt das Innere desselben und die Pfosten, an welche
die Pferde gebunden werden, mit belaubten jungen Birken.
Sobald sich an dem bestimmten Tage die Leute von nah und
fern mit ihren Familien in Feiertagskleidern versammelt haben, spricht ein dazu erwählter Festredner, der einen mit Kumys gefüllten Becher von mittlerer Gröfse hält, und sich vor
dem Feuer im Hause auf ein Knie niederläfst, den Segen über
die höchste Gottheit, den Alllenker und Allerhalter, der aller
Wesen Glück und Heil verleiht, er spricht den Segen über
den Erschaffer des nutzenbringenden Viehes, weil die Ge-
schöpfe durch seine Geschenke athmen und leben; über den
Herrn der ganzen Erde, der Vieh und Milch mehrt, indem er
Gras und Bäume wachsen läfst; über den Hausherrn, auf das
sein Reichthum sich nicht vermindere, sondern von Jahr zu
Jahr zunehme und das Volk sättige. So oft er diesen oder
einen andern Segen gesprochen hat, giefst er ein ganz klein
wenig Kumys ins Feuer.

Hierauf wendet er sich rückwärts nach Westen und spricht
den Wunsch aus, dafs der böse Geist nichts Böses im Schilde
führe und bewirke, dafs das Vieh sich verläuft oder verloren
geht. — Kaum hat der Festredner seine Worte beendigt, so

ruft er: „Urui, urui, urui!" nach ihm rufen alle im Hause
versammelten Leute dasselbe mit einer Stimme. Sobald die
Ceremonie zu Ende ist, läfst der Hausherr alle seine Gäste
auf einer Wiese im Kreise Platz nehmen, die Weiber getrennt; dazu bestimmte Leute giefsen Kumys in Becher von
verschiedener Gröfse und reichen diese den Ehrengästen dar.
Jeder, der getrunken hat, übergiebt den Becher dem neben
ihm sitzenden. Auf diese Weise bringen zwei bis dreihundert
Menschen allen in 6 bis 7 grofsen Ledergefäfsen angesammel-
ten Kumys in Verlauf von 2 bis 3 Stunden zu Ende.

Kaum ist man mit dem Kumystrinken fertig, so läfst man
dreizehn bis vierzehnjährige Knaben Renner ohne Sattel be-
steigen und schickt sie in eine Entfernung von einem halben
oder einem ganzen Kös im Schritte ab. An einer bezeichneten Stelle wenden die Knaben die Pferde, treiben sie zu
raschem Laufe an, und kommen so auf die versammelte
Menge zu.

Kaum hat das Volk die Stimmen der Knaben, die „Chyi,
chyi!" rufen, vernommen, so richten sich aller Augen auf die
um die Wette laufenden Pferde. Unmöglich ist es, die Freude
desjenigen zu beschreiben, der das am schnellsten laufende
Pferd besitzt, eben so das Lob und die Verwunderung der
Menge bei dieser Gelegenheit. — Die Art und Weise des
Kampfes, bei welchem die Kämpfer nur ein paar kurze Bein-
kleider anbehalten, unterscheidet sich, du magst es glauben
oder nicht, in nichts vom Kampfe zweier russischer Hähne *).
Fällt bei diesem Kampfe, bei diesem Messen der Kräfte, einer
der Kämpfenden, indem er ausgleitet, oder irgend wo hängen
bleibt, auf alle Viere, oder nur so, dafs er mit einem Finger
die Erde berührt, so wird er für überwunden und gestürzt
angesehen.

Zwei seiner Verwandten kommen mit seinem Pelze ge-
laufen, werfen ihm denselben über, und führen ihn in die
Mitte ihrer Versammlung ab. Den Grund seines Falles schrei-

---

*) Die Jakuten kennen die Hühner nur durch die Russen.

ben sie auf lange Zeit einem Versehen oder einer Schwäche
der Gelenke in Folge einer vorhergegangenen Krankheit zu.
Die außerordentlichen Freudenbezeugungen und Lobeserhe-
bungen der Verwandten und Nächsten des als Sieger hervor-
gegangenen Kämpfers sind dagegen ohne Ende.

Sobald keine Kämpfer mehr vorhanden sind, entkleidet
man sich von neuem und läuft um die Wette; hierauf legt
man alle drei bis vier Schritte ein Zeichen hin und springt
auf einem Fuße.

Andere Spiele als diese, giebt es nicht.

Der Tanz der Frauen bleibt sich von Jahrhundert zu
Jahrhundert gleich. Sind auch hundert Frauen versammelt —
zu ihnen gesellen sich wenige Männer — so stellen sie sich
alle in einen Kreis, drehen sich Arm in Arm langsam in die
Runde und singen dabei mehrere Stunden nach einander:
ägäibinä, ogholor.

Das auf einer offenen, grünen Wiese versammelte Volk,
seine Festkleider, seine freudigen Gesichter und freudigen Bewegungen bieten besonders für denjenigen, welcher es früher
noch nicht gesehen, einen hübschen und eigenthümlichen Anblick dar. Anders sind ihre Hochzeiten. Jakuten, die *dorthin*
zu Gaste gegangen sind, bereuen meistentheils ihren Gang,
wenn sie auch noch so große Freunde der Schauspiele und
Versammlungen sind. Die jakutische Hochzeit findet immer
im Winter statt, zur Zeit, wo das Fleischgeschenk nicht verdirbt. Der Jakute, der seine Hochzeit gefeiert hat, führt seine
Frau mit seinen Verwandten selbst heim; an diesem Tage
versammelt sich in seinem Hause alles Volk aus seiner Gemeinde. Jetzt muß man sich den Grad der Enge und Hitze
vorstellen, welche die hunderte, in der nicht großen Jurte,
zusammengekommenen Leute hier vorbringen. Das über alles
theure, unvergleichliche Glas Branntwein erreicht nicht den
Mann seiner Bestimmung, wenn er sich nur etwas weit weg
gesetzt hat: es wird unterwegs ausgetrunken. — Ein Stück
Fleisch, das dem Johann in der Ecke zugeworfen wird, gelangt zum heißhungrigen Wilhelm oder der gute Fänger Ki-

rill, der von Nachbar zu Nachbar geht, fängt es unterweges auf und nimmt es für sich. Vor dem Qualm im Innern des Hauses und vor dem Redeschwalle der Leute kann niemand sehen oder hören, alle baden sich in ihrem Schweiße, werden gedrückt und gestoßen, daß sie aufschwellen; mit einem Worte der Jakute, der zu Gaste, zum Essen und Schmausen gekommen ist, findet mit genauer Noth seine Mütze und seine Handschuhe und kehrt hungrig, zerdrückt und naß in sein Haus zurück.

Der Umfang meiner Schrift verbietet mir mehr über alle die Eigenthümlichkeiten der Jakuten zu schreiben. Aus diesem Grunde sage ich kein Wort über die Tungusen, die das ganze jakutische Gebiet umwohnen; auch spreche ich hier nicht über das Volk der Tschuktschen, Tschuwanen(?) und Korjaken: es würde mich zu weit führen. Demzufolge beschließe ich diese meine Schrift und bitte, daß wenn dieselbe irgend einem jakutisch lesenden Manne in die Hände fällt, dieser ein falsch gesprochenes Wort nicht verdammen möge, weil dies seit Entstehung der Erde die erste jakutisch geschriebne Schrift ist. Daher ist es jetzt beim ersten Anfange überaus schwierig, ja sogar unmöglich gut zu schreiben; die zweite und dritte Schrift wird besser ausfallen. Der Art ist das Gesetz.

Skizzen aus Odessa.

Nach dem Russischen

des

Herrn Tereschtschenko.

Die Physiognomie Odessa's und seiner Bewohner bietet eine außerordentliche Mannigfaltigkeit dar. Die Bauart ist ein Gemisch von asiatischem, gothischem und altdeutschem Styl, in welchem mittelalterliche Thürme mit italiänischen Palazzo's abwechseln und elegante Gebäude sich an bescheidene Wohnungen mit Ziegeldächern schließen. Ueberall hört man ausländische Töne, und wenn nicht die Stiere der Tschumaken, die ihre schwere Lasten über das treffliche Pflaster der breiten Straßen schleppen, und die Tschumaken selbst mit ihren gebräunten Gesichtern und dem langen, hängenden Schnurrbart uns darin erinnerten, daß wir uns noch in Rußland befinden, so würden wir uns nach der Fremde versetzt glauben.

Wie die Archäologen behaupten, liegt Odessa an derselben Stelle, die im Alterthum unter dem Namen des Hafens Istria bekannt war; und wo man Grabmäler gefunden hat, die von den griechischen Colonisten herrühren sollen. Als die Verbindungen Griechenlands mit den Nordküsten des Schwarzen Meeres aufhörten, wechselte diese Gegend im Laufe der Jahrhunderte sehr oft ihre Beherrscher, bis sie gegen Ende des funfzehnten Jahrhundertts in die Hände der Osmanen kam,

die hier die Festung Hadjibei erbauten. — Diese wurde im
Jahr 1789 von den Russen erobert und in Odessa umgetauft,
zu Ehren der alten Stadt Odyssos, die etwa 650 Jahre vor
Christi Geburt von den Miletern gegründet wurde und an der
Mündung des Liman von Tiligul, 43 Werst von dem heutigen
Odessa, lag. Die Umgebungen des Tiligul geben ein schla-
gendes Bild der von der Zeit hervorgebrachten Umwälzungen;
der schöne Hafen ist verschwunden und hat einem Moraste
Platz gemacht, und statt der von unternehmenden Hellenen
bevölkerten Handelsstadt sieht man hier nur noch das elende
Dorf Troizkaja, dessen Todtenstille selten von dem Postglöck-
chen eines Reisenden unterbrochen wird.

Der Gründer des heutigen Odessa war der Vice-Admiral
Joseph de Ribas, ein geborener Spanier, der unter Potemkin
und Suworow gedient und nach der Einnahme von Hadjibei
die Localität als passend für die Anlegung einer Handelsstadt
erkannt hatte. Sein Andenken ist durch die Benennung einer
der schönsten Strafsen Odessa's verewigt worden. Seine Nachfolger waren: General Berdäjew, der Herzog von Richelieu,
Graf Langeron und endlich Graf M. S. Woronzow, jetziger
Statthalter im Kaukasus. Durch ihre unermüdliche Sorgfalt
erhob sich Odessa bald zu hohem Flor, und ehe noch ein
halbes Jahrhundert seit seiner Gründung verflossen, zählte es
bereits zu den ersten Handelsstädten Europa's. Zu diesem
raschen Aufblühen trugen die ihm verliehenen Rechte eines
Freihafens nicht wenig bei. Hier concentrirte sich der Handel des Schwarzen, Asowschen und Mittelländischen Meeres,
und von hieraus wurden die enormen Massen Getreide ver-
schifft, die in Neurussland, Kleinrussland, Podolien und Bessarabien producirt wurden.

Der Herzog von Richelieu hat in Odessa so zahlreiche
Denkmäler seiner Wirksamkeit hinterlassen, dafs es unmöglich
ist, sie alle in der Kürze aufzuzählen. Ihm verdankt man die
Anlegung von Gärten, die Errichtung eines Handelsgymnasiums,
der Quarantaine, des Theaters, mehrerer Kirchen und vieler
schönen Landsitze (datschi) und Häuser. Als er im Jahr 1815

nach der Restauration der Bourbons nach Frankreich zurückkehrte, nannten die dankbaren Bewohner von Odessa eine
ihrer Hauptstrafsen nach ihm, gaben dem 1804 von ihm errichteten adeligen Institut den Namen Lyceum Richelieu und
stellten ihm auf dem Boulevard, am Ufer des Schwarzen Meeres, ein Denkmal von Bronze, das zu den Zierden der Stadt
gehört. Es besteht aus einer Statue des Herzogs, mit einer
römischen Toga bekleidet und mit der rechten Hand auf das
Meer zeigend; die linke hält eine Rolle, um das Haupt win-
det sich ein Eichenkranz, das Gesicht ist sanft und nachdenkend.

Durch Vermittlung seines Nachfolgers, des Grafen Langeron, wurden die der Stadt anfangs nur auf 25 Jahr gewährten Handelsprivilegien verlängert, ein botanischer Garten
angelegt, die Spuski (Abhänge) von Cherson und der Quarantaine mit Granit gepflastert etc. Mit dem Amtsantritt des
Grafen Woronzow begann eine glänzende Epoche für Odessa
und ganz Neurussland *).

Odessa liegt auf einem Berg-Abhang (kosogor) aus
Kalk **), jenseits dessen sich eine von Schluchten (balki)
durchschnittene Ebene erstreckt. Die Strafsen sind alle rein-
lich und geräumig, aber etwas krumm und nicht ganz eben,
indem sie zuweilen bergauf, zuweilen bergab gehen. In der
Nähe des Meeres werden sie abschüssig und bilden dann
schöne, mit Akazien besetzte Alleen. Die Lieblings-Promenade
der Odessaer ist der Boulevard am Meeresufer, zu welchem
eine kolossale, aus weifsem Marmor gebaute Treppe führt.
Er ist mit prächtigen Akazien bepflanzt, unter deren Schatten
man des Abends lustwandelt und sich an dem Anblicke des
zu seinen Fúfsen wogenden Meeres ergötzt. Im Hafen sind
die Kauffahrer in langen Reihen aufgestellt; am Landungsplatze arbeiten die Hunderte von Leuten, mit dem Ein- und

---

*) Statt der hier folgenden statistischen Notizen verweisen wir auf den
Artikel „Odessa im Jahr 1846" in diesem Archiv Bd. VI. S. 595 ff.
Nach dem Noworossijskji Kalender für das Jahr 1853 zählte man
in Odessa 90000 Einwohner, wozu noch eine „floating population"
von etwa 34000 Seelen kam.

**) Tertiärem. Vergl. in d. Arch. Bd. I. S. 296 u. die zugehörige Karte.

Ausladen der Waaren beschäftigt. Unweit davon befinden sich auch die Seebäder. Die ganze Hafengegend bietet ein Bild des fröhlichen Getümmels dar, aus welchem die Töne der verschiedenartigsten Dialecte hervorschallen.

Den Akazien des Boulevard gegenüber zieht sich eine Reihe von schönen Häusern entlang; am entferntesten Ende steht die Börse, neben ihr das Gebäude des Odessaer Vereins für Geschichte und Alterthümer (Odesskoje Obschtschestwo Istorii i Drewnostei). Die Katherinen-Strafse hinaufgehend, gelangt man zuerst zum Palais royal mit seinem Garten, dann zum Theater, etwas weiter, an der Ecke der Katherinen- und de Ribas-Strafse, zum Lyceum Richelieu. Von hieraus erstrecken sich nach allen Richtungen Gebäude von mannigfachster Form, unter welchen die Börse durch ihren eigenthümlichen Charakter auffällt; sie ist mit Säulen umgeben die zum Theil einen Portikus bilden. Das dem erwähnten Verein für Geschichte und Alterthümer gehörige Haus hat die Gestalt eines Halbkreises und ist zwar einfach, aber mit Geschmack gebaut. Der Verein wurde am 25. März 1839 gegründet; sein Zweck ist die Erforschung und Beschreibung Neurusslands und Bessarabiens in historischer und archäologischer Beziehung. In seinem Museum werden, aufser schriftlichen Documenten, die Alterthümer aufbewahrt, die man in diesen Provinzen entdeckt hat, zu welchen noch Merkwürdigkeiten anderer Länder, als ägyptische, byzantinische, türkisch-tatarische, moldauische, litthauische, kleinrussische und saporogische, kommen. Man findet hier Denkmäler von den Inseln Leuke (Phidonisi, an der Mündung der Donau), und Borysthenes (Beresan), von Istria (dem heutigen Odessa), Tiras (Akkerman), Odyssos, Olbia, Chersones (2 Werst von Sewastopol), Epolium (in der jetzigen Provinz Bessarabien, Kreis Kagul), Cherson, Bobrinez (Gouvernement Cherson), Kaffa, Pantikapäum (Kertsch), dem Bezirke Lampas (Kutschuk-Lambat, am südlichen Ufer der Krym), dem Flecken Nikopolis (Gouvern. Jekaterinoslaw), dem Dorfe Malaja-Snamenka (Kreis Melitopol, Gouvernement Taurien), Neapolis (einer skythischen Festung,

drei Werst von Simpheropol) und der Festung Alektor (Ot-
schakow). — Beachtung verdient ferner die Sammlung von
Münzen der griechischen Städte im südlichen Russland, von
krymischen, byzantinischen, orientalischen, einigen alten russischen, nebst einer vollständigen Reihefolge der seit Erwerbung
der Südprovinzen durch Russland geschlagnen, auf dieselben
bezüglichen Medaillen. Die Zahl der Münzen und Medaillen
beläuft sich im Ganzen auf 8000. Unter den Handschriften
befinden sich namentlich viele alte hebräische *), dann griechische und bulgarische Manuscripte aus dem zehnten Jahrhundert und serbische und moldauische Documente, deren
ältestes aus dem Jahr 1254 stammt. Die gegenwärtige vortreffliche Einrichtung des Museums verdankt man dem Secretair des Vereins und Director des Richelieu-Lyceums, Herrn
Mursakewitsch.

Unter den gemeinnützigen Anstalten Odessa's nimmt die
im Jahr 1829 errichtete städtische Bibliothek einen ehrenvollen Platz ein. — Sie steht gleichfalls unter der Leitung des
Herrn Mursakewitsch und kann von Jedermann, ohne
Unterschied des Standes, benutzt werden. Im Jahr 1851 fanden sich 3159 Leser ein, ohne die Personen, die zum Nach-
schlagen oder Excerpiren kamen — eine im Verhältnifs zur
Bevölkerung bedeutende Anzahl. Ich bemerkte in den Sälen
auch Matrosen und Tagelöhner, die sich gleich den Anderen
mit der Lectüre beschäftigten, und Alle wurden von den
Bibliothekaren mit gleicher Zuvorkommenheit behandelt. Die
Büchersammlung besteht aus 12022 Bänden, und im Journal-
zimmer sind 22 Zeitschriften ausgelegt. In Odessa selbst erscheinen vier Journale: die Memoiren der südrussischen landwirthschaftlichen Gesellschaft (Sapiski Obschtschestwa Selskago
Chosjaistwa Jujnoi Rossii), der Odesskji Wjestnik (französisch
unter dem Titel Journal d'Odessa), das Porto-franco di Odessa
(italiänisch) und das Unterhaltungsblatt für deutsche Ansiedler

---

*) Vergl. Michnéwitsch „Ueber die hebräischen Manuscripte d. Odessaer
Ver. f. Geschichte u. Alterth." in d. Mem. (Sapiski) d. Ver. Bd. II. S. 76.

im südlichen Russland. Aus den Buchdruckereien Odessa's geht alljährlich eine nicht unbedeutende Anzahl von Werken hervor, die sich im Allgemeinen durch Sauberkeit und Correctheit des Drucks auszeichnen.

Die Bildung ist hier mehr oder weniger unter allen Ständen verbreitet. Unter der nichtrussischen Bevölkerung machen sich besonders die Hebräer durch ihre Zahl und Geschäftigkeit bemerkbar. Die Kleidung ist die im übrigen Europa gebräuchliche; in einer Stadt, deren Bewohner aus so verschiedenen Theilen der Welt zusammengeströmt sind, kann von einer Nationaltracht nicht die Rede sein. Viele von den Bürgern bringen den Sommer in ihren Landhäusern (chutorà) zu, die meist in der Nähe des Meeresufers angelegt sind, deren Baumpflanzungen und Blumengärten jedoch ein ärmliches Ansehen haben, indem der muschelsandige, mit Thon vermischte Boden der Vegetation so ungünstig ist, dafs selbst die petersburger Gärten im Vergleich mit den hiesigen sich einer üppigen Blüthe rühmen können. Auch der botanische Garten macht, trotz aller darauf verwandten Sorgfalt, keine Ausnahme. Die Bäume wachsen nur zehn bis funfzehn Jahr, verdorren dann und werden durch neue ersetzt. Der Boulevard allein prangt in üppigem Grün, wird aber auch in jeder Weise gehätschelt und gepflegt, da er den einzigen Sammelplatz der schönen Welt bildet.

Die Lebensweise ist hier ziemlich einförmig; wie es gestern war, ist es auch heute und wird es auch morgen sein. Man giebt weder Soiréen, noch Bälle; Jedermann befleifsigt sich der Sparsamkeit und vermeidet alle überflüssige Ausgaben. Dieses ist um so nothwendiger, da hier die gröfste Theuerung herrscht, und das Leben noch kostspieliger ist, als selbst in Petersburg *).   (J. M. N. P.)

----

*) Die Beschreibung der Quarantaine, womit Hr. Tereschtschenko seine Reiseskizzen aus Odessa schliefst, glauben wir übergehen zu können, da ihre Einrichtung zwar als vortrefflich geschildert wird, aber im Wesentlichen mit andern, bekannten Anstalten dieser Art übereinstimmt.

Die auf der Insel Lebenden.

Finnisches Mährchen. *)

Es waren einmal drei Schwestern, die hatten in der Badestube zu thun, und da entspann sich denn unter ihnen ein
Geplauder. Die älteste sagte: „wenn der Sohn des Königs
mich heiraten wollte, so würde ich aus drei Flachsfasern für
alle Bewohner der Burg Hemden machen." Die mittlere
Schwester sagte: „wenn der Sohn des Königs mich zum Weibe
nähme, so würde ich aus drei Weizenkörnlein für alle *Burg-
bewohner* Brod zur Genüge bereiten." Die dritte sagte:
„wenn der Sohn des Königs mich heiratete, so würde ich in
drei Niederkunften jedesmal drei Söhne zur Welt bringen."
Der Königssohn hörte ihr Gespräch und dachte: „welche
von ihnen soll ich nehmen? hübsch sind sie alle drei. Doch
giebt es in unserem Schlosse Kleidung und Brod genug; diejenige soll mein Weib werden, die in drei Niederkunften zusammen neun Söhne bekommt." Und er nahm die jüngste
Schwester und führte sie in die Burg. Da lebten die Beiden
mit einander, bis das junge Weib schwanger ward. Als die
Zeit der Entbindung kam, sagte die Frau zu ihrem Manne:
„geh' und hole mir eine Hebamme aus dem Dorfe." Er
machte sich auf den Weg; da begegnete ihm eine Weibsperson
und frug: „wohin gehst du?" Er antwortete: „ich will eine

---

*) Aus den Suomen kansan satuja ja tarinoita Th. I.

Hebamme holen, denn meine Frau ist ihrer Entbindung nahe."
„So nimm doch mich!" sagte das Weib. Nun — der Mann
nahm sie, ohne sie zu kennen; es war nämlich die böse Syöjätär. *) Er brachte sie mit in die Burg, ließ sie in die Badestube treten und ging selber in die Wohnstube. Was gab es
weiter? die Wöchnerin genas dreier Knäblein; aber Syöjätär
nahm die Kinder fort, legte drei junge Jagdhunde an ihre
Stelle, und ging dann zu dem Königssohn, der vergnügt auf
und nieder rannte und sich ein Liedchen vorpfiff. „Du hast
wol Ursache froh zu sein," sagte Syöjätär; „denn deine Frau
hat drei Jagdhunde geboren." „Das will ich selbst sehen,"
sagte der Mann und begab sich sofort in die Badestube. Da
überzeugte er sich, dass die Syöjätär wahr geredet, denn es
krochen drei Hündchen am Fußboden. Zornig sprach er zu
der Wöchnerin: „jetzt bring ich dich ums Leben." „Thu das
nicht," flehte sie, „warte bis ich wieder gebäre."

Nun — er ließ seine Frau lebendig. Es verging einige
Zeit und sie wurde wieder schwanger. Als sie ihrer Entbindung nahe war, hieß sie ihren Gatten eine Hebamme holen
wie das erste Mal. Auf dem Wege ging ihn Syöjätär wieder
an und er schickte sie zu seiner Frau. Als diese wieder drei
Knäblein geboren hatte, stahl Syöjätär dieselben und legte drei
Ferkel an ihre Stelle. Dann meldete sie dem Manne, dass
seine Frau von Ferkeln entbunden sei. Dieser eilte in die
Badestube, überzeugte sich von der Wahrheit des Berichtes
und sagte sehr unwillig zu der Wöchnerin: „warum hast du
drei Knaben zu gebären versprochen und dafür Schweine geboren? jetzt tödte ich dich." Sein Weib aber vertröstete ihn
auf ihre dritte Entbindung.

Die Prinzessin wurde zum dritten Male schwanger und
als sie ihre Niederkunft nahe fühlte, schickte sie ihren Mann,
wie die ersten Par Male geschehen, nach einer Helferin aus.
Diesem kam die Syöjätär nochmals in den Weg und er führte
sie zur Badestube. Allein die Wöchnerin war jetzt auf ihrer

---

*) Ein gefräßiger weiblicher Dämon.

Hut, da sie die Syöjätär erkannt hatte; sie bekam wieder Drillinge, verbarg aber den einen in ihrem Busen und überliefs nur die zwei anderen der Amme. Diese stahl die beiden weg, und legte zwei junge Schofshunde an ihren Platz. — Der Königssohn kam in die Badestube, sah die beiden Hunde und sprach: „du verhiefsest mir drei Söhne und hast Schofshunde geworfen — jetzt tödte ich dich." Darauf steckte er sie in eine eiserne Tonne, und warf sie ins Meer; den einen jungen Schofshund schenkte er ihr als Reisegefährten; die Frau aber nahm den in ihrem Busen verborgenen Knaben heimlich mit sich. — Der Wind trieb die Tonne lange Zeit vorwärts, bis sie einer Küste nahe kam; da sehnte der Knabe sich ins Freie und sagte zu seiner Mutter: „ich will die Tonne entzwei treten dass wir ans Land kommen." „Thu das nicht," sagte die Mutter, „wo wir auch sein mögen, wir versinken im Meere." Nun — der Knabe liefs es bleiben und der Wind trieb die Tonne noch eine Zeitlang vorwärts, bis sie wieder an eine seichte Stelle kam. Der Knabe bemerkte dass ihr Behälter hin und her schwankte; da trat er ohne länger zu säumen den Boden durch und sie stiegen ans Land. Nun das wäre schon gut gewesen; allein sie froren beide sehr und ein Obdach war nicht vorhanden. — Da betete der Knabe zu Gott und sagte: „o mein Gottchen, gieb uns ein Haus, dass wir darin wohnen!" Kaum hatte er dies gesagt, so stand auf der Stelle ein sehr schönes Wohnhaus da, dessen Wände mit Marderschwänzen statt des Mooses überkleidet waren; im Vorhof aber wuchs ein Baum, der Brod und Zukost und überhaupt alles Nöthige trug. Der Knabe betete wieder zu Gott und sagte: „im Meere ist salziges Wasser das man nicht trinken kann; gieb uns einen Brunnen aus dem wir uns Wasser holen können!"

Als nun ihr Leben gesichert war, sagte der Knabe: „warte, Mutter, ich will gehen und sehen, an was für einem Orte wir sind, ob auf festem Lande oder auf einer Insel, da keine Leute zu uns kommen." Er ging also, sich umzuschauen, und sah an allen Seiten Meer. Da betete er wieder zu Gott und

sprach: „wir sind auf einer Insel, mein Gottchen, gieb uns
eine Brücke, über die wir ans Land kommen können!" Und
im selben Augenblick entstand eine Brücke, die war fest und
eisern, dass kein König eine bessere hatte. — Des anderen
Morgens wanderten drei herumziehende Bettler die Küste entlang, erblickten jene Brücke und sprachen: „auf der Insel müssen Leute wohnen, da eine solche Brücke nach derselben
führt, lasst uns gehen und zusehen." Der Sohn der verstofse-
nen Frau sah durchs Fenster dass Leute kamen, ging ihnen
entgegen und führte sie nach der Wohnstube. Hier bewirtete er seine Gäste reichlich, zeigte ihnen den Baum, den
Brunnen und Alles wovon sie hier lebten; und als die Bettler Abschied nahmen, begleitete er sie auf den Hof und sagte
zu seinem Hunde: „bring diese Männer nach der Königsburg." — Der Hund that wie ihm geheissen war; die Wanderer traten in die Burg, und der Prinz empfing sie gastfrei.
Als sie abgespeist hatten, sprach er: „nun erzählet mir, Leute,
was ihr auf eueren weiten Wanderungen gesehen." Die Männer sagten: „als wir gestern die Bucht entlang gingen sahen
wir eine Brücke; die führte uns zu einer Insel, und auf der
Insel stand ein Wohnhaus so prächtig wie euere Burg; in
dem Hause aber wohnt ein Knabe mit seiner Mutter." Der
Prinz sagte gleich: „ich will morgen hingehen und sehen."
Allein er hatte jetzt die Tochter der Syöjätär zum Weibe;
die hörte das und sagte: „gehe nicht dorthin: ich habe drei
goldene Schweine auf glattem Rasen, die sind noch merkwürdiger." Als der Prinz das hörte, versprach er auch diese zu
beaugenscheinigen und sein Weib war nun zufrieden.

Der Hund kehrte heim, seiner Herrschaft Bescheid zu
bringen. Man frug ihn was die Reisenden in der Königsburg
erzählt hätten und er sagte: „sie lobten unseren Wohnort und
der Prinz wollte morgen kommen, sich ihn anzusehen, aber
seine Frau sagte, sie hätte irgendwo Schweine, an denen noch
mehr zu schauen sei." — Da sprach der Sohn: „ich will gehen und jene Schweine wegtreiben, so wird der Prinz zu uns
kommen." „Es wäre gut wenn dir das gelänge," sagte die

Mutter; der Sohn aber ging, trieb die Schweine von dort weg
und brachte sie nach Hause.

Am anderen Morgen wanderten sechs Bettler am Ufer
hin, erblickten die nach der Insel führende Brücke und gingen
über dieselbe bis sie zum Landhause kamen. Hier bewirtete
sie der Sohn des Weibes wie er mit den vorigen gethan und
zeigte ihnen Alles was auf dem Landsitze war, den Baum auf
welchem Lebensmittel wuchsen und den goldähnlichen Brunnen. Nach einiger Zeit gingen sie wieder fürbass; da hiefs
der Jüngling seinen Hund auch diese Leute nach der Burg
begleiten, um zu erfahren, was man dort sagen würde. Der
Hund brachte die Männer bis dahin und sie erzählten Alles
was sie auf der Insel gesehen. Die Frau des Prinzen stand
dabei, hörte ihre Erzählung mit an und sagte zu ihrem Manne:
„ich habe noch gröfsere Wunderdinge: sechs goldne Hengste
auf glattem Rasen." Der Königssohn entliefs nun die Bettler
und nahm sich vor, am anderen Tage Beides in Augenschein
zu nehmen. Als der Hund solches gehört hatte, kehrte er
heim und erstattete seinen Bericht. Darauf sagte der Knabe:
„ich will gehen, Mütterchen, und die Hengste forttreiben, dann
kommt der Königssohn zu uns." „Es wäre gut wenn du sie
kriegtest," entgegnete die Mutter, und der Sohn trieb nun die
Hengste fort und brachte sie nach Hause.

Am dritten Morgen wanderten neun Bettler denselben
Strand entlang, kamen an die Brücke und gingen hinüber auf
die Insel wo Mutter und Sohn hausten. Die wurden ebenso
empfangen wie die vorigen, und der Hund folgte auch ihnen
nach der Königsburg. Die Männer erzählten dem Prinzen
was sie auf der Insel gesehen und er bekam wieder Lust die
Insel zu besuchen. Aber sein Weib stand dabei und sagte:
„ich habe noch gröfsere Wunder, das sind acht goldne Knaben auf glattem Rasen; sie schlafen neben einem grofsen Steine
und sind mit einem rothen Tuche zugedeckt." Der Hund
wendete gleich am Fenster, vor dem er gestanden, um, lief
nach Hause und erzählte was er gehört. Da sagte der Sohn
wieder: „ich will gehen und diese Knaben hierherbringen."

„Gut wär es wenn du sie herbrächtest," sagte die Frau, „aber du bekommst sie nicht, ehe ich dir Wegekost mitgebe." Jetzt drückte sie Milch aus ihren Brüsten, knetete aus der Milch und Weizenmehl acht Kuchen, und sagte zu ihrem Sohne: „wenn du die Knaben findest, so stecke jedem einen Kuchen in den Mund, dann erwachen sie." Nun, der Sohn ging, that wie seine Mutter ihn angewiesen und sprach: „ihr habt lange geschlafen, Brüder, stehet auf!" Da erwachten Alle aus ihrem Schlafe, sahen nach der Sonne und sagten: „wir haben lange geschlafen, die Sonne steht schon hoch." „O meine Brüder!" sagte der sie erweckt hatte, „ihr würdet noch länger geschlafen haben, wäre ich nicht gekommen; schon Jahre lang seid ihr in diesem Zustande." — „Nun, wohin sollen wir jetzt gehen wenn wir zu Fuße entkommen?" — „Geht Alle mir nach," sagte der Knabe, und führte die Brüder nach Hause. Sie waren alle zu schönen und stattlichen Burschen herangewachsen.

Als der König an dem Steine gewesen war und nichts gefunden hatte, kehrte er, seinem Weibe grollend, nach Hause und sprach: „du hast mich schon dreimal belogen; was für ein Weib bist du? jetzt geh ich nach der Insel, um Alles das zu schauen, wovon die Bettler erzählt haben." Die Frau wollte ihn wieder daran verhindern, er aber verließ gleich sein Haus und machte sich auf den Weg. Er kam zur Brücke; da erblickten ihn die Jünglinge schon, liefen ihm alle neun entgegen und trugen ihn ins Haus. Hier setzten sie ihm gleich Speise vor und bewirteten ihn mit allem möglichen. Der König fragte sie: „woher habt ihr eine so gute Wohnung und so viel zu leben?" — Das Weib, die Mutter der Jünglinge, kam jetzt aus dem Verschlage hervor, wo sie bis dahin gestanden,[*] und erzählte ihm alle ihre Erlebnisse. Da dachte der König: „hier diese ist mein verstoßenes Weib!" Und ohne was zu sagen ging er nach Hause und befahl den Mägden die Badestube zu heizen. Er höhlte den Boden zu einer Grube

---

[*] Es ist der eingefriedigte Raum am Ofen gemeint.

aus, füllte sie mit heissen Steinen und spannte ein Tuch darüber, dass nichts zu bemerken war.

Darauf wurde die böse Tochter der Syöjätär zum Baden
abgeführt. Sie hüpfte wolgemuth über den Gang, und als sie
an die Thür gekommen war, hüpfte sie über die Schwelle
auf das Tuch; dieses gab aber nach, und sie fiel in die glü-
hende Grube. Hier musste die Elende zum Lohn für ihre
und ihrer Mutter Frevel gänzlich verbrennen und niemand sah
mehr etwas von ihr. — Der Königsohn aber kam des anderen
Tages mit einem Sechsspänner, holte sein Weib und seine
Söhne von der Insel ab, und brachte sie Alle nach seiner
Burg. Hier leben sie noch bis heute mit einander.

China in den Jahren 1849 und 1850. *)

---

1. Einzug in Peking. Russische Mission daselbst.

Zing-che (Zing-ho) ist ein offener Ort, der vorzugsweise aus Kaufläden und Wirthshäusern besteht: die Läden sind klein, die Wirthshäuser sehr schlecht. Eines der Letzteren hat das Privilegium die Russische Mission aufzunehmen, und da man in Zing-che gewöhnlich der neuen Mission entgegen kommt, und bis zu diesem Orte die alte aus Peking geleitet, so ist das erwähnte Privilegium dem Herren Wirte sehr viel werth. Bei so feierlicher Gelegenheit beklebt man die Stuben mit neuen Papierstreifen, reinigt sie, giebt ihnen ein festliches Ansehen und läfst keine fremde Person hinein. Der Hof war bei unserer Ankunft mit Fuhrwerken, Menschen und Pferden, die man zu unserem Einzuge in Peking hatte kommen lassen, dermafsen angefüllt, dafs wir uns kaum bis zu unsern Gemächern durchdrängen konnten. Es empfingen uns zwei Russische Missionare und der Compagnie-Chef der Albasiner. **)

---

*) Aus Kowalewski's Reisenotizen. Der Verfasser ist im Begriff, eine vollständige Ausgabe seiner zwei Reisen nach China zu besorgen, von denen er die eine in den Jahren 1849—1850, die andere 1851—1852 unternommen hat.

**) Unter Albasinern versteht man die in Peking wohnenden Nachkommen einer Anzahl Russen welche in der zweiten Hälfte des

Wir konnten uns die ganze Nacht mit unseren Landsleuten nicht satt plaudern. Waren wir schon vergnügt, daß wir die beschwerliche, fast zwei Monat lange Wanderung durch die Mongolei und einen Theil China's beendigt hatten — wie groß mußte erst die Freude der Missionare sein, welche nach zehnjährigem Aufenthalt in Peking das Vaterland wieder begrüßen sollten!

Am anderen Morgen erhoben wir uns zeitig, da wir wußten, dass man in Peking unser wartete; doch waren wir nicht so bald fertig, wie sehr wir auch eilten. Wir mußten die Uniformen und alle Munition aus den Päcken langen, uns anständig kleiden und ausbürsten. Die Kosaken, an die Geräumigkeit der Mongolischen Steppe gewöhnt, konnten sich in dem engen Hofe der Chinesischen Garküche gar nicht ausdehnen; ausserdem bekamen sie neue Bekanntschaften an Bedienten unseres Klosterhofes und Albasinern, obschon jene nicht Chinesisch und diese kein Wort Russisch verstanden: das Alles verzögerte unseren Aufbruch. Endlich um zehn

---

17. Jahrhunderts von den Mandschus gefangen genommen *wurden*. Sie hatten in der von Kosaken errichteten kleinen Festung Albasin am oberen Amur die Garnison gebildet. Bei dem in kaufmännischer Hinsicht für beide Theile vortheilhaften Friedensschlusse wurde ausgemacht, daß es diesen Gefangenen freistehen sollte, zu bleiben oder heimzukehren. Sie entschieden sich für das Erstere und wurden sonach Chinesische Unterthanen. Da indessen die Russische Regierung diese Leute nicht dem Heidenthum Preis geben wollte, so erbat und erlangte sie bei Abschliessung des Handelsvertrages von 1727 das Privilegium, in Peking ein Kloster und eine Kirche gründen und alle zehn Jahre vier Mönche und einen Archimandriten dahin schicken zu dürfen. Der Kaiser von China hatte aus den Albasinern eine Compagnie seiner Garde gebildet, welche noch jetzt chinesisch O-lo-sfe tso-ling und mandschuisch Oros niru heißt. Man kam auch überein, daß mit jenen Geistlichen vier junge Leute nach Peking reisen sollten, um daselbst zu Dolmetschern in beiden Sprachen sich auszubilden. Alle 5 oder 6 Jahre kommt ausserdem ein Russischer Inspector nach Peking, der den Albasinern allerlei europäische Bedürfnisse mitbringt.

Uhr, nach reichlichem Frühstück, ging es vorwärts. Von Zing-che bis zu den Mauern von Peking sind zehn Werst; der Weg führt durch eine geräumige Ebene in deren' Hintergrunde die Hauptstadt von China liegt. Ueberall Felder und Felder! Allein das Getreide war schon eingesammelt. Hier ist es nicht wie bei uns, wo das Feld dem Bauern nur Getreide giebt und einen Theil des Grünen für sich behält, mit dem es noch den ganzen Herbst über sich schmücket — nein: hier giebt der Boden seinem Besitzer Alles, was er im Verlauf eines Sommers hervorgebracht; das kleinste Gräschen, sogar die Wurzeln des Getreides werden ausgerissen, theils zur Fütterung des Viehes, theils zur Heizung. Die Chinesen lassen gar nichts übrig, und im Herbste haben ihre Felder ein dürres, trauriges, farbloses Ansehn und fließen mit den überall verstreuten Begräbnißplätzen zu einer melancholischen Landschaft zusammen. Nur dichte Weiden, die schönen hiesigen Weiden, welche die Begräbnißplätze umziehen, beleben das Ganze etwas. Die Nähe der Residenz wurde durch nichts bezeichnet, nichts erinnerte an sie. Wir irrten zwischen Baumgruppen, Häuschen, Aeckern und Todtenfeldern, von einem schlechten Wege auf einen noch schlechtern kommend; alle diese Wege erschienen uns als Fußpfade und wir befürchteten uns aus diesem Labyrinthe nicht mehr' finden zu können. Doch ergab sichs daß dies die große und gerade Straße nach Peking war. Endlich wurde die Ebene geräumiger und öder; Gräber umgaben uns immer dichter: Einige waren von Baumgruppen überschattet, Andere ordnungslos über die Ebene ausgestreut; der Weg verschlechterte sich immer mehr; die Büchsenschüsse die wir, beiläufig gesagt, schon lange gehört, krachten lauter; in geringer Entfernung erhob sich vor unseren Blicken eine ungeheure dunkle Masse und noch drüber hinaus ein prächtiges Dach mit etwas erhöhten Rändern. Es zeigte sich ein Haufen Menschen in gewöhnlicher chinesischer Kleidung.

„Was sind das für Leute?" — „Soldaten," antwortete

unser Kutscher. — „Diese seien Soldaten?" — „Ja!" —
„Was thun sie denn dort?" — „Seht Ihrs denn nicht — sie
exerciren!" Wirklich sah ich wie Einer um den Anderen auf
eine Reihe Gewehre zuschritt, die an die Mauer irgend eines
Häuschens gelehnt standen. Dann nahm er eines der Gewehre, feuerte und trat wieder ab. — Dies nannte man Exerciren. „Warum nehmen sie denn die Gewehre nicht einmal
mit sich?" fragte Einer von uns. — „Die Gewehre sind Krongut; sie werden im Zeughause verwahrt." — „So führt der
chinesische Soldat kein Gewehr?" — „Nein." — „Sonder-
bar. Wo liegt aber Peking?" — „Das liegt vor Euch, hinter
dieser Mauer."

Wirklich hatten wir eine gigantische Mauer mit einem
gewaltigen Thurm über der Pforte vor unseren Augen. An
den Schießsscharten erblickten wir gewisse schwarze Flecken,
die wir anfänglich für Mündungen von Kanonen ansahen; aber
bald überzeugten wir uns dafs es nur gemalte Kanonen waren; die wirklichen werden im Zeughause verwahrt, wenn
anders die Beamten desselben sie nicht zu allerlei Zwecken
verkauft haben.

Vor dem Thore wurde ein Weilchen gerastet; dann hielten wir unsern Einzug. Am Thore war schon kein Zweifel
mehr, dass wir in eine ungeheuere, volkreiche Stadt einzo-
gen und besonders in die lärmendste die ich jemals besucht
habe.

Ich weiss nicht wie es uns gelungen wäre durch das
Menschengewimmel auf der Strafse zu kommen, hätten nicht
gewisse zerlumpte Kerle die gleichsam vor uns aus der Erde
wuchsen, mit langen Peitschen um sich · gehauen und so die
Wogen des Volkes getheilt. In der Folge erfuhren wir dass
diese Herren Policeidiener waren.

Anfänglich wird man von diesem Strafsenleben, diesem
Gewimmel, Getümmel und Geprassel an einige andere Städte
des Ostens erinnert; habt ihr aber eine Weile gesehen und
gehört, so kommt ihr zu dem Ergebnisse dass es doch was
anderes. Ganz andere bewegliche Gemälde stellen sich dar,

und zu unserem Ohre dringen abgebrochene Laute einer Sprache die wir noch nie gehört.

Während der Volkshaufen dumpf brauste, schien es als wollten die Verkäufer von allerlei Artikeln sowol diesen als sich selbst unter einander und das Geschrei der Lastthiere übertäuben. Der Eine schlug auf Becken, der Andere tutete auf einem Horne, ein Dritter klapperte mit eisernen Fliesen, ein Vierter brüllte. Nackte Bettler streckten sich ihrer Länge nach an der Erde aus und stöhnten aus Leibeskräften um die Aufmerksamkeit zu erregen. Zu dem Allen denke man sich die Equipagen, die mitten durch das Gedränge getriebenen Schweine- und Entenheerden, die überall herumschnüffelnden ausgemergelten Hunde. Am merkwürdigsten war es zu sehen wie zwei in diesem Haufen einander begegnende Equipagen plötzlich anhielten, die darin Sitzenden heraussprangen als hätten sie etwas wichtiges vergessen, und so anhaltend vor einander Bücklinge machten dass man sie für bewegliche Puppen zu erklären geneigt war.

Die Hauptstrafse, durch welche wir ritten, war lang und breit: wir legten in fast gerader Richtung acht Werst zurück, ehe wir unseren südlichen Klosterhof erreichten, und die Breite kam wenigstens der des Newskii Prospekt gleich. In der Mitte ist eine Erhöhung, ein Aufwurf der eine Chaussée ersetzt; hier bewegen sich beständig zwei Reihen kleine einspännige Fuhrwerke, an denen ein Maulthier oder ein Esel zieht; sie sind bedeckt, haben zwei Räder und ein ganz hübsches Aussehen und bilden hier die gewöhnlichen Equipagen. Die Wege zu beiden Seiten sind den Lastwagen und Fufsgängern überlassen; auch dienen sie, da es keine öffentlichen Plätze giebt, zu allen Vorstellungen und zeitlichen Ausstellungen. Von dem Hochwege aus konnte ich zu Pferde sitzend sehen was in den halbgeöffneten Buden vorging: in der einen gaben herumziehende Schauspieler unter betäubender Musik ihre Vorstellungen; in der anderen figurirte ein Mährchenerzähler; in der dritten ein Wahrsager oder wandernder Medicus, welcher den vor ihm Versammelten die Anatomie des

Menschen erklärte. Hinter den Buden präsentiren sich Läden,
die in Abständen von sieben bis acht Werst fast gar nicht
unterbrochen werden; unter diesen sind sehr viele schöne von
eigenthümlicher Bauart; besonders zeichnen sich die Apothe-
ken und Kurzwaarenläden in dieser Beziehung aus: sie sind
von oben bis unten vergoldet, mit lebhaften Farben und Fili-
granarbeit ausgeschmückt, und würden jede Strafse einer europäischen Residenz zieren.

In anderen Städten des Ostens machen die leichten luf-
tigen Minarets einen erhebenden Eindruck auf den Reisenden;
in Peking begegnet sein Auge überall gemodelten Dächern —
ja Alles ist mit Dächern bedeckt, sogar die Köpfe, und alle
diese Bedachungen haben aufgekrempte Ränder als wollten
sie davonfliegen. In anderen Städten des Ostens fallen die
Hunde am beschwerlichsten, in Peking die Schweine. Zwar
giebt es auch Hunde in keiner geringen Zahl; allein diese
sind hier so still und bescheiden dass sie nicht einmal bellen.

Ihr seht dass es hier in den Strafsen mehr zu schauen
giebt als in irgend einer Stadt des Ostens und zum mindesten
eben so viel wie in den Hauptstädten von Italien und Frankreich. Das Geschäftsleben verbirgt sich in Häusern und Läden. Die Häuser sieht man von der Strafse aus nicht; ein
Labyrinth kleiner Höfe umsieht sie, und kein einziges Fenster
blickt aus den Mauern dieser Höfe: das ist nun der vollkommne Orient, wo das häusliche Leben vor den Blicken
Fremder tief verhüllt bleibt und die Abtheilung der Gesellschaft in Familien, wie sie zur Patriarchenzeit gewesen, am
deutlichsten sich kund giebt.

Anderthalb Stunden lang ritten wir, von neugierigen Haufen umdrängt und angegafft, bis wir noch vor Mittag bei unserem südlichen Klosterhof anlangten, wo der Archimandrit,
die geistlichen Mitglieder der Mission und sämmtliche Albasiner (im Ganzen noch einhundert Seelen) unserer warteten.
Einen wunderlichen Anblick gewährten uns die Nachkommen
ächter Russen, die in Kleidung, Sprache und Gesichtsbildung
vollkommne Chinesen geworden sind. Wir begaben uns Alle

in die Kirche, um ein Dankgebet zu sprechen, und es that
dem Herzen wol, einen Sängerchor zu hören, der durch die
Bemühungen unserer Mission aus Albasinern gebildet ist, und
dessen weiche Aussprache an den Gottesdienst in slawischen
Kirchen Südeuropas erinnerte.

Nach dem Gottesdienste bewirtete uns die gastfreie Mission
mit einem reichlichen russischen Frühstücke und dann mit
einer Mahlzeit die nach den Zwiebacken der Mongolei und
den gar nicht schmackhaften Gerichten chinesischer Speise-
wirte vorzüglich mundete. Ein besonderer Leckerbissen war
für uns das weiche Brod welches wir in drittehalb Monaten
nicht gekostet. Am Abend begab sich jeder in seine Zelle.

Wir haben in Peking zwei Klosterhöfe. Der südliche
liegt in der Strafse Dung-dsian-mi-siang, und die Chinesen kennen ihn unter dem Namen Choi-t'ung-guang;
zu ihm gehört das Kloster Strjetensk. Der nördliche ist unter dem Namen Bei-t'ang bekannt; hier ist die Kirche der
Himmelfahrt Maria's, desgleichen eine Schule für die Albasiner und ein Observatorium. Beide Höfe liegen 8—9 Werst
auseinander. Ich nahm mit den Kosaken und den meisten
Gliedern der neuen Mission im südlichen Klosterhof Herberge,
wo das von der chinesischen Regierung erbaute Gesandtschafts-
haus ist. Am Haupteingang befindet sich ein Haus für den
chinesischen Beamten; jetzt aber hat hier nur ein officieller
Pförtner seinen beständigen Aufenthalt. Sogar eine Götzen-
capelle (kumirnja), kurz, jedes Zubehör eines Ja-men, d. i.
einer Behörde, ist hier; aber der nördliche Klosterhof hat die
Rechte eines Privathauses. Die Kirche desselben ist aus einem
Buddhakloster entstanden, das man den aus Albasin angekom-
menen Russen einräumte.

Ausser den Klosterhöfen haben wir Grundstücke in und
ausser Peking; es sind dies mehrere Häuser und Läden von
denen einige durch russische Kaufleute die einst in Peking
gehandelt, dem Kloster geschenkt wurden und eine Quelle
seiner Einkünfte bilden; aber der für uns heiligste Ort, den
wir bald nach unserer Ankunft zu besuchen eilten, ist der

Kirchhof der Mission. Hier, auf dem noch frischen Grabe
eines Mitgliedes, Gorskji,[*]) der so glänzende Hoffnungen er-
weckte, feierten wir ein Todtenamt. Von einer hohen Ver-
zäunung umgeben, zwischen schönen wolbelaubten Pappeln
und weissrindigen Cedern angelegt, ist dieser Kirchhof dem
Lärmen der Stadt unzugänglich: hier vergisst man dass man
nur wenige Schritt von der Stadtmauer sich befindet.

Der Kirchhof der römisch-catholischen Missionare ist
durch ihren letzten Bischof Pius ebenfalls der Obhut unserer
Mission empfohlen worden. Er ist in einem schönen Garten
angelegt und mit vielen prachtvollen Denkmälern geschmückt,
von denen die chinesische Regierung selbst einige errichten
lassen, aus Erkenntlichkeit für besondere Verdienste der Ent-
schlafenen, was auch die chinesischen Inschriften der Grabsteine bezeugen. Der Kirchhof wird in vollkommnem Stand
erhalten durch die Einkünfte aus einem kleinen anliegenden
Küchengarten und aus Weinpflanzungen von portugiesischen
Missionaren. Es verdient Bemerkung, dass das erste Denkmal auf unserem russischen Missionskirchhofe von römisch-
catholischen und das letzte auf dem Kirchhofe der letzteren von
russischen Missionaren errichtet worden ist. Das *Kloster der
portugiesischen* Glaubensboten (gegründet im Jahre 1600) war
durch seine Pracht ausgezeichnet. Jetzt ist die Kirche desselben ganz verödet; die französische aber existirt gar nicht
mehr und an ihrer Stelle steht ein Privathaus.

Unsere beiden Klosterhöfe bestehen, wie viele Wohnungen wolhabender Leute zu Peking, aus mehreren Häuschen,
die in Höfen und Durchgängen (alles mit Grün und Blumen
überladen) gleichsam sich verirrt haben. Die Gebäude sind
mehr in chinesischem als in europäischem Geschmacke; nur
ihre Glasfenstern und Mobilien erinnern an Europa.

---

[*]) Von diesem wackern jungen Gelehrten enthalten die „Arbeiten von
Mitgliedern der geistlichen Mission zu Peking" eine Abhandlung „über
die Abkunft des Stammherren des jetzt regierenden Hauses Ts'ing
und des Nationalnamens Mandschu." (Thl. I, S. 189 ff.).

(Wird fortgesetzt.)

Geognostische Reisen durch den östlichen Theil der Kirgisensteppe, in den Jahren 1849 und 1851.

Nach dem Russischen

des

Herrn W l a n g a l.

Der Verfasser bereiste den östlichen Theil der sogenannten Kirgisen-Steppe im Auftrage der Russischen Bergwerksbehörde, zweimal: in den Jahren 1849 und 1851 — verweilte aber jedesmal nur während einiger Sommermonate in der zu untersuchenden Gegend. Er betrachtet deshalb seinen Bericht über dieselbe, welcher in dem Russischen Bergwerks-Journale (Gorny Jurnal 1853. No. 4, 5, 6 und 7) etwa 16 Druckbogen einnimmt, nur als Andeutung des später zu Leistenden.

Die Nord-Oestlichen Distrikte der Kirgisen-Steppe.

Die weiten Landstriche die unter dem Namen der Kirgisen-Steppe aufgeführt werden, sind reich an Gebirgszügen, in denen viele werthvolle Fossilien vorkommen. In Russland besitzt man über diese letzteren nur die dürftigen Notizen, welche bei Karawanen-Reisen oder bei militairischen Executionen gegen die Kirgisen, gesammelt wurden. Die ursprünglichen Bewohner jenes Landes haben aber dessen Reichthümer sehr wohl gekannt und benutzt, denn man findet von

ihnen viele Schürfe und Halden in der Nähe der Erzanbrüche.
Auch werden noch von den jetzigen nomadischen Bewohnern
viele Bleiglanz-Vorkommen benutzt und Kugeln aus dem gewonnenen Blei gegossen.

Schon vor mehr als einem Jahrhundert verbreitete sich
in Russland das Gerücht von ungewöhnlich reichen Goldrei-
fen, welche die Chinesen an dem Süd-Abhange des Tarbagatai nahe bei der Stadt Tschugutschak und mithin in einem
der östlichsten Distrikte der Kirgisen-Steppe betreiben sollten *). 1751 wurde ein Bergmeister, Heidenreich, nach
Tschugutschak geschickt, um diesen Gerüchten nachzuforschen — die Resultate seiner Reisen sind aber unbekannt geblieben. Der Kolywaner Bergmann, Snjegirew, der 1790
zu demselben Zwecke die Kirgisen-Steppe und den Tarbagatai bereiste, sah dagegen in der That die Chinesischen
(Seifen?)werke an dem Flusse Kara Ungur etwa 30 Werst von
Tschugutschak, sowie auch 5 Werst von diesen Werken Stein-
kohlengruben, aus denen der Bedarf der genannten Stadt gewonnen wird. 1793 besuchte der Botaniker Siewers den
Tarbagatai — lernte aber über dessen geognostische Beschaffenheit nichts neues und so wurden auch durch Meier und
Ledebur (die 1826 im Altai reisten), nicht mehr als die Gerüchte von dem Goldvorkommen in vielen Flüssen am Süd-
Abhange jenes Gebirges der Kirgisischen Steppe, wiederholt.

Schon beträchtlich früher hatte aber der Sibirische Kaufmann Stepan Popow während seiner Handelsgeschäfte mit
den Kirgisen, von den alten Bleigruben ihres Landes gehört,
und nachdem er sie durch mancherlei Freundschaftsbezeugun-
gen und Geschenke veranlaßt hatte ihm die betreffenden Oertlichkeiten zu zeigen, fing er gegen Ende des Jahres 1820 an

---

*) Vergl. meine „Geognostische Skizze von Nord-Asien" zu diesem Ar-
chive Bd. 2., auf welcher die oben erwähnte Goldseife angegeben
ist — so wie auch, in diesem Archive. Bd. 3. S. 146 u. f., die bisherigen Nachrichten über den Tarbagatai und dessen Umgebungen.

Erman.

in dem Bajan Auler Distrikt zu schürfen. Er fand bald darauf auch Steinkohlen in derselben Gegend und errichtete dann auf der Gränze jenes Distriktes mit dem von Karkarali an dem Flusse Tjundju in dem Bezirke Ku, die jetzt sogenannte Blagodato-Stepánower Bleihütte. In der Umgebung derselben sind fast alljährlich neue Bleianbrüche oder ein neues Kohlenlager aufgeschlossen worden [*]).

Derselbe Unternehmer machte auch endlich Ernst mit dem Goldsuchen in der Kirgisen-Steppe, und zwar zuerst um 1830 am Irtysch oberhalb Semipalatinsk nahe an der Mündung des Baches Tschar Gurban und demnächst, als er an dieser Stelle einige Anzeigen von Gold gefunden hatte, in möglichst vielen Bächen und Schluchten der nordöstlichen Kirgisen-Steppe. Aus Furcht vor Concurrenten machte Herr Popow sofort die zur Besitznahme nöthige Anzeige von jeder Spur von Gold die er gefunden hatte, und wurde auf diese Weise der ausschliefsliche Eigenthümer fast aller Goldseifen in der Nordhälfte des jetzt sogenannten Kokbektinsker Kreises. Sein Gewinn soll dennoch so gering und so zweifelhaft gewesen sein, dafs er seit 1843 alle seine Arbeiten in der Steppe aufgegeben hat. Der Verfasser erklärt diesen seltsamen Ausgang theils durch den geringen Gehalt der dortigen Seifen, theils durch die Ungeschicklichkeit der Arbeiter, deren sich Herr P. bedient habe. Es wurden übrigens in jener Gegend von 1834 bis 1843 zusammen 12,734 Pud Gold aus 11258890 Pud[**]) Sand erwaschen, welches einem mittleren Gehalte von 1:884160 entspricht. Andere Goldsucher verbreiteten sich aber seitdem immer wei-

---

[*]) Aber noch keineswegs ordentlich benutzt, wie unter andern aus der Beschreibung dieser Versuche in diesem Archive Bd. 2. S. 395 hervorgeht.   Erman.

[**]) In dem Russischen Aufsatz steht zwar 1125889 Pud — nach der darauf folgenden Angabe des mittleren Gehaltes zu „39 Doli" auf 100 Pud, sieht man aber dafs entweder die Menge des verwaschenen Sandes nahe so wie wir sie oben angegeben gewesen sein, oder was wohl nicht zu glauben ist — das in 9 Jahren ausgebrachte Gold nur 1,27 Pud betragen haben muss.   D. Uebers.

ter in der Kirgisen-Steppe, bis daſs sie zu den Flüssen Bugas
und Ajagus kamen, welche ihnen von der Russ. Regierung als
Gränzen bezeichnet waren. In dieser Gegend hörten sie wieder von dem angeblichen Reichthum der am Tarbagatai entspringenden Gewässer. Sie untersuchten die von dem Nord-
Abhange dieses Gebirges kommenden, sollen aber nur an einigen derselben schwache Anzeigen erhalten haben, weil,
wie der Verf. sagt, die Arbeiter in jenen Gegenden äuſserst
schwer mit Lebensmitteln zu versorgen sind, höchst unzuver-
lässig waren u. s. w. — Nachdem noch des Botaniker Herrn
Karelin's Briefe an den Finanzminister *) zur Ausbeutung
des Russischen Antheils des Tarbagatai aufgefordert hatten,
beschloſs man einen Bergwerksbeamten mit einer Expedition
in diese Gegend zu beauftragen. Wegen Misshelligkeiten mit
den an Russland gränzenden Kirgisenstämmen musste aber
dieselbe noch aufgeschoben werden, bis endlich im Jahr 1849
das Unternehmen über welches Herr Wlangel berichtet, zu
Stande kam.

Die aus einem Bergwerks-Ingenieur, einem Eleven, einem
Zeichner, 10 Arbeitern und 2 Goldwäschern bestehende Expedition sollte bis an die genannte Flüsse Bugas und Ajagus
vordringen — aber auf Vorschlag des General-Gouverneurs
von Ost-Sibirien, sich mit der geognostischen Untersuchung
des Tarbagatai noch nicht befassen. — Die Reisenden traten
am 23. August **) 1849 in die Steppe, indem sie den Irtysch
nahe an der Mündung des Narym überschritten hatten, welcher die Gränze gegen China bildet. Sie überschritten das
Nordost-Ende des Bergzuges Kalba und gingen dann an dessen Südost-Abhange entlang, in wechselnder Entfernung von
seinem Kamme. Auf diesem Wege erreichte man den Kok-
bektinskji Prikas (die Kokbektinsker Canzelei), besichtigte die
von derselben nach Ustkamenogorsk führende Postenstraſse und

---

*) In d. Archive Bd. XII. S. 384.
**) Die Data sind aus der Russischen in die Europäische oder sogen.
neue Zeitrechnung umgesetzt.   D. Uebers.

kehrte am linken Ufer des Irtysch stromaufwärts zu dem
Punkte an dem man in die Steppe getreten war, zurück. —
Auf diese Weise wurde auch der Nordwest-Abhang des Bergzuges Kalba besichtigt. Bei der äufserst flüchtigen Untersuchung hatte man nirgendwo Erzanbrüche gefunden. Der südlichste und westlichste Theil des Kokbektinsker Bezirkes
wurden darauf im nächsten Sommer noch einmal bereist, in
diesen Gegenden auch Anzeigen von Erzen bemerkt, dieselben
aber nicht näher untersucht, weil sich darin keine Spuren von
Blei oder von Silber fanden*). Nach Goldseifen konnte man
auch nicht suchen, denn alle Baches-Schluchten in jener Gegend waren von Privatleuten (mit Pfählen) bezeichnet und den
Ortsbehörden zur Eintragung angemeldet worden.

Zu leichterem Verständnifs des Berichtes über seine Reise,
beginnt der Verfasser mit einigen allgemeineren Notizen über
den Kokbekinsker Bezirk oder den nordöstlichen Theil der
Kirgisen-Steppe.

Man betrachtet den Irtysch, dessen linkes Ufer dort sehr
gebirgig ist, als Gränze des genannten Bezirkes mit dem
Tomsker Gouvernement. Bei seinem Austritt aus dem Nor-
Saisan oder Saisan-See innerhalb der Chinesischen Besitzungen, läuft dieser Fluss nahe nach Norden. Bei der Mündung
des Narym (d. h. nahe bei 49° 14′ 55″ Br.)*) wendet er sich
plötzlich nach N.W. und behält diese Richtung auf eine weite
Strecke.

Die Zuflüsse des Irtysch haben vorzüglich zweierlei Richtungen nach SO. (!) oder nach N. Von den ersteren sind nur
zwei bemerkenswerth, nämlich der Bukon der sich südlich (von

---

*) Diese Stelle ist wörtlich übersetzt aber nichtssagend, denn die Frage
was es denn nun für Erze waren, die keine Spuren von Blei und
keine von Silber enthielten, hätte der Verfasser doch voraussehn und
beantworten müssen.   D. Uebers.

**) So steht in dem Russischen Aufsatz. Wenn aber die bis auf Sekun-
den angegebene Breitenbestimmung nicht genau bei, sondern nur
nahe an der Mündung des Narym gemacht ist, so müsste doch
gesagt werden wo sonst?   D. Uebers.

der Narym-Mündung?) und der Kainda der sich nördlich von
derselben in den Irtysch ergiefst *).

Zwischen diesen beiden Flussen liegen die zwei bemerkens-
werthen Bäche: Laila und Kuludjin, welche mit den genannten fast parallel laufen, sich dann nahe beim Irtysch vereinigen und in den See Bałyk-Kul ergiefsen, der durch eine
Reihe von anderen kleinen Seen mit dem Bukon zusammenhängt. —

Unter den anderen (d. h. den nach N. fliefsenden?) sind
bemerkenswerth: der Siba, den die Russen Oblaketka nennen
welcher sich bei Ustkamenogorsk in den Irtysch ergiefst und
östlich von demselben der Tainta, der auf Russisch Ognewka
heifst und welcher den Tschebylda und Targyn aufnimmt.
Ferner der Kaka oder Tschernowaja, dessen Mündung der
der Buchtarma beinah gegenüber liegt und endlich der Kara-
kol oder Woilotschewka. Die Russischen Namen stammen
von den Promyschleniks oder Jägern, welche die Berge des
linken Irtyschufers besuchen. — Ausser diesen gröfseren Zuflüssen giebt es noch eine Menge kleinerer, von denen die
nach N. gerichteten den Irtysch erreichen, während die gegen
SO. fliefsenden meistens kurz nach ihrem Austritt an dem Gebirge austrocknen.

Die Berge welche die NO.liche Hälfte des Kokbektinsker
Bezirkes einnehmen führen den Namen Kalba, der auf Mon-
golisch nichts weiter als einen Berg bedeutet. Sie bilden eine
fast bis zu dem Sebiner Posten, oder genauer bis zu den
Quellen der Oblaketka, nach W. streichende Kette. An der
genannten Stelle wird aber ihr Streichen SW.lich, durchschnei-
det die Strafse zwischen dem Karadjaler Posten und der
Kokbektinsker Canzelei und spaltet sich darauf in mehrere
Zweige.

---

*) Nach der dem Russischen Aufsatze beigegebenen leider äusserst
undeutlichen Karte, münden diese Zuflüsse wohl sämmtlich zwischen
dem Saisan und dem Eintritt des Narym, mithin innerhalb der nach
N. bis NO. gerichteten Strecke des Hauptflusses. Vergl. auch weiter unten.   D. Uebers.

Die Zuflüsse des Irtysch entspringen an den Abhängen dieser Kette, welche demnächst auch die Scheide zwischen den nach SO. und den nach N. gerichteten Wassern bildet[*]). Die Ausläufer der Vorberge dieser Hauptkette, die man sowohl nördlich als südlich von derselben findet, führen meist nach den Flüssen, denen sie zunächst liegen, besondere Namen — und ausserdem giebt es auch noch viele vereinzelte Gipfel, die unter eigenen Namen zu dem Systeme des Kalba gehören.

Zum Verständniss seines Reiseberichtes glaubt der Verf. auch noch folgende Andeutung über die jetzigen politischen Verhältnisse in der Kirgisen-Steppe beibringen zu müssen.

Die Kirgis-Kaisaken unterscheiden sich bekanntlich in drei Hauptstämme, welche die grofse, die mittlere und die kleine Orda genannt werden. Von den verschiedenen Geschlechtern in welche der grofse Stamm oder die grofse Orda getheilt wird, nomadisiren in einigen südwestlichen Theilen der (zu Russland gerechneten) Steppe südlich von 45°,5 Breite, andere auf Chinesischem und Kokanischem Gebiet. Den einzelnen Geschlechtern derselben stehen Sultane vor, welche in grader Linie von Abbas-Chan abstammen. Die zu Russland gerechneten sind aber ausserdem dem Ministerium der auswärtigen Angelegenheiten untergeben und von diesem unter den General-Gouverneur von West-Sibirien gestellt worden, welcher dann endlich mit der Regierung jener Geschlechter einen besonderen Beamten unter dem Titel: „Pristaw bolschoi ordy," d. h. Vorsteher des grofsen Kirgisenstammes, ernennt.

Der mittlere Stamm oder die srednaja orda, lebt auf den Ländereien, die südwärts von der sogenannten Sibirischen Linie am Irtysch [**]) bis an die Gränze der Chanate, zwischen

---

[*]) Auf der Russ. Karte haben die an der Südseite der genannten Bergkette entspringenden Wasser fast alle eine rein südliche Richtung!
D. Uebers.

[**]) D. h. von der Linie, die bisher als Südgränze zwischen den vollständig unterworfenen Völkerschaften und denen die man noch vollständiger zu unterwerfen wünscht, gegolten hat.   D. Uebers.

63° O. v. Par. und China reichen. Man hat diese (Russischer
Seits, schon) in verschiedene okrugi oder Bezirke getheilt, die,
unter dem Namen der äuſseren Kirgisen-Bezirke, ebenfalls
unter dem General-Gouverneur von West-Sibirien stehen und
von welchen ein jeder in 15 bis 20 Aemter (Wolosti), und
jedes Amt wiederum in verschiedene Auly getheilt wird.   Es
giebt in den einzelnen Wolosten von 10 bis 12 Auly und in
jedem Aul von 50 bis 70 Kibitki oder Jurten.   Die Abtheilung
in Bezirke (okrugi) hat man mit der ursprünglichen nach Geschlechtern einigermaſsen übereinstimmend gemacht.   Die Benennungen dieser Bezirke sind aber nach zu ihnen gehörigen
ausgezeichneten Oertlichkeiten gebildet worden.   Kein Kirgise
darf jetzt ohne besondere Erlaubniſs der Orts-Obrigkeit aus
einem Bezirke in einen andern übergehen.

     Nach Traditionen über ihre Abstammung theilten sich die
Kirgisen, als sie noch unabhängig waren, in zwei Arten,
welche die des weissen und des schwarzen Knochen hieſsen.
Zu der Art des weissen Knochen gehörten die damals sogenannten Chane (denn jetzt ist dieser Titel abgeschafft) und die
von ihnen abstammenden Sultane.   Zum schwarzen *Knochen*
dagegen alle übrigen Kirgisen mit Inbegriff der Stammes-
ältesten, deren Würde durchaus nicht erblich war.

     Jetzt wird jeder Bezirk durch eine Bezirks-Regierung ver-
waltet, welche zugleich als Polizei und als Richter fungirt.
Den Vorsitz in derselben hat der älteste Sultan, welchen die
zu dem betreffenden Bezirke gehörigen Sultane aus ihrer Mitte
wählen. Es sind diesem aber zwei von dem General-Gouverneur von West-Sibirien ernannte Russische Assessoren (Sasje-
datelja) beigegeben, und zwei andere die von den Kirgisen
aus der Zahl ihrer Biji oder angesehenen Leute gewählt, sodann aber von dem Gränz-Chef (pogranitschny natschalnik)*)
bestätigt werden müssen. Diese Regierung hat ihre Canzelei
und ihren Dolmetscher. Die Vorsteher der Aemter (wolosti)

---

*) Die Bedeutung dieses neuen Gliedes in dem Mechanismus der Russ.
   Verwaltung wird nicht erklärt.   D. Ueber.

und die Aeltesten der Aule werden von den Kirgisen gewählt und zwar die ersteren aus der Zahl der Biji oder Vornehmen, die andern aus der Gemeinde. — Die Sultanwürde hat man zwar als eine erbliche bestehen lassen, jedoch denjenigen Besitzern derselben, welche nicht in die Bezirks-Regierung gewählt sind, jede Einmischung in die Verwaltung genommen.

Der älteste Sultan wird nur auf drei Jahre gewählt, jedoch keineswegs einem sogenannten legitimen Fürsten gleich gesetzt, indem er vielmehr nur „nach dem Range eines Major" behandelt wird, erst wenn er dreimal hintereinander gewählt worden ist das Recht hat, auf die Ertheilung des erblichen Russischen Adels anzutragen u. s. w. u. s. w. Die Sasiedateli oder Assessoren werden auf zwei Jahre gewählt und mit denen in den alten Russischen Provinzen gleich geachtet — die Biji dagegen nur mit den sogenannten Golowy unter den Russischen Bauern verglichen. — Die Polizei wird von Linien-Kosaken geübt, welche in die Kirgisische Provinz commandirt und wo möglich auch in derselben angesiedelt werden. — — —

Die 11 Kapitel in welche der Verfasser seine Bemerkungen über die östliche Kirgisensteppe getheilt hat, führen folgende. Ueberschriften:

I. Abtheilung. Nordöstliche Steppe.

Kapitel 1. Fischfang in dem Saisan-See und in den zwei Irtyschen. Durchschnitt der Irtyschufer bei der Station Krasnojarsk. Verkehr mit den unter Chinesischer Herrschaft befindlichen Kirgisen (12 Seiten).

Kapitel 2. Geognostische Untersuchung der Berge auf der linken Seite des Irtysch. Kirgisische Gräber. Eintritt der Reisenden in die Kirgisen-Steppe. Baranta oder Pferdediebstahl der Kirgisen. Geognostischer Charakter der Gegend bis zum Flusse Laila (19 Seiten).

Kapitel 3. Geognostische Uebersicht der Ufer des Laila und der zwischen diesem Flusse und dem Kuludjin gelegnen Gegend. Eine Episode aus der Geschichte dieser Gegend. Begegnung mit Kulika Tschingisow, dem Sultan des Bezirkes

(Wolost) Karauldjasyk. Gebirgsarten die bis zum Flusse Kuludjin vorkommen. Einrichtungen zum Goldwaschen an diesem Flusse (18 Seiten).

Kapitel 4. Reise von dem Flusse Kuludjin bis zu dem Bache Tschan Espe. Alte Halden. Uebergang zu dem Fluss Bukon. Kirgisische Erinnerung. Erste Begegnung mit Tana, dem Sultan des Bezirkes (Wolost) Nasara (23 Seiten).

Kapitel 5. Besichtigung der Umgegend des Flusses Bukon. Kirgisische Weideplätze. Der kleine Bukon. Der Berg Kalmak-Tologoi (18 Seiten).

Kapitel 6. Die Ortschaft Kokbekta. Besichtigung des Landes zwischen Kokbekta und der Postenstrafse nach Ustkamenogorsk. Der Ursprung des Flusses Tschar–Gurban. Die Goldseife Bulkuldak (19 Seiten).

Kapitel 7. Der Bach Sentas. Goldseifen bei dessen Quellen. Reise zu dem Ursprung des Grofsen Bukon. Goldseife des Kaufmann Grjechow an dem Flusse Sarbulak. Sebiner Posten. Ruinen von Ablai-Ket. Geognostische Uebersicht des linken Irtyschufer von Ustkamenogorsk bis zur Station Tscheremschansk, 47 Werst unterhalb der Mündung des Narym (25 Seiten).

Resultate. Geognostische Uebersicht der Nordosthälfte der Kirgisen-Steppe oder der Kokbektinsker Provinz. Mineralische Reichthümer derselben (10 Seiten).

II. Abtheilung. Südöstliche Steppe.

Kapitel 1. Reise von dem (Prikas) Ajagus bis nach Kopal. Giftige Insekten an der Lepsa. Warme Mineralquellen (16 Seiten).

Kapitel 2. Kopal. Grofse Orde der Kirgis-Kaisaken. Geognostische Uebersicht der Gegend zwischen Kopal und dem Flusse Kaschkratal. Weideplätze der Kopaler Kosaken. Reise bis zum Fluss Karatal. Der Fluss Balykty. Das Thal Karatal.

Kapitel 3. Uebergang über den Fluss Karatal. Geognostische Uebersicht der Gegend bis zum Flusse Koks. Uebergang über denselben. Der Sultan Ali. Zustände der Kirgisen der Grofsen Orde. Thal. des Aganakatta. Geognostische Uebersicht der Umgebungen des Passes Uigentasch. Reise zu diesem. Ueber die Berge zwischen dem Uigentasch und dem Chinesischen Posten Burogudjir.

Von den in diesen Ueberschriften genannten Bemerkungen folgen hier diejenigen welche wichtigere Gegenstände betreffen in einer passenderen Ordnung und zwar zuerst die ziemlich dürftigen Geognostischen.

Der sogenannte Nor-Saisan oder Dgaisan, der bekanntlich 200 Werst von Ustkamengorsk zwischen 47° 6′ [*]) und 48° 30′ Br. und- 81° und 82° 50′ O. v. Par. liegt, ist gegen 100 Werst lang und 50 Werst breit. Der Irtysch wird oberhalb seines Eintritts in diesen See der Schwarze (Kirgisisch: Kara Irtysch) und unterhalb desselben schlechtweg Irtysch oder auch der Weisse Irtysch genannt. Diese Unterscheidung soll sich auf die gröfsere Durchsichtigkeit des Wassers in dem oberen Fluss-Laufe beziehen, während unterhalb des Saisan durch einigen Schlamm eine weissliche Färbung entsteht. Der Schwarze oder obere Irtysch ist übrigens weit flacher und schmaler als der Weisse. Auch hat der erstere ein steiniges Bette und in demselben, nicht weit von seinem Eintritt in den See einige Felsschwellen, die es durchschneiden. Von dem Theile dieses oberen Flussthales welcher von Russischen Kosaken besucht wird weiss man dafs, 20 Werst oberhalb des

---

[*]) So soll es wohl heissen, anstatt der Russischen Angabe 47° 60′, für die man doch wohl 48° 0′ gesetzt hätte, wenn sie beabsichtigt worden wäre. — Eine dem Russischen Aufsatze beigegebene Karte (welche leider so schlecht lithographirt ist dafs man ihre Angaben errathen muss anstatt sie abzulesen), widerspricht übrigens dem Texte sowohl vor als nach der versuchten Verbesserung desselben. Auf dieser liegt nämlich der Saisan etwa zwischen 47°,7 und 48°,3 Breite und zwischen 81°,2 und 82°,9 Ost v. Paris!!

D. Uebers.

Saisan, ein kleiner Bach, welcher der Indjurik genannt wird, in das linke Ufer mündet. Dieser soll an den Vorbergen des Tarbagatai, jedoch noch in beträchtlichem Abstande von diesem Gebirge, entspringen. Andere Zuflüsse sind auf der linken Seite des Flusses nicht bemerkt worden. Man sieht ,aber auf dieser Seite in weiter Ferne einige Berge die man Saur-Tau nennt, welche mit dem Tarbagatai zusammenhängen und ihn an Höhe übertreffen sollen. — An der rechten Seite des Flusses liegen dagegen, ebenfalls in bedeutender Entfernung, Berge mit östl. Streichen, welche Altai oder Altaische Berge heißen. Unter den Wassern welches der Schwarze Irtysch von dieser Seite aufnimmt, sind der Kuldjur, der Kaba und der Buurtschum die bedeutendsten. Sie sollen an ihren Mündungen gegen 70 Engl. Fuß breit sein und von ihrer Lage wussten die Kosaken, auf deren Aussagen diese Beschreibung beruht, nichts weiter anzugeben, als daß sie wohl 80 Werst von einander liegen möchten. Der Schwarze Irtysch sowohl als der Saisan liegen überall auf einem nicht sehr bergigen Terrain, von welchem aber (dennoch) der See den tiefsten Punkt einnimmt.

Derselbe erhält daher Zuflüsse von allen Seiten, während der Weisse Irtysch seinen einzigen Abfluss ausmacht. Dieser geht fast bis zur Mündung des Kurtschum durch eine Ebene, hat sich aber von da an einen Durchgang durch Berge gebildet. — Bis Buchtarminsk hat der Weisse Irtysch nur eine mäßige Strömung und, trotz seiner ansehnlichen Tiefe, in den vielfachen Krümmungen seines Bettes, Bänke, die ihre Lage häufig ändern. An seinem rechten Ufer sind, bei der Station Krasnojarsk, verschiedene (?) Granite entblößt, welche Glimmerschiefer gehoben und ihn stellenweise in Gneis verwandelt haben. Unterhalb der genannten Station bestehen die Ufer wieder aus Anschwemmungen die mit Schilf bewachsen sind, und an denen sich viele wilde Schweine halten.

Nach dem Eintritt des Narym fließt der Irtysch zwischen Bergen, die 1 bis 3 Werst von einander abstehen. Einige derselben stehen isolirt und dicht an dem Flusse. — Auch von

Buchtarminsk bis Kamenogorsk fliefst derselbe beständig zwischen Bergen, die sich aber unterhalb des letzteren Ortes verflachen. — Bei Krasnojarsk (49° 15′ Br. 61° 52′,2 O. v. P.) hat der Verfasser dieselben etwas näher untersucht und bemerkt dafs sie aus Granit bestehen und auffallende Formen besitzen.

Man findet dort oft eine hochgelegene Ebene, die, wie der Boden eines (verschütteten) Kraters, auf dreiviertel des Umfangs von zusammenhangenden Felsen umgeben und bisweilen auch noch mit einer Felsspitze in ihrer Mitte versehen sei.

Aehnliche Bergformen sollen auch oberhalb Buchtarminsk am Irtysch selbst und landeinwärts von demselben vorkommen, wo dann auf den umwallten Ebenen Wiesen und Moore sind, deren beträchtlicher Wassergehalt nur in den Schluchten sichtbar wird, welche ihn als Bäche abwärts gegen den Hauptfluss führen. In dergleichen Schluchten ist ein üppiger Graswuchs zwischen Gehölzen von Birken, Pappeln und anderen Bäumen.

Herr W. ging in einem solchen Thale, in welchem der (nach einem daselbst nomadisirenden Kirgisen benannte) Bach Muratkin fliefst, aufwärts, bis zu einer 2 bis 3 Werst breiten Hochebene, auf welcher alle zwischen Tscheremschansk und Krasnojarsk in den Irtysch mündenden Zuflüsse entspringen sollen. Von einen, in der Mitte dieser Ebene gelegnen, Granitfels, hatte man eine weite Aussicht über die Steppe hinweg auf das sogenannte Kalbaer Gebirge (Kalbinskji chrebet), welches von bedeutender Höhe und nur stellenweise dünn bewaldet ist. Nach N.O. lagen jenseits des Irtysch drei einander überragende Bergketten, von denen die hinterste, höchste mit Schnee bedeckt war. Sie schien hinter der Buchtarma zu liegen. Gegen O. sah man das stellenweise ebenfalls beschneite Narymer Gebirge. — Der zunächst gelegene Granit zeigte, wie der vom Kolywaner See *), eine deutliche Schich-

---

*) Vergl. in diesem Archive Bd. VII. S. 25.

tenabsonderung und das Ansehen von verfallenen Bauwerken. — Er ist bald von grobem, bald von feinem
Korn und zum Theil dem in den Tigerezker Alpen so 'ähnlich, dafs er wohl auch die in diesem vorkommenden edlen
Fossilien enthalten mag. Sein Feldspath ist indessen seltner
roth als weifs und in groben Krystallen. Auch kommt fast
überall Albit vor.

Der Quarz ist zwar nicht in Gängen ausgeschieden, aber
oft in gröfseren unförmlichen Nestern, in denen er vollkommen durchsichtig vorkommt. Auch der Glimmer ist in grösseren Parthien ausgeschieden, die nicht selten wie Krystall-
individuen begränzt sind. — Seine Farbe ist tombakbraun,
olivengrün oder silberweiss.

Die letztere Abänderung soll da vorkommen wo der Granit mit Glimmerschiefer in Berührung ist. Von diesem wurden an dem Muratkinbache Lagerartige Parthien gefunden,
deren Dicke von 1 Zoll bis zu 3 Fufs wechselte, die aber
ohne angebbares Streichen wie zerbrochen erschienen. Erst
bei der Mündung desselben Baches in den Irtysch zeigte sich
ein 700 *Sajen* mächtiges, nach S. 67°,5 W. streichendes und
nahe senkrecht fallendes Lager desselben Glimmerschiefers,
welches von Granitadern durchsetzt ist *). Der Granit enthält, sowohl in den durchsetzenden Adern als auch da wo er
den Schiefer berührt, eine grofse Menge von Schörl- und Gra-
nat-Krystallen und die letzteren finden sich auch, wie wohl
weniger häufig, in dem Glimmerschiefer. An einer Stelle der
genannten Schlucht sind die beständigen Gemengtheile des
krystallinischen Gesteines äusserst fein und der Granat zeigt
dann eben diese Beschaffenheit.

---

*) Vergl. über diese Erscheinung in diesem Archive Bd. V. S. 33 7 u. f.
Das eben angegebene Streichen entspricht einer der zwei einander
widersprechenden Angaben des Russischen Aufsatzes, nach denen
es hora 4,5. d. h. S. 67°,5 W. betragen, zugleich aber von NW. nach
SO. gerichtet sein soll!!

.D. Uebers.

Stromaufwärts von Krasnojarsk auf dem linken Ufer des Irtysch, schien der Granit ununterbrochen bis zu dem Bache Karasch. Von da an findet man aber niedrige, etwas abgerundete und mit Anschwemmungen bedeckte Hügel, in denen ein fein geschichteter Thonschiefer zu Tage geht, welcher bis zu 2,5 Fufs mächtige Quarzadern mit Eisenocher enthält. Auf dem Gipfel von einem dieser Hügel ist der Thonschiefer mit Granit in Berührung.

Die Schichten streichen nahe nördlich. In einer derselben wurden Abdrücke eines Calamiten bemerkt, nach denen es Gesteine der Kohlenformation sein dürften, welche hier durch die Berührung mit dem Granit verändert wurden. Weiterhin zeigte sich der Schiefer zuerst kalkhaltig und dann durch ein metamorphisches Gestein von seltsamem Ansehn ersetzt. Dieses zeigt nur sehr undeutliche Schichtung, ist von grauer Farbe und voll Drusenräumen die mit Glimmer gefüllt sind. Dieses Gestein besitzt wieder ein nördliches Streichen und liegt auf dem Granit, welcher den Fufs des Berges Utsch-Tjuba, d. h. des dreigipfligen, einnimmt und von da bis zu dem Flusse Malaja Kaïnda (der kleine Kaïnda) anhält. Dieser hat, wie alle Gewässer der dortigen Gegend, sehr steile Ufer. Dann kamen eine inselartig begränzte Parthie des erwähnten Gesteines, mit Glimmernestern und, auf dem Hügelzuge, welcher die kleine Kaïnda von der grofsen Kaïnda scheidet, zuerst schwarzer, dünnschiefriger Thonschiefer und in demselben ein ziemlich weitstreichender Gang von Hornsteinporphyr und dann mehrmalige Wechsel von kalkigem Schiefer mit gewöhnlichem.

Diese sind von mehreren Euritporphyr-Gängen durchsetzt und an der grofsen Kaïnda, unterhalb des Eintritts der kleinen K. in dieselbe, mit einem gegen 100 Fufs mächtigen Gang von feinkörnigem Granit. — Der Eurit-Porphyr enthält Albitkrystalle so wie auch kleine Beimengungen von Glimmer. An dem rechten Arm der grofsen Kaïnda wurden in dem Schiefer und in einem ihn begleitenden Sandstein Pflanzenabdrücke bemerkt, die aber, wie der Verfasser meint,

durch Einflüsse der Granit- und Porphyrgänge, sehr entstellt
und fast ebenso unkenntlich waren wie gewisse rundliche Absonderungen im Thonschiefer, von denen er gleichfalls einen
organischen Ursprung vermuthet.

Zwischen den Flüssen Kaïnda und Laila sind thonig-
quarzige Sandsteine vorherrschend, in denen Thonschieferbrocken von der Gröfse einer Zirbelnuss *) liegen. Sie wechsellagern mit Thonschiefer oder sind von vielen Porphyrgängen
durchsetzt. Die Berge am linken Ufer der Laila enthalten
sodann einen ganz mit Brauneisenstein erfüllten Euritporphyr.
Ausser den Porphyrgängen kommen auch zum Theil sehr
mächtige Quarzgänge vor, welche die Schichten querdurch-
setzen. Sie streichen meist nach NNO. und fallen nach OSO.
ziemlich steil.

Das Thal der Laila scheint, wie das der übrigen Bäche
dieser Gegend, nach dem Austritt aus dem Gebirge sehr breit,
indem zwei mit dem Wasser parallele Hügelreihen zu beiden
Seiten desselben liegen. Das Bette des Baches besteht aus
Geröllen, unter denen Sandstein und Schiefer, demnächst aber
Porphyr und ein etwas ochriger und bisweilen auch drusig
zerfressener Quarz vorherrschen.

Die Laila entspringt nahe an dem Kaïndaer Bergzug und
ergiefst sich in den kleinen See Balyk-kul **), der 6—7 Werst
vom Irtysch absteht ***). Die erwähnten Hügel welche ihren
Lauf begleiten, bestehen ebenfalls aus Sandstein und Schiefer,
wie man aus Anstehendem, an denen auf dem linken Ufer gelegenen, und durch verwittertes Ausgehende auf der bedeckteren
Oberfläche der zum rechten Ufer gehörigen, sieht. Auch enden
diese letztern 7 W. oberhalb des Balyk-kul mit isolirten Felsen
aus den genannten Gesteinen. Die nächst angränzende Gegend ist vollkommen eben, mit geringer Neigung gegen Süden und soll, nach der Versicherung der Führer, bis zum Tar-

---

*) Mithin zwischen Erbsen- und Bohnengröfse.

**) Die kirgisische Benennung desselben bedeutet Fisch-See.

***) Auf der Karte des Verfassers mehr als doppelt so weit.

bagatai in dieser Weise anhalten. Der Irtysch, der sich hier etwas ostwärts gewendet hat, ist an seinem rechten Ufer durch den hohen Narymer Berge begränzt, während sein linkes in einer nur durch niedrige Sandhügel unterbrochenen Ebene liegt. Auf dieser fließen auch, nach ihrem Austritt aus dem Gebirge, die Laila und der Kuludjin, die sich, noch vor ihrem gemeinsamen Eintritt in den Balyk-kul, vereinigen.

Dieser 1,5 Werst lange und 0,75 Werst breite, mit Schilf umwachsene See ist, gegen den Irtysch, mit einem Sandwall umgeben, dessen Ansehn an Dünen erinnert. Er kann aber wohl auch durch Anschwellung von Gebirgsbächen entstanden sein, welche sich durch die Thäler der Laila und des Kuludjin über diese Ebene erstrecken.

Die Laila, die Kaïnda und überhaupt alle Bäche in der NO.hälfte der Kirgisen-Steppe, waren bereits und zum Theil mit gutem Erfolge, von Privatleuten auf Gold untersucht worden. Der Verfasser ließ zu genauerer Untersuchung der Verhältnisse beim Austritt der Kaïnda und bei denen der Laila aus den Bergen, je einen Schurf ausführen. Der an der Laila war 9,3 Engl. Fuß tief und zeigte etwa je zur Hälfte der Tiefe untereinander, meist erdige Anschwemmungen und grobe Fluss-gerölle von Sandsteinen und Schiefer. Sand und feine Ge-rölle waren seltener und Quarz zeigte sich erst gegen das anstehende Liegende etwas häufiger. Dieses letztere besteht aus Thonschiefer.

An der Kaïnda konnte das anstehende Liegende der Al-luvionen, wegen starken Wasserzutrittes, durch kein Mittel er-reicht werden [*]).

Die oberen Zuflüsse der Laila liegen in äußerst engen, kaum gangbaren Schluchten. Sie entspringen meistens in dem sogenannten Kur-Karagai'ischen und Kaïnda'er Waldgebirge.

***

[*]) Sollte wohl heissen „bei gänzlichem Mangel an Mitteln nicht erreicht werden" — denn daß bei 1 bis 2 Lachter unter Tage die Unüber-windlichkeit der Wasser eine unbedingte sei — klingt doch allzu unwahrscheinlich.   D. Uebers.

Die SO.lich von diesem liegenden Berge bestehen meist aus
Thonschiefer, welcher bei der Berührung mit Granit in Glimmerschiefer übergeht, so wie auch in ein eigenthümliches metamorphisches Gestein, aus welchem Glimmer in Blasenräumen
ausgeschieden ist. Der hiesige Granit, auf dem die Waldungen stehen, die wegen des nutzbaren Bauholzes, welches sie
liefern berühmt sind, ist eine Fortsetzung des im Karasch-Ge-
birge anstehenden. Wenn man die Laila stromabwärts verfolgt, so findet man den anfangs allein herrschenden Thonschiefer allmälig verändert und, da wo der Fluss aus dem
Gebirge tritt, nur noch als untergeordnete Lager im Sandstein.
Es kommen daselbst auch ziemlich häufig Gangschnüre von
Hornstein-Porphyr und von Quarz vor. — Die letzteren sind
etwas durchscheinend, von Eisenocher gefärbt und enthalten
Bergkrystalldrusen. Man findet sie nicht selten auch im Sandstein und in dem Thonschiefer sind sie sehr verbreitet. Der
Sandstein ist überwiegend thonhaltig, jedoch auch etwas kalkig und enthält kleine Thonschiefertrümmer. — Kalk scheint
hier sehr selten vorzukommen. Er wurde nur unterhalb des
Austritts der Laila aus dem Gebirge bemerkt, wo er sehr
dünne Schichten bildet.

Von den Bergen an denen die Laila entspringt, sah man
das Narymer-Gebirge, welches jenseits des Irtysch bis Kurt-
tschum fortsetzt und demnächst einige schwach sichtbare
Gipfel, die wahrscheinlich zu den Kurtschumer Bergen gehören. Die ungeheuere Ebene welche sich südlich vom Irtysch
ausdehnt, erschien von der einen Seite durch diese Berge ab-
geschlossen, von der andern durch die noch schwächer sichtbaren Umrisse des Tarbagatai und der östlich von demselben
gelegenen Gipfel, welche von den Kirgisen die Saurkanischen
oder Saurischen Berge genannt werden. Sie streichen 20 bis
30 Werst weit parallel mit dem schwarzen Irtysch und hangen durch einen Pass oder Sattel mit dem anderen Gebirge
(dem Tarbagatai?) zusammen.

Zwischen der Laila und dem Kuludjin liegen ziemlich
hohe Berge, in denen, beim Uebergang von dem ersten Flusse

zu dem andern, zuerst Sandstein vorherrschend bemerkt wurde und darauf derselbe mit eingelagertem und mit wechsellagerndem Thonschiefer. Pflanzenreste wurden vergeblich gesucht. Der Sandstein ist hier fast immer kalkhaltig, enthält aber auch viele ·Thonschiefertrümmer und Quarz. Der Thonschiefer selbst ist sehr feinschiefrig, von schwarzer Farbe und nur selten kalkhaltig. — Beide Gesteine sind mit eisenschüssigen Gängen von Hornstein- und Euritporphyr durchsetzt, die oft bedeutende Mächtigkeit und ausgedehntes Streichen zeigen. Das Thal des Kuludjin, dessen Ursprung dem der Laila nahe liegt, ist eng und felsig begränzt. Die seinen Wänden angelagerten Schutthaufen und die mit Gesträuchen dicht verwachsenen Birken- und Espenwaldung auf denselben machen es so unwegsam, dafs man, um einen bestimmten Punkt seiner Sohle zu erreichen, auf einer der Thalwände die der Quellen äussersten seitlichen Zuflüsse umgehn und erst ganz zuletzt durch ein Querthal wieder hinuntersteigen muss.

An den Felswänden wurden wieder Sandsteine und Thonschiefer bemerkt. Die Sandsteine zeigten sich abwechselnd quarzig, thonig und kalkig. Die letztere Abänderung giebt sich durch einen Kalkbeschlag zu erkennen, mit dem sich Blöcke und Geschiebe derselben bedecken, während die meisten hiesigen Sandsteinwände mit einer durch Verwitterung und Ausspülung ihres Eisengehaltes gebildeten Rinde von Brauneisenstein überzogen und dadurch schwarz gefärbt sind und wie polirt erscheinen. — Diese Gesteine sind mit weitstreichenden Gängen von Hornstein- und Euritporphyr durchsetzt, von denen man die letzteren oft mit deutlich ausgebildeten Krystallen von Brauneisenstein *) dicht erfüllt sieht.

------

*) Soll gewiss heissen: Afterkrystallen, und wahrscheinlich den am Ural und anderweitig so häufig durch Umbildung von Eisenkiesen entstandenen, denn da die dem Brauneisenstein selbst zukommende Krystallform noch beträchtlich zweifelhaft ist, so würde es der Verf. doch wohl der Mühe werth gehalten haben sie zu beschreiben, wenn er sie wirklich gesehn hätte.   Erman.

Diese Gänge schneiden die Schichten meist unter einem
spitzen Winkel, indem sie nach SO. streichen, auch kommen
mit ihnen noch Quarzgänge vor. Der Thonschiefer ist feinschiefrig, theils schwarz, theils gelblich. Gegen SW. von dem
Kuludjin einige Werst unterhalb einer ehemaligen Goldwäsche
des Commerzien-Rath Popow — fast in der Mitte des
Flussthales — steht an einem seitlichen Zuflusse Granit an.
Er bildet hier keine Vorragungen des Terrain, sondern eine
ziemlich hoch gelegene Oberfläche am Fuße der aus Thonschiefer und Sandstein bestehenden Berge. In seiner Nähe
sind die Niederschlagsgesteine aufs äußerste umgeändert, so
daß man kaum noch ihre ursprüngliche Beschaffenheit errathen kann. Es hat ganz den Anschein, als sei es auch an
anderen Stellen der hiesigen Gegend eben dieser Granit gewesen, der die Schichten umgewandelt und auch gehoben hat.
Auch hier findet sich in den geschichteten Gesteinen viel
Brauneisenstein, welcher denn auch wohl den Goldgehalt veranlasst, der nach der beträchtlichen Ausdehnung der (verlassenen) Popow'schen Baue sowohl, in der genannten Seiten-
schlucht, als auch besonders bei deren Mündung in den Kuludjin beträchtlich ist.

Man erfuhr nur durch eine am Orte noch übrig gebliebene
Tafel, daß einer der jetzt verfallenen und verschlämmten
Schurfe, im Jahre 1839 gemacht wurde. Die Halden bei den
Waschstellen bestanden aus Geröllen von Thonschiefer, Sandstein und einigem eisenschüssigen Quarz und es zeigte sich
auch daß der hiesige Goldschutt wenig thonhaltig und daher
leicht zu verwaschen gewesen war.

20 Werst unterhalb dieser alten Baue, bei der Mündung
einer steilfallenden Bachesschlucht, wurde von den Reisenden
ein Schurf gemacht, der sich aber, wegen starken Wasseran-
dranges, nur 14 Engl. Fuß tief fortsetzen ließ. In demselben
reichte bis zu 7,6 Engl. Fuß eine Dammerde, in der gegen
unten immer mehr Gerölle und große Steintrümmer vorkommen. Dann folgten 1,16 E. F. tief grobe Trummer mit Sand
ohne Anzeigen von Gold und endlich, auf etwa 5,0 E. F. ein

Sand mit feinen Geröllen und mit Goldgehalt. — Das Gold
zeigte sich anfangs in sehr feinen, auf dem Wasser schwim-
menden, Blättchen; wurde aber bei zunehmender Tiefe, zugleich mit dem begleitenden Eisen-Schliche, beträchtlich grö-
ber. Der Schutt zeigte genau dieselben Gemengtheile wie
bei den Popow'schen Wäschen — doch schienen gegen unten die Quarzgeschiebe etwas häufiger, und in einigen derselben wurde Eisenkies bemerkt. — Der Goldgehalt schien der
ganzen Querschlucht, an deren Mündung er nachgewiesen
wurde, zuzukommen, und daher eine ordentliche Untersuchung
derselben sehr rathsam.

Von dem Kuludjïn ging man zu dem (südlich vom Balyk-
kul, bei etwa 48°,6 Breite, nach der Russischen Karte, in den
Irtysch mündenden) Fluss Bukon und besichtigte auf dem
Wege die Umgebung des Baches Tschan-Espe, an dem, nach
der Aussage der Kirgisen, ein altes Bergwerk bestanden hatte.
Auf dieser Strecke wurde der Sandstein und Thonschiefer
ganz so wie früher bemerkt: aber keine plutonischen Gesteine,
obgleich man an den starken Veränderungen des Geschichteten, auf deren Nähe schliefsen zu können glaubte. Fast an
jedem Bache fand man Reste neuerer Goldwäschen. An dem
Tschan-Espe und dem ihm benachbarten Bache Talda, die
man stromabwärts verfolgte, zeigten sich theils äufserst eisenreiche und dabei kieselige Sandsteine, theils breccienartige
Kalkhaltige.

Einer der Kirgisischen Führer brachte die Reisenden zu
einem nahe gelegenen Hügel, an dessen SW.-Abhang ein alter Bau von 90 Sajen (360 Engl. Fufs) Länge und 20 Sajen
Breite zu sehen ist. Aus dem umgebenden Abraum schloss
man, dafs derselbe auch eine beträchtliche Tiefe gehabt habe.
Die Kirgisen nennen ihm den grünen Stein oder Felsen, wegen des Kupfergrünen, mit welchem die dortigen Schiefer und
Sandsteine durchdrungen sind. Man hat daselbst, wie in anderen sogenannten Fremden- oder Tschudenbauten, steinerne
Bergbaugeräthe gefunden, die über das hohe Alter des dortigen Betriebes keinen Zweifel lassen — auch sind von den

Russen in den letzten Jahrzehnten mehrere vergebliche Versuche zur Aufklärung des betreffenden Vorkommens gemacht worden. Der Verfasser überzeugte sich durch einige Schürfe, das dasselbe aus Wechseln von Sandstein und Thonschiefer besteht, die nach S. 4° W. streichen und fast senkrecht fallen. An der Westseite jenes Hügels ist der Sandstein in eine fast homogene, sehr quarzige und eisenreiche Masse verwandelt, der Thonschiefer völlig derb, von muschligem Bruch und dem Halbopal ähnlich geworden. Dann folgten einige Bänke gewöhnlichen Thonschiefers und auf diese eine mit Kupfergrün und Eisenocher durchsetzte Schicht eines in Kieselschiefer übergehenden Thonschiefers. Der sie berührende Sandstein ist ebenfalls mit Kupfergrün durchsetzt. Gegen Norden von der Tagesgrube ist der zunächst anliegende Thonschiefer wiederum kalkhaltig und erzfrei — dann folgt wieder ein dem Hornstein ganz ähnlicher Kieselschiefer welcher den Eisenschüssigen Sandstein berührt. Die Halden der Gruben enthalten ausser diesen Gebirgsarten auch zerfressenen Quarz mit Eisenocher, Eisenknollen (??), Quarze mit Eisenglanz, sehr stark mit Kupfergrün durchdrungene Stücke der Bergart und Granit.

Der letztere bedeckt den Fuß der Halden und man sieht also, daß er durch den Tagebau oder vielleicht sogar durch alte Schachte erreicht worden ist. Die Arbeiter der Expedition begnügten sich mit dem Versuche der Aufräumung eines Schurfs, welcher schon früher von einem Russen innerhalb des alten Tagebaues gemacht worden war. Aber selbst dieses gelang ihnen nicht, so daß sie das Anstehende erreicht hätten — denn der Wald aus dem man die nöthige Zimmerung hätte nehmen können, schien ihnen zu entfernt. Herr W. beschränkt sich daher auf die negative Angabe, daß er von einem Gange der etwa hier abgebaut worden wäre, keine Spuren gesehen habe und auf die Vermuthungen daß der Granit in geringer Tiefe unter den Niederschlagsgesteinen anstehe und daß einst bei der Eruption desselben, die zunächst überliegenden Gesteine mit Kiesel- und Metallhaltigen Dämpfen

·durchdrungen worden seien. Er erwähnt demnächst, dafs die von den Umgebungen der alten Grube mitgenommenen Thonschiefer zum Theil 0,38 bis 0,50 ihres Gewichtes Kupfer, die zerrissenen ocherigen Quarze aber, nach der Untersuchung in den Altai'schen Laboratorien, weder Blei noch Silber enthalten hätten. Da indessen diese Stücke sämmtlich zu dem als taub verworfenen Abraum der alten Gruben gehörten, so bleibt die Bestimmung der letzteren und ihr etwa noch jetzt vorhandener Werth völlig unentschieden.

An dem Bache Tschan-Espe, an dem die Reisenden wieder stromabwärts gingen, zeigten sich dieselben Gesteine wie am Kuludjin. Zwischen diesem letzteren Flusse und dem Búkon bildet aber ein Granitstock die Wasserscheide. Die Kirgisen nennen denselben und überhaupt jeden aus Granit bestehenden Gebirgstheil: Koi-tas, d. h. einen Schafsfels, weil die Oberfläche der dortigen Granite (in Folge ihrer Theilung in rundliche Blöcke), einer Heerde weidender Schafe in der That sehr ähnlich sein soll. Von der genannten Wasserscheide zwischen dem Bukon und Kuludjin zeigt sich das bis zum Tarbagatai reichende Terrain, als eine nur wenig wellige Oberfläche, die aber zu ihrer Rechten von dem Bergzuge Urten-Tau eingefafst ist.

Zwischen diesem und dem Tarbagatai sieht man einen Thaleinschnitt, der den Fluss Bugas enthalten soll, auch zeigt sich *) der vereinzelte Berg Kalmyk Tologoi, dessen Gestalt wie sein Name andeutet, an einen nach kalmykischer Weise epilirten Kopf erinnert. Zur Linken, nordostwärts vom Tarbagatai, erblickt man eine bis zum Horizont reichende Ebene. Sie soll, nach der Versicherung der Führer die am Saisan gewesen waren, bis zum Schwarzen Irtysch und noch jenseits desselben ganz ununterbrochen sein.

In der Ebene zwischen dem Bukon und dem eben genannten

---

*) Im Russischen folgen hier die uns unverständlichen Worte: „völlig unter rechtem Winkel."

Granitberge bemerkt man das Ausgehende von Sandstein. und feinschiefrigem Schieferthon, deren Ablösungen schwarz und kohlenhaltig schienen. — Sie enthalten kleine Gyps-Trumme und Pflanzenabdrücke, deren Beschaffenheit aber für „völlig unbestimmbar" erklärt wird.

Etwas oberhalb dieser Stelle geht ein Kalktuff zu Tage. Die umgebenden Hügel welche als Vorberge des Koi-Tas zu betrachten sind, enthalten aber viele Gänge von Diorit- und Hornsteinporphyr. Die des ersteren haben ein sehr ausgedehntes Streichen, denn man findet sie wieder in Bergen die um einige Werst gegen NO. von den hiesigen abstehen. — Die Gänge von Hornsteinporphyr durchschneiden die von Dioritporphyr spitzwinklich, indem sie fast rein nördlich streichen. Sowohl in der Nähe dieser Gänge als auch höher aufwärts am Bukon findet sich derselbe Granit, wie am Koi-Tas. Er ist von Hornsteinporphyr-Gängen durchsetzt die den eben genannten parallel und durchaus ähnlich sind. Weiter ostwärts gegen den Irtysch findet man anstatt des anstehenden Granites nur Gerölle desselben, bis dafs noch näher an dem Hauptstrom ein stellenweis bewaldeter Sandboden anfängt. . . . .

Ein nahe am Bukon (in der oberen Hälfte seines Laufes) gelegener Berg, den die Kirgisen Aral-Tjube, d. h. den isolirten oder Insel-Berg nennen, enthält einige im kalkigen Thonschiefer stehende Gänge von Augitporphyr und aus eben diesen Gesteinen besteht auch die in derselben Gegend gelegne Mai-Tjube, d. h. die Butter- oder Oel-Kuppe (Russisch: masljanaja sopka).

Beim Herabsteigen von diesem Berge, längs des in den Bukon fliefsenden Baches Konrau, bemerkte man fast senkrecht aufgerichtete Schichten von Thonschiefer und Conglomeraten. Sie streichen nahe östlich und sind stellenweise bis zur Beschaffenheit eines wahren Erzes mit Eisen(oxydhydrat[?]) durchdrungen. Zwischen diesen Schichten liegen dünne Lager von kalkigem Thonschiefer, auch sind dieselben, nahe bei der Mündung des genannten Baches in den Bukon, wieder von einem Dioritporphyrgange durchsetzt. Bei dieser Mündung erreichte man mit einem Schurfe in 1 Sajen (7 Engl. F.) Tiefe den Schutt oder das zertrümmerte Ausgehende des Gesteines (R. plotik). Es zeigte sich über demselben wenig Dammerde und unter dieser bis zum Anfange des Schuttes, grobe, fast ganz sandfreie Gerölle. — In dem Schutte wurden, 1,2 Engl. Fufs unter seiner Oberfläche, äufserst feine Goldblättchen in nicht beträchtlicher Menge bemerkt, weiter im Liegenden aber, wo die Trümmer durch etwas fetten Thon verbunden waren, ein erheblicher Goldgehalt. Die Schutt- oder Trümmerschicht bestand aus kalkigem Thonschiefer.

Anderthalb Werst oberhalb seines Austrittes aus dem felsigen Gebirgsthale, vereinigen sich in dem Bette des grofsen Bukon, zwei Arme welche beide an den, unter dem Namen Djeldibai bekannten, Vorbergen des Kalba-Gebirges entspringen. Diese Wasser fliefsen zwei bis drei Werst weit in einem hügligen Lande, und darauf 20 Werst weit durch ein Felsengebirge, durch das sie sich einen Weg gebahnt haben, und in dem sie auch noch unterhalb ihrer Vereinigung eine Strecke von einigen Wersten durchlaufen. — Die Ufer des Bukon und die der ihn bildenden Wasser, bestehen stellenweise aus äufserst schroffen, fast senkrechten Felswänden, und der Charakter dieses Flusses ist dem des Kuludjin ganz ähnlich. — Beide erhalten in der That eine gleiche Menge von Zuflüssen an jedem ihrer Ufer, und an beiden sieht man in gleicher Weise dieselben Wechsel von Thonschiefer und Sandsteinen, deren Oberfläche mit einer polirt scheinenden Rinde von Brauneisenstein bedeckt ist. — Namentlich ist der kieslige Schiefer oft so eisenschüssig, dafs er zu einem wahren und äufserst festen Eisenschiefer wird. Nach diesen Umständen sind die in dem Bukongebiete vorkommenden Schuttmassen mit grofser Wahrscheinlichkeit für eben so goldhaltig, wie die am Kuludjin zu halten, auch haben die Privat-Goldwäscher diese Vermuthung bestätigt gefunden und das genannte Thal des Bukon unter den von ihnen in Angriff genommenen, aufgeführt.

Dieselben geognostischen Erscheinungen wiederholten sich

während des Ueberganges von dem Grofsen zu dem Kleinen
Bukon, bis dafs, in der Nähe des letztern, zuerst der Kalk-
gehalt des Thonschiefers anhaltender und dann Schichten eines
von Eisenocher gelblichroth gefärbten Kalkes bemerkt wurden.
Auch diese schienen durch Porphyre gehoben und mehr oder
weniger verändert. Die Thonschiefer zeigten Hölungen von
herausgefallenen Muscheln, deren Bestimmung absolut unmöglich war, so wie auch Abdrücke von Calamites und „von anderen Pflanzen." Ausserdem finden sich in dem metamorphischen Schiefer auch Reste von Crinoïdeen. An dem Kleinen
Bukon selbst, sind diese Schichten von Grünstein- und Euritporphyr-Gängen durchsetzt, auch findet sich theils eingelagert
im Thonschiefer, theils als ein Ueberzug(?) des Sandsteines,
ziemlich viel Quarz.

  An dem Kleinen Bukon gingen die Reisenden etwas stromaufwärts und demnächst zu dem parallel mit demselben flies-
senden Bach Tschigilek. Auf dem ersteren Wege fand sich
ein schwarzer Kalk mit Muschelabdrücken. Er ist fast krystallinisch körnig und enthält viele Kalkspathschnüre.

  Die in ihm vorkommenden Muscheln schienen wieder
„sehr schwer zu bestimmen, aber einige von ihnen erinnerten
an das Genus lingula" (!). — Zwischen dem Kleinen Bukon
und dem Flusse Tschigilek liegt ein Berg, der Ku-Tscheku,
d. h. die trockne Kuppe, genannt wird und welcher aus wechsellagerndem Thonschiefer, Kalk und kalkigem Sandstein besteht. Sie sind von einem Eurytporphyr-Gange durchsetzt,
der auf dem Kamme des Berges eine um mehr als 70 Fufs
vorragende Wand bildet. Dieser Gang, und andere ihm ähnliche, streichen nahe SW.lich. — Man findet hier auch den
ockerhaltigen Quarz ziemlich häufig. Der Kleine Bukon ist
(daher) wahrscheinlich ebenfalls goldhaltig, auch haben einige
von Privatleute angelegte Schurfe, einen den entsprechenden
Gehalt des Schuttes angezeigt. An den Wänden des theils
breiten, theils aber auch sehr engen und schroffen Thales dieses Flusses, zeigen sich zwischen den übrigen Gesteinen auch
dünne Schichten eines bald kalkigen, bald thonigen Conglo-

merates, so wie auch neben dem Euritischen Porphyr, ein Augitischer. Am Tschigilek herrschen fast dieselben Niederschlagsgesteine, jedoch noch häufiger von Augitporphyr durchsetzt und mit so vielen Quarzgängen, dafs fast alle dortigen Abhänge mit weissen Bruchstücken derselben bedeckt sind. Ebenso wurden auch in der NO.lich von dem Kalmak-Tologoi *) bis zu dem Tologoi-Bache gelegenen Fläche dieselben metallische Formation bemerkt, und auf den spitzen Hügeln, welche sich auf einer dieser Flächen befinden, eine Menge von weissem Quarze. Die Gänge, zu denen dieser gehört hat, dürften wohl die Niederschlagsgesteine ohne regelmäfsiges Streichen, nach allen Richtungen durchsetzen.

Der Kalmyk-Tologoi ist eine ganz isolirte Kuppe, welche alle umgebenden überragt. Sie ist wie ein kolossaler Heuschober gestaltet und aus grofsen Entfernungen sichtbar. — Ueber seine Mitte erheben sich fast senkrechte Felswände, so dafs er nur von der NW.-Seite ersteigbar ist, mittelst eines schwach hervorragenden Kammes der ihn mit nächstliegenden Bergen verbindet. Dieser Berg besteht aus Augitporphyr, der stellenweise mit einer braunen (Verwitterungs-)Rinde bedeckt ist. Auf glatten Oberflächen des Gesteines haben frühere Bewohner dieser Gegend viele Bilder von Hirschen, (sogenannten) wilden Ziegen, Pferden u. s. w. eingehauen. Von der Spitze des Kalmyk-Tologoi sieht man nach Osten eine bis jenseits des Saisan reichende Ebene, die gegen diesen See sanft geneigt scheint. Eine gleiche Ebene ist im SW. von Bergen begränzt, die unter dem Namen Urten-Tau bekannt sind und hinter welchen sich wahrscheinlich der Tarbagatai erhebt — im NO. aber von einem anderen Ausläufer des Koi-Tas, welcher Kolba genannt wird. Auf dieser Ebene giebt es vielen anstehenden Quarz, z. B. in dem Ak-Tas, d. h. weissen Felsen, der einem weissen Zelte ähnlich sieht. Er ist etwa 6 Werst

---

*) In dem Texte des Russischen Aufsatzes ist meistens Kalmak-Tologoi gedruckt, auf der zugehörigen Karte aber das anderweitig bekannte Kalmyk-Tologoi.   D. Uebers.

vom Tologoi entfernt. — Etwas hinter demselben zeigt sich
zwischen andern Bergen, eine röthliche Kuppe, die auch den
kirgisischen Namen Kysym-Tscheku, d. h. die rothe Kuppe
führt. —

Die Reisenden gingen von dem Kalmyk-Tologoi nach
Kokbektinsk an dem Flusse Kokbekta. An den Ufern des letzteren erheben sich die einzelnen Berge von beträchtlicher
Höhe, welche Urten-Tau genannt werden. Herr Siewers
wurde wahrscheinlich durch den Namen derselben, welcher
so viel als verbrannte Berge bedeutet, veranlaßt, sie für er-
loschene Vulkane zu erklären. — Diese Behauptung ist aber
durchaus falsch, denn sie enthalten keine Spur eines vulkanischen Gesteines.

Nach Gesteinsproben, die Herr W. bei den in Kokbektinsk ansässigen Russischen Beamten vorfand, schien es ihm
wahrscheinlich, daß ein Granit in dem SW.lichen Theile der
Steppe „Edelsteine" enthalte (welcher Art wird seltsamer
Weise nicht gesagt. D. Uebers.). — Die früher beschlossene
Fortsetzung der Reise bis zum Flusse Bugas wurde in Kok-
bektnisk aufgegeben, um anstatt dessen ein angebliches Goldvorkommen bei dem (an dem Rückwege nach Ustkamenogorsk
gelegenen) Sentaker Posten zu untersuchen, so wie auch
die auf demselben Wege von privaten Goldsuchern gemachten Schurfe. Die Entfernung zwischen Kokbektinsk und Ustkamenogorsk wird zu 160 Werst angegeben. Bei der Mündung des Tschigilek besah man einen Kalksteinbruch in dem
Berge Aral Tjube. Es zeigten sich daselbst ausser dem Kalke
auch kalkhaltige Sandsteine und kalkige Thonschiefer, deren
Schichten NNW.lich streichen.

Der Sandstein enthält, wie mehrere Abänderungen des
früher erwähnten, kleine Bruchstücke von schwarzem Thonschiefer, die zu dünnen Schichten zusammengefügt sind. Die
kalkigen Thonschiefer, welche zwischen diesem Gesteine und
dem Kalke liegen, sind voll Versteinerungen, unter denen
einige „ziemlich deutlich" schienen, so z. B. Enkriniten-Stiele,
Gorgonien, Calamopora polymorpha und verschiedene Spiri-

fer- und Productus-Arten *). — Es kommen darin ausserdem an einzelnen Stellen kleine grünliche, harte Einschlüsse (das grüne Eisenoxydulsilicat? E.) von unregelmäfsigen Formen vor. Der Kalk selbst ist thonig, braun, von muschligem Bruch und in verschiedenen Richtungen mit Adern von völlig krystallinischem, schwarzem (?) und weissem Kalkspath durchsetzt, zwischen denen nicht selten Flussspathkrystalle vom ausgezeichnetstem Violet vorkommen. Dieses Gestein ist so voll Enkriniten, dafs man es Enkrinitenkalk nennen könnte, obgleich es ausserdem auch undeutliche Exemplare von Spiriferen, Gorgonien, Cyatophyllum, Calamopon polymorpha und verschiedene Productus-Arten, unter denen P. gigas und P. antiquatus bestimmt wurden, enthält. Nach den beiden letztern sind diese Schichten dem Kohlengebirge zuzurechnen.

Die oben erwähnten Thonschiefer-, Sandstein- und Kohlenschichten, die zwischen dem Tologoi und dem Kokbakla vorkommen, sind oft von Quarzgängen durchsetzt, neben denen der Kalk krystallinisch geworden oder in Hornstein verwandelt **) ist. — Er wird dabei ochrig und mit Kupfergrün durchzogen. So unter anderen an einer 6 Werst vom Tologoi gelegenen Stelle, wo in dem Thonschiefer und dem ochrigen Kalke bis zu 2,5 Zoll mächtige Schnüre eines zerfressenes Quarzes aufsetzen, der, ebenso wie der Kalk, in geringem Grade mit Kupfergrün gefärbt ist. Der Verfasser fügt hinzu, dafs in dieser Gegend wohl bauwürdige Erze vorkommen dürften, und dafs der Quarz daselbst für den Erzbringer zu halten sei, obgleich die mitgenommenen Probestücke, nach Versuchen in dem Smeinogorsker Laboratorium, weder Silber noch Blei enthielten.

---

*) Ob ausser dieser höchst ungenügenden Bestimmung nicht noch eine spätere an mitgenommenen Stücken erfolgt ist, oder doch vielleicht noch geschehen könnte, wird auch hier nicht gesagt.

Erman.

**) Sollte doch wohl heissen durch Hornstein verdrängt ist.

D. Uebers.

41 *

Die Berge zwischen dem Tologoi und dem Urten - Tau
enthalten ebenfalls die mehrgenannten Niederschlagsgesteine,
und genau, so wie am Tologoi, viele sie durchsetzende Gänge
von Augitporphyr. — Die Kuppe Kysyl-Tscheku besteht aus
Kalk und Thonschieferschichten, die — wahrscheinlich durch
gewisse Porphyre und durch den Quarz — steil aufgerichtet
sind. Von ersteren (den Porphyren) ist zwar nichts zu sehn,
aber der letztere durchsetzt den Kalk auf dem Gipfel des
Berges und verwandelt ihn in Hornstein. Der Kalk ist auch
hier nicht selten ochrig. — In der Nähe des Berges Tasybai
zeigte sich, daß der wenige Augitporphyr bisweilen eine beträchtliche Mächtigkeit erlangt hat — es wird aber über dieses Vorkommen nichts näheres angegeben.

Am Fuße des Tologoi ist der kalkige Thonschiefer, nahe
bei der sogenannten Landstraße, mit Eisenocher durchsetzt
und enthält auch ziemlich große Krystalle von Brauneisenstein *). Auch Anflüge von Schwarzem Manganerz und von
Bitterspath sind dort nichts seltenes. So geht es fort bis zum
Karadjaler Posten, wo wieder ein Enkrinitenkalk ansteht. Die
zwei Hütten, welche diese Russische Niederlassung ausmachen,
liegen am Fuße eines Berges der Karadjal, d. h. der schwarze
Kamm genannt wird, weil er sich freier vom Schnee hält
wie die umgebenden Berge, und namentlich wie einer derselben, der wegen seines Reichthums an Schnee: Ak-Tscheku,
d. h. die weisse Kuppe, genannt wird. Auch von dem Karadjal wird die immer wiederkehrende Zusammensetzung aus
den drei oft genannten Neptunischen Gebirgsarten und aus
durchsetzenden Gängen von Augitporphyr erwähnt — und
dann hinzugefügt, daß dieselben Erscheinungen längs der
Landstraße noch bis zu dem Posten Tschar-Gurban anhalten.
Der Ak-Tscheku soll aus einem, von dem bisher erwähnten
Thonschiefer etwas verschiedenen Kieselschiefer bestehen, der
auch in den Nordöstlichen Theilen des Altaischen Bergwerks-

---

*) Vergl. die Anmerkung zu S. 613.

distriktes vorkomme und daselbst bald als ein kieselig ge-
wordener Schiefer, bald als eine selbstständige Quarzbildung
erscheine.

Am Fuße desselben Berges, längs eines ebendaselbst entspringenden Zuflusses des Tschar-Gurban und an dem Berge
Baladjal, fanden sich Kieselschieferschichten, mit Thon- und.
Eisenschiefer wechselnd, so wie auch stellenweise Kalk. Das
Streichen war um den Ursprung des eben erwähnten Baches
NNO. — zeigte sich aber demnächst sehr veränderlich. An
demselben Bache und dessen seitlichen Zuflüssen wurden
einige Schurfe auf Waschgold angesetzt. — Das Schuttlager
bestand überall aus Thonschiefer und lag gegen 1,5 Sajen.
(10,5 Engl. Fuß) unter Tage. Einiges Gold fand man dicht
über demselben, in einer dünnen Thonschicht, über welcher
Alluvionen mit wenigem Sande lagen, die sich in einem der
Schurfe, gleichfalls noch etwas Goldhaltig zeigten.

Oberhalb des Berges Baladjal bestehen die Ufer des
Tschar-Gurban aus Schichten von Thonschiefer, Sandstein,
thonigem und reinerem Kalke, die man, nach Maßgabe der
Annäherung an die Granitberge Bukurgain, von immer häufi-
geren Granitgängen durchsetzt findet. — Diese sind ziemlich
mächtig und die Schiefer in ihrer Nähe stark metamorphosirt.
Die Schichten streichen dort SW., schräg den Flusslauf und
werden von den Granitgängen fast rechtwinklich durchschnitten. Der Granit des Bukurgain dürfte wohl mit dem des
Koi-Tas zusammenhangen.

Unterhalb des Austritts des Tschar-Gurban aus den Ba-
ladjaler Bergen, findet man an dessen Ufern wieder mehrere
kieselige Schiefer und die übrigen Gesteine eisenschüssiger.
Erst unterhalb der Mündung des Baches Kulúdjinka in das
linke Ufer des Tschar-Gurban, der daselbst zwischen die
Berge Ajoly und Berkuty tritt, zeigt sich reiner weißer Kalk
zusammen mit den eisenschüssigen, porphyrähnlichen(?) Schiefern. Dann folgen Schichten einer röthlichen, thonigen Gebirgsart, welche kleine Kalk-Körner enthält und endlich Kieselschiefer. — Der Kalk ist ohne Versteinerungen, derb, mit

Quarzschnüren und von Eisen-Ausscheidungen stellenweise
roth gefärbt. In der Berührung mit dem eisenschüssigen Schiefer erscheint er porphyrähnlich und mit Kalkschiefern begränzt.
Die mit Eisen rothgefärbten Quarzschnüre in demselben sind
ausserordentlich hart, so „daſs sie zum Steinschleifen gebraucht
werden können.‟

Die zur Linken der Landstraſse gelegenen Berge Berkuty,
scheinen aus demselben Kalke zu bestehn, von welchem eine
andere Abänderung in der Nähe des sogenannten Aganakatta'er Posten vorkommt. 13 Werst vor diesem Posten liegt
der Weg auf dem linken Ufer des Baches Aganakatta, dessen
Umgebungen ziemlich felsig sind. — Man sieht daselbst nahe
senkrechte Schichten von Thonschiefer, Kalk, Sandstein, Kiesel und Eisenschiefern, die bunt gefärbt sind und den Felsen
ein sehr schönes Ansehn geben. Das Streichen ist dort SO.
Der Bach Aganakatta ist schon seit lange wegen des Gold-
gehaltes seiner Umgebungen berühmt und überall durchschurft
worden.

Herr W. fand auf einem Handherde deutliche Anzeigen
von Gold in dem Schutt, den er an dem Mundloch eines alten Schurfes aufnahm und bemerkte in demselben, ausser den
genannten Gebirgsarten, auch nicht selten Bergkrystalle. —
Zwei Werst von dem Aganakatta'er Posten, bei der Mündung
des Bukuldak und stromaufwärts von demselben, wurde die
Lage einiger Privat-Goldwäschen besichtigt, die von dem Kaufmann Popow zuerst aufgenommen, seitdem aber durch Ver-
käufe nacheinander an drei oder vier verschiedene Besitzer
abgetreten worden waren. In der nächsten Umgebung derselben bemerkte man kalkigen Sandstein, und theils ebenfalls
kalkige, theils thonige oder kieslige Schiefer. Etwas weiter
von der Wäsche findet sich auch Kalk. — Das Streichen ist

---

*) Man sollte hiernach glauben, daſs von Tripel oder Schmirgel die
Rede sei, könnte aber ein Vorkommen von diesen doch nicht Quarzschnüre nennen.

D. Uebers.

daselbst fast rein N. und die Schichten sind von vielen, zum Theil Eisenschüssigen, Quarzadern durchschnitten. Es giebt von der Mündung des Bulkuldak aufwärts längs desselben eine Menge von Schurfen und nach verschiedenen Richtungen geführten Durchschnitten. Die jetzt im Betrieb befindlichen lagen 2 Werst von der genannten Mündung. Man hatte dort einen gegen 11 Fuß tiefen und ziemlich breiten Einschnitt in die angeschwemmten Schichten gemacht, in welchem man untereinander sah:

Dammerde mit Geschieben . . . . . 3,5 Engl. Fuß

Eine ganz rothe Schicht von Sand mit
vielen Quarzgeschieben, sehr vielem
Eisenocher und einem geringen Goldgehalt . . . . 1,75 - -

Eine etwas thonigere Schicht mit starkem Gehalt von ziemlich groben Gold-
körnern . . . . 2,33 - -

Gegen ihr Liegendes wird der Thon in dieser letzteren Schicht immer fetter und sehr goldreich. — Das Liegende dieser Lager ist fast eben oder besteht doch nur stellen- weise aus kammähnlichen Vorragungen des Anstehenden, die leicht abzuräumen sind und vielleicht sogar in den goldführ- renden festen und plastischen Thon ganz continuirlich über- gehen.

Die immer noch sehr lohnende eisenführende Schicht, ist, wegen ihres feinen Kornes, etwas mühsamer zu verwaschen und blieb deshalb, während Herrn Wlangal's Anwesenheit, ganz unbenutzt. Der thonige Schutt wurde auf 8 sogenann- ten Budaren *) verwaschen, an deren jeder elf Kirgisen ar- beiteten. Das hier gewonnene Gold soll sehr rein sein und namentlich nur 0,095 Legirung enthalten. — Sehr große Stücke waren bisher noch nicht vorgekommen, dagegen aber in Quarz eingewachsene von mittlerer Größe. Der Schutt enthält viele Stücke eines ausserordentlich festen eisenschüs-

---

*) Vergl. in diesem Archive Bd. IV. S. 125; Bd. IX. S. 294 u. s.   E.

sigen Quarzes (Eisenkiesel?) und bis zu vier Zoll lange Bergkrystalle. Kubische Krystalle von Brauneisenstein *) finden
sich gleichfalls nicht selten.

Der kalkige Sandstein und der Thonschiefer, welcher das
Liegende des Schuttes ausmachen, sind mit dergleichen durchsetzt. Ausserdem kommen in den Seifen am Bukuldag auch
mancherlei kupferne oder steinerne Geräthschaften der sogenannten Tschuden vor: so namentlich kupferne Knöpfe (?).
Die Breite des Goldführenden Schuttlagers beträgt hier durchschnittlich drei *Sajen*, oft aber noch mehr.

Der sogenannte *Sentas*'er Posten liegt an dem Bache
Sentas, der sich daselbst auf einer hochgelegenen und von
Bergen umgebenen Ebene aus verschiedenen Quellzuflüssen
zusammensetzt. Man hatte rings um diesen Ort, sowohl oberhalb an den kleinen Wasserläufen, als auch unterhalb der Vereinigung derselben, aufserordentlich reiche Goldanzeigen gefunden und zum Theil schon von den ersten Muthungen, sehr
reiche Ausbeuten erhalten. Herr W. sollte dieses Vorkommen näher untersuchen.

Die oberen Zuflüsse des *Sentas* sind von zweierlei Art,
indem mehrere von ihnen, einige Werst oberhalb der Niederlassung in den Gebirgen entspringen, darauf an derselben zu
beiden Seiten der Landstrafse vorbeifliefsen und sich etwas
weiter abwärts mit einem unter rechtem Winkel zu ihnen
stofsenden Hauptarm verbinden. — An diesem letzteren liegt
die sogenannte Troizker Wäsche des Herrn Sobnin, welche
besonders erwähnt werden soll. — Die meisten Goldsucher
hatten dagegen an jenen anderen Quellzuflüssen gearbeitet,
welche in engeren Thälern fliefsen und an mehreren Stellen
mit Sümpfen umgeben sind. Auf der Ebene wo die *Sentaser*
Niederlassung gelegen ist, haben zahlreiche Schürfe nur einen
geringen Goldgehalt der Alluvionen nachgewiesen — dagegen
aber sowohl oberhalb als unterhalb derselben, wo die Baches-
schluchten enger sind, einen weit beträchtlicheren.

---

*) Hier wird endlich die obige Vermuthung S. 613 Anmerkung, durch
die angegebene Krystallform bestätigt. 　　　　　　　　　E.

Die Reisenden machten einen neuen Schurf, dicht neben einer Stelle wo die daselbst ansässigen Kosaken vor Kurzem einen starken Goldgehalt bemerkt haben wollten. Man fand daselbst „angeschwemmte Erde auf 2,33 Engl. Fuſs," dann eine dünne Schicht mit Anzeigen von Gold, und unter dieser bis zu der aus Thonschiefer bestehenden Anstehenden, Thon mit Schiefertrümmern. Der ganze Schurf war gegen 3,5 E. F. tief. Ganz ähnliche Resultate ergaben sich auch an den vorgenannten Bächen.

Die Troizkaer Wäsche war 8 Jahr lang von einer Sibirischen Compagnie mit Erfolg betrieben. Kurz vor 1849 aber wegen Uneinigkeit derselben verlassen worden. Das Schuttlager ist dort von beiden mit Hügeln aus Sandstein und Thonschiefer umgeben, welche beide Kalkhaltig sind und mit vielen Quarzadern und Brauneisenstein-Krystallen durchsetzt — auch finden sich nur diese Gebirgsarten in dem Schutte. Das zu Verwaschende war aus dem Bette des Baches genommen worden. — Ueber die Breite des bauwürdigen Schuttlagers konnte man aber nicht wohl urtheilen, weil dieses Bette stellenweise bis zu 20 Sajen breit ist und ein vollständig abgebautes Profil desselben nirgends vorlag. Nach den Anzeigen der Besitzer waren daselbst in 8 Jahren, von 1835 — 1843, aus 6950000 Pud zum Waschen geförderten Schuttes

9,4390 Pud Gold

und ausserdem noch bei den
Schurfarbeiten in der Umgebung aus

410000 - Schutt . . . . 0,4144 - -
oder zusammen:

7360000 Pud Schutt   9,8534 Pud Gold

gewonnen worden, so daſs der mittlere Gehalt des Lagers $\frac{1}{746886}$ betrug.

Herr W. ging von dem Sentas zu den Quellen des Grossen Bukon, welche auf einerlei Seite gegen die Wasserscheide des Kalba-Gebirges liegen. Ein besonderer Höhenzug trennt aber die Zuflüsse des Sentas von denen der Aganakatta, zu

denen man zuerst auf diesem Wege gelangte und an welchen
gleichfalls, durch Herrn Popow, eine Menge von Goldseifen
aufgefunden und in Angriff genommen worden waren. Man
hatte aber auch diese aus unbekannten Ursachen verlassen.
Sowohl auf diesen Theil des Weges als auch weiterhin bis
zu den Quellen des Bukon kamen wieder nur Glimmerschiefer und kalkiger Thonschiefer vor, die, wie am *Sentas* mit
vielen Brauneisen-Krystallen durchsetzt waren. Bei den Quellen des Bukon zeigte sich der Kalk sehr entwickelt. Seine
theils Oestlich, theils Südöstlich streichenden Schichten, sind
beträchtlich geneigt und mit einigen Südwestlich streichenden
Gängen eines Grünsteinporphyr durchsetzt. Dieser Kalk ist
meist ganz weiſs, und nur stellenweise von Eisenocher gefärbt. — Auf einer isolirten Kuppe fand man ihn aber auch
schwarz und krystallinisch körnig — auch hört der mehr erwähnte Thonschiefer nicht auf ihn zu begleiten.

An dem Bukon gingen die Reisenden stromaufwärts auf
die Berge, welche dessen Wasser von dem Bache Oblaketka
trennen und kehrten von diesen nach der *Sentaser* Niederlassung zurück. Dieselben Gebirgsarten fanden sich auch dort
und zwar mit NO.lichem Streichen.

Die folgende Reise ging zuerst zu der Wasserscheide
zwischen dem *Sentas* und der Werdybaika. An dem ersten
Zufluss dieser letzteren, dem Bache *Sarbulak*, fand man einen
nach der Länge des Thales geführten Goldschurf, der für den
Kaufmann Grjechow bearbeitet worden war. Die ihn umgebenden Gesteine waren, wie bei den übrigen Seifen dieser
Gegend — und das Vorkommen des ochrigen Quarzes in denselben sehr häufig. 1849 wurde an einer weiter unterhalb nur
3 Werst von der Mündung des *Sarbulak* gelegenen Stelle ge-
waschen, und daselbst der Schutt recht regelmäſsig und ordentlich bis auf das Anstehende abgebaut. Das meiste Gold
lag daselbst in einer fetteren, thonigen Schicht von 1,2 bis
2,3 E. F. Mächtigkeit und man behauptete daſs in dieser Gegend alle mageren Sande arm seien. — Die ganze Seife ist
sehr eisenschüssig und enthält auch viele Quarztrümmer. Die

bedeckenden Anschwemmungen sind 7 bis 8 Fuſs mächtig, wenn man sie bis zu jener reichsten Abtheilung des Lagers rechnen will, jedoch nur gegen 4 Fuſs, bis zu den überhaupt goldhaltigen Theilen desselben. — Es wurde auch hier auf 6 Budaren gearbeitet, ausserdem aber in etwas konischen hölzernen Fässern von 1,75 Fuſs Durchmesser und 7 Fuſs Länge. Im Innern waren dieselben in Abständen von etwa 2 Zoll, der Länge nach mit eisernen Schienen beschlagen, auf denen sich nahe bei einander Knopfartige etwa 0,8 Zoll lange Hervorragungen befanden, um die Sandklumpen zu zerkleinern.

Die Fässer wurden (offenbar so, daſs der nach oben gelegene Schnitt ihrer Längenwand horizontal, und daher der untere etwas geneigt war. D. Uebers.) mittelst eines oberschlächtigen Rades gedreht, welches zugleich die Harken in Bewegung setzte, mit denen man das aufgeweichte und durch einen unterstehenden Trog gegangene, auf eisernen Rosten ebenso wie bei den Budaren, durcharbeitete.

Nach der Aussage der Besitzer soll sich der Gehalt dieser Seife nur einmal auf einer kurzen Strecke zu $\frac{1}{77100}$ ergeben haben, so wie auch selten $\frac{1}{518000}$, gewöhnlich aber nur $\frac{1}{118000}$ bis $\frac{1}{566000}$ betragen. 1849 wurden während der ersten Hälfte des Sommers aus 316650 Pud Sand 0,22736 Pud Gold erwaschen, welches in der That einem Gehalt von etwa $\frac{1}{1391000}$ entspricht. Das Gold enthält nur 6 Procent Legirung und kommt nicht selten in Stücken vor, von denen 90 bis 100, 1 Russisches Pfund wiegen — jedoch zu etwa einem Drittel in weit kleineren Stücken. Es hat im Allgemeinen das Ansehn von zerriebenen Geröllen [rastertych galek [*])] und ist bisweilen mit einer Rinde von Brauneisenstein

---

[*]) Man sieht nicht wohl ein, wie das Ansehen eines pulverförmigen Körpers zeigen kann, daſs derselbe früher zu einem Geröllähnlichen Stücke gehört habe, wenn nicht etwa die theilweise Umgebung mit einer Rinde darauf deutet. Der Russische Ausdruck: wid rastertych galek, bedeutet aber in der That, das oben Angegebene und nicht etwa: das Ansehn von abgeriebenen Geröllen (wid wytertych galek).

D. Uebers.

bedeckt. Die Breite dieser Goldseife am *Sarbulak* ist noch
nicht bekannt. — Man hat aber in derselben den Goldgehalt
der Breite nach schon auf mehr als 70 Fufs anhaltend gefunden.

Herr W. ging von dieser Stelle zuerst nach dem sogenannten *Sebaer* Posten, an der Mündung der Werdybaika in
die Oblaketka, von da nach den, 10 bis 12 Werst entfernten,
Ruinen des Buddhistischen Klosters Ablain-Kit, und endlich
über den Uruncha'jer Posten zurück nach Ustkamenogorsk.

Die Oblaketka, welche die Kirgisen die *Seba* oder *Siba*
nennen, fliefst theils auf der Gränze des Thonschiefers und
Granites, theils so nahe an derselben, dafs die eine Thalwand
derselben aus kahlen Schieferbergen, die anderen aus den
stellenweise bewaldeten Granitbergen besteht, welche das *Se-*
baer oder *Sebiner* Gebirge genannt werden. Die Thalsohle
ist gegen drei Werst breit und mit Geröllen von verschiedenen Schiefern, von Granit und von Quarzen bedeckt.

In der Berührung mit dem Granit schien der schwarze
und feinschiefrige Thonschiefer in einen Glimmerschiefer umgewandelt, in welchem ziemlich grofse Feldspath und Quarz-
krystalle vorkommen, so wie auch stellenweise schwarzer
Schörl und Granat. Der Urunchájer Posten liegt 31 Werst
von Ustkamenogorsk auf gleichen Glimmerschiefer und man
bemerkt von dort an den Ufern der Oblaketka zuerst Wechsel desselben mit Thonschiefer und dann Gneis und Granit.
Der Gneis und der Glimmerschiefer sind mit Gängen eines
weissen Quarzes durchsetzt der theils durchscheinend, theils
völlig durchsichtig ist.

Ehe sie den Irtysch erreichten, gingen die Reisenden noch
zu den Quellen des Baches Urunchaika, der bei der gleichnamigen Niederlassung in die Oblaketka mündet und somit
auf die Berge welche das linke Ufer des Irtysch und die
Nördliche Fortsetzung des Kalba-Gebirges ausmachen. Man
fand dort, ausser dem Thonschiefer, auch wieder Kalk und
dann einen mit dem *Seba*'er zusammenhangenden Granit. —
An mehreren der Bäche (Targyn, Tainta u. a.) welche von

dort theils in den Irtysch, theils in die Oblaketka fließen, war
nach Gold gesucht worden, jedoch mit geringem Erfolge. —
In Quarzgängen welche in jener Gegend (an dem Abhange
des Berges Kunkai gegen den Bach Targyn), die steilaufge-
richteten Schichten von Thonschiefer und kalkigem Sandstein
durchsetzen, wurden einzelne Bleiglanzkrystalle bemerkt.

Der Verfasser resumirt nun noch die geologischen Beobachtungen in der NO.hälfte der Kirgisen-Steppe oder dem sogenannten Kokbektinsker Bezirk dahin, daß das aus Granit
bestehende Kolba-Gebirge am linken Ufer des Irtysch mit dem
sogenannten Lärchen-Gebirge (Listwjajnji Chrebet), am rechten Ufer desselben zusammenhange, oder doch von gleichzeitiger Entstehung sei, und daß das erstere die Gestaltung und
die Beschaffenheit der Bodenoberfläche in dem Kokbektinsker
Bezirke aufs wesentlichste bedingt habe. Dieses Central-Ge-
birge des in Rede stehenden Landes, theilt die Wasser die
gegen N. und NW. in den Irtysch gehen, von denjenigen,
welche sich nach SO. oder O. wenden und demselben Haupt-
flusse, jedoch oberhalb der Mündung des Narym zufallen. —
Es besteht aus mehr oder weniger veränderten Niederschlagsgesteinen mit SO.lichem Streichen. — Am NO.-Ende dieses
Gebirges herrschen Thonschiefer vor, zu denen aber gegen S.
und SW. zuerst Sandsteine und sodann auch Kalk hinzutre-
ten. Die Bestimmung des Alters der Gesteine ist in der Nordhälfte des Kokbektinsker Bezirkes ziemlich schwierig. Der
Mangel an deutlichen Versteinerungen in den stark veränderten Gesteinen, welche den Südabhang des Kolba-Gebirges und
das linke Irtyschufer einnehmen, und das Ansehen derselben
veranlassten zuerst sie für Silurisch oder Devonisch zu halten — auch wäre diese Ansicht auch jetzt noch kaum zu
verwerfen, wenn nicht die gehörige Verbindung der Erscheinungen am rechten Irtyschufer mit den fraglichen am linken
Ufer desselben Flusses dagegen spräche. Der Sandstein von

dem Südabhange des Kolba-Gebirges ist zwar an und für sich
der Grauwacke sehr ähnlich. — Er wechsellagert aber mit
unverkennbaren Gliedern der Steinkohlengruppe. So namentlich in den Hügeln Aral-Tjube, zwei Werst von der Kokbek-
tiner Niederlassung, wo wie oben erwähnt, in dem Kalke sehr
viel Versteinerungen vorkommen. Ausser verschiedenen Arten von Enkriniten, von Spirifer, Gorgonia, Cyathophyllum,
Calamopora und Productus sind unter diesen die für das Kohlengebirge charakteristischen Species: Productus antiquatus
und Prod. Gigas erkannt worden — auch würde man, wenn
man eben diese Schichten in der Richtung zum Tarbagatai
weiter verfolgt hätte, wahre Steinkohlen in ihnen gefunden
und somit das Vorkommen der Kohlenformation aufs unleug-
barste erkannt haben. — Ferner enthält der bei dem Dorfe
Talowka, 20 Werst vom rechten Irtyschufer, anstehende Kalk,
mehrere Spirifer und Productus, unter denen Sp. mosquen-
sis, Pr. Gigas und Pr. antiquatus bestimmt sind. Zwischen
diesen beiden Punkten sind die Niederschlagsgesteine durch
die Einwirkung von Plutonischen Massen stark verändert und
ihrer organischen Einschlüsse meistens beraubt — doch enthalten einige von ihnen Pflanzen-Abdrücke, unter denen verschiedene Arten von Calamiten vorherrschen. Auch ist der
auf dieser Strecke vorkommende Sandstein, dem von Aral-
Tjube sehr ähnlich, indem beide auf gleiche Weise mit kleinen Trümmern von schwarzem Thonschiefer durchsetzt sind.
    Neben diesen sicheren Folgerungen muss man aber frei-
lich gestehen dafs, wegen des starken Metamorphismus, der
auch am rechten Irtyschufer vorkommt, bei weitem nicht alles
im Buchtarminsker Kreise Anstehende mit Entschiedenheit für
Kohlengebirge zu erklären ist. Je weiter man sich nun (von
dem letzteren) gegen S. und SW. entfernt, desto häufiger
werden die Porphyre, welche die Niederschlagsgesteine theils
Gangartig durchsetzt, theils kleine Hebungen derselben veranlafst haben. — Südlich von dem Flusse Bukon sind diese
Plutonischen Massen am stärksten entwickelt und da man
dieselben anderweitig als Metallbringer kennt, so hat man

auch in dieser letzteren Gegend am meisten auf nutzbare
Erze zu hoffen. — Die an dem Kuk-Tas vorgefundene sogenannte Fremden-Grube *), läfst schon durch die Grofsartigkeit
ihrer Halden auf ein reiches Vorkommen schliefsen. Es sind
daselbst Kupfer- und vielleicht auch Eisen-Erze gefördert
worden. Es kommen hierzu noch die in der Ebene von Tologoi, 10 Werst von Kokbektinsk bemerkten Quarze mit Kupfergrün und Eisenocher, deren Menge gegen SW. zunimmt, die
zahlreichen Anbrüche von Blei- Kupfer- und Eisen-Erzen, die
schon von den ältesten Russischen Reisenden in der Kirgisen-
Steppe bemerkt, und schon 1832 von Lewschin in seinem
Buche „über die Kirgis-Kaisakischen Orden" aufgezählt worden sind und die von Herrn Popow in den Karkaraler und
Bajan-Auler Kreisen in Angriff genommenen Vorkommen von
Silberhaltigen Blei-Erzen. Diese letzteren bestehen, nach den
Nachrichten einiger Bergbeamten, aus Bleiglanz, Weissbleierz
und Bleiocher, welche dünne Zwischenlager (?) im Quarz und
im Thonschiefer bilden. Herrn Popow's Arbeiter finden daselbst noch alljährlich neue Anbrüche, welche eben so reich
sein dürften, wie die zuerst bekannt gewordenen. Der Erz-
gehalt der Kirgisen-Steppe erscheint demnach Alles in Allem
sehr beachtungswerth.

Was die Goldseifen betrifft so war es nur ein durch un-
gebildete Beschreiber veranlasstes Vorurtheil, dafs dieselben
in der Kirgisischen Steppe ganz anders als im übrigen Sibirien und namentlich nur Nestweise vorkommen. Sie bilden
vielmehr auch dort continuirliche Begleiter der Bäche, von
denen sie theils das jetzige Bette einnehmen, theils den Thal-

---

*) In dem Russ. Aufsatz sind die Urheber dieser Gruben, welche un-
   ter dem Namen der Tschuden eine Zeitlang eine so bedeutende Rolle
   in den Köpfen der gelehrten Geographen gespielt haben, geradezu
   tschudaki genannt, welches bekanntlich so viel als sonderbare Menschen oder närrische Kauze bedeutet. Vergl. hiermit Erman Reise
   um die Erde Abthl. I. Bd. 1. S. 40 u. a.
                                                    D. Uebers.

wänden anliegen. Da diese Lager oft eine geringe Mächtigkeit besitzen, so finden sich allerdings lokale Auskeilungen derselben, die von den Arbeitern mit Nestartigen Vorkommen
verwechselt worden sind.

Die durchschnittlich kleinen Dimensionen der Kirgisischen
Seifen, werden durch die Dünnheit ihrer Alluvialen Bedeckung
und durch die Reinheit ihres Goldes compensirt — und bei
gehöriger Benutzung der Arbeitskräfte, welche die Kirgisen
„in beliebiger Menge und gegen sehr vortheilhafte Bezahlung
mit Waaren anstatt baaren Geldes darbieten, könnten die dortigen Wäschen äufserst vortheilhaft werden."

.Für den Holzmangel der in der Kirgisischen Steppe vorkommt, theils ursprünglich, theils in Folge der Zerstörung des
Nachwuchses durch die weidenden Heerden, bieten die Steinkohlen einen reichlichen Ersatz. Man kennt sie fast in allen
Theilen des Landes und sie sind an dem Süd-Abhange des
Tarbagatai, von den Einwohnern der Stadt Tschugutschak
schon im vorigen Jahrhundert zu Nutze gemacht worden, so
wie auch schon seit längerer Zeit in dem Karkarali-Bezirke
für die Bleihütten von Popow.

Auch das Vorkommen von sogenannten Edelsteinen in
der Kirgisen-Steppe, hält der Verfasser für wahrscheinlich,
weil man schon jetzt daselbst ausserordentlich schöne Bergkrystalle, Aquamarine, Dioptase, Schörle u. a. gefunden habe.

. .

II.   Die Süd-Oestliche Kirgisen-Steppe.

Die Süd-Osthälfte der Kirgisen-Steppe oder der sogenannte *Semirjetschinskji Krai*, d. h. die Gegend der Sieben-
Flüsse, war lange Zeit nur durch Karawanenberichte einiger-

muafsen bekannt. Sogar die chinesischen Geographen wussten wenig über denselben, weil er von der Mitte des Reiches weit entfernt und nur von nomadischen und kriegerischen Stämmen bewohnt war. Erst vor einem Jahrzehnt hat man über die Flora dieser Gegend einige Aufschlüsse erhalten, durch die Reisen von K a r e l i n nach.dem Alatau-Gebirge, und von S c h r e n k an das Nordwestlichen Ufer des See Balchasch•). Der Verfasser wurde im Jahre 1851 „mit geognostischer Untersuchung der östlich von dem Balchasch gelegnen Gegend" beauftragt, die angeblich ungemein erzreich sein sollte.

Er kam mit seinen Begleitern um die Mitte des Juli 1851 nach Semipalatinsk (50° 24' Br. 77° 56' O. v. Par.), reiste ziemlich schnell bis zu der Kopaler Festung, etwa 612 Werst südlich vom Irtysch und von dort mit Soldaten und zwei Kanonen gegen SW. über die Bäche Kopal, Koschkantal und Ak. Iktscha, die zu dem System des Flusses Bien gehören. Bei dem Ak-Iktscha wandte sich der Weg gegen SO. über ein Gebirge von geringer Höhe an die zu dem Systeme des Karatal gehörigen Flüsse: Balykty, Djangys-Atschatsch und Koksu, und von diesen gegen Osten, zuerst längs des Koksu, dann längs des in diesen mündenden Aganakatta und endlich stromaufwärts an den Fluss Kesken-Terek. Bei den Quellen des letzteren überschreitet man einen Pass des Alatau, welcher Uigen-Tasch genannt wird.

In den zum Ostabhange des Alatau gehörigen Umgebungen dieses Passes, verweilte die Expedition etwa 3 Wochen (von August 4 bis gegen Ende des Monats), während Herr Wlangal den oberen Lauf der Flüsse Aganakatta und Koksu besichtigte, und begann in der zweiten Woche des September den Rückweg von Kopal nach Semipalatinsk.

Zu leichterem Verständniss der Geognostischen Einzelheiten, enthält der Russische Aufsatz folgende Uebersicht der Terrainverhältnisse des in Rede stehenden Landes.

Die SO.hälfte der Kirgisen-Steppe oder der Semirjet-

•) Vergl. in diesem Archive Bd. II. S. 384, 400.   E.

schinskji krai, liegt zwischen den Breiten 44° und 46°,5 und von 74°,5 bis 79°,5 O. v. Paris. Den letzteren Namen führt er weil er 7 Flüsse enthält, von denen den Ajagus, die Lepsa, der Karatal und der Ili direkt in den Balchasch-See, von den drei übrigen aber, nämlich dem Aksu, dem Kuldjuner-Bien und dem Koksu, der erstere in die Lepsa und der dritte in den Karatal münden, der zweite aber sich im Sande verliert. Als Gränzen dieses Landes erhält man demnach im Norden den Ajagus und die Sandfläche Aitaktyn Karakun, die sich zwischen dem Posten Anganata und Djus Agatsch, ostwärts bis zu den Seen Ala-Kul und Sassyk-Kul erstreckt. — Im Westen den Balchasch. — Im Süden den Ili, so wie endlich gegen Osten das Alatau-Gebirge, welches von Einigen für eine Verlängerung des Bolor-Gebirges ausgegeben, von Anderen aber für einen Zweig des Tjan-Schan oder Himmelsberge gehalten wird. Das Hauptstreichen des Alatau ist S.S.W. — Der Kamm desselben aber ändert stellenweise seine Richtung und hangt auch mit gegen O. und gegen W. gerichteten Ausläufern zusammen, welche verschiedne Namen führen. Nördlich von 46° Breite verliert sich dieses Gebirge in den Alluvionen des flachen Landstriches zwischen dem Sasyk-Kul und Ala-Kul, während es gegen SW. mit den Hügeln endet, welche durch die Sande an den Ufern des Ili unterbrochen sind. Die noch unbekannte Höhe des Alatau muss ziemlich beträchtlich sein, indem grofse Strecken desselben mit einigem Schnee bedeckt sind. Ausser dem Ajagus und dem Ili entspringen alle Flüsse des in Rede stehenden Landes, auf dem Alatau und fliefsen gegen Westen, wo sie sich theils untereinander vereinigen, theils in den Balchasch ergiefsen oder im Sande verlieren. Bis zu 77° O. v. Paris haben sie sämmtlich den Charakter von Gebirgsflüssen, auch liegen sie daselbst in einer sehr fruchtbaren und bei ihrem oberen Laufe sogar holzreichen Gegend. Westlich von dem genannten Meridiane wird ihre Strömung schwächer und sie winden sich durch die Sandebenen, die sich noch um einige Grad westlich vom Balchasch erstrecken.

Der zwischen Semipalatinsk und dem Bezirksort Ajagus gelegene Landstrich, ist bereits früher von Altaischen Bergwerksbeamten untersucht worden. Der Verfasser beschränkt sich daher auf die Aufzählung seiner, bei dem zuletzt genannten Orte angefangenen, Beobachtungen.

—————

Die Russ. Niederlassung Ajagus liegt fast genau nördlich und in einem Abstande von 357 Werst, von Kopal. Auf dem Wege vom ersteren Orte bis zum letzteren giebt es 12 Kosaken-Posten, deren hier folgende Benennungen meist von den ihnen nächst gelegenen Bächen entlehnt sind: Srednji Ajagus (der mittlere Ajagus), Taldykuduk, Kysyl-Kji, Maly Ajagus (der kleine Ajagus), Djus-Agatsch, Arganata, Aschtschi Bulak, Lepsa, Baskau, Aksai, Karasui und Arasan oder auch Tjeplokljutschinsk, d. h. zu den warmen Quellen.

Der Weg von Ajagus nach Kopal liegt zuerst in der Nähe der bald mehr, bald weniger bergigen Ufer des Ajagus, deren frühere Bewaldung für die Russische Niederlassung zerstört worden ist. In den Hügeln zeigt sich ein Granit mit rothem Feldspath, der meist grobkörnig, stellenweise aber auch feinkörnig ist. Er ist von Euritporphyr-Adern oder Gängen durchsetzt, welche rothe Körner und Absonderungen enthalten. — Der Granit ist durch Berührung mit diesen Gängen porphyrähnlich geworden und hat seinen Glimmer verloren. Derselbe enthält auch lagerähnliche Einschlüsse von schwarzem Thonschiefer und derbem schiefrigen Kalk. Der Thonschiefer selbst ist, da wo er den Granit berührt, kieselig und breccienartig geworden.

Auf dem Wege nach dem an dem Flusse Ajagus gelegenen sogenannten mittleren Ajaguser Posten (srednji Ajaguskji piket), finden sich thonige Anschwemmungen, die an vielen Stellen mit Auswitterungen von Bittersalz bedeckt sind. Bei dem zuletzt genannten Orte setzte man über den gleichnamigen Fluss, auf dessen linkes Ufer und fand daselbst auf dem

Wege zu dem Posten Nummer 2, Porphyr, Sandsteine, Thonschiefer und Conglomerat, die an vielen Stellen aus dünnen Anschwemmungsschichten hervorragen.

Unter den Porphyren bemerkte man einen, der in einer rothbraunen Euritischen Hauptmasse ziemlich große, grünlich weiße Krystalle enthält. Diese sollen bei der Verwitterung, in den Räumen welche sie einnahmen, ein grünliches, mit Hornblende verglichenes, Fossil zurücklassen.

Einige Werst vor dem Posten Nummer 2, welcher auch der Taldyk-Kulduker Posten genannt wird, kam man über einen kleinen Bergrücken, der mit einer 3 Werst vom Wege zur Linken desselben gelegnen, höheren Kette zusammenhängt. Er ist zu größerem Theile mit Alluvionen bedeckt, trägt aber auf seinem Kamme einen mauerähnlichen Porphyrfels von einigen Faden Höhe und Breite. Es ist ein Hornsteinporphyr von röthlichgrauer Hauptmasse, mit rothen starkglänzenden Feldspathprismen — auch kommt daselbst ein grünlicher, thoniger Sandstein vor. Der Abstand der beiden zuletzt genannten Posten oder Russischen Niederlassungen beträgt 23,7 Werst.

Von dem Taldy-Kulduker bis zu dem folgenden Kysyl-Kjisker Posten zählt man 29 Werst. Auf dem letzten Theile des Weges zwischen beiden, zeigt sich das Ausgehende von Sandsteinschichten, welche Bruchstücke von Feldsteinporphyr enthalten. Diese Schichten sind kalkhaltig, derb und mit Kalkspathadern durchsetzt. Noch näher bei Kysyl-Kjisk kommt ein dem früher erwähnten ähnlicher Euritporphyr vor, mit Hornblendkrystallen, welche zu einem grünen Pulver (Grünerde, d. Uebers.) verwittern.

Auf der folgenden 26 Werst langen Strecke, von Kysyl-Kjisk bis Klein-Ajagus, ist der Boden durchweg eben und mit Anschwemmungen bedeckt. Der zuletzt genannte Posten liegt an einem gleichnamigen Arme des Ajagus, der im Sommer austrocknet, und von welchem aus sich gegen die nächste Russische Niederlassung Djus-Agatsch, breite Alluvionen erstrecken. Die Entfernung von Klein-Ajagus bis Djus-Agatsch

beträgt 262 Werst und man findet auf dieser Strecke einen
nur mäßig unebenen Boden, der auf der zweiten Hälfte des
Weges Salzflecke enthält. Djus-Agatsch liegt auf dem Durchschnitt der Karawanenstraßen die von Troisk, Petrowpawlowsk
und Semipalatinsk, nach Kuldja und Tschugutschak führen,
auch werden im Frühjahr die Schifffahrten zum Balchasch
von diesem Punkte aus unternommen.

Von Djus-Agatsch zu dem 6. oder Arganatiner Posten
rechnet man 31 Werst, von denen die ersten 15 über Salz-
boden führen, der bei Regenwetter sumpfig und bei trocknem
Wetter sehr höckerig ist. Dann folgt auf 5 Werst eine san-
dige, fast durchaus ebene Strecke und endlich ein feiner Ge-
röllkies der von den Arganatiner Bergen herstammt.

Diese letzteren erheben sich dicht bei der gleichnamigen
Niederlassung sehr plötzlich und erhalten dadurch den Anschein
von beträchtlicher Höhe. — Die Ortschaft Arganata liegt in
einer Schlucht dieser Berge, welche aus Thonschiefer, der bisweilen in Kieselschiefer übergeht und stellenweise mit einer
braunen Eisenrinde bedeckt ist, bestehen. — Auch diese Gesteine sind mit einzelnen Gängen von Hornsteinporphyr durchsetzt. Bei dem späteren Rückwege durch dieselbe Gegend
überzeugte sich der Verfasser, daß das West-Ende dieses Ge-
birgszuges steil abfällt — während derselbe gegen den folgenden 6. Posten in Hügelketten übergeht, welche sich allmählig
in einem Flachlande unter Sand-Anschwemmungen verlieren.
Auf dieser Strecke und auf der folgenden bis zu dem 11.
Posten, ist die Vegetation so auffallend arm, indem nur noch
stellenweise einige Artemisia und Stipa-Arten vorkommen,
daß sie von den Bauern, welche die Proviant-Transporte nach
Kopal führen, die „Hungrige Steppe" genannt wird.

Von Arganata bis Aschtschi-Bulach oder dem 7. Posten
rechnet man 29,5 Werst. Der letztere hat seinen Namen von
einer daselbst entspringenden Quelle „von unangenehmen Geschmack"[*]. — Der Weg liegt daselbst wie in einem Thale,

---

[*] Die Kirgisen scheinen hier in der wünschenswerthen Beschreibung

zwischen angeschwemmten Sandhügeln, aus denen aber stellenweise Kiesel- und Thonschiefer-Schichten, so wie auch die mehr erwähnten Sandsteine und Hornsteinporphyre zu Tage gehen. Weiterhin bleiben die Hügel zur Rechten in gröfsern Abstande von dem Wege, der dann zuerst auf blossem Sandboden liegt, nach Mafsgabe der Annäherung an den Fluss. Lepsa aber über Salzstellen führt, auf denen das Regenwasser in Seeähnlichen Pfützen stehen bleibt.

Der Fluss Lepsa ist von beträchtlicher Breite, selbst in der trockenen Jahreszeit über Mannstief und ziemlich reissend. Seine Ufer bestehen aus steil abgeschnittenen Alluvionen von mäfsiger Höhe und er führt in seinem Bette nur wenige und nicht sehr grofse Gerölle. In den beträchtlichen Schilfgebüschen welche die Ufer dieses Zuflusses des Balchasch-See bedecken, halten sich viele wilde Schweine und Tiger *).

Der 8. oder Lepsaer Posten liegt an dem rechten Ufer des gleichnamigen Flusses, 34 Werst von Aschtschi-Bulak.

Von dem 8. zu dem 9. oder Baskaner Posten folgen 25 Werst eines etwas höckrigen, höchst pflanzenarmen Sandbodens, auf dem man jedoch den in thonigem Bette fliefsenden Bach Kan-Bach überschreitet. Er fliefst schnell, enthält aber fast gar kein Gerölle. — Der Sandboden der auf der Strecke von Arganata bis zum Baskaner Posten fast ohne Unterbrechung vorkommt, erstreckt sich NO.wärts bis nahe an das

des fraglichen Quelle doch etwas weiter gegangen zu sein, wie der geognostische Reisende, indem sie derselben nicht blofs wie dieser, einen unangenehmen Geschmack zuschreiben (unter dem man Beliebiges verstehen kann), sondern sie eine Sauerquelle nennen. — Vergleiche über die Bedeutung des Wortes Aschtschi oder Aschy bei den Tataren und bei den Baschkiren, bei denen es schon Herodot gekannt hat, Erman Reise u. s. w. Abthl. I. Bd. 1. S. 427.

D. Uebers.

*) Es ist wohl sicher die Felis jubata L., Pallas, auctor. gemeint, die von F. tigris L. sehr verschieden und von Cuvier, wegen des Mangels der einziehbaren Nägel, sogar als ein besonderes Subgenus der Katzengattung aufgeführt worden ist.

D. Uebers.

Alataugebirge, indem er auch den zwischen diesem und zwischen dem Alakus-See gelegenen Landstrich bedeckt. Auch gegen Süden von Baskan behält die Steppe den auf dem bisherigen Wege gesehenen Charakter. Sie ist nur etwas weniger hüglich und enthält häufige Salzflecken, die mit Artemisia und Stipa-Arten bewachsen sind.

Der Fluss Ak-su, d. h. das weisse Wasser, den man bei dem gleichnamigen Posten, 24 Werst von dem Baskaner überschreitet, ist schmaler als die Lepsa und von geringerer Tiefe.

Weiter südwärts nähert sich die Strafse dem Schneegebirge, Alatau, welches daher den Reisenden immer deutlicher sichtbar wurde.

Man hat darauf von Baskau bis Aksu 24 Werst und von da bis Karasu, d. i. den 11. Posten, 21 Werst zurückzulegen. Der letztere Theil des Weges führt wieder über völlig ebene Anschwemmungen, auf denen aber die Vegetation etwas besser ist und auf welchem, einige Werst vor Karasu, auch Schwefelwasserstoffhaltige Quellen vorkommen und sich zu Sümpfen sammeln. Karasu selbst hat wahrscheinlich seinen Namen (das schwarze Wasser) von einer bei diesem Orte auf schwarzem Boden fliefsenden Quelle, durch welche die Umgegend sehr fruchtbar wird. — Sieben Werst südlich von derselben wird die Strafse zu dem sogenannten 12. Posten von einem Zweige des Alatau-Gebirges durchschnitten, und man sieht zwischen Karasu und diesen Bergen eine Menge von Wasserleitungen und künstlichen Weideplätzen, welche von den Kirgisen angelegt, jetzt aber nur noch auf einer Seite des Weges in nutzbarem Zustande sind *).

_____

*) Auch hier erfolgt zugleich mit der Verdrängung des Türkischen Stammes durch die Russen, diejenige Entwässerung und Verwüstung des Landes, die (fast mit der Regelmäfsigkeit eines geologischen Phänomenes) die ähnlichen Ereignisse bei Astrachan, in der Krym, in Transkaukasien u. s. w. begleitet hat und welcher ausserdem auch die Verwüstung eines grofsen Theiles von Spanien durch die Vertreibung der Mauren, in allen Punkten entspricht. — Vergl. in diesem Archive Bd. XII. S. 233. Erman.

Ueber den genannten Zweig des Alatau führt ein Pass, welcher Kisikaus, d. h. der schiefe Mund, genannt wird, weil er an den Windungen einiger Bäche entlang führt, welche in schroff begränzten Schluchten aus der Bergmasse treten. — Wegen der Beschwerlichkeit des Uebergangs über diesen Pass, pflegen die nach Kopal bestimmten Karawanen mit Lebensmitteln denselben zu umgehen. Es soll dieses entweder östlich von dem Passe über eine Verflachung derselben Bergmasse geschehen oder westlich von demselben, wo man dann bis zum Karatal geht und alle Berge zur Linken liegen läfst.

Die Umgebungen des Passes Kisikaus bestehen zumeist aus metamorphischen Thonschiefern von verschiedener Färbung, zwischen denen aber auch Sandstein-Schichten und Gänge von Hornsteinporphyr vorkommen. Der Thonschiefer geht hier theils in Kieselschiefer über, theils wird er zu rothem Eisenschiefer.

Der SO.-Abhang des Kisikaus ist weit flacher und mit Anschwemmungen viel bedeckter als der NW.liche, an dem man auch den Sandstein und den Porphyr am häufigsten bemerkt. Sowohl durch den Sandstein als auch durch den Thonschiefer setzen Quarzgänge, und beide sind stellenweise mit einer Rinde von Brauneisenstein bedeckt. — An dem Flusse Bien, SO.lich von dem Kisikaus und an dem Fufse desselben, kommt ein Porphyr vor, den man für eine Abänderung des ihm nächst gelegenen Granites halten möchte.

Der Bien fliefst nämlich fast durchweg auf der Gränze der genannten Gebirgsarten, mit einem Granite, von dem in der Fuhrt, durch welche man diesen Fluss überschreitet, ausserordentlich grofse Blöcke liegen, während das in dem Bette Anstehende, Wasserfälle verursacht. — Diese Fuhrt liegt 1,5 Werst vor dem 12. oder Arasaner Posten, welcher 27 Werst von Korasu absteht.

Die Ortschaft Arasan oder, wie die Russen übersetzen, Teplokljutschinsk, d. h. zu den warmen Quellen, hat ihren Namen von heifsen mineralischen Quellen, die daselbst entspringen und welche die Kirgisen von jeher zur Heilung von

Erkältungen und ähnlichen Krankheiten benutzt haben. Diese Wasser sammeln sich in Becken, deren Boden mit Schlamm und mit Granitgrufs bedeckt ist und in welche sich die Badenden zu legen pflegten.

Seitdem diese Becken Russischer Seits beträchtlich vertieft, von Schlamm gereinigt und auch viel kälter gemacht worden sind, haben die Kirgisen aufgehört sich in ihnen zu baden. Sie behaupten*) dafs gerade der Sehlamm das Heilsame jener Quellen enthalten habe. Die Temperatur derselben beträgt (wohl n a c h der genannten Veränderung, d. Uebers.) +27°Réaum., und ihr Wasser hat einen in der Nähe des Ursprunges sehr fühlbaren Geruch nach Schwefel(-Wasserstoff! d. Uebers.) und einen „alkalisch-schwefligen" Geschmack. Es fühlt sich fettig an und reinigt die Haut wie Seife. In dem jetzigen Hauptbecken dessen Wände aus Granit bestehen, wird der Grufs auf dem Boden durch das hervorbrechende Wasser einige Zoll hoch emporgehoben, „auch sieht man demnächst das W a s s e r (!) in Gestalt von Blasen in die Höhe steigen"**). Auch bei Arasan ist die ganze Umgegend mit Wasserleitungen durchzogen und von den künstlichen Weideplätzen, welche mit deren Hülfe gebildet waren, „sind e i n i g e auch jetzt noch vorhanden." Der Boden ist daselbst ausserordentlich fruchtbar, und zu Obstgärten geeignet.

Alles Anstehende besteht daselbst aus Granit mit rothem Feldspath, der auch weiterhin 13 Werst weit auf dem Wege nach Kopal überall vorherrscht. — Etwa auf der Mitte des Weges zwischen Arasan und Kopal, überschreitet man Hügel, welche mit dem Bajan-Djurük-Gebirge zusammen zu hangen scheinen, weiterhin ist aber das gegen Kopal etwas abfallende Terrain wieder überall mit Anschwemmungen bedeckt. An einigen Stellungen ragen Thonschiefer und Sandsteine aus

---

*) Gewiss mit völligem Rechte.   D. Uebers.

**) Dieser höchst seltsame Ausdruck kann sich wohl nur auf eine starke Gasentwicklung beziehen, durch welche sich allerdings Blasen in dem Sammelbecken bilden müssen.   D. Uebers.

derselben, auch müssen nach den daselbst gesehenen Geschiebe
Kalksteinlager zwischen diesen Gesteinen vorkommen. .

. . Der Verf. giebt die Breite von Kopal zu etwa 45°,25
an und hält auch die Höhe dieses Ortes über dem Meere zu
490 Fufs (wahrscheinlich Englische Fufs! d. Uebers.) für hinlänglich bestimmt. Es soll dazu mit einem „Hypsometer,"
d. h. wahrscheinlich mit irgend einem Barometer-Surrogate
beobachtet worden sein. Da man aber von der Bestimmung
des bei der Rechnung gebrauchten Barometerstandes im Meeresniveau, oder von der gemachten Hypothese über derselben gar nichts erfährt, so bleibt die genannte Angabe höchst
zweifelhaft. . . . . . `

Die seit einigen Jahren von den Russen eingenommene
Ortschaft, liegt in einer gegen Westen auf beträchtliche Entfernung ununterbrochenen, gegen Osten aber durch den bewaldeten NW.-Abhang des Alatau-Gebirges begränzten Ebene,
an einigen kleinen Gewässern, die sich zu dem Bache Kopalka vereinigen und mit diesen nahe dabei in den Bach Ky-
syl-Agatsch fliefsen. Unter den ganz nahe bei der Ortschaft
entspringenden Gewässern ist das sogenannte Taratschi-Bulak
bemerkenswerth, welches aus einem SW.lich von den Russischen Häusern befindlichen Sumpfe durch etwa 2 *Sajen* mäch-
. tige, angeschwemmten Schichten dringt. In einer von dem
oberen Laufe dieses Wassers eingenommenen Schlucht sind
diese Schichten entblöfst und zeigen sich am Wechseln von
Flussgeröllen mit aufweichbarem Thone bestehend. An ihrer
Oberfläche wird durch die Quellwasser Eisenocher abgesetzt.

Die Reisenden blieben nur einige Tage in Kopal und
gingen dann (in Begleitung von 1800 Kameelen (!) welche
ihren Zwiebackvorrath trugen, von einigem lebenden Schlacht-
vieh, vielen Kosaken, mehreren Kanonen u. s. w.) gegen SW.
In dem Bache Kopalka bemerkten sie grofse Gerölle eines
Granites, der in der Umgebung dieses Wassers, auf einer zur
linken von steilen Bergen begränzten höheren Ebene ansteht.
Der Weg lag etwas über 1 Werst von diesen Bergen, von
denen man bei der Rückkehr erfahren haben soll, dafs sie

aus thonigen und kalkigen Schiefern, die durch Granit gehoben sind, bestehen.

Die am Fuße dieser Berge gelegene Ebene, ist von tief eingeschnittenen Bächen durchschnitten, unter denen sich der oben erwähnte Tarutschi-Bulak als der bedeutendste auszeichnet. In der Nähe desselben bemerkte man eines feinkörnigen Granit mit schwarzem Glimmer und weißem Feldspath, der zu beiden Seiten von dünnen Schichten einen feinschiefrigen grauen Thonschiefer mit NO.lichem Streichen umgeben ist. — Westlich von diesen Gesteinen und stromabwärts an demselben Bache findet sich ein feinkörniger grauer Sandstein, auf den weiterhin in derselben Richtung, fast senkrechte Schichten eines groben Conglomerates mit ellipsoidischen Quarzgeröllen von 2,5 Zoll Durchmesser folgen. Das Bindemittel desselben besteht aus thonigem Kalke. Noch etwas weiter abwärts fand man ein Stück von röthlich weissem krystallinischem Kalk mit Enkrinitenstielen, dem aber, weil man ihn nicht anstehend gefunden hat, nur eine untergeordnete Ausdehnung zugeschrieben wird.

Weiterhin bis zu dem Bache Kaschkantal, wo das erste Nachtlager gehalten wurde, fand sich nur selten eine Entblößsung. Der Boden ist daselbst wellig und etwas geneigt gegen den Bach Kopal, hinter dem sich eine Bergreihe von geringer Höhe erhebt. Zur Linken des Weges zeigt sich das früher erwähnte Gebirge, welches ausser den genannten Gesteinen auch Schichten eines Conglomerates enthält, in welchem rundliche Quarz- und Thonschieferbrocken mit Kieselerde und mit Kalk (!) verbunden sind [*]).

In der umgebenden Ebene sah man wieder viele Felder, auf denen der ausserordentlich fruchtbare Boden durch künstliche Leitungen der Gebirgswasser, nutzbar gemacht war. —

---

*) So steht im Russischen — obgleich ein Sandstein, indem zugleich zweierlei Bindemittel vorkommen, nicht bloß unerhört, sondern auch (ohne nähere Erklärung) undenkbar scheint.

D. Uebers.

Jetzt verödete derselbe, denn die (nach Verdrängung der Besitzer) neu angesiedelten Russen fanden diese Art des Ackerbaues zu mühsam und wussten auch mit derselben nicht umzugehen . . . .

Die Reisenden machten an dem Bache Koschkantal einen vergeblichen Versuch mit dem Goldwaschen und gingen durch eine, der erwähnten ganz ähnliche, Gebirgsebene, zuerst bis zu dem Bache Ak Itschke, zu dem man auf einem beschwerlichen Wege hinabsteigt, und dann auf einen steilen und felsigen Berg, an das ihnen entgegenstehende Ufer desselben Wassers. Bei diesem wandte sich der Weg gegen SO. Zur Linken desselben blieb, immer das Gebirge, dem man sich nun mehr und mehr näherte und dessen Abhänge theils aus einem Thonschiefer von gleicher Beschaffenheit mit dem am Tschubulak vorkommenden, bestanden, theils aus thonigem Kalk mit Kalkspathadern, aus dünnen Schichten eines etwas kalkhaltigen Chloritschiefer mit Quarzgängen und aus rothem mit Quarz durchsetzten metamorphischen Thonschiefer.

(Fortsetzung im nächsten Bande.)

Etwas über die Udiner, ein Volk des Caucasus.

In der Statthalterschaft Schemacha lebt im Bezirke Nucha ein Völkchen von unbekannter Herkunft und Sprache das sich selbst Ud oder Udin nennt und den griechisch-catholischen Glauben bekennt. Es bewahrt nur die eine Ueberlieferung, dass seine Vorfahren irgend einmal ein eigenes Gebiet in Karabag um den Araxes besafsen. Wie aber dieses Häuflein Menschen zum Christenthum gekommen und wie es diese Religion mitten unter mächtigen und wilden Vorkämpfern des Islam bewahren können, ist ein Räthsel.

Als ich im Jahre 1851 den Bezirk Nucha besuchte, machte ich einen Abstecher nach Wartaschan, dem vornehmsten Wohnorte der Udiner. Auf alle meine Erkundigungen über ihre Abstammung gaben mir die Alten den Bescheid, dass sie selbst nichts von sich wüssten und dass ihre Vorfahren keine Sage oder Legende auf sie vererbt hätten. Ihre Kleidung ist mit derjenigen übereinstimmend, welche von den Eingebornen Schemacha's getragen wird. In ihrer Gesichtsbildung ist nichts Eckiges; die Züge drücken Sanftmuth und Gutherzigkeit aus; das Haar ist dunkelblond. Sie sind gewöhnlich mittleren Wuchses. Ihr Character ist verträglich; Streit und schwere Uebertretungen kennt man unter ihnen fast gar nicht. Sie sind leutselig, gastfrei und religiös; die Fasten halten sie sehr strenge. In ihren Häusern sieht man keine Heiligenbilder denn sie halten es für Beleidigung der Heiligen und für eine

grofse Sünde, im Angesicht der Bilder ihre häuslichen Geschäfte abzuthun. Sie beschäftigen sich vorzugsweise mit
Ackerbau, Weinbau und Seidenzucht.

Die Sprache der Udiner scheint mit keiner anderen im
Caucasus verwandt zu sein. Einige Wörter derselben mögen
hier als Probe folgen:

Gott, bichadsug.	Pferd, ek.
Vater, baba.	Esel, elem.
Sohn, gar.	Kuh, tschur.
Mann, ischu.	Hund, cha.
Bruder, wili.	Krähe, gaina.
Mensch, adamar.	Elster, kerzal.
Mutter, nana.	Taube, kunkuri.
Weib, tschiwuch.	Hahn, dadal.
Mädchen, chinar.	Frosch, beidala.
Schwester, chinli.	Schlange, disik.
Braut, bin.	Floh, in.
Sonne, beg.	Baum, chod.
Mond, chasch.	Apfel, esch.
Stern, chabanuch.	Heu, o.
Erde, kul.	Eisen, sido.
Feuer, aruch.	Stein, je.
Wasser, che.	Salz, el.
Fluss, uch.	Blut, pi.
Berg,*) buruch.	Herz, uk.
Wind, musch.	Wein, fi.
Wolke, aso.	Tod, biisun.
Thau, cho.	Eins, sa.
Regen, agama.	Zwei, pa.
Tag, tschenachun.	Drei, chib.
Nacht, biasun.	Vier, bip.
Kälte, mi.	Fünf, cho.
Dürre, uragluch.	Sechs, uk.

*) Wir erlauben uns nämlich, gorá zu lesen statt góre; denn was
sollte Elend zwischen Fluss und Wind?

Sieben, kug.

Acht, mug.

Neun, wui.

Zehn, wiz.

Zwanzig, ka.

Dreissig, sakowiz.

Funfzig, pakowiz.

Hundert, sabatsch.

gut, achel.

laufen, tistun.

geben, tastun.

herauskommen, tschesun.

essen, uksun.

erziehen, kalabaksun.

neues Jahr, ini usen.

starke Hitze, tscheleitscha-
rych.

Diesen aus der Zeitschrift Kawkas entlehnten Notizen
fügen wir einige Bemerkungen hinzu. Das Zahlwort ist schon
wegen der Einsilbigkeit aller Einer und der Zwanzig eine
merkwürdige Erscheinung; noch merkwürdiger der Umstand,
dass gewisse Zahlen wie drei und vier (chib, bip), sechs,
sieben und acht (uk, kug, mug) eigentlich nur im Anlaut
von einander verschieden sind. Da ka s. v. a. zwanzig bedeutet, so darf man wol dem ko in sakowiz und pakowiz
gleiche Bedeutung unterlegen; die erste dieser Zahlen ist
wahrscheinlich so zu analysiren: $1 \times 20 + 10$, also 30; die
zweite aber: $2 \times 20 + 10$, also 50. In sabatsch (100) muss
sa wieder eins bedeuten und batsch allein ist hundert.

Anlangend die übrigen Wörter, so gleicht ischu (Mann)
dem hebräischen אִישׁ îsch. Adamar (Mensch) erinnert an
אָדָם âdâm und آدَم âdem; ek an equus; sido an σι-
δηρος; je (Stein) an das chinesische sche oder schi; wili
(Bruder) ist dem finnischen weli beinahe gleich; uch (Fluss)
steht dem wuoksi derselben Sprache nicht gar fern, berührt
sich auch mit dem deutschen ach (= aqua) in Namen wie
Biberach, Andernach, u. s. w. Dass wir aus allen diesen zerstreuten Aehnlichkeiten keine Schlüsse ziehen wollen, versteht
sich von selbst. Ueberreste der Kindersprache, wenn sie, wie
in baba und nana, nackte Wurzeln geblieben, haben be-

kanntlich gar keine Beweiskraft. Kunkuri (Taube) ist eine selbständige Nachahmung ihres Gurrens, wie z. B. in dem türkischen kögür-tschin, küger-tschin, und finnischen kyhky (küchkü).

Es ist zu beklagen, dass der Verfasser nicht wenigstens das Zahlwort vollständig mitgetheilt hat; und doch würde es ihm dazu gewiss nicht an Zeit gefehlt haben. Doch soll dies nicht etwa ein Vorwurf sein; denn was wir durch seine Gefälligkeit kennen gelernt, ist immerhin mehr wehrt als gar nichts.

Sch.

Die Arbeiter-Associationen in Tiflis.

Der Handwerkerstand in Tiflis und die ganze arbeitende Klasse ist in Amkare eingetheilt. Der Sinn dieses Wortes entspricht im Allgemeinen dem der Gewerke, mit dem Unterschiede jedoch, dafs die Gewerke nur die eigentlichen Handwerker in sich schliefsen, während alle Klassen, sogar die Tagelöhner, zu den Amkaren zugezogen werden. Trotz dieses Umstandes sind die Amkare bei alledem nichts anderes als Gewerke oder Associationen, die ihre eigenthümlichen, von der Zeit geheiligten Einrichtungen und Gesetze haben, denen sich die Mitglieder freiwillig, aber nichts destoweniger streng unterwerfen.

Jedes dieser Gewerke steht unter der Verwaltung eines Chefs oder Alt-Meisters, der den Titel Ustabasch führt. Der gröfste Theil der Amkaren hat auch seine eigene Fahne, unter welche sich die Mitglieder bei feierlichen Gelegenheiten, als beim Empfang von kaiserlichen Prinzen oder vornehmen Beamten und bei kirchlichen Prozessionen sammeln. — Die Fahnen bestehen aus Stücken buntfarbigen Zeugs mit Abbildungen von Personen aus der heiligen Schrift, als Schutzpatrone des Gewerks. So ist z. B. auf dem Banner der Waffenschmiede der Patriarch Abraham mit dem Messer dargestellt, auf dem der Maler der Apostel Thaddäus mit dem wunderbaren (nerukotworenny) Christusbilde, auf dem der Obsthändler der Erzengel Michael mit Schwert und Wagschale, auf den meisten aber der Prophet Elias. — Der Ustabasch wird

von den Arbeitern aus ihrer Mitte gewählt. Die Wahl fällt
gewöhnlich auf den geschicktesten oder auf den, der durch
Fleiſs, Rechtschaffenheit, durch Eifer in der Vertheidigung des
Amkas gegen fremde Eingriffe und strenge Aufrechthaltung
der inneren Ordnung und der gegenseitigen Beziehungen der
Mitglieder unter sich die Achtung seiner Gefährten erworben
hat. In einigen Amkaren wird dem Ustabasch bei der Wahl
die Hand geküſst, in anderen begnügt man sich mit einem
brüderlichen Kuſs. Ueber die Wahl wird bisweilen ein Schrift-
stück nach Art eines Protocolls aufgesetzt, oft aber wird die
Sache auch mündlich verhandelt. Jeder Ustabasch hat das
Recht, allmonatlich der Reihe nach einen Igitbasch zu ernen-
nen, der ihm als Gehülfen oder vielmehr als Executor dient,
indem er seine auf die Verwaltung des Amkars bezüglichen
Anordnungen zur Ausführung bringt und sogar aus persönli-
cher Achtung gegen den Ustabach seine häuslichen Befehle
erfüllt. Der Ustabasch ist bevollmächtigt, den Laden eines
straffälligen Mitglieds der Association schlieſsen zu lassen und
ihm eine Geldbuſse, Ul, aufzulegen, welches eigentlich Weg
bedeutet, indem der Schuldige dadurch auf den Weg des
Rechts geführt werden soll. In wichtigeren Fällen kann der
Ustabasch den Delinquenten einer noch strengeren Bestrafung
unterwerfen, ihm die Arbeit und das dazu nöthige Handwerk-
zeug entziehen und ihn von der Unterstützung seines Gewerks
sowohl als der ubrigen Amkare ausschlieſsen. — Durch den
Ustabasch wird der Geselle zum Meister eingeweiht und unter die Mitglieder des Gewerks aufgenommen. Es findet hierbei eine Ceremonie statt, die an die Gebräuche der Ritterzeit
erinnert, mit dem Unterschiede, daſs der Krieger durch drei-
malige Berührung der Schulter mit dem Schwerte zum Ritter
geschlagen wurde, während drei leichte Backenstreiche den
Gesellen in einen Meister verwandeln. Diese Schläge dienen
gleichsam als Symbol, daſs die Hand des Ustabasch das Recht
hat, das neue Mitglied zu bestrafen, während die Leichtigkeit
derselben als Ausdruck des Wohlwollens gilt, mit welchem
er bei Antritt begrüſst wird.

Der Ustabasch bleibt selten länger als fünf Jahre an der Spitze des Amkar, aus Furcht, daſs er dieses Ehrenamt ganz an sich reiſsen könnte. Nur durch ganz besondere Verehrung für sein Oberhaupt läſst sich das Gewerk mitunter bestimmen, diese Frist zu verlängern. Unter den Vorstehern der Amkare hat sich eine Art von Uebereinkunft gebildet, derzufolge die Anordnungen oder Wünsche des einen von den anderen fast ohne Widerrede befolgt werden.

Der Frühling, als die für den Handwerker und überhaupt für die unbemittelte Klasse der Bevölkerung günstigste Jahreszeit, wird von den Amkaren durch ein Freudenfest begrüſst. Man zieht mit den Fahnen zur Stadt hinaus, um sich im Freien gütlich zu thun, wobei man namentlich den Weinschläuchen herzhaft zuspricht. Auſser diesem gemeinschaftlichen Feste begeben sich die Amkare der Reihe nach im Laufe des Sommers jenseits der Wera, eines kleinen Fluſschens vor der Moskauer Barrière, und halten einen lärmenden Schmaus an den Ufern des Kur. Die Zusammenkünfte der einzelnen Amkare, so wie die allgemeinen Versammlungen derselben, wo man über die gemeinschaftlichen Angelegenheiten oder über die innere Ordnung der verschiedenen Associationen berathschlagt, finden in der Regel im Umkreise der Kirchen, in Kirchhöfen oder Gärten statt, da solche Versammlungen nicht selten mit einer Vereidigung oder einem Festmahle beschlieſsen.

Wie man sieht, haben diese Vereine, sowohl in ihrem Charakter als in ihren Gebräuchen, mit Ausnahme einiger localen Nüancen, die unverkennbarste Aehnlichkeit mit den aus dem Mittelalter stammenden und zum Theil noch existirenden Einrichtungen der Gewerke oder Corporationen in den deutschen und anderen westeuropäischen Städten, und es verdiente wohl eine Untersuchung, wie sie ihren Weg nach Grusien gefunden und sich dort naturalisirt haben, während sie im übrigen Russland entweder völlig unbekannt sind oder erst in neuerer Zeit und von Regierungswegen — daher auch nur äuſserlich und nicht dem Geiste nach — eingeführt wurden.

Von allen Amkaren ist die Innung der Wasserträger die

merkwürdigste — nicht durch die Wichtigkeit des Gewerbes, sondern durch die Originalität der Leute, die sich damit beschäftigen.

Die Einwohner von Tiflis erhalten das zu ihrem Gebrauch erforderliche Wasser in dreierlei Weise: erstens wird es von den Tuluchtschi in grofsen ledernen Schläuchen oder Burdjuken, die sie paarweise auf ein Pferd laden *), herumgeführt, zweitens wird es, wie in anderen Theilen Russlands, in Fässern nach den Wohnungen gebracht, und endlich in Krügen oder sogenannten Koken von Haus zu Haus getragen. Die Tuluchtschi sind eine ganz eigenthümliche Menschenklasse. Gröfstentheils sind es armenische Urumen, d. i. Armenier, die den griechischen Glauben im Jahr 1059 in Klein-Armenien von dem byzantinischen Kaiser Konstantin X. annahmen. Ihre Sprache ist für die Grusier unverständlich, die im Verkehr mit ihnen, wie die Russen, ihre Zuflucht zur Mimik nehmen; im Klang hat der Dialect Aehnlichkeit mit dem Türkischen. Es ist ein kräftiges, unermüdet thätiges Volk und wählt sich zu seinem Gewerbe starke, gesunde Pferde aus, da es für ein schwaches Thier unmöglich sein würde, namentlich im Winter, eine so schwere Last wie zwei enorme Wasserschläuche von Morgen bis Abend die Berge von Tiflis hinauf- und herabzuschleppen.

---

*) Also wie die Gallegos in Spanien, nur dafs sich letztere meist der Maulthiere oder Esel bedienen.

Die Limanen von Odessa *).

Das Küstenland des Schwarzen Meeres zwischen den Mündungen des Dnjepr und Dnjestr ist von zahlreichen, wegen der Heilsamkeil ihres Wassers und Schlammes berühmten Salzseen und sogenannten Limanen durchschnitten. Unter diesen letzteren sind die bemerkenswerthesten die von Beresan, Tibigul, der grofse Adjalyk, der Trockene Liman und die in der unmittelbaren Nähe der Stadt Odessa gelegenen Limanen Kujalnik und Chadjibei.

Der unter dem Namen Chadjibei bekannte Liman befindet sich im Nordwesten von Odessa, 7 Werst von der Stadt und 4 Werst vom Schwarzen Meere. Seine Länge beträgt 32,5 Werst, seine Breite von 1,5 bis 3 Werst. Vom Norden ergiefst sich in ihn der Mitttlere Kujalnik-Fluss, der den kleinen Kujalnik in sich aufnimmt; vom Westen der Bach Bolschaja-Swinaja, dem man ebenfalls den Namen des Kleinen Kujalnik giebt. Die Richtung des Limans ist von Nordwesten nach Südosten. Eine flache Erhöhung zieht sich an seinem östlichen Ufer hin, deren südlichster Theil, Jewachow-Berg genannt, den Liman Chadjibei von dem Liman Kujalnik trennt.

Der Liman Kujalnik, auch Andrijewskji'scher Liman genannt, hat eine Länge von 25 und eine Breite von 1,5 bis

---

*) Aus einem Artikel im Journal des Ministeriums des Innern (Jurnal Ministerstwa Wnutrennich Djel) vom Juli 1853.

2,5 Werst. Seine Entfernung von Odessa ist fast gleich mit
der seines Nachbars, des Chadjibei. In ihn münden die Flüfschen Dolboka, Kubanka und der Grofse Kujalnik, dem von
der linken Seite der Katzenbach (Koschatschja rjetschka) oder
der Fontany zufliefst.

Diese beiden Limanen führen den gemeinschaftlichen Namen der Odessa'schen, und weder in ihren physischen Eigenschaften, noch in dem chemischen Gehalt ihres Wassers und
ihres Schlammes oder in den Wirkungen, die sie hervorbringen, macht sich ein Unterschied zwischen ihnen bemerkbar.
Was indessen die Zugänglichkeit, die Bequemlichkeiten des
Lebens und die Leichtigkeit, sich mit allem Nöthigen zu versorgen, betrifft, sd besitzt der Liman Chadjibei manche Vorzüge über dem Kujalnik. Die Strafse, die von Odessa nach
dem Chadjibei fuhrt, ist ungleich kürzer, bequemer und ma-
lerischer als der staubige und holprige Weg nach dem Kujalnik. Erstere zieht sich bis zum Kujalniker Schlagbaum längs
dem Berge hin, auf welchem die Vorstadt Nowaja-Slobodka
liegt, und wird von Gärten und einer zahllosen Reihe Brunnen begränzt. Jenseits des Schlagbaumes gelangt man zu
einer weiten, flachen Steppe, neben einem Hugel, auf dessen
Abhang man einige Chutore und die pittoresk gelegenen Hütten des Dorfes Klein-Kujalnik erblickt. So erreicht man in
kurzer Zeit die Ufer des Liman, der schon von dem Schlagbaum aus einem hellen Streifen gleich hervorschimmert. Auf
diesem ganzen Wege bleibt der Reisende, selbst in der trok-
kensten Jahreszeit, von den für die Augen und für die Gesundheit im Allgemeinen so schädlichen Staubwolken verschont, die ihm auf der zum Odessaer Landzollamt fuhrenden
Strafse begegnen. Die Befreiung von dieser Landplage rührt
von dem salzigen Boden her, über welchen die Strafse nach
dem Chadjibei gebahnt ist, und der eine so bedeutende Feuchtigkeit in sich schliefst, dafs die Bildung des Staubes dadurch
gehemmt wird. Nach starken Regengüssen ist hier allerdings
ein tiefer Koth; in solchen Fällen kann man jedoch unmittelbar hinter dem Kujalniker Schlagbaum den Berg hinauffahren,

von wo ein ziemlich guter Weg über das Dorf Usatowy-Chu-
torà nach dem Liman führt. Die erwähnten Dörfer, Klein-
Kujalnik und Usatowy-Chutorà, sind übrigens fast an dem
Rande des Chadjibei angelegt.

Die heilsamen Wirkungen bes Wassers und des Schlammes der Limanen, so wie der anderen hiesigen Salzseen, waren den früheren Bewohnern dieser Gegend, den Tataren,
schon längst bekannt. In schweren Krankheiten nahm man
zu denselben, als zum einzigen Rettungsmittel, seine Zuflucht
und verfuhr dabei nach den Vorschriften der Mulla's, die aber
so wenig von der Medicin verstanden, dafs ihre Rathschläge
eher Schaden als Nutzen stifteten. Aus dieser Ursache verbreitete sich endlich unter den Einwohnern die Meinung, dafs
das Wasser und der Schlamm der Limanen, weit entfernt,
der Gesundheit zuträglich zu sein, ihr schädlich sei
und sogar den Tod herbeiführen könne. Dieses Vorurtheil
griff immer mehr um sich und fafste im Volke so tiefe Wurzel, dafs es sich bis auf den heutigen Tag erhalten hat, indem
es noch viele Skeptiker giebt, die, trotz des augenscheinlichen,
wohlthätigen Einflusses der Limanbäder, ihre heilsamen Eigenschaften in Abrede stellen. Indessen hat die Wissenschaft in
den letzten Decennien viel dazu gethan, die localen Vorurtheile
zu überwinden, und das Wasser der Limanen ist nunmehr
definitiv unter die Zahl der Mittel aufgenommen, die, nach
den Regeln der Heilkunde gebraucht, in vielen Krankheiten
von grofsem Nutzen sind.

Indem wir die Lage der Odessaer Limanen, ihre Umgebungen und den Gehalt ihres Wassers betrachten, glauben wir
uns zu demselben Schlusse berechtigt, zu welchem die gelehrte Welt in Betreff der Limanen des Schwarzen Meeres
überhaupt gekommen ist: dafs sie nämlich einst in Verbindung mit dem Meere standen und lange, enge Busen desselben bildeten. Die im Laufe der Zeit erfolgte Absonderung
der Limanen vom Meere erklärt sich sehr einfach in folgender Weise: der an den Seeküsten angehäufte Sand wurde
durch die Macht der Wellen und des Windes in die Mün-

dungen der Limanen hineingetrieben; hier sammelte er sich
allmälig in solcher Menge, dafs die Mündung immer enger
wurde und endlich ganz und gar versandete. Aufserdem hat
die stufenmäfsige Erhöhung der Erdschichten in den Uferlän-
dern, deren Spuren man überall bemerkt, nicht wenig zur
Bildung des breiten Erdwalls (peresyp) beigetragen, der die
Limanen Odessa's völlig vom Meere absperrt *).

Den Untersuchungen des bekannten Naturforschers Hauy
zufolge **) erhebt sich der ganze zwischen dem Don und
Dnjepr gelegene Landstrich, mit Einschlufs der Steppen, von
welchen die Odessaer Limanen umgeben sind, um 110 Fufs
über den Meeresspiegel, wobei stellenweise Abweichungen von
20 bis 30 Fufs mehr oder weniger vorkommen.

Die Witterung ist hier im Laufe der drei Sommermonate
im Allgemeinen günstig; von Zeit zu Zeit wehen jedoch oft
heftige Nordostwinde, welche die Temperatur bedeutend ab-
kuhlen und besonders des Nachts eine empfindliche Frische
verursachen. Gewöhnlich steigt das Thermometer nicht über
25° R. im Schatten und 36° in der Sonne; in den heifsesten
Tagen ist das Maximum 31° im Schatten und 44° R. in der
Sonne. Bei diesen atmosphärischen Verhältnissen beträgt die
Temperatur des Wassers in den Limanen von 17° bis 23°
Wärme, die sich auch an Gewitter- und Regentagen nicht
merklich verändert.

Der Liman Chadjibei hat an einigen Stellen, namentlich
in der Mitte, eine Tiefe von mehreren (sic) Sajen; am Ufer
aber und bis zu einer nicht unbedeutenden Entfernung von
demselben ist er so seicht, dafs seine Tiefe nicht über 3 bis

---

*) Das der ganzen Nordküste des Schwarzen Meeres eigenthümliche
   Wort Liman ist offenbar griechischen Ursprungs und stammt ent-
   weder von λιμήν, Hafen, oder von λίμνη, See, Sumpf oder überhaupt
   ein grofses Behältnifs von stehendem Wasser. Heutzutage wird diese
   Benennung in Neu-Russland für jede Wassermasse gebraucht, die sich
   in der Nähe des Meeres befindet und von ihm durch die unter dem
   Namen Peresyp bekannten Sandaufwürfe getrennt wird.
**) Sur les salines de la Nouvelle Russie, par M. Hauy.

4 Fufs beträgt. Der Grund ist meistens Sand, mit einer Menge
kleiner Muscheln und Seepflanzen besäet; in den Einsenkungen hingegen, namentlich an den Uferstellen, befindet sich
eine Art von Morast, der den eigentlichen Limanschlamm
abgiebt.

Das Wasser des Chadjibei schliefst Myriaden von kleinen
(microscopischen?) Insecten in sich, ist aber ziemlich rein und
durchsichtig. Es hat eine trübe, gelbliche Farbe *), einen
bitter-salzigen Geschmack und einen dem Seewasser ähnlichen
Geruch. Sein specifisches Gewicht steigt mitunter auf 1,1540,
ist aber manchen Veränderungen unterworfen, die von der
gröfseren oder geringeren Quantität frischen Wassers herrühren, die dem Liman durch das Thauen des Schnee's oder durch
Regen zugeführt wird. Auf probehaltiges Lackmuspapier bringt
das Limanwasser nicht die mindeste Einwirkung hervor und
setzt in einer dicht zugestöpselten Glasflasche keinen bemerk-
baren Bodensatz oder Crystallisationen ab; doch hat man bemerkt, dafs eine Quantität Wasser im Gewicht von einem
Pfund oder mehr nach zehntägiger Verdunstung eine kubisch-
prismatische Crystallisation zurückläfst. Die Dichtigkeit des
Wassers im Chadjibei ist ebenfalls nicht immer gleich; sie
vermehrt oder vermindert sich nach Mafsgabe der Jahreszeiten und je nachdem der Sommer heifs oder regnicht ist. —
Bei starker Hitze und Dürre fällt das Limanwasser und ver-
dichtet sich in so hohem Grade, dafs sich ein Salz-Nieder-
schlag in demselben bildet, mitunter in solcher Masse, dafs
das Salz bei tausenden von Puden an den Ufern des Liman
gesammelt wird; im Jahr 1848 versorgten sich in dieser Weise
eine Menge armer Leute von den benachbarten Chutoren mit
Kochsalz. Uebrigens findet die Salz-Krystallisation im gröfseren Mafsstabe seltener im Liman Chadjibei statt, als in dem

---

*) So heifst es buchstäblich im Original, obwohl wir nicht recht einse-
hen, wie ein mit zahllosen Insecten angefülltes Wasser von trüber
gelblicher Farbe zugleich ziemlich rein und durchsichtig genannt
werden kann.   D. Uebers.

Kujalnik, indem ersterer ein weit tieferes Bette hat, woher der Wellenschlag, selbst bei dem schwächsten Winde so stark ist, dafs der Crystallisationsprozefs unterbrochen wird.

Die Limanen sind noch aufserdem durch eine jener Naturerscheinungen merkwürdig, die sich dem Beobachter nicht häufig darbieten: es ist dies ein blitzähnliches Leuchten, welches die Oberfläche des Liman Nachts an einzelnen Stellen mit einem funkelnden Glanz bedeckt. Durch die Bewegungen der Wellen verstärkt sich dieser phosphorische Glanz gleich der Flamme von Weinspiritus und der in den Wellen gebildete Schaum giebt helle Funken von sich. Selbst in Gefäfsen und in geringen Quantitäten leuchtet mitunter das Limanwasser, sobald es in Bewegung gesetzt wird, bei nächtlicher Dunkelheit in Funken, die augenblicklich wieder erlöschen. Die Phosphorescenz des Wassers im Chadjibei war in den Nächten des 19., 21. und 22. August 1851 so stark, dafs die ganze Oberfläche des Liman von hellem Licht umflossen schien.

In den Limanen und auf ihrer Oberfläche bemerkt man, namentlich an den Ufern über einen ziemlich grofsen Raum verbreitet, ein von vielen kleinen muschelartigen Thieren besäetes Meergras (Ulva lactuca), welches das Ansehen einer zarten, durchsichtigen, aus mehreren Schichten bestehenden, spreuähnlichen Substanz von grüner Farbe und mit feinen Fasern und Aederchen durchflochten darbietet. Von den Wellen auf die sandigen Ufer des Liman ausgeworfen, verwandelt es sich ausgetrocknet in eine blätterige Masse von graulicher Farbe; indem es sich aber in den Gruben und Einsenkungen des Liman festsetzt, trägt es durch seine Verbindung mit den am Grunde befindlichen Erdtheilen in Folge der durch die Wirkung der Sonnenstrahlen hervorgebrachten Verdunstung des Wassers zur Vermehrung des Limanschlammes bei. Die in dem Chadjibei angestellten Beobachtungen haben den Beweis geliefert, dafs der Schlamm meistens nur an solchen Stellen gefunden wird, wo das Meergras sich in bedeutenden Massen sammelt. Dafs es zur Bildung des Schlammes nicht wenig mitwirkt, geht aus folgendem Experiment hervor: wenn man feuchtes Meergras in einen dicht verschlossenen hölzernen Kasten legt und es nach Verlauf einiger Wochen' in Fäulnifs übergeht, so verwandelt es sich in eine kothige Substanz, die mit dem Limanschlamm grofse Aehnlichkeit besitzt. — Uebrigens ist auch das Meergras an sich durch die heilsame Wirkung bemerkenswerth, die es beim Einreiben auf krankhafte Stellen des menschlichen Körpers ausübt.

Der Limanschlamm ist äufserst weich und, dem Gefühl nach, fettig; er hat eine schwarze, rufsige Farbe, einen salzigen, bitteren und beifsenden Geschmack, einen unangenehmen, an Schwefelwasserstoffgas erinnernden Geruch, bleibt leicht an dem Körper kleben und läfst sich nur schwer abwaschen. Wenn man ihn mit Regenwasser vermischt, so amalgamirt er sich nicht mit demselben, sondern sinkt wegen seines Gewichts zu Boden; an der Luft getrocknet aber, verliert er etwa die Hälfte seines Gewichts an Wasser und gestaltet sich zu einer aschfarbenen Masse mit glänzenden kleinen Crystallen. Durch künstliche Erwärmung in Verbindung mit Limanwasser geht der Schlamm seiner Kraft nicht verlustig; auch der Transport nach entfernten Localitäten beraubt ihn nicht seiner heilsamen Eigenschaften, wenn er nur in luftdichten thönernen oder gläsernen Gefäfsen verwahrt wird. — Zu den characteristischen Eigenschaften des Limanschlammes mufs auch seine vorzügliche Fähigkeit, die Wärme leicht aufzunehmen und sie schlecht fortzuleiten, gerechnet werden. — Gewöhnlich erreicht der Schlamm am Ufer des Liman, bei einer Lufttemperatur von 30° R. und darüber und bei stillem Winde, den Wärmepunkt von 25° bis 27°. Da aber diese Temperatur für Schlammbäder nicht hinreicht, so gebraucht man zur Erhöhung derselben eine Art besonders dazu eingerichteter Glasschilder, welche durch die Brechung der Sonnenstrahlen den Schlamm bis auf 30° R. und mehr erhöhen. Die schwarze Farbe des Limanschlamms rührt, wie es scheint, von einer kleinen Quantität Schwefeleisen her, die durch die Einwiikung organischer Substanzen auf die schwefelsauren Salze im Wasser, so wie auf den Sand und den Lehm gebildet wird. Der unangenehme

Geruch, der sich mitunter in den Umgegenden des Liman verbreitet, entsteht aus der wechselseitigen Einwirkung des Chlor, des Schwefelwasserstoffgasses und der Zersetzungsprodukte der organischen Substanzen, die ununterbrochen vom Wasser befeuchtet werden und wieder austrocknen.

Das Wasser der Limanen, wie das der Salzseen überhaupt, ist zum Aufenthalt des Fischgeschlechts nicht geeignet. Seine einzigen Bewohner sind kleine Insecten, die, besonders nach einem Sturme, sich in zahlloser Menge an den Ufern des Liman zeigen. Von Crustaceen findet man darin einige neue Gattungen, die von Nordmann und Milne Edwards beschrieben worden, als: Artemia, Bronchypus, Cyclops, Cytheraea und Daphnia. Von Anneliden giebt es nur Lycoris pulsatoria und Lycoris Dumerilii.

In Hinsicht der Vegetation ist zu bemerken, dafs am Rande des Chadjibei grofse Strecken mit mehreren Arten von Salicornia und Salsola bewachsen sind, deren rothe Stengel sich wie ein blutiger Strich über den salzigen Boden ziehen. Die Umgebungen des Liman bieten eine ganz reiche Vegetation dar, indem man gegen 190 Pflanzenarten nach dem Linnéschen System aufgezählt hat.

Mit der chemischen Zerlegung der Bestandtheile des Wassers und des Schlammes der Odessaer Limanen haben sich bisher nur der Professor Hafshagen und der Apotheker Schwedow beschäftigt. Die Resultate ihrer Untersuchungen bestehen in Folgendem:

1. Nach der Analyse des Herrn Hafshagen enthält das Wasser des Liman Kujalnik auf 100 Theile an festen Salzen:

Chlor-Natrium . . .	1,803
Chlor-Calcium . . .	0,101
Chlor-Magnesium . .	7,395
Jod-Natrium	0,059
Brom-Magnesium . .	0,098
Schwefelsauren Kalk .	0,031
Schwefelsaure Magnesia	1,001
	10,488

Aufserdem fanden sich in diesem Wasser nach der Analyse des Herrn Hafshagen Spuren von phosphorsaurer Magnesia und eine ziemlich bedeutende Menge organischer Substanzen.

Was den eigentlichen Schlamm betrifft, so ergab es sich aus den von Herrn Hafshagen vorgenommenen Untersuchungen, dafs 100 im natürlichen Zustande aus dem erwähnten Liman Kujalnik genommene Theile desselben ausgelaugt und getrocknet 39,310 im Wasser auflösbare Theile verlieren, als da sind:

Chlor-Natrium 1,650
Chlor-Kalium 0,096
Chlor-Magnesium . . . 6,859
Jod-Natrium 0,051
Brom-Magnesium . . . 0,090
Doppelt-Kohlensaurer Kalk 1,060
Schwefelsaure Magnesia . 0,931
Wasser 28,573
39,310.

Der hierauf zurückbleibende, im Wasser unauflösbare Rest des Schlammes hat folgenden Gehalt:

Kohlensauren Kalk . . . 36,250
Schwefelsauren Kalk . . 33,210
Kohlensaure Magnesia . . 11,680
Thonerde 12,130
Kieselsäure 3,050
Schwefeleisen 1,520
Eisenoxyd 0,540
Organische Substanzen . 1,610
100,000.

2. Nach der Analyse des Herrn Schwedow zeigte sich im Wasser beider Odessaer Limanen, des Kujalnik und des Chadjibei auf 1000 Theile nach dem neuen französischen Decimalgewicht:

Chlor-Natrium	Na Cl	25,63
Chlor-Calcium	Ca Cl	4,72
Chlor-Aluminium . . .	Al Cl	1,14
Schwefelsaure Magnesia	Ṁg S̈	4,14
Schwefelsaure Soda . .	Ṅa S̈	2,06
Jod-Natrium	Na J	0,06
Brom-Magnesium . . .	Mg Br	0,07
Organische Substanzen		0,02

Aus dem Schlamme des Chadjibei wurde nach den Experimenten des Herrn Schwedow:

a) durch Wasser extrahirt:

Chlor-Natrium	Na Cl	0,41
Chlor-Calcium	Ca Cl	0,07
Chlor-Aluminium . . .	Al Cl	0,01
Schwefelsaure Magnesia	Ṁg S̈	0,09
Schwefelsaure Soda . .	Ṅa S̈	0,04
Jod-Natrium	Na J	Sp. d. Vorhanden-
Brom-Magnesium . . .	Mg Br	seins bemerkbar
		⎯⎯⎯⎯
		0,62

b) durch Säure extrahirt:

Phosphorsaurer Kalk . .	Ċa P̈	7,18
Kohlensaurer Kalk . .	Ċa C̈	17,03
Kohlensaure Thonerde .	Äl C̈	30,13
Eisenoxyd	F̈e	8,15
Schwefel	S	0,20
		⎯⎯⎯⎯
		62,69

c) ausgelaugt:

Kieselsäure . . . . . $\overline{Se}$ 16,10
Thierische und vegetabilische Substanzen 2,07
_____
18,47

d) unauflösbares Residuum:

Schwefelsaurer Kalk . . $\dot{Ca}\overline{S}$ 18,50

e) es ging verloren: 0,02
_____
100,00.

Verbesserungen zu Bd. XIII.

In dem Aufsatz „Geognostische Beschreibung der Gegend zwischen den Flüssen Alasan und Jura" in diesem Bande S. 472 — 475 ist an verschiedenen Stellen J u r a anstatt Jora zu lesen

Seite 473 Zeile 10 v. o. anstatt: S a k a t a l lies: S a k a t a l y
  — 473 - 17 - - — S a r t a s c h a s lies: S a r t a t s c h a l y
  — 473 - 20 - - — G a m b u r lies: G a m b o r y
  — 473 - 22 - . - — C h a s c h n a lies: C h a s c h m a
  — 474 - 11 - - — G r j u s n a j a lies: G r j a s n a j a
  — 474 - 27 - - — G o r i a lies: G o r i
  — 474 - 29 - - — K u r a lies: K u r

Lightning Source UK Ltd.
Milton Keynes UK
UKHW021434160119
335572UK00009B/492/P

9 780332 718330